지와 사랑

지와 사랑

헤르만 헤세 ㅣ 김지영 옮김

브라운힐
BrownHill

헤세의 그림

차   례

/

　마리아브론 수도원 입구에 들어서면 두 개의 둥근 기둥이 떠받치는 아치형 정문이 보이고, 그 앞의 길가에는 밤나무가 한 그루 서 있다. 외톨이처럼 서 있는 이 나무는 예전에 로마를 다녀온 한 순례자가 가져다 심은 것으로 줄기가 무척 튼실했다. 둥그러니 우거진 나뭇가지는 길 위로 부드럽게 늘어져서 바람이 불 때마다 가슴을 펴고 숨을 들이마시고 있다. 주위의 모든 나무들이 초록빛을 띠고 수도원의 호두나무들에서조차 불그스레한 어린잎을 뿜낼 때도 한동안 잎을 내지 않고 있다가, 밤이 가장 짧은 여름이 되면 무성한 잎새 사이로 은은한 연두색으로 환하게 피어나면서 마치 뭔가를 경고하는 듯한 아릿한 향기로 가슴을 답답하게 조이곤 했다. 그리고 과일과 포도의 수확이 끝나는 10월이 되면 가을바람에 노랗게 물든 잎줄기에서 가시 달린 밤송이가 떨어졌다. 그러나 해마다 제대로 익은 밤을 따본 적은 거의 없었다. 채 익기도 전에 수도원의 학생들이 다투어서 따거나 프랑스 말을 쓰는 스위스 출신의 그레고르 수석 사제가 자기 방의 난롯불에서 밤을 구워먹는 탓도 있었다. 이 아름다운 나무의 무성한 잎새가 수도원 정문 위쪽에서 가지를 하늘거리면 왠지 낯설면서도 정겨운 느낌이 들었다.
　가볍게 추위를 타는 이국에서 온 손님이었지만, 정문 양쪽에 서 있는 사암(砂巖)의 기둥이나 창문 위쪽의 아치형 돌 장식, 처마 장식, 기둥들의 석조 장식과 은근히 조화를 이루고 있어서 프랑스나 이탈리아에서 온 사람들에게는 사랑을 받았지만 막상 이 고장 사람들에겐 이방인처럼 뜨악한 느낌을 주었다.

이 외래종 밤나무 밑을, 이미 몇 세대의 수도원 학생들이 스쳐갔다. 석판을 옆에 끼고 재잘거리며 웃거나 장난을 치면서 다투기도 하면서 그 아래를 지나갔다. 계절에 따라 어떤 때는 맨발로 어떤 때는 신발을 신고서, 혹은 꽃을 따서 입에 물고 있거나 호두를 까먹으면서, 아니면 눈을 공처럼 뭉쳐서 가지고 놀기도 하였다. 이렇듯 새로운 학생들이 끊임없이 오가고 이삼 년마다 얼굴이 바뀌었지만, 금발이냐 곱슬머리냐 하는 차이만 있을 뿐 대개는 엇비슷한 모습이었다. 그들 가운데 일부는 이곳에 남아서 수도 자가 되거나 아니면 예비 신부가 되어 머리를 깎고서 수도복을 입고 허리띠 를 맸다. 그들은 끊임없이 책을 읽고 학생들을 가르치다가 나이가 들면 이곳에서 마침내 삶을 마감한다. 다른 학생들은 학창시절이 지나면 부모님 의 손에 이끌려 기사의 성(城)에 봉직하거나 상업이나 수공업에 종사하면 서 나름대로의 생활을 영위한다. 그렇게 그들은 세상에 나가 즐거움을 맛보고 일에 몰두하다가 어쩌다 한 번쯤은 다시 수도원을 찾기도 한다. 또 어떤 이는 어른이 되어, 어린 아들을 학생으로 데리고 와서 신부에게 맡기고는 미소를 지으며 잠시 생각에 잠긴 채 밤나무를 올려다보고는 이내 사라진다.

수도원의 육중하고 둥근 아치형 창문들과 붉은 돌로 견고하게 세워진 양쪽 기둥 사이에는 기도실과 여러 교실들이 들어서 있다. 이곳에서 수업 이나 연구, 관리와 통제의 생활이 이뤄진다. 학생들은 다양한 예술과 학문 에 정진했다. 종교적인 것, 세속적인 것, 밝은 것, 어두운 것을 아우르는 예술과 학문은 한 세대에서 다음 세대로 계속 이어져 갔다. 여러 종류의 책들이 집필되고 주석들이 가해졌으며 체계가 세워지고 옛사람들의 문헌 들이 수집되었다. 그림책 원판에 색을 입히는 작업도 이루어졌고, 민족의 신앙이 보호되는가 하면 냉소를 받기도 했다. 학문적 탐구와 경건한 신앙, 단순함과 심원함, 성경의 지혜와 고대 그리스 인들의 지혜, 공식적인 마술 과 음성적인 마술, 이 모든 것들이 여기서는 용인되었고 번창해 갔다. 이러 한 것들을 받아들이면서 고독한 칩거와 참회의 고행을 수행할 수도 있었

8

고, 서로 어울려서 즐기거나 안락한 생활도 허용되었다. 단지 어떤 것을 우위에 두느냐 하는 것은 그때그때 수도원장을 맡은 이의 됨됨이나 당시의 시대적 흐름에 따라 좌우되었다. 그리하여 어떤 때에는 이 수도원이 마귀를 쫓아내고 악령을 다스리는 것으로 유명해져서 방문객이 줄을 잇기도 했다. 때로는 뛰어난 음악가 때문에, 때로는 치료와 이적을 행하는 수도자 때문에, 때로는 잉어 수프나 사슴의 간을 다져 넣은 만두 때문에 이름이 나기도 했는데, 그중 어느 것이 유명한가는 시기마다 달랐다. 경건하고 온유한 성품의 수도자와 학생들 가운데는 금식기도를 하는 축도 있고 살이 피둥피둥 찐 사람도 있기 마련이지만, 이 수도원에 들어와서 살다가 생을 마치는 사람들 가운데는 언제나 특이한 부류들이 존재했다. 그중 많은 사람들에게 사랑받은 사람이 있는가 하면, 많은 사람들이 두려워하면서 경원시한 사람도 있었다. 또 선택된 것처럼 보이는 사람이 있는가 하면, 다른 동료들이 잊혀진 뒤에도 오래도록 사람들의 입에 오르내리는 사람도 있었다.

마리아브론 수도원에는 이번에도 예외 없이 특별한 유형의 사람 둘이 있었다. 한 사람은 나이가 들었고, 한 사람은 아직 젊었다. 두 사람은 수도원의 기숙사와 성당과 교실에서 북적대는 수많은 학생들 사이에 잘 알려져 있었고 모두의 주목을 받았다. 나이 든 수도원장 다니엘과 그의 젊은 제자 나르치스였다. 나르치스는 수도원에 들어온 지 얼마 되지 않았지만 그의 특출한 재능 때문에 이 수도원의 모든 관례를 깨고 벌써 교사의 직무를 맡고 있었으며, 특히 희랍어가 뛰어났다. 이 두 사람은 한 사람은 원장으로, 한 사람은 수련 중에 있는 교사로서 신망이 무척 두터웠다. 이들은 수도원 안에서 사람들의 이목과 호기심을 끌었으며, 존경과 흠모의 대상이 되었다. 그렇지만 한편으론 은근한 비방과 시기의 대상이 되기도 하였다.

원장은 대부분의 사람에게 사랑을 받았으며 그에게는 적이 없었다. 원장은 선의에 넘치고 소박함과 겸손함이 몸에 밴 사람이었다. 다만 수도원의 학자들만은 그를 사랑하면서도 왠지 얕잡아 보는 태도를 보이기도 했다. 다니엘 원장은 성인이었는지는 모르지만 학자는 아니었기 때문이다.

지혜라고 해도 좋을 법한 소박함을 천성으로 지니고 있었지만, 라틴어는 그렇게 능하다고 할 수 없었고 희랍어는 아예 몰랐다.

원장의 소박함에 간혹 비웃음마저 보내고 있는 몇몇 사람은 상대적으로 나르치스에게 매료되었다. 나르치스는 기품 있는 희랍어를 구사했으며 의젓한 행동거지는 어디 하나 나무랄 데가 없었다. 생각이 깊은 사람처럼 보이는 눈매는 조용하면서도 사물을 날카롭게 뚫어보는 듯했고, 윤곽이 뚜렷하면서 가느스름한 입술은 단아하면서도 엄한 인상을 주었다. 특히 희랍어를 놀랍도록 잘 구사하기 때문에 학자들은 이 아름답고 젊은 신동을 사랑했다. 또한 고결하고 섬세한 성품으로 그는 거의 모든 사람의 사랑을 받았으며, 상당수의 사람들은 이 젊은이에게 푹 빠져 있었다. 반면 지나치게 자제심이 강한 데다 행동 하나하나가 부담스러울 만큼 정중하여 그를 꺼려하면서 불편하게 여기는 사람들도 없지 않았다.

이 둘 모두 제각기 자기 나름대로 선택된 자의 운명을 짊어진 채 자기 자신을 다스리거나 괴로움을 견뎌냈다. 이 둘은 수도원의 다른 어떤 사람보다도 서로에게 더 친밀감을 느꼈으며 또한 서로에게 애착을 느꼈다. 그런데도 두 사람은 서로 쉽게 어울리지 못했고 상대방에게 다정함을 표하지도 못했다. 수도원장은 더할 수 없는 심려와 관심을 갖고 이 젊은이를 대했다. 원장의 그 배려 속에는 왠지 너무 조숙한 나머지 위태로워 보이는, 고귀하지만 부서지기 쉬운 형제를 대하는 듯한 조심스러움이 배어 있었다. 그리고 젊은이는 원장의 어떠한 명령이나 충고, 칭찬 등을 겸손한 태도로 받아들였을 뿐만 아니라 결코 거역하지도 않았고 불쾌하게 생각한 적도 없었다. 만약 그 젊은이에게 내린 원장의 판단이 올바르다면 그의 유일한 결점은 오만이라고 할 수 있는데, 나르치스는 자신의 그러한 결점을 훌륭히 감출 줄도 알았다. 그는 지적할 것이 전혀 없을 정도로 모든 점에서 완벽했고, 누구보다도 뛰어났다. 그러나 학자들을 제외하고는 그의 진실한 친구가 되는 사람은 드물었고, 그의 고귀한 품성을 둘러싸고 있는 분위기에는 다가가는 것을 주춤하게 만드는 냉기가 감돌았다.

"나르치스."

언젠가 고해성사가 끝난 뒤에 수도원장이 그에게 입을 열었다.

"나는 자네한테 내 식으로 판단한 죄를 고백하겠네. 가끔 나는 자네가 오만하다고 여겼다네. 그래서 자네한테 잘못한 게 있을지도 몰라. 자네는 무척 고립되어 있고 외로운 존재야. 흠모하는 사람은 많지만 친구는 없는 것 같아. 나는 자네에게 간혹 주의를 주려고 기회를 찾아보았지만 그런 계기가 없더라네. 자네 나이 또래의 젊은 친구들이 곧잘 그렇듯이, 간혹 자네도 좀 철없이 굴어주었으면 하고 바랐으나 자네는 그런 적이 한 번도 없더군. 그래서 가끔 자네가 조금 걱정스럽기도 하다네, 나르치스."

젊은이는 까만 눈망울로 원장을 바라보았다.

"원장님, 심려를 끼쳐 드려 죄송합니다. 원장님, 제가 오만한 것인지도 모릅니다. 그렇다면 제발 저에게 벌을 내려주십시오. 그러지 않아도 저 자신에게 벌을 내리고 싶을 때가 있습니다. 원장님, 저를 독거 방으로 보내 주십시오. 그러지 않으면 저에게 궂은일을 하게 해주십시오."

"어느 것이든 그런 일을 하기에는 아직 어려. 거기다 또 자네는 탁월한 언어 능력과 사고력에 남다른 재능을 갖고 있잖나. 그런 자네에게 궂은일을 하게 한다면, 하느님께서 주신 재능을 함부로 허비하는 꼴이 될 걸세. 십중팔구 자네는 교사나 학자가 될 텐데, 자네는 그걸 원하지 않는가?"

"원장님, 죄송한 말씀이오나 저는 제가 무엇을 원하고 있는지 아직 잘 모르겠습니다. 저는 언제나 학문을 기쁜 마음으로 대하고 있지만, 그렇다고 해서 학문이 반드시 제가 택하지 않으면 안 될 유일한 영역이라고는 생각지 않습니다. 한 인간의 운명이나 사명은 본인의 바람에 의해 결정된다기보다는 미리부터 정해진 어떤 숙명일 수도 있으니까요."

수도원장은 심각한 표정으로 귀를 기울였다. 그러나 주름진 얼굴에 미소를 띠며 이렇게 말했다.

"내가 사람들을 겪으면서 알게 된 바로는, 우리네 인간은 특히 젊은 시절에는 모두 약간씩 하느님의 뜻과 자신의 소망을 혼동하는 경향이 있네. 그러나 자네는 자신이 무엇을 해야 하는지 알고 있는 것 같으니, 그 점에 대해 한마디 해줄 수 있겠나? 도대체 자네는 자신에게 어떤 천직이 맡겨졌다고 생각하나?"

나르치스가 두 눈을 지그시 감아버렸기 때문에 까만 두 눈이 기다란 속눈썹 밑으로 가려지고 말았다. 나르치스는 아무 말이 없었다.

"나르치스, 어서 말해 보게."

한참을 기다린 뒤에 수도원장이 입을 열었다. 그러자 나르치스는 눈을 아래로 내리깐 채 나지막한 목소리로 말하기 시작했다.

"원장님, 저는 일생 동안 수도원 생활을 하도록 정해져 있는 것 같습니다. 수사나 신부, 어쩌면 수석 사제나 원장이 될지도 모르지요. 하지만 제가 그것을 원하기 때문에 그렇게 생각하는 것은 아닙니다. 직책을 맡는 것을 저는 원하지 않지만, 왠지 그런 일이 저에게 맡겨지리라는 생각이 듭니다."

두 사람은 오래도록 말이 없었다. 잠시 후 원장이 머뭇거리며 물었다.

"무슨 이유로 자네는 그렇게 생각하나? 자네가 그런 생각을 말할 수 있는 것도 자네의 학문적 자질 덕분 아닌가? 그런 자질 말고 어떤 특성이 자네가 그러한 생각을 하도록 만든다는 말인가?"

나르치스는 더듬거리며 말했다.

"저에게는 사람들의 성격과 운명을 감지할 수 있는 특별한 감각이 있습니다. 그래서인지 제 자신뿐만 아니라 다른 사람들의 성격과 운명까지도 감지됩니다. 이런 특성 때문에 저는 다른 사람을 다스림으로써 그들에게 봉사하는 길을 택하지 않을 수 없습니다. 만일 수도원 생활이 저의 운명이 아니라면 저는 법관이나 정치가가 되지 않으면 안 되었을 겁니다."

수도원장이 고개를 끄덕였다.

"그럴지도 모르지. 그렇다면 사람들을 꿰뚫어보고 운명을 통찰한다는 자네의 능력을 확인해 본 적이 있나?"

"네, 그렇습니다."

"한 가지 사례를 나에게 말해 줄 수가 있나?"

"물론입니다."

"알겠네. 그렇다면 형제들이 없는 곳에서 그들의 비밀을 발설하는 것은 바람직하지 않으니, 나에 대해서 생각하는 것들을 말해 줄 수 있겠나? 그러니까 자네가 모시는 수도원장 다니엘이 어떤 사람인지 말해 보게나."

나르치스는 눈을 크게 뜨고 수도원장을 마주 보았다.

"원장님, 그 말씀은 명령이십니까?"

"그렇다네. 명령일세."

"원장님, 말씀드리는 것이 너무 힘듭니다."

"자네의 입을 강제로 열게 한다는 것도 나로서는 쉬운 일이 아닐세. 하지만 나도 지금 힘든 일을 하고 있지 않은가. 어서 말을 해보게!"

나르치스는 머리를 숙인 채 속삭이듯 나지막하게 말했다.

"제가 원장님에 대해 알고 있는 것은 그다지 많지 않습니다. 단지 알고 있는 거라곤 원장님께서는 커다란 수도원을 다스리는 일보다 하느님의 종으로서 양들을 지키거나 은둔자의 암자에서 종을 치거나 사람들의 고해성사 들으시는 것을 더 좋아하신다는 겁니다. 원장님께서는 특히 성모 마리아를 사랑하시고 그분께 가장 정성 들여 기도드리십니다. 원장님께서는 때때로 이 수도원에서 장려되고 있는 희랍어나 그 밖의 다른 학문이 당신을 의지하는 자들의 영혼에 혼란이나 위험을 가지고 오지 않기를 기도하십니다. 그런가 하면 그레고르 수석 사제에 대해서도 관용을 잃지 않게 해달라고 기도드립니다. 또 가끔은 평온하게 죽음을 맞을 수 있게 해달라는 기도도 하십니다. 하느님께서는 원장님의 기도를 들어주시어 평화로운 죽음을 맞이하시리라 저는 확신합니다."

원장의 접견실에는 정적이 감돌았다. 이윽고 원장이 입을 열었다.

"자네는 환영(幻影)을 보는 몽상가일세. 경건하고 악의가 없는 환영도 사람을 미혹에 빠뜨릴 수 있는 법이지. 내가 그런 것을 믿지 않는 것처럼 자네도 그걸 믿지는 말게. 여보게, 몽상가 친구. 내가 방금 이 문제에 대해 마음속으로 어떤 생각을 했는지 알아맞힐 수 있겠는가?"

"원장님께서 이 문제에 관해 매우 호의적으로 생각하고 계신다는 걸 알 수 있습니다. '이 젊은이는 다소 위험에 처해 있다. 이 친구는 헛것을 보고 있어. 아마 지나치게 몽상에 빠져 있는 탓일 거야. 이 친구에게 참회의 과제를 주어도 괜찮으리라. 그것이 이 친구에게 해가 되지는 않을 테니까. 하지만 이 친구에게 부과하는 참회를 나 자신부터 행동으로 옮기자.' 원장님께서는 지금 이런 생각을 맘속으로 하고 계실 겁니다."

수도원장은 몸을 일으켰다. 그는 만면에 미소를 띠며 수습 수사에게 물러가라는 눈짓을 하며 말했다.

"좋아. 그러나 자네의 환영을 지나칠 정도로 심각하게 생각하지 말게나. 젊은 형제여, 하느님은 환영을 갖는 것 이외에도 또 다른 많은 것들을 우리들에게 요구하고 계신다네. 자네가 어떤 노인에게 편안한 죽음을 약속함으로써 노인의 기분을 좋게 해주었다고 가정해 보세. 그리고 노인은 그 약속을 기쁜 마음으로 들었다고 가정하세. 그것으로 충분하네. 자네는 내일 아침 미사를 드린 후 묵주기도를 바치게나. 형식적이 아니라 경건하게 몸을 맡기고 묵상해야 하네. 나도 하겠네. 자, 돌아가 보게나. 나르치스, 이야기는 이것으로 충분하네."

또 언젠가 다니엘 원장은, 교사 가운데서 가장 젊은 로렌츠 신부와 나르치스 사이에 어떤 교안에 대한 의견 충돌이 일어나 이를 중재하지 않으면 안 되었다. 나르치스는 열의를 가지고 교과 내용에 일종의 변화를 시도할 것을 주장했다. 그는 새로 도입하려는 내용이 옳다는 것을 설득력 있는 근거를 대며 제시했다. 그러나 로렌츠 신부는 일종의 질투심 때문에 나르치스의 주장을 받아들이려 하지 않았다. 때문에 새로운 의론이 대두될 때마다 기분이 상해서 서로 말도 않고 며칠씩 부어 있곤 했다. 그러던 참에 나르치스가 시비를 가려야겠다는 생각에서 또다시 그 문제를 끄집어낸 것이다. 마침내 로렌츠 신부는 기분이 상한 언짢은 얼굴로 말했다.

"이봐, 나르치스. 말다툼은 그만두세. 자네도 알다시피 결정권은 내게 있지 자네에게 있는 게 아니잖은가. 자네는 내 동료가 아니라 조수야. 그러니 나를 따라야 할 것 아닌가. 그러나 이 문제가 자네에게는 무척이나 중대한 듯하고 나 역시 직책은 자네보다 높지만 지식이나 재능이 자네를 따를 수 없으니, 이 문제를 독단적으로 결정하지는 않겠네. 이 문제를 원장님께 판단 내려달라고 말씀드려 보세."

두 사람은 그렇게 하기로 했다. 다니엘 원장은 문법 강의의 해석에 대한 두 학자의 언쟁을 호의를 갖고 참을성 있게 들어주었다. 이들 두 사람이 자신들의 의견을 상세하게 진술하고 그 근거를 제시하자, 노(老)원장은 두 사람을 쳐다보았다. 그리 언짢아 보이는 표정은 아니었다. 백발의 머리를 가볍게 흔들면서 원장이 말했다.

"형제들, 내가 이 건에 대해 자네들과 같은 이해를 갖고 있다고 믿지는 말게. 나르치스가 학교 일에 무척 진지한 관심을 가지고 있는 것은 물론이고, 교안을 고쳐보겠다는 노력은 칭찬받을 만한 일일세. 하지만 상급자가 다른 의견을 가지고 있다면 나르치스는 그것에 대해 말없이 복종해야 할 걸세. 만약 그로 인해 이 수도원의 질서와 순종의 미덕이 흐트러진다면 교육제도를 개선하려는 어떤 노력도 그것을 상쇄시키지는 못할 걸세. 양보를 할 줄 모른다는 것은 잘못일세. 그리고 자네들 젊은 두 학자에게 바라는 것이 있다면, 자네들보다 우둔한 상급자들이 앞으로 없어지지 않았으면 하는 것일세. 교만함을 치료하는 데 그 이상 더 좋은 약은 없을 테니까."

선의에서 우러나온 유쾌한 농담으로 원장은 두 사람을 내보냈다. 그러나 원장은 그 후로도 며칠 동안, 두 교사 사이에 의견의 일치가 이루어지는가를 계속 주시하는 일을 소홀히 하지 않았다.

그런데 수많은 얼굴들이 오가고 잊혀지는 수도원에 낯선 얼굴 하나가 나타났다. 그는 아무 주목도 받지 못하고 이내 잊혀지고 마는 그런 인물은 아니었다. 벌써 오래전에 그의 아버지가 입학 수속을 해놓은 그 소년은 수도원 부속학교에서 학업을 시작하기 위해 어느 봄날에 나타난 것이었다. 그의 아버지와 젊은이는 각자 타고 온 말을 수도원 입구의 그 밤나무에 매어 놓았고, 정문에서 문지기가 그들을 맞이했다.

소년은 겨울철의 헐벗은 모습으로 치솟아 올라 있는 나무를 올려다보며 말했다.

"이런 나무는 처음 보는걸. 정말 아름답고 진기한 나무로군! 무슨 나무인지 이름을 알았으면 좋겠어요."

고생도 좀 한 얼굴에 나이가 좀 들어 뵈는 아버지는 아들의 말에 별 관심도 갖지 않고 표정을 찌푸렸으나 문지기는 첫눈에 소년에게 호감이 생겨 나무의 이름을 가르쳐 주었다. 소년은 상냥하게 감사의 인사를 하며 문지기에게 악수를 청했다.

　　"저는 골드문트라고 합니다. 이 학교에 다니게 되었습니다."

　　문지기도 정답게 미소를 지으며 방문객보다 먼저 앞장서서 정문을 지나 폭이 넓은 돌계단을 따라 위로 올라갔다. 골드문트는 아무 거리낌 없이 수도원에 발을 들여놓았다. 이곳에서 벌써 친구가 될 만한 두 존재를 만난 느낌이 들었는데, 그들은 바로 밤나무와 문지기였다.

　　두 사람은 우선 교장을 맡고 있는 신부의 영접을 받았으며, 저녁때는 수도원장이 친히 두 사람을 접견했다. 그 두 곳에서 황제의 직속 관리로 봉직하고 있는 젊은이의 아버지는 아들 골드문트를 소개했다. 아버지는 수도원의 손님으로서 얼마간 묵고 가도록 정중히 초대받았다. 그러나 아버지는 하룻밤만 묵고 다음 날 아침에는 꼭 떠나야 한다고 사정을 이야기했다. 아버지가 두 마리 말 중에서 한 마리를 수도원에 선물로 드리고 싶다는 제의를 하자, 그 제의는 받아들여졌다. 성직자들과의 대화는 내내 정중했지만 다소 냉랭한 기운이 느껴졌다. 그러나 수도원장과 교장 신부는 존경 어린 태도로 말없이 앉아 있는 골드문트를 흐뭇하게 바라보았다. 귀엽고 붙임성 있는 이 소년은 이내 두 사람의 마음에 들었던 것이다. 그들은 이튿날 아무 걱정도 없이 소년의 아버지를 배웅하고 그 아들을 기꺼이 맡았다. 골드문트는 선생들에게 소개되었고 학생들이 쓰는 넓은 침실에 침대 하나를 배정 받았다. 말을 타고 떠나는 아버지와 작별을 하는 골드문트의 모습은 정중하긴 했으나 얼굴에는 서운함이 역력히 드러났다. 그냥 제자리에 멍하게 서서 아버지가 수도원 바깥마당의 좁다란 아치 정문을 돌아 곡물 창고와 물방앗간 사이로 사라질 때까지 계속 지켜보고 있었다. 그가 몸을 돌렸을 때는 기다란 그의 금빛 속눈썹 끝에 눈물이 그렁그렁했다. 그때 문지기가 그의 어깨를 다정하게 툭툭 치며 그를 위로해 주었다.

　　"여보게 학생 친구, 그런 슬픈 표정을 짓는 게 아니야. 처음에는 부모님

16

이나 형제들을 그리워하지. 그러나 여기도 있을 만하고 그다지 나쁘지는
않다는 걸 곧 알게 될 거야."

"고마워요, 아저씨. 하지만 저는 형제도 어머니도 안 계셔요. 아버지뿐
인걸요."

소년이 대답했다.

"그 대신 여기에는 친구들이 있단다. 그리고 학문과 음악, 그 밖에 학
생이 아직 모르는 새로운 놀이도 있는걸. 곧 이것저것 다 배우게 돼. 만
약 속 시원하게 이야기를 털어놓고 싶은 사람이 필요하면 나에게 오면
된단다."

골드문트는 웃으면서 대답했다.

"정말 고맙습니다, 아저씨. 만약 절 기쁘게 해주고 싶으시다면 아버지가
두고 가신 말이 어디 있는지 가르쳐 주세요. 말한테 인사도 하고, 그 녀석도
잘 있는지 보고 싶으니까요."

문지기는 그를 데리고 곡물 창고 옆의 마구간으로 갔다. 희끄무레한
어둠 속에서 말과 말똥과 보리 냄새가 코를 찔렀다. 골드문트는 쭉 이어
있는 칸막이 한 곳에서 갈색 말을 발견했다. 그는 어느새 주인을 알아보
고 머리를 쭉 내밀고 있는 말의 목을 두 손으로 부둥켜안고 흰색 반점이
있는 넓적한 이마빼기에다가 뺨을 비벼댔다. 그리고는 말의 귀에 대고
속삭였다.

"안녕, 블레스. 나의 귀여운 블레스. 어때? 넌 아직도 날 좋아하지? 먹을
건 있니? 아직도 집 생각이 나니? 블레스, 요 녀석! 네가 여기에 남아서
난 얼마나 기쁜지 몰라. 종종 널 보러 올게."

골드문트는 아침 식사 후 남겨둔 빵 한 조각을 소맷부리 속에서 끄집어
내서는 그것을 잘게 떼어 말에게 먹였다. 그러고 나서 문지기를 따라 안마
당을 지나갔다. 안마당은 큰 도시의 장터처럼 넓고 한구석에 보리수가
심어져 있었다. 수도원 본관 현관에 이르러 문지기에게 고맙다는 인사를
한 다음 손을 내밀며 작별인사를 청했다. 그때 골드문트는 어제 알아두었
는데도 벌써 교실로 가는 길을 잃어버렸다는 사실을 깨닫고 얼굴이 빨개져

서 쑥스러운 듯한 미소를 지었다. 그는 문지기에게 안내를 부탁했고, 문지기는 기꺼이 들어주었다. 그리하여 소년은 교실에 발을 들여놓게 되었는데, 거기에는 열 명 남짓한 소년 학생들이 긴 의자 위에 앉아 있었다. 수습수사인 나르치스가 골드문트 쪽으로 얼굴을 돌렸다.

"신입생인 골드문트입니다."

나르치스는 웃음기 없는 얼굴로 인사를 받고는 고개를 갸우뚱하며 뒤에 있는 긴 의자에 자리를 지정해 주었고, 수업은 곧바로 계속되었다.

골드문트는 자리를 잡고 앉았다. 그는 자기보다 두세 살 나이가 많을까 말까한 무척 젊은 선생을 보고 깜짝 놀랐다. 이 젊은 선생은 아름답고 고상하고 진실해 보일 뿐 아니라 사람의 마음을 끌어당기기까지 했다. 그러한 사실이 너무나 놀라우면서도 마음속에서 알 수 없는 기쁨이 솟아올랐다.

문지기는 그에게 상냥했으며 수도원장은 매우 친절했다. 그리고 저쪽 마구간에는 블레스가 있어서 왠지 고향에 온 듯한 기분이 들었다. 게다가 지금 여기에는 학자처럼 진지하고 왕자처럼 기품 있는, 몹시도 젊은 선생이 있는 것이다. 냉정하고 자제력이 있는, 감탄하지 않을 수는 없는 저 목소리! 무슨 말을 하고 있는지 쉽게 이해할 수는 없지만, 감사한 마음으로 그는 경청했다. 마음이 편안해졌다. 친절하고 선량한 사람들이 있는 곳에 온 것이다. 이 사람들을 사랑하고 친구로 사귈 마음의 준비가 되어 있었다. 아침에 침대에서 눈을 떴을 때만 해도 마음이 답답했었다. 우선 기나긴 여행에 피로가 풀리지 않는데다, 아버지와 작별하면서 얼마간 눈물을 흘리지 않을 수 없었다. 그러나 지금은 기분이 좋아졌고 몹시 만족스러웠다. 한참 동안 젊은 선생의 얼굴만 쳐다보았다. 날씬한 자태, 서늘하게 반짝이는 눈, 또렷하고 분명하게 모음을 발음하는 그의 야무진 입술 등을 바라보며, 하늘로 날아갈 듯 지칠 줄 모르는 그의 목소리를 듣자 그는 기분이 몹시 좋아졌다.

수업 시간이 끝나고 학생들이 떠들썩하게 자리에서 일어날 때 골드문트는 깜짝 놀라며 주변을 돌아보았다. 골드문트는 자기가 내내 졸고 있었다는 것을 깨닫고는 약간 부끄러운 생각이 들었다. 옆자리에 앉았던 학생들도 골드문트가 졸고 있는 걸 알아채고는 수군거리면서 친구들에게 알렸었다. 젊은 선생이 교실에서 나가기가 무섭게 학생들이 몰려와 골드문트의 옷소매를 잡아당기거나 쿡쿡 찔러댔다.

"다 갔나?"

한 녀석이 이렇게 물어보더니 이빨을 드러내 보이며 연방 킬킬거렸다.

"그 자식 보통 아닌데!"

한 녀석이 놀려대기 시작했다.

"이 자식은 분명 훌륭한 선구자가 될 거야. 첫 시간부터 코를 골지 않나……."

"이 어린애를 어서 침대에 데려다 눕혀라!"

한 녀석이 입을 열기가 무섭게 모두들 그의 팔과 다리를 하나씩 붙들고서 호들갑을 떨며 그를 떠메려고 했다.

골드문트는 무척 놀람과 동시에 화가 났다. 그는 닥치는 대로 마구 후려치며 빠져나오려고 했으나 몇 대 얻어맞고서는 결국 바닥에 동댕이쳐지고 말았다. 한 녀석이 아직도 그의 발목을 꽉 쥐고 있었다. 그는 그것을 호되게 걷어차고는 바로 앞에 있는 녀석에게 덤벼들었다. 대뜸 그 녀석과 심한 격투가 벌어졌다. 그와 상대한 학생은 제법 힘이 센 녀석이었다. 모두가 이 두 녀석의 싸움을 재미있다는 듯 구경하고 있었다. 골드문트가 지지 않고 주먹을 몇 대 먹이자 학생들의 이름을 미처 알기도 전에 어느새 그를 따르는 친구가 생겼다. 그런데 별안간 학생들 모두가 쏜살같이 달아나버렸고, 이내 학교장인 마르틴 신부가 들어왔다. 마르틴 신부는 혼자 남아 있는 소년 앞에 와서 마주 섰다. 그는 망연자실한 표정으로 소년을 쳐다보았다. 두들겨 맞아서 얼굴이 벌겋게 부어오른 데다 약간 찢어진 소년의 푸른 눈에는 당황한 기색이 역력했다.

"도대체 어떻게 된 일이지? 넌 골드문트가 아니냐? 녀석들이 네게 무슨 짓을 한 모양이로구나?"

마르틴 신부가 물었다.

"아니에요, 아니에요. 제가 그 녀석을 때렸습니다."

소년은 고개를 가로저으며 대답했다.

"대관절 누굴 때렸다는 거지?"

"모르겠습니다. 저는 아직 아무도 모릅니다. 어떤 아이가 저와 맞붙었습니다."

"그래? 그 녀석이 먼저 싸움을 걸었니?"

"모르겠습니다. 아닙니다. 제가 먼저 시작한 것도 같습니다. 저를 보고 모두들 놀려댔기 때문에 저는 몹시 화가 났습니다."

"그래, 그런 것은 상관없다. 하지만 한 번만 더 이 교실에서 주먹다툼이 벌어지면 그때는 벌을 받아야 한다. 자, 이제 식사를 해야지. 자, 어서 가!"

골드문트가 부끄러운 듯 헝클어진 황금빛 머리카락을 손으로 부지런히 쓸어 올리며 나가는 것을 바라보면서 교장은 미소를 지었다.

골드문트 자신도 수도원 생활의 첫 행동이 정말 꼴사납고 또한 어리석은 짓이었다고 생각했다. 속으로 후회를 하면서 친구들을 찾아 헤매다가 점심을 먹고 있는 그들을 발견했다. 다행히 그들은 골드문트를 따뜻하게 맞아주었다. 싸운 상대방과는 신사답게 화해를 했으며, 이제 그는 이 분위기 속에 자신이 쾌히 받아들여졌다고 느꼈다.

2

그동안 그는 여러 아이들과 친해졌지만 진정한 친구는 금방 찾아낼 수가 없었다. 동급생들 가운데서는 특별히 친근하게 느껴지거나 혹은 마음이 끌리는 친구가 없었던 것이다. 그러나 학생들은 배짱 좋게 주먹을 휘두르던 골드문트를 믿지 않은 싸움패라 생각했었는데 그가 오히려 모범 학생의 명성을 얻으려는 듯이 평화를 존중한다는 사실을 알고 어리둥절해 했다.

수도원 안에는 골드문트의 마음을 끄는 사람이 둘 있었다. 그들은 골드문트의 마음을 자극했고, 경탄과 사랑, 존경심을 갖게 해주었다. 다니엘 수도원장과 수습 수사 나르치스가 바로 그들이었다. 골드문트는 가끔씩 원장을 성인(聖人)이라고 생각했다. 그의 소박함과 순수함, 맑고 자애가 넘치는 눈빛, 명령하고 다스리는 일을 겸허하게 받들어 수행하는 태도, 침착하고 선의에 넘치는 행동 등, 이 모든 것들이 단번에 골드문트의 마음을 사로잡았다. 그럴 수만 있다면 이 경건한 분의 유일한 종이 되고 싶었다. 언제나 그분 곁에 머물러서 순종하며 받들고 싶었다. 기꺼이 자기를 바치고 내던지고 싶은 모든 열망을 끊임없이 보여드리면서 맑고 고귀하며 또한 성스러운 생활을 배우고 싶었다. 골드문트는 수도원의 학교를 졸업한 후에도 가능하다면 완전히, 그리고 언제까지나 수도원에 남아서 그의 일생을 하느님께 바칠 결심을 하고 있었기 때문이었다. 그것은 그의 바람이기도 하거니와 아버지의 소망이며 명령이기도 했다. 또한 그것은 하느님으로부터 받은 소명과도 같은 것이었다. 이 아름답고 빛나는 소년이 그런 각오를 하고 있으리라고는 아무도 짐작하지 못했지만, 태어날 때부터 그런 운명의 짐이 그를 짓누르고 있었다. 속죄와 희생의 길을 가야만 하는 것이 그의 숙명이었다. 골드문트의 아버지가 원장에게 어느 정도의 암시를 통해 아들을 언제까지나 이곳 수도원에 남게 하고 싶다는 의사를 넌지시 밝혔는데도 원장은 그것을 알아차리지 못했다. 골드문트의 출생에는 알 수 없는 오명이 씌워져 있는 듯했고, 그것이 속죄를 필요로 하는 것처럼 보였다. 그러나 그의 아버지는 수도원장에게 호감을 주지 못했다. 원장은 그의 아버지 말투와 어찌 보면 잘난 체하는 듯한 태도에 정중하긴 하지만 냉정하게 대했을 뿐 그의 암시에는 별다른 의미를 부여하지 않았다.

골드문트의 사랑을 눈뜨게 해준 또 한 사람은 원장보다 훨씬 날카로운 관찰력을 가지고 있어서 더 많은 것을 예감하긴 했으나 그것을 밖으로 드러내지 않았다. 나르치스는 마치 황금의 새처럼 너무나 멋진 소년이 자기한테 날아왔다는 것을 잘 알고 있었다. 그 자신의 고귀한 성품 때문에 고립되어 있었던 나르치스는 골드문트가 모든 점에 있어서 자신과 상반된 것처럼 보임에도 불구하고 자기와 매우 비슷하다는 것을 이내 깨닫게 되었다. 나르치스는 어두운 성격에 야윈 반면, 골드문트는 꽃처럼 화사했다. 나르치스가 사색가요 분석가라고 한다면, 골드문트는 몽상가이며 어린아이처럼 맑은 영혼의 소유자였다. 그러나 그 상반되는 사람들 사이를 이어주는 공통점이 있었으니 그것은 두 사람 모두 고귀한 성품을 지녔다는 것, 특별한 재능과 특성에 의해 다른 어떤 사람들보다 뛰어나 보인다는 점이었다.

나르치스는 곧 그 젊은 영혼의 성질과 운명을 꿰뚫어보고 열렬한 관심을 보냈으며, 골드문트는 누구보다도 뛰어나고 아름다운 자신의 선생을 존경의 눈으로 바라보았다. 하지만 내성적인 골드문트는 조심성 있고 교양 있는 동급생들이 하는 것처럼 열심히 공부하는 방법 말고는 나르치스의 사랑을 얻는 방법을 알지 못했다. 그러나 그를 주저하게 한 것은 이런 소심함 때문만은 아니었다. 나르치스의 존재가 자기에게 위험할 수도 있다는 느낌이 그를 주저하게 만든 것이다. 골드문트는 겸손하고 선의로 가득 찬 원장과 지나치게 명석하고 학식이 많으며 날카로운 지성의 소유자인 나르치스를 동시에 이상과 모범으로 삼을 수는 없었다. 그럼에도 불구하고 골드문트는 자신의 젊은 영혼을 송두리째 바쳐 결합하기 힘든 두 개의 이상을 따르고자 노력했다. 이것이 종종 그를 괴롭혔다. 수도원에 들어온 처음 몇 달 동안 골드문트는 가끔씩 머릿속이 마구 혼란스러워져서 거기서 도망치든가 아니면 친구들과 어울려서 괴로움과 마음속의 분노를 발산시키고 싶은 강한 유혹에 빠져들었다. 선량한 골드문트는 하찮은 놀림을 당하거나 학생들 사이에 흔히 있을 수 있는 심한 말을 듣기만 해도 화가 머리끝까지 치밀어 올랐다. 그래서 그것을 애써 자제하느라고 눈을 감고, 창백해진 얼굴로 아무 말 없이 시선을 돌리곤 했다. 그러다가는 마구간으로 블레스를 찾아가서 목에다 입을 맞추며 눈물을 흘리곤 했다. 그의 괴로움은 점점 깊어져서 급기야는 사람들 눈에 띌 정도까지 되었다. 그의 뺨은 수척해졌으며 눈은 생기를 잃고 움푹 들어갔다. 모든 사람들에게서 사랑을 받던 그 빛나는 웃음조차 보기 힘들었다.

골드문트 자신은 지금 자신의 상태가 어떤지를 알지 못했다. 그는 착실한 학생이 되고, 이어 수련생으로 받아들여져서 장차 사제들의 신실하고 조용한 형제가 되고 싶다는 소망과 의지를 가지고 있었다. 그는 자신의 모든 능력과 재능이 신성하고도 평화로운 목표를 향해 정진하고 있다고 믿었을 뿐, 그 밖의 다른 일에는 관심이 없었다. 때문에 그렇게 단순하면서도 멋진 그 목표에 도달하는 것이 얼마나 어려운 일인가를 깨달았을 때는 기분이 이상해지고 서글픈 심정이 되었다. 그는 이따금 책망 받아야 마땅할 자신의 성향이나 심경을 느끼게 되면 낙담에 빠지기도 했고, 스스로가 낯설어지는 것이었다. 이를테면 나태한 상태와 학업에 대한 혐오감, 수업 중에 공상에 빠진다거나 졸고 있는 것, 라틴어 선생에 대한 저항감과 반감, 동급생들에 대한 신경과민이라든가 화를 잘 내는 성질 등. 무엇보다도 그의 마음을 방황하게 한 것은 나르치스에 대한 사랑과 다니엘 원장에 대한 사랑이 서로 합치될 수 없다는 것이었다. 그러면서도 나르치스가 자기를 사랑하고 관심과 기대를 가지고 대한다는 사실에 확신을 가질 때가 많았다.

그러나 나르치스는 소년이 생각하고 있는 것보다도 훨씬 더 많은 관심을 소년에게 갖고 있었다. 나르치스는 이 밝고 사랑스러운 소년을 친구로 만들고 싶었다. 그리고 그는 이 소년이 자신과 극단적으로 상반된 성격이면서도 자신의 부족함을 보완해 줄 수 있다는 것을 어렴풋이 느끼고 있다. 나르치스는 이 소년을 이끌어 그를 발전시켜 꽃피게 해주고 싶었다. 그러나 이러한 자신의 감정을 애써 누르는 데는 이유가 있었다. 그를 주춤하게 한 가장 중요한 이유는 학생들이나 예비 사제들한테 빠져드는 교사나 수도자들에게서 느껴지는 혐오감 때문이었다. 그 자신도 나이 지긋한 선생들의 탐욕스런 눈길이 자신한테 쏟아지는 것을 역겹게 느껴온 터였고, 그에 대해 말없는 반항으로 응대할 때가 적지 않았다. 그런데 이제는 그 자신도 그것을 충분히 이해할 수 있게 되었다. 그 자신도 골드문트를 사랑하고 있었고, 귀여운 그의 웃음이 보고 싶었으며, 또 다정한 손길로 밝은 황금색 머리칼을 쓰다듬어주고 싶은 충동을 느꼈던 것이다. 하지만 그는 결코 그럴 수 없었다. 게다가 그는 교사의 직권이나 권위까지는 아직 가지고 있지 않지만 교사 계급에 속하는 수습 수사로서 특별한 주의와 경계심을 갖는 것이 몸에 배어 있었다. 그는 학생들보다 고작 두세 살 위인데도 마치 스무 살쯤은 더 나이 든 것처럼 처신하는 데 익숙해져 있었다. 그는 또 어느 한 학생만을 편애하는 행위를 절대 하지 않았으며, 밉살스럽고 보기 싫은 학생에게는 억지로라도 신경을 더 써주면서 공정하게 대하려고 늘 마음을 다졌다. 정신적인 것에 전념하는 것이 그의 소임이었기에, 그의 엄격한 생활은 정신적인 관심에만 바쳐졌다. 다만 잠깐 방심한 순간에만 남보다 뛰어난 지식과 지혜에 대한 우월감을 느끼며 남몰래 만족해할 뿐이었다. 골드문트와의 우정은 대단히 매력적이기는 했으나 많은 위험이 따르고 있었으므로 그것을 생활의 중심이 되게 용납할 수는 없었다. 그의 생활의 중심과 의미는 정신을 도야하고 언어를 탐구하는 일이었다. 또한 자신의 이익을 단념하고 학생 — 아니, 그에게 맡겨진 학생들뿐만 아니라 — 들을 보다 숭고한 정신적 목표를 향해 조용히 이끌어주는 것이었다.

골드문트가 마리아브론 수도원의 학생이 된 지도 벌써 일 년이 넘었다.

그는 수백 번이나 안마당의 보리수와 아름다운 밤나무 밑에서 친구들과 장난을 하고 놀았다. 달리기, 공차기, 술래잡기, 눈싸움 등. 지금 다시 봄이 되었지만 골드문트는 몹시 쇠약해져 있었다. 때때로 머리가 아팠고, 졸지 않고 수업에 집중하는 것이 힘들 정도였다.

그러던 어느 날, 아돌프가 그에게 말을 걸어왔다. 처음 학교에 왔을 때 대뜸 주먹다짐을 한 그 학생이었다. 그해 겨울 그 두 사람은 유클리드 기하학을 공부하기 시작했었다. 저녁 식사 후의 자유 시간이 되면 학생들은 공동 침실에서 놀거나 휴게실에서 잡담을 하거나 수도원 마당을 산보하는 것이 허락되었다.

아돌프가 골드문트를 끌고 계단을 내려가면서 말했다.

"재미있는 이야기를 해줄게. 하지만 넌 모범생이라는 것이 탈이야. 언젠가는 주교(主敎)가 되고 싶겠지. 아무튼 친구와의 의리를 지켜 선생님들한테 고자질하지 않겠다는 약속부터 해줘."

골드문트는 망설이지 않고 약속했다. 수도원 자체의 서약도 있지만 학생들끼리의 서약도 있었다. 가끔 그 양자 사이의 충돌이 일어날 때도 있었으며, 골드문트는 그 점을 익히 알고 있었다. 그러나 어디서든지 불문율은 성문율보다 우위에 있는 법이어서 일단 학생이 된 이상 학생들끼리 정한 규율과 서약을 결코 어기고 싶지 않았다.

아돌프는 조심스럽게 수도원 정문을 지나 골드문트를 나무 밑으로 데리고 가서 소곤소곤 이야기를 했다. 이 수도원에는 대담한 몇 명의 친구들이 있는데, 아돌프 자신도 그 일원이라고 했다. 몇 세대 전부터 대물림해 오고 있는 이 학교의 관행대로 이들은 아직 수도자가 아니라는 사실을 서로가 거듭 상기시켜 주면서 가끔 수도원을 빠져나가 마을로 간다는 이야기였다. 그것은 정상적인 남자라면 외면할 수 없는 즐거움이요 모험으로, 자기들은 밤중에 다시 수도원으로 돌아오기로 했다는 것이었다.

"그렇지만 돌아왔을 때는 벌써 수도원 문이 잠겨 있을 거 아냐." 하고 골드문트가 말했다.

"물론이지, 문은 분명히 잠겨 있어. 그렇기 때문에 더 재미나는 거야.

하지만 아무도 모르게 비밀 통로로 들어올 수 있거든. 뭐 별다르게 새삼스러운 일도 아니야."

그러고 보니 골드문트는 생각나는 것이 있었다. '마을에 간다.'는 소문은 이미 들은 적이 있었고, 그 말은 학생들이 온갖 은밀한 향락과 모험을 위해 밤나들이를 한다는 뜻임을 알 수 있었다. 그것은 수도원의 규약에 위배되는 일로, 엄한 벌로써 금하고 있었다. 골드문트는 깜짝 놀랐다. '마을에 간다.'는 것은 죄를 짓는 일이요 금지된 일이었다. 하지만 '정상적인 남자'들 사이에서는 위험한 일을 감행하는 것이야말로 학생의 서약으로 간주된다는 것, 그런 모험을 함께하자는 권유를 받는다는 것은 일종의 명예를 의미한다는 사실을 잘 알고 있었다.

그는 거절하고 돌아가 침대에 눕고 싶었다. 몹시 지치고 기분이 가라앉아 있는데다 오후 내내 머리가 아팠다. 그러면서도 그는 아돌프에게 좀 부끄럽다는 생각이 들었다. 밖에 나가 모험을 해보면 무언가 멋진 일이 있을지도 모르고, 두통과 우울증과 침울한 기분을 씻어버릴 수 있는 그 무엇이 있을지도 모르는 일이었다. 그것은 세상 속으로 나가는 소풍으로서, 무언가 비밀스럽고 금지된 것이며 어쩌면 떳떳하지 못한 일일 수도 있지만 어떤 의미에서는 자유를 맛볼 수 있는 체험이 될 것도 같았다. 아돌프가 설득하는 동안 골드문트는 망설이며 서 있다가 갑자기 활짝 웃으면서 자기도 동행하겠다고 승낙했다.

골드문트는 남의 눈에 띄지 않게 아돌프와 함께 이미 어둠이 드리워진 넓은 안마당의 보리수 아래로 몸을 숨겼다. 마당의 바깥쪽 문은 그 시간이면 벌써 닫혔을 것이 분명했다. 아돌프는 그를 수도원의 물방앗간으로 데리고 들어갔다. 거리는 어두컴컴했고, 물방아가 돌아가는 소음 때문에 몰래 빠져나가는 것이 아주 쉬웠다. 두 사람은 축축하고 미끌미끌한 두꺼운 널빤지더미 위로 뛰어내렸다. 그러고는 두꺼운 널빤지를 한 장 빼내어 개울을 건널 수 있게 걸쳐놓았다. 그리고 둘은 수도원 밖으로 빠져나왔다. 그런 다음 검은 숲속으로 이어지는 희미한 한길로 들어섰다. 모든 것이 가슴 두근거리면서도 신비스럽게 느껴져서 골드문트는 마음이 흡족해졌다.

근처 숲에는 이미 또 한 명의 친구인 콘라트가 와 있었다. 한참 기다리고 있으니까 또 한 명이 요란한 발소리를 내며 달려왔다. 키가 큰 에버하르트였다. 네 명의 소년들은 숲을 빠져나갔다. 머리 위에서 밤새들이 파드닥 소리를 내며 날아올랐고, 조용한 구름 사이로 습기를 머금은 듯한 별들이 모습을 드러내며 반짝거렸다. 콘라트는 호들갑을 떨며 익살을 부렸고 다른 친구들은 가끔씩 따라 웃었다. 불안과 설렘이 뒤섞인 밤기운이 그들을 감쌌다. 두근거리는 가슴의 고동 소리가 갈수록 커져갔다.

약 한 시간쯤 지나자 숲 저쪽에 있는 마을이 눈에 들어왔다. 마을 사람들은 이미 모두 잠들어 있는 것 같았고, 나지막한 추녀 끝들이 희미하게 드러났다. 건물 들보의 검은 골격들이 이리저리 얽혀 있었으며, 어디서도 불빛은 찾아볼 수 없었다. 아돌프가 앞장서 걸어갔다. 그들은 아무 말도 없이 살금살금 몇 집을 돈 다음 울타리를 넘어 정원으로 들어섰다. 화단의 부드러운 흙을 밟고 비틀거리며 층계를 올라가 어느 집의 벽 앞에서 걸음을 멈췄다. 아돌프가 창문을 두드렸다. 대답이 없자 한참을 기다리다가 다시 한 번 두드렸다. 그러자 안에서 무슨 소리가 들리더니 이내 불빛이 환히 비치며 창문이 열렸다. 열린 창문을 통해 소년들은 차례로 안으로 들어갔다. 그곳은 검은 굴뚝이 있고 흙바닥으로 되어 있는 부엌이었다. 부뚜막 위에 놓인 조그만 석유 등잔의 가냘픈 불이 바람에 흔들리며 타오르고 있었다. 거기에 한 소녀가 서 있었다. 빼빼 마른 그 처녀가 불청객들에게 인사로 손을 내밀었다. 그리고 어둠 속에서 또 한 명의 소녀가 얼굴을 내밀었다. 까맣고 긴 머리를 땋은 앳돼 보이는 소녀였다. 아돌프가 선물을 내밀었다. 수도원에서 가지고 온 치즈 바른 빵 반 덩어리와 무엇인가를 싼 종이 봉지였다. 골드문트가 짐작하기엔 그것이 몰래 가지고 온 향료거나 아니면 양초 혹은 그 비슷한 종류의 물건 같았다. 머리를 땋은 소녀는 등잔도 들지 않고 더듬어서 문을 빠져나가더니 한참 동안 돌아오지 않았다. 이윽고 푸른색 꽃무늬가 새겨진 항아리를 들고 와서 콘라트에게 내밀었다. 콘라트는 그것을 한 모금 마시고 나서 다음 사람에게로 넘겼다. 네 사람 모두 그것을 마셨다. 그것은 독한 사과주였다.

조그만 등잔불 밑에서 그들은 모두 자리를 잡았다. 두 명의 처녀는 딱딱하고 조그만 의자 위에 앉고, 학생들은 소녀들을 뼁 둘러싸고 바닥에 주저앉았다. 그들은 소곤소곤 이야기를 하면서 가끔씩 사과주를 마셨다. 아돌프와 콘라트가 이야기를 계속 이끌어 나갔다. 가끔 한 친구가 일어서서 말라깽이 소녀의 머리카락과 목덜미를 어루만지며 귀에다 대고 무슨 말인가를 속삭였다. 어린 소녀한테는 아무도 손을 대지 않았다. 아마 키가 큰 소녀는 이 집의 하녀이고, 예쁘장한 조그만 소녀는 이 집의 딸인 것 같았다. 그렇지만 그런 것은 아무래도 상관없었다. 그는 앞으로 두 번 다시 이런 곳엔 오지 않을 테니까. 한밤중에 몰래 빠져나와 숲속을 거닌다는 것은 멋있고 신기하고 자극적이어서 가슴이 두근거리기도 하고, 더구나 신비스럽기까지 했다. 그러면서도 위험하지는 않았다. 또한 그것은 비록 금지된 일이었지만 그다지 양심에 가책이 되지 않았다. 하지만 밤에 소녀들을 방문한다는 것은 단순히 규칙을 어기는 것을 넘어서 죄악이라고까지 느껴졌다. 물론 다른 친구들에게는 약간 샛길로 빠진 것에 불과할지 모르지만, 운명에 의해 금욕의 수도생활을 해야 한다고 믿고 있는 그로서는 장난삼아 소녀들과 즐기는 것도 결코 용납될 수 없는 일이었던 것이다. 그는 두 번 다시 동급생들과 동행하지 않으리라 다짐했다. 하지만 이 초라한 부엌에 달린 희미한 등불 밑의 어둠 속에서 불안에 싸인 그의 가슴은 몹시 두근거리고 있었다.

그의 친구들은 소녀들 앞에서 영웅이라도 된 듯이 늠름한 태도를 취했으며, 틈틈이 라틴어식의 어투를 섞어가며 잘난 체하면서 이야기하고 있었다. 그들 모두는 하녀인 소녀에게 환대를 받는 것 같았다. 가끔씩 하녀에게로 다가가 서투르고 짤막한 애무를 즐겼는데, 그중 가장 진한 것은 수줍은 입맞춤이었다. 그들은 어느 선까지의 행동이 허용되는지 잘 알고 있는 것 같았다. 모든 이야기를 속삭이듯이 나지막한 어조로 해야 했기 때문에 이 장면은 다소 우스꽝스러워 보였다. 하지만 골드문트는 그렇게 생각하지 않았다. 그는 가만히 바닥에 웅크리고 앉아 조그만 등잔의 불빛을 바라보며 한마디 말도 하지 않았다. 그저 가끔씩 다소 부러워하는 듯한 눈빛으로 다른 사람들이 주고받는 애정 표현들을 흘깃거렸다. 그는 뻣뻣한 표정으로 앞만 쳐다보았다. 긴장으로 온몸이 굳어졌다. 긴 머리카락을 드리운 앳된 소녀를 바라보고 싶어 못 견딜 지경이었으나 그래서는 안 된다고 자신에게 명령했다. 그러나 그의 의지가 일시에 풀어져 그의 눈초리가 그윽하고 매혹적인 소녀의 얼굴로 쏠려질 때마다 소녀의 까만 눈동자가 어김없이 그의 얼굴에 와서 달라붙어 있음을 알 수 있었다. 소녀는 마치 무엇에 홀린 듯이 그를 응시하고 있었던 것이다.

한 시간쯤 지났을까. 골드문트에게는 이 한 시간이 난생 처음 느껴보는 긴 시간이었다. 그들의 대화도, 애정 행위도 다 지쳐서 잠잠해졌다. 모두들 얼마 동안 어색하게 앉아 있었다. 에버하르트가 하품을 하기 시작하자 하녀가 그만 가보라고 재촉했다. 모두들 일어나서 하녀와 악수를 나누었다. 골드문트는 맨 마지막으로 악수를 했다. 그다음에는 앳된 소녀와 악수를 했는데 이번에도 골드문트는 맨 나중에 했다. 이어 콘라트가 제일 먼저 창에서 바깥으로 뛰어내렸고, 에버하르트와 아돌프가 뒤따랐다. 골드문트가 뛰어내리려 할 때 누군가가 그의 어깨를 붙잡는 것이 느껴졌다. 그러나 그는 멈출 수가 없었다. 바깥으로 뛰어내려서야 그는 비로소 주저하며 뒤를 돌아보았다. 창문에서 앳된 소녀가 상반신을 내밀고 쳐다보고 있었다.

"골드문트, 또 오실 거죠?"

소녀가 속삭이는 듯한 목소리로 말했다. 수줍은 그 목소리는 너무 작아 입김처럼 느껴졌다. 골드문트는 머리를 가로저었다. 소녀는 두 손을 뻗쳐 그의 머리를 잡았다. 관자놀이에 닿은 그녀의 조그만 두 손에서 따스함이 느껴졌다. 소녀는 까만 그 눈이 눈앞에 닿을 때까지 허리를 굽혔다.

"또 오세요!"

소녀가 속삭였다. 소녀의 입술이 그의 입술에 가볍게 닿았다. 그것은 순진무구한 입맞춤이었다.

그는 재빨리 다른 친구들의 뒤를 따라 조그만 정원을 지났다. 그러다가 화단의 돌부리에 걸려 넘어졌다. 축축한 흙냄새와 거름 냄새가 풍겨왔다.

장미꽃 덩굴에 찔려 손가락에 상처가 났으나 울타리를 넘어 다른 친구들과 함께 마을을 빠져나와 숲으로 향했다. '절대로 다시 오지 않으리라.' 그의 의지가 명령하듯 말했다. '내일 또 와요!' 하지만 그의 가슴은 흐느껴 울 듯 '내일 다시 올 거야.'라고 말하는 것이었다.

밤놀이꾼들은 아무한테도 들키지 않고 마리아브론 수도원으로 되돌아왔다. 개울을 건너고 물방앗간을 지나 보리수가 우거진 마당을 거친 다음 지붕을 넘어 조그만 기둥으로 이어져 있는 창문을 통해 침실로 들어갔다.

다음 날 아침, 키다리 에버하르트는 몇 대 얻어맞고서야 겨우 자리에서 일어났다. 그만큼 곤히 잠들었던 것이다. 아침 미사와 아침 식사, 수업에 그 누구도 늦은 사람은 없었다. 그런데 골드문트의 안색이 말이 아니었으므로 마르틴 신부는 어디 아프냐고 물었다. 아돌프가 경계하는 눈초리를 그에게 던지며 아픈 데는 없다고 대신 대답해 주었다. 그러나 희랍어 시간에 나르치스는 그에게서 잠시도 눈을 떼지 않았다. 나르치스는 골드문트가 병이 났을 거라고 짐작했으나 아무 말도 하지 않고 그를 주의 깊게 관찰하고 있었다. 수업이 끝나자 나르치스는 골드문트를 불렀다. 다른 학생들이 눈치채지 못하게 하기 위해 숙제를 주어 도서실로 보낸 다음 그도 그의 뒤따라갔다.

"골드문트, 뭐든 도와줄 게 없을까? 자네한테 무슨 곤란한 일이 생긴 것 같은데. 혹시 어디가 아픈 거 아닌가? 그렇다면 자리에 누워 있어도 좋아. 환자용 수프와 포도주 한 잔을 보내줄게. 오늘 희랍어 시간에는 아무 생각이 없더군."

그가 말했다.

나르치스는 한참 동안 그의 대답을 기다렸다. 창백해진 소년은 안절부절못하는 시선으로 고개를 떨구었다가는 다시 들고, 입술을 실룩거리며 무언가를 말하려 했다가는 그대로 다물어버렸다. 그러다가 갑자기 옆으로 쓰러지더니 책상에 머리를 처박았다. 그는 갑자기 참나무로 된 두 개의 조그만 천사의 머리 사이에 기대고서 울음을 터뜨렸다. 나르치스는 당황하여 잠시 눈길을 딴 곳으로 돌려버렸다. 그는 한참 후에야 흐느껴 울고 있는 소년을 안아 일으켰다.

"사랑하는 친구, 실컷 울렴. 울고 나면 이내 좋아질 거야. 자, 앉아. 아무 말도 하지 않아도 괜찮아. 자네는 오전 내내 아무도 눈치채지 못하도록 하느라 무진 애를 썼어. 그런 자네의 행동은 정말 용감했어. 자, 이제는 맘껏 울어. 자네가 지금 할 수 있는 최상의 방법은 우는 것뿐이야. 아니라고? 벌써 다 울었나? 벌써 다 나은 거야? 자, 그럼 양호실로 가자. 거기서 좀 누워 있어. 저녁이면 씻은 듯이 낫게 될 테니까. 자, 어서!"

지금껏 골드문트가 들어볼 수 없었던 다정스런 말로 나르치스가 말했다.

나르치스는 교실 쪽을 피해서 양호실로 그를 데리고 갔다. 비어 있는 두 개의 침대 중 한 곳에 그는 누웠다. 골드문트가 옷을 벗기 시작하는 것을 보고 그는 골드문트가 아프다는 걸 교장에게 알리기 위해 밖으로 나왔다. 또한 그는 약속대로 수프와 포도주 한 잔을 시켜놓았다. 수도원에서 오랫동안 애용되어 온 이 두 가지 구급품은 상태가 가벼운 환자들에게 좋은 반응을 받고 있었다.

골드문트는 환자용 침대에 드러누워 어지러워진 머리를 정리해 보려고 애를 썼다. 한 시간 전쯤만 하더라도 오늘 그를 그다지도 피곤하게 만든 원인이 무엇인지, 머리는 텅 비고 눈에 불이 난 것처럼 고통스러웠던 영혼의 아픔이 어디서 시작되었는지를 밝힐 수 있었을지 모른다. 어젯밤 일을 잊어버리기 위해 잠시도 쉬지 않고 안간힘을 썼지만 소용이 없었으며, 그것은 너무나 힘든 긴장의 연속이었다. 아니, 잊어버리려고 애를 쓴 것은 어젯밤의 일 그 자체가 아니었다. 외부와 차단된 수도원을 벗어나 어리석고도 즐거운 소풍을 했다는 사실을 잊으려 했던 것도 아니었다. 숲속을 걸었던 것도, 물방앗간 개울 위를 건너기 위해 미끌미끌한 널빤지 다리를 놓았던 일도, 울타리나 창문과 복도를 타넘으며 골목길 등을 오갔던 일을 잊으려 했던 것도 아니었다. 그것은 소녀의 숨결을 느끼며 듣던 말들, 그리고 소녀의 손을 잡고 입맞춤을 했던 기억일 뿐이었다.

그러나 골드문트의 삶에는 이제 뭔가 새로운 것이 보태어졌다. 그것은 새로운 충격, 새로운 체험이었다. 그것은 나르치스가 자기를 친구로 받아들인 것이다. 나르치스는 그를 좋아했으며, 그에게 가까이 다가오려고 노력했다. 그 명석하고 고귀한 품위를 지닌 나르치스가, 날씬한 체격에 가벼운 냉소를 띠고 있는 나르치스가! 그런데 그 나르치스 앞에서 한심한 꼴을 보이고 말았다. 그는 나르치스 앞에서 부끄러워하다가, 머뭇거리다가 결국에는 훌쩍거리기까지 하지 않았는가. 희랍어나 철학이나 정신적인 기개나 기품 있는 금욕 정신, 이 같은 고귀한 무기로써 그 훌륭한 인물의 마음을 사로잡기는커녕 나약하고 비참한 모습으로 그의 앞에서 쓰러지고 말았던 것이다! 골드문트는 자신의 그러한 과오를 결코 용서하지 않기로 마음먹었다. 그리고 나르치스의 눈을 들여다보는 것만으로도 틀림없이 수치심을 느껴야만 하리라.

울고 나니 잔뜩 짓누르고 있던 긴장이 풀어진 것 같았다. 양호실의 조용한 분위기와 편안한 잠자리의 효과 같았다. 이제 절망적인 심정이 반쯤 풀이 꺾인 듯했다. 한 시간쯤 지나자 수도사가 밀가루 수프와 조그마한 빵을 가지고 왔다. 거기다가 또 보통 때 같으면 축제일 이외에는 맛볼 수 없는 붉은 포도주까지 곁들였다. 골드문트는 먹고 마시고 나서 다시 생각에 잠겼다. 그러나 아무리 애를 써도 좀처럼 생각이 이어지지 않았다. 얼마 동안 시간이 흐른 뒤 문이 조용히 열리더니 나르치스가 들어왔다. 그때 골드문트는 잠이 들어 있었다. 뺨에는 홍조가 다시 돌아와 있었다. 나르치스는 한참 동안 사랑과 호기심과 얼마간은 부러워하는 듯한 시선으로 그를 내려다보았다. 그가 보기에 골드문트는 이제 환자가 아니었다. 내일은 그에게 포도주를 줄 필요가 없을 거라고 생각했다. 그리고 이제 두 사람 사이에 존재했던 마음의 장막이 사라져 그들은 친구가 되리라는 것을 확신했다. 오늘은 골드문트가 그를 필요로 하고 그의 도움을 받고 있지만, 그 자신이 나약해져서 골드문트의 사랑과 도움이 필요해질 때가 있을지도 모르는 일이다. 그런 일이 일어난다면, 자신도 이 소년에게서 그것을 받을 수 있으리라고 그는 생각했다.

3

나르치스와 골드문트 사이에서 싹튼 이 우정은 실로 기묘한 것이었다. 두 사람의 우정에 호감을 갖고 바라보는 사람은 거의 없었다. 때로는 두 사람 스스로도 그러한 우정을 달갑지 않게 여기는 것처럼 보일 정도였다.

이 일로 인해 누구보다도 힘들어한 사람은 사색가인 나르치스였다. 그에게 있어 모든 것은 — 사랑까지도 — 정신이었다. 때문에 정신적인 사고를 거치지 않은 채 어떤 매력에 빠져든다는 것을 그는 순하게 받아들이지 못했다. 둘 사이의 우정에 있어서 그는 지성의 역할을 맡았으며, 오래도록 그런 상태로 고립되어 있었다. 그는 이 우정이 장차 어떤 운명을 겪게 되고 어디까지 파급될 수 있으며 또 어떤 의미를 가질 것인가를 의식적으로 자각하고 있었다. 그는 사랑의 감정에 빠져 있는 동안에도 혼자였다. 그러면서도 골드문트를 인도하여 뭔가를 깨닫게 해주었을 때 비로소 참다운 자신의 친구가 될 수 있다고 믿었다. 반면 골드문트는 마음속에서 이글거리는 감정에 따라 마치 놀이에 빠져들듯이 자신 앞에 놓인 새로운 운명에 몸을 맡겼으며, 나르치스는 책임감 있게 이 숭고한 운명을 받아들였다.

골드문트에게 있어 나르치스라는 인물은 구원자요 병을 고쳐준 사람이었다. 예쁜 소녀의 눈길과 입맞춤에 의해 사랑에 대한 사춘기의 갈망은 걷잡을 수 없이 눈떴지만, 그와 동시에 아무런 희망도 없이 절망했던 것이다. 그가 여태까지 생각해 왔던 꿈과 자신이 믿고 있었던 모든 것, 자신의 운명이라 여기고 사명감으로 받아들였던 일체의 것들이 창가에서의 입맞춤과 그 까만 눈동자에 의해 밑뿌리서부터 위태로워졌다는 것을 마음속으로 느끼고 있었기 때문이다. 골드문트는 아버지의 뜻에 따라 수도자의 삶이 운명으로 정해지기도 했지만 스스로 그 결정을 기꺼이 받아들였다. 그런 그는 소년기의 불붙은 열정으로 경건하고 금욕적이며 영웅적인 이상을 추구해 왔다. 그런 중에 가볍게 스쳐간 첫 만남과 그의 감성에 처음으로 호소해 온 삶의 외침, 즉 여성이라는 존재와 첫 대면을 했다. 그는 이런 체험을 통해 여기에는 자신의 적과 악마가 도사리고 있으며, 여성은 자신에게 무척 위험한 존재라는 사실을 절실하게 깨달았다. 그런데 이제 운명이 그에게 구원의 손을 내밀었다. 궁지에 몰린 가장 절박한 순간에 이 우정이 그에게 다가와 그의 갈망이 피어날 수 있는 꽃밭을, 그의 신성한 경외심을 바칠 수 있는 새로운 제대(祭臺)를 마련해 준 것이었다. 이 우정의 관계에서는 사랑이 허용되었다. 자책감을 느끼지 않고서도 자신을 바칠 수 있었고, 자기보다 지혜롭고 흠모해 마지않는 연상의 친구에게 자신의 마음을 드러낼 수 있었다. 위험한 관능의 불꽃을 고결한 헌신의 불꽃으로 승화시킬 수 있었던 것이다.

그러나 이 우정이 채 피어나기도 전에 전혀 예상치 못했던 장애에 부딪치고 말았다. 골드문트는 이 친구를 자신과 대립되는 맞수라고는 생각하지 않았다. 그는 둘이 하나가 되기 위해서는 사랑과 성실한 헌신만 있으면 되리라고 생각했다. 그러면 서로간의 차이도 없앨 수 있고 대립도 넘어설 수 있을 것 같았다. 그런데 나르치스는 너무나 준엄하고 냉정했으며 또 얼마나 명백하고 단호한 사람이었던가! 그는 앞뒤 재지 않고 순정을 바친다든가, 서로에게 감사하는 마음으로 함께 우정의 땅을 거닌다는 것은 알지도 못하고 바라지도 않는 것 같았다. 목표가 없는 길을 간다거나 정처 없이 꿈을 꾸듯 방황하는 것을 그는 모르는 것 같았고, 또 참지도 못하는 것 같았다. 물론 그는 골드문트가 아픈 모습을 보였을 때는 걱정하며 보살펴주었고, 학교 문제나 학문에 관계되는 모든 일에서 충실하게 도와주고 충고도 해주었다. 책에 나오는 어려운 부분을 설명해 주고, 문법이나 논리학이나 신학의 세계에 눈을 뜨게도 해주었다. 하지만 그는 단 한 번도 친구에게 진심으로 만족한 태도를 보인 적이 없었고, 동의하는 것 같지도 않았다. 심지어는 친구를 예사롭게 비웃거나 대수롭지 않게 대할 때도 많았다. 이것은 단순히 교사로서의 근성이나 지혜로운 연장자로서의 태도가 아니라, 그 이면에 더욱 심오하고 중대한 그 무엇이 있는 것이라고 골드문트는 짐작했다. 그러나 보다 깊고 중대한 그것이 무엇인지 알지 못했기 때문에 그는 이 우정으로 인해 이따금 슬픔에 젖기도 하고 안절부절 못하기도 했다.

사실 나르치스는 그의 친구에게 무엇이 소중한지를 잘 알고 있었다. 이제 막 피어나는 친구의 꽃다운 아름다움에 대해서도, 자연스런 활기와 순진무구한 마음씨에 대해서도 전혀 모르지 않았다. 나르치스는 불타오르는 듯한 젊은 영혼에게 억지로 희랍어를 주입하거나 순진무구한 사랑의 감정에 논리학적인 답변만 하는 그런 선생은 절대 아니었다. 오히려 그는 그 금발의 소년을 지나칠 정도로 사랑했으며, 바로 그 점을 위태롭다고 여겼던 것이다. 왜냐하면 사랑한다는 것은 그에게 있어서 자연적인 감정 상태가 아니라 해서는 안 되는 일종의 기적과 같은 것이었기 때문이다. 그는 자기 자신에게 사랑의 감정을 용납하지 않았으며, 이 아름다운 눈을 흐뭇하게 바라본다거나 눈부신 금발에 가까이 가면 안 된다고 생각했다. 이 사랑 때문에 한순간이라도 관능에 자신의 감각이 머무는 것을 도저히 허용할 수 없었던 것이다. 골드문트가 금욕과 수도의 길을 스스로 택하여 평생 신성한 것을 추구해야 하는 운명을 타고났다고 느끼고 있었다면, 나르치스는 실제로 그렇게 살도록 정해진 몸이었다. 나르치스에게 사랑이란 단 하나의 지고한 형태로만 용인될 뿐이었다. 그러나 나르치스는 골드문트가 금욕의 길을 가야 할 운명이라고는 믿지 않았다. 나르치스는 누구보다도 사람의 마음을 확실하게 읽을 줄 알았다. 특히 그 자신이 친구인 골드문트를 사랑하고 있는 지금이야말로 훨씬 더 명확하게 그의 마음이 읽혀졌다. 그는 골드문트의 본성을 환히 꿰뚫고 있었기에, 서로 대립되는 기질에도 불구하고 그의 내면을 이해할 수 있었다. 그도 그럴 것이 골드문트의 본성은 나르치스 자신이 잃어버린 또 다른 반쪽이었기 때문이다. 나르치스는 골드문트의 본성이 온갖 공상이나 잘못된 교육 그리고 아버지의 훈계 등과 같이 딱딱한 껍질에 싸여 있다고 생각했고, 이미 오래전부터 이 젊은 영혼의 모든 비밀을 예감하고 있었다. 그 비밀은 복잡한 것이 아니었다. 나르치스 자신의 임무도 확실했다. 그것은 이 비밀을 그 당사자에게 알게 해주고, 그 껍질에서 빠져나오게 하여 본래의 성질을 다시 찾아주는 것이었다. 물론 그것은 어려울 것이다. 그리고 무엇보다도 견디기 힘든 것은 어쩌면 그 일로 인해 이 친구를 잃게 될지도 모른다는 불안이었다.

그는 아주 천천히 그 목표를 향해 다가갔다. 수개월이 지났지만 서로 진지하게 이야기를 나눌 기회가 없었다. 우정에 금이 가지는 않았지만, 두 사람 사이엔 너무나 먼 거리감이 존재했으며 둘을 이어주는 마음의 끈은 지나칠 정도로 팽팽하게 긴장해 있었다. 마치 눈뜬 사람과 눈먼 사람이 나란히 함께 걸어가듯 둘의 우정은 평행선을 유지하고 있었던 것이다. 눈먼 사람 스스로가 자기 자신이 앞을 못 본다는 사실을 전혀 눈치채지 못할수록 멀쩡한 쪽은 오히려 마음이 놓이는 식이었다.

해결책을 강구하려고 먼저 나선 것은 나르치스였다. 그것은 그 당시 마음이 흔들리어 허덕이던 소년의 마음이 자기한테 가까워지는 계기가 되었던 바로 그 체험을 연구해 볼 생각이었다. 그것은 생각만큼 어렵지 않았다. 골드문트는 이미 오래전부터 그날 밤의 체험을 고해해야 할 필요를 느끼고 있었던 것이다. 하지만 마음 놓고 신뢰할 수 있는 사람은 수도원장 이외에는 없었다. 하지만 원장은 그의 고해 신부가 아니었다. 그러던 차에 나르치스가 형편이 괜찮아 보이는 때를 잡아 골드문트에게 둘 사이의 결속이 처음 맺어졌던 계기를 상기시키면서 가볍게 그 비밀을 건드렸다. 그러자 골드문트는 둘러대지 않고 솔직히 말했다.

"당신이 아직 사제 서품을 받지 않아서 고해성사를 할 수 없는 것이 안타깝습니다. 저는 고해를 하고 나서 그날 밤의 기억에서 해방되고 싶었습니다. 그로 인해 벌을 받는 것도 사양하지 않았을 것입니다. 하지만 저의 고해 신부에게는 말할 수 없었습니다."

나르치스는 신중하고 빈틈없이 조금씩 파고들어가 문제의 실마리를 찾아냈다.

"자네가 병이 난 것 같아 보이던 그날 아침을 말하는 건가? 벌써 잊은 건 아니겠지? 그때 우리는 친구가 되었었지. 나는 가끔 그때 일을 생각하곤 하지. 자네는 눈치채지 못했을 테지만 나는 그때 정말 당황스러웠거든."

나르치스는 이렇게 떠보자, 믿을 수 없다는 듯이 골드문트가 큰 소리로 말했다.

"당황스러웠다구요? 정말 당황한 쪽은 오히려 제 쪽이었어요. 뻣뻣이 선 채 훌쩍거리며 아무 말도 못하다가 울음을 터뜨린 것은 바로 저였으니까요. 저는 아직도 그때 일을 떠올리는 것만으로도 부끄러워요. 당신 앞에서 불쌍하게 맥없이 쓰러졌던 걸 생각하면, 저는 두 번 다시 당신의 눈앞에 나타날 수 없을 것 같았어요."

나르치스는 문제의 실마리를 더듬으며 좀 더 앞으로 나아갔다.

"그 일로 자네 마음이 편치 않았다는 건 이해해. 자네처럼 야무지고 당당한 친구가 낯선 사람 앞에서, 더구나 선생 앞에서 울음을 터뜨렸다는 사실은 어울리지 않는 일이었지. 아니, 나는 그때 자네가 몸이 불편한 거라고 생각했어. 열이 심하면 아리스토텔레스 같은 성인이라도 이상한 행동을 했을 거야. 그러나 자네는 금방 괜찮아졌어. 그건 신열이 아니었거든. 자네가 부끄러워한 것도 그 때문일 거야. 신열 때문에 몸을 못 가눈다고 해서 부끄러워하는 사람은 없거든. 안 그래? 자네는 뭔가 다른 일에 굴복하고 압도당했기 때문에 부끄러워한 거야. 무슨 특별한 일이라도 있었나?"

골드문트는 약간 주저하는 듯하다가 천천히 입을 열었다.

"그렇습니다. 무슨 일이 있었습니다. 당신이 제 고해 신부라고 생각하게 해주십시오. 언젠가는 말해야만 되는 일이니까요."

고개를 숙인 채 골드문트는 나르치스에게 그날 밤의 일을 이야기했다.

이야기를 다 듣고 난 후에 나르치스는 미소를 지으며 말했다.

"사실 '마을에 간다.'는 것은 금지되어 있지. 하지만 사람은 금지된 일도 얼마든지 할 수가 있고, 또 그것을 웃어넘길 수도 있는 거야. 그렇지 않으면 참회라도 할 수 있는 거지. 그러면 그 문제는 해결되는 거야. 더 이상 마음

쓸 필요가 없어. 대개의 학생들이 그렇게 하는데, 어째서 자네는 그런 대수롭지 않은 장난을 쳐서는 안 된다고 생각하는 거지? 과연 그것이 그렇게 나쁜 일일까?"

골드문트는 자제력을 잃고 화난 목소리로 소리를 질렀다.

"당신은 정말 선생님처럼 말씀하시는군요. 당신은 무엇이 문제인지 잘 알면서 말이에요. 저도 수도원의 규칙을 어기고 학생들의 바보스런 장난에 가담했다고 해서 그것이 그다지 대단한 죄가 된다고는 생각하지 않습니다. 비록 그것이 수도원 생활의 예행연습으로 적절치는 않지만 말입니다."

"잠깐만! 가정 경건하다고 하는 신부들조차도 그런 예행연습이 필요했다는 걸 자네는 모른단 말인가! 성인(聖人)의 생활에 이르는 지름길 중 하나가 방탕한 생활일 수도 있다는 걸 정말 모르는 거야?"

나르치스가 날카로운 목소리로 골드문트의 말을 가로막으며 말했다.

"그런 뜻이 아닙니다. 저의 양심을 무겁게 짓누르는 것은 그런 미약한 정도의 규칙을 어겼다는 사실이 아니라는 걸 말씀드리려고 했던 겁니다. 문제는 바로 그 소녀입니다. 당신에게 뭐라고 설명할 수가 없군요. 이를테면 내가 만일 이 유혹에 넘어간다면, 소녀를 만져보려고 손이라도 뻗는다면 다시는 되돌아오지 못할 것 같은 심정이었습니다. 그것은 지옥이 저를 삼켜버려 끝끝내 놓아주지 않을 것 같은 느낌이었습니다. 그렇게 되면 모든 아름다운 꿈도, 모든 덕성도, 하느님과 선한 존재에 대한 사랑도 송두리째 사라져버릴 것 아닙니까."

골드문트가 대들듯이 말했다. 그러자 나르치스는 깊은 생각에 잠긴 듯한 표정으로 머리를 끄덕이며 천천히 말을 이어나갔다.

"하느님에 대한 사랑은……. 하느님에 대한 사랑이 선한 존재에 대한 사랑과 반드시 일치하지는 않아. 이 문제가 그 정도로 간단한 것이라면 얼마나 좋겠니. 어떤 것이 선한 것인지는 우리 모두 알고 있지. 그것은 계율에 쓰여 있거든. 그렇지만 하느님은 계율로만 존재하시지는 않아. 계율이란 건 하느님의 극히 일부분에 지나지 않으니까. 계율을 지키더라도 하느님한테서는 멀리 떨어져 있을 수도 있단 말이지."

38

"제 기분을 이해해 주실 수 없습니까?"

골드문트가 안타까워하는 듯한 어조로 말했다.

"무슨 말인지 확실히 이해해. 자네는 자신이 생각하는 '세속' 혹은 '죄악'에 대한 모든 것을 여성 혹은 이성에서 비롯된다고 느끼고 있어. 그러니까 자네는 그 외의 다른 죄는 범할 우려가 없거나 혹여 범했다 하더라도 참회를 통해 속죄할 수 있다고 생각하는 것 같아. 그러나 단 한 가지 죄악만은 그렇지 않다는 식이야."

"그렇습니다. 저는 확실히 그렇게 생각하고 있습니다."

"그것 봐. 나는 자네를 이해하고 있지 않은가. 자네의 생각이 온전히 틀린 것은 아니야. 이브와 뱀의 유혹에 관한 이야기는 부질없는 우화는 아니거든. 하지만 자네의 생각은 바람직하지 못해. 자네가 만일 다니엘 원장님의 위치에 있거나 혹은 주교님이나 사제라면, 또는 그저 평범한 수도자이기라도 하다면 자네의 생각이 옳을 수도 있지. 그러나 자네는 그런 존재가 아니거든. 자네는 이제 겨우 학생이란 말이야. 설사 자네가 평생 수도원에 있고 싶어 하고, 자네의 아버지가 그렇게 되기를 원한다 하더라도 자네는 아직 서원을 한 것도 아니고, 서품을 받은 것도 아니야. 그러니 자네가 오늘이나 내일 어떤 아름다운 처녀의 유혹에 넘어간다 할지라도 맹세를 어겼다거나 서약을 파기한 것은 아니란 말이지."

"물론 문자로 써둔 맹세는 없습니다. 문자로 씌어지지 않은 맹세, 제가 마음속에 품고 있는 가장 신성한 맹세에 상처를 준 것입니다. 다른 많은 사람들에게는 통용될지도 모르는 것이 저에게는 통용되지 않는다는 것을 모르십니까? 당신 자신도 아직은 사제 서품을 받지 않았고 수도자로서 서약도 하지 않았지만, 당신은 여자를 가까이하는 어리석은 짓은 결코 하지 않을 것 아닙니까? 제가 잘못 생각하고 있는 건가요? 당신은 제가 생각하고 있는 그런 사람이 아닙니까? 당신은 말로써 윗사람 앞에서 맹세한 것은 아니지만 마음속에서는 벌써 오래전에 그런 맹세를 하고, 그 맹세를 지켜야 할 의무감을 느끼고 있지 않습니까? 당신은 저와 같은 부류의 인간이 아닙니까?"

골드문트는 매우 흥분해서 소리를 질렀다.

"아니야. 골드문트, 나는 자네와 같은 부류가 아냐. 그리고 자네가 생각하는 그런 사람도 아니야. 물론 나는 어떤 무언의 맹세를 지키고 있어. 그 점에 있어서는 자네의 말이 옳을지도 모르지. 그러나 단연코 자네와 같은 부류는 아니야. 언젠가는 자네도 이 말이 생각날 거야. 우리의 우정은 자네가 얼마나 완벽하게 나와 다른 존재인가를 자기 스스로한테 보여주는 것 이외에는 특별한 목적도 의미도 가지지 않는다는 것을 말이야."

골드문트는 한 대 얻어맞기라도 한 것처럼 멍하게 서 있었다. 나르치스의 시선과 목소리에는 거역할 수 없는 그 무엇이 담겨져 있었다. 골드문트는 할 말이 없었다. 그런데 나르치스는 왜 그런 말을 했을까? 가슴에 묻어둔 나르치스의 무언의 맹세와 자신의 맹세가 무엇이 다르단 말인가? 나르치스는 그를 진심으로 대해 주는 건가, 아니면 어린아이로 취급하는 건가? 이 기묘한 우정에서 혼란과 슬픔이 다시금 시작되었다.

나르치스는 이제 더 이상 골드문트의 비밀이 어떠한 것인가에 대해 의구심을 갖지 않았다. 그 비밀은 태초의 여성인 이브의 신화로 간단히 풀릴 성질의 것이었다. 그러나 꽃처럼 아름답게 피어나는 건강한 소년이 어째서 이제 막 이성에 눈뜨기 시작한 감정을 그토록 야멸찬 적대감을 가지고 밀쳐내는 것일까? 보이지 않는 악령의 힘이 뻗치고 있음에 틀림없으리라. 그리고 보이지 않는 적이 이 훌륭한 친구를 내부에서 분열시켜 원초적 충동으로 분열시키고 있는 것이 틀림없었다. 그래, 그렇다면 그 악령을 찾아낼 수도 있을 것이다. 악령을 불러내어 그 모습을 드러내게 한다면 능히 기도의 힘으로 물리칠 수 있지 않겠는가.

그러는 동안 골드문트는 친구들이 자기를 피한다는 느낌을 받으면서 곤경에 빠지게 되었다. 그러나 오히려 친구들이 골드문트로 인해 곤경에 처했고 배반을 당했다고 느낀 것인지도 모른다. 그와 나르치스의 우정을 달갑게 생각하는 사람은 아무도 없었다. 남의 말 하는 것을 좋아하는 자들은 두 사람의 우정이 순리에 어긋나는 것이라고 추문을 퍼뜨렸는데 특히 두 사람에게 호감을 가졌던 친구들이 그러했다. 그리고 그 우정이 비난받을 만한 게 아니라는 것을 알고 있는 친구들조차도 고개를 갸우뚱거렸다. 누구 하나 이 두 사람의 사이가 좋아지도록 마음을 써주지 않았다. 다른 사람들이 보기에는 두 사람이 단합하여 마치 귀족이라도 되는 양, 둘의 성에 차지 않는 여타의 친구들을 따돌리는 것처럼 보였던 것이다. 그런 태도는 동료의 의리를 저버리는 것이요, 수도원의 관습에도 어긋나는 일일뿐더러 기독교 정신에도 위배되는 것이라 여겨졌다.

다니엘 원장의 귀에는 두 사람에 대한 온갖 소문과 비난과 중상이 끊임없이 들려왔다. 원장은 40여 년간 수도원 생활을 하면서 수없이 많은 젊은이들의 우정을 보아왔다. 그것은 수도원의 분위기를 상징하는 것으로 한 폭의 아름다운 그림이었으며, 수도원 생활에서 덤으로 누릴 수 있는 멋진 미담이었다. 그는 그런 우정의 이야기를 때로는 가벼운 농담으로 받아들였고, 때로는 심각한 위험으로 받아들이기도 했다. 원장은 한 발자국 뒤로 물러서서 주시하고 있었지만, 직접 나서서 간섭하지는 않았다. 하지만 그렇게 격렬하면서도 배타적인 우정은 드물었다. 위험하다는 생각도 해보았으나 그들의 순결함을 한순간도 의심해 보지 않았기 때문에 이 문제가 순리대로 풀려나가도록 내버려두었다. 나르치스가 학생들과 선생들 사이에서 예외적인 존재가 아니었다면 원장은 주저하지 않고 그 두 사람을 떼어놓기 위해 어떤 조치를 취했을 것이다. 골드문트가 동급생에게는 더이상 관심을 갖지 않으면서 유독 자기보다 연장자인 선생하고만 친근한 관계를 맺는다는 것은 스스로에게 좋지 않은 일이었다. 그렇지만 나르치스는 모든 선생들이 정신적인 동료로, 아니 더 우월한 존재로 여길 만큼 뛰어난 재능을 지닌 사람이다. 그런데 나르치스의 유망한 앞길을 막는다거나 가르치는 일을 그만두게 하는 것이 과연 온당한 일일까? 나르치스가 교사로서 열성을 보이지 않았다거나 우정에 현혹되어 태만하거나 편파적으로 행동했다면 당장에 교단에서 물러나게 했을 것이다. 그러나 나르치스에게는 흠잡을 일이 전혀 없었다. 다른 학생들의 질투심에 의한 오해와 소문 이외에는 아무 문제도 없었던 것이다. 거기다가 원장은 나르치스가 두드러질 정도로 예민하고 오만해 보일 수도 있을 만큼 사람을 꿰뚫어보는 특별한 재능을 타고났다는 것을 잘 알고 있었다. 물론 원장은 그런 천성을 과대평가하지는 않았다. 차라리 다른 재능이 돋보이기를 바랐다. 그렇긴 하지만 나르치스가 골드문트라는 학생에게서 뭔가 특별한 점을 발견했으며, 원장 자신이나 다른 어떤 선생보다 골드문트를 훨씬 더 잘 파악하고 있다는 것을 믿어 의심치 않았다. 원장 자신은 골드문트가 사람의 마음을 끄는 고귀한 성품을 지녔다는 것 외에는 그에 대해 달리 아는 바가 없었다. 다만 골드문트의 특이한 점은 다소 조급해 보이는 열성을 가지고 있으며, 학생으로서 손님의 처지에 지나지 않는데도 벌써부터 수도자의 일원인 것처럼 느끼고 있다는 사실이었다. 그런 그의 모습은 다소 감동적이었고, 나르치스가 혹여 미숙한 그의 열의를 두둔해서 더 한층 격려해 준다고 해도 크게 걱정할 일은 아니라고 생각했다. 골드문트를 위해 우려해야 할 것은 오히려 나르치스가 일종의 정신적인 자부와 학자적인 오만을 감염시키지나 않을까 하는 것이었다. 그러나 이 학생의 경우는 그런 위험성도 그다지 크지 않은 것 같아 그대로 내버려두어도 무방할 것 같았다. 윗사람의 입장에서는 훌륭하고 강한 성품의 인간을 다스리는 것보다 평범한 인간을 다스리는 것이 단순하고 수월한 일이라는 데가지 생각이 미치자, 원장은 탄식과 함께 미소를 짓지 않을 수 없었다. '그래, 나는 불신의 감정에 물들지 않으리라.' 그리하여 원장은 두 사람의 예외적인 존재가 자신에게 맡겨진 것에 감사하겠다고 다짐했다.

나르치스는 자신의 친구인 골드문트에 대해 여러 가지 생각을 해보았다. 인간의 성격과 운명을 인지하는 데 특별한 재능을 지닌 그로서는 이미 오래전부터 골드문트에 대한 해답을 알고 있었다. 그 젊은이가 갖고 있는 빛나는 생명력과 기운은 분명히 이렇게 말하고 있었다. 그는 풍부한 감성과 영혼을 타고난, 강한 인간에게서 볼 수 있는 온갖 특성을 지니고 있었다. 그것은 이를테면 예술가로서의 특성이라고도 할 수 있는데, 어쨌든 그런 위대한 사랑의 힘을 가진 존재였기에 쉽게 불타오르고 자신을 내줄 수 있는 것이야말로 그의 운명이자 행운이었다. 그는 사랑을 위해 태어난 존재인 것이다. 섬세하고 풍부한 감성을 타고난 그는 꽃의 향기나 떠오르는 태양, 말이나 새의 비상, 음악 같은 것을 너무나 깊이 느끼고 사랑할 줄 아는 사람이었다. 그런 존재인 골드문트는 대관절 무엇 때문에 정신적인 것에 그다지 열중하고 있으며 또 금욕의 길을 가야 하는 수도사가 되겠다는 집념에 사로잡혀 있는 것일까? 나르치스는 그 점에 대해 곰곰이 생각해 보았다. 골드문트가 그러한 마음을 갖게 된 데는 그의 아버지 영향이 컸다는 것을 알 수 있었다. 하지만 아버지가 어떻게 그것을 조장할 수 있었을까? 어떤 마법을 사용해서 아들을 홀렸기에 아들이 이런 운명과 사명을 믿도록 한 것일까? 그리고 아버지란 사람은 과연 어떤 인물일까? 나르치스는 틈만 나면 의도적으로 그의 아버지에게로 화제를 돌렸고, 골드문트 자신도 아버지의 이야기를 적지 않게 했는데도 불구하고 나르치스는 그의 아버지가 어떤 사람인지 떠올릴 수가 없었다. 그것은 기묘한 일이었다. 골드문트는 어릴 적에 송어를 잡던 이야기나 나비에 대한 이야기, 친구나 개 혹은 거지에 대해 이야기를 하며 새소리를 흉내 내기도 했다. 그럴 때면 그 장면이 생생하게 그려지며 뭔가 눈에 들어오는 것이 있었다. 그런데 아버지에 관해 이야기할 때면 아무것도 그려지지 않았던 것이다. 만약 그 아버지가 골드문트의 생활 속에서 그만큼 막중하게 주도권을 행사하는 인물이었다면 그는 아버지의 이야기를 달리 묘사할 수도 있었을 것이며, 그리하여 아버지의 모습을 다르게 떠올렸어야 옳았을 것이다. 나르치스는 골드문트의 아버지를 대단한 존재라고는 생각하지 않았다. 그는 왠지 그의 아버지가 마음에 들지 않았다. 그리고 그가 진짜 골드문트의 친아버지인가 하는 의심마저 가끔씩 들었다. 그는 공허한 우상일 뿐이었다. 그런데 어떠한 연유로 그처럼 아들에게 막강한 힘을 행사하게 된 것일까? 어떻게 해서 골드문트의 영혼을 몽상으로 가득 채울 수 있었을까? 하지만 그것은 이 영혼의 진수와는 너무나 동떨어진 것이었다.

골드문트 역시 많은 생각을 해보았다. 친구의 마음속에 있는 진실된 사랑을 의심하지는 않았다. 그럼에도 전과 다름없이 자기를 진지하게 대하지 않는다는 생각과 함께 다소 어린아이 취급을 받고 있다는 불쾌한 감정에 사로잡히기도 했다. 그리고 나르치스가 자기는 그와 같은 부류의 인간이 아니라는 걸 이해시키려고 하는 것은 도대체 무슨 의도일까?

하지만 골드문트가 매일 이런 생각에만 빠져 있는 것은 아니었다. 오랫동안 생각에 골몰한다는 것은 그의 기질상 불가능한 일이었다. 하루 종일 그는 여러 가지로 할 일이 많았다. 그는 문지기 아저씨를 자주 찾아갔는데, 그 아저씨와는 매우 친해졌다. 그는 문지기에게 부탁을 해 한두 시간씩 블레스를 탈 기회를 얻기도 했고, 때로는 수도원에 딸린 몇몇 인부들과 어울려 시간을 보내기도 했다. 뮐러도 그중 한 사람이었다. 골드문트는 가끔 그와 함께 수달을 잡으려고 숨어서 지켜보기도 했고, 눈을 감은 채 냄새만으로 여러 가지 종류의 밀가루 가운데서 알아 맞춘 상등품의 밀가루에다 고급 포도주를 발효제로 넣어 말랑말랑한 빵을 구워 먹기도 했다. 골드문트는 온갖 종류의 밀가루를 식별할 줄 알았다. 나르치스와 함께 있는 시간도 많았지만, 어릴 적부터 맛들인 여러 습관이나 재미에 빠져드는 시간도 만만치 않았던 것이다. 그는 학생들과 함께 합창을 하는 것도 좋아했고, 제대(祭臺) 앞에서 묵주기도를 드리는 것도 즐겨 했다. 미사에서 사용하는 아름답고 장엄한 라틴어를 듣는 것도 좋아했고, 향기를 내며 피어오르는 촛불과 황금빛으로 빛나는 성당의 온갖 성물들을 자주 지켜보았다. 기둥들 위로 동물들을 거느리고 있는 복음서의 저자들과 모자를 쓰고 순례자의 행랑을 걸친 야곱 등의 모습이 담긴 거룩한 성상(聖像)들이 서 있는데, 그것을 오래도록 바라보기도 했다.

그는 성상을 보면서 황홀해했고, 돌이나 나무의 모습들이 자신과 신비로운 관계를 맺고 있다고 생각하면 기분이 좋았다. 말하자면 그에게 있어 그 성상들은 전지전능한 불멸의 성부(聖父)이자 보호자요, 자기 생의 길잡이가 되어주는 선지자였다. 동시에 기둥이나 창문이나 출입문, 제대(祭臺)의 갖가지 장식, 막대기나 화환 모양으로 건물의 기둥을 멋지게 두른 조각들에서도 은밀하고도 숭고한 관계를 느꼈다. 뿐만 아니라 자연을 모방해 돌이나 나무로 만든 말없는 제2의 동물과 식물들이 존재한다고 생각했고, 그것들이 뭔가를 간절하게 말하고 있다고 생각했다. 그리고 그러한 사실은 그에게 소중하고 거룩한 비밀로 다가왔다. 그는 종종 동물의 머리와 꽃다발 모양의 형상들을 스케치하면서 여가 시간을 보내기도 했다. 때로는 살아 있는 꽃이나 말 그리고 사람의 얼굴을 그리기도 했다.

그는 찬송가 중에서도 마리아의 노래를 특히 좋아했다. 그는 그런 노래들이 주는 짜임새 있고 엄격한 구절, 몇 번이고 반복되는 애원과 찬미의 노랫말이 좋았다. 그는 기도하는 마음으로 그 거룩한 의미를 따라갈 줄도 알았으며, 그 의미는 잊은 채 그 시구에서 느낄 수 있는 장엄한 함축미와 운율 그리고 반복되는 경건한 울림 등에서 마음의 충만함을 얻기도 했다. 학문이나 문법이나 논리학은 마음속 깊이 좋아하지 않았다. 그것들도 나름의 매력은 있지만 그가 진정으로 좋아하는 것은 직접 보고 들을 수 있는 형상과 소리의 세계였다.

골드문트는 동급생들로부터 느끼는 소외감을 잠시 동안은 지울 수 있었지만, 시간이 지날수록 주위에 있는 사람들에게서 배척당하고 냉대를 받고 있다는 사실이 불쾌하기도 하고 화도 났다. 그는 이따금씩 옆자리에 앉아 불평을 늘어놓는 동급생을 웃기기도 하고 옆 침대에서 자고 있는 말없는 동급생에게 잡담을 늘어놓기도 했다. 그리하여 한 시간 정도만 애를 쓰면 몇몇 친구들이 자기한테 눈길을 돌리고 반색을 하며 마음을 터놓게 할 수 있었다. 그런 식으로 가까워지는 데 두 번쯤 성공했으나, 그럴 때마다 그의 의도와는 다른 결과가 발생했다. 친구들은 여전히 '마을에 가자.'는 권유를 해왔고, 골드문트는 그럴 때마다 질겁하면서 움츠러들었다. 그것은 말도 안 되는 요구였기에, 그는 다시는 마을에 가지 않았다. 그리고 긴 머리카락의 앳된 소녀를 잊고 그녀에 대한 생각도 접었다. 하지만 언제까지 그럴 수 있을는지는 의문이었다.

4

나르치스는 한동안 그의 비밀을 캐내려고 여러 가지 시도를 해보았다. 그러나 그 비밀의 문은 좀처럼 열리지 않았다. 오랜 시간을 두고 골드문트를 일깨워주며, 비밀이 드러날 듯한 말을 이끌어내려고 애써보았지만 아무 소용이 없었다.

골드문트가 자신의 출신이나 고향에 관해 그에게 들려준 이야기는 도무지 구체적인 모습으로 떠오르지 않았다. 아버지의 모습은 그림자같이 아무런 형태도 없이 희미하기만 했다. 다만 골드문트가 아버지를 존경하고 있다는 것은 알 수 있었다. 그리고는 이미 오래전에 세상을 떠나셨거나 어쩌면 실종되었을지도 모를 어머니에 관해 뜬구름 같은 이야기를 했는데, 그것으로 보아 골드문트에게는 어머니란 존재가 기억조차 희미한 그저 이름에 불과한 존재라는 것을 알 수 있었다.

사람의 마음을 읽는 것에 뛰어났던 나르치스는 그 친구가 인생의 한 부분을 잃어버린 사람, 다른 어떤 괴로움이나 압박 밑에서 과거의 일부를 잊어버리기로 작정한 인간 중의 하나라는 걸 알게 되었다. 그런 그에게 무엇을 캐묻거나 가르치려 한다는 것은 아무 소용이 없다는 것도 깨달았다. 또 자신이 지나치게 이성의 힘을 과신한 나머지 쓸데없는 말을 많이 늘어놓았다는 것도 알게 되었다.

그러나 두 사람을 묶어준 사랑과 둘이서 함께 보내곤 하는 시간들이 마냥 헛된 것만은 아니었다. 두 사람은 본성이 너무나 달랐지만, 그들은 서로가 상대방으로부터 많은 것들을 배웠다. 둘 사이에는 이성적인 언어 이외에도 서로의 영혼과 미세한 신호로도 이해되는 언어들이 생겨났다. 그런 식으로 두 친구의 거처 사이에 마차나 말을 탄 기사들이 달릴 수 있는 통행로 외에 놀이를 할 수 있는 골목이나 샛길이 수없이 생겨났다. 어린아이들이 다니는 길이 있는가 하면 연인들을 위한 오솔길도 있고, 눈에도 거의 띄지 않는 개나 고양이가 다니는 길도 있었던 것이다. 골드문트의 풍부한 상상력은 마술 같은 길을 지나 차츰 친구의 생각과 언어 속으로 빠져 들어갔다. 나르치스 역시 골드문트의 마음이나 감정의 상태를 말없는 가운데 이해하고 공감할 수 있게 되었다. 영혼과 영혼으로 맺어진 새로운 관계가 사랑의 빛을 받으며 서서히 무르익어 갔으며, 비로소 두 사람은 가슴속에 담긴 말을 털어놓기 시작했다. 어느 날, 정말 예기치 않게 두 사람은 대화다운 대화를 하게 되었다. 수업이 없는 그날, 그들은 불시에 도서실에서 대화를 하게 된 것이다. 이 대화를 통해 두 친구는 그들 사이에 맺어진 우정의 깊은 속내에 공감하게 되었으며, 그때부터 이 둘 사이에 서광이 비치기 시작했다.

그들은 수도원에서 언급하는 것조차 금지되어 있었던 점성술에 관해 이야기한 것이었다. 나르치스가 점성술이란 인간의 운명과 사명감에 질서와 체계를 부여해 주는 시도라고 말하자, 골드문트가 이의를 제기했다.

"당신은 언제나 다양성에 대해 말합니다. 저는 그러한 어법이 당신의 독특한 속성이라는 것을 조금씩 알게 되었습니다. 가령 당신과 제 사이에 있는 커다란 차이에 대해 말할 때면, 그 차이는 언제나 차이를 발견해 내려고 열중하는 당신의 그 묘한 태도 속에 있는 거라고 저는 생각합니다!"

"확실히 자네는 핵심을 찔렀네. 사실 자네에겐 차이라는 것은 그다지 중요하지 않지. 하지만 내게는 중요한 일이야. 나의 본성은 학자이고, 나에게 주어진 소명은 학문일세. 학문이라는 것은 자네 말을 빌리자면, '차이를 발견하려고 열중하는 집념' 외에 아무것도 아니란 말일세. 이보다 더 학문의 본질을 정의할 수 있는 말은 없을 거야. 나처럼 학문을 하는 사람에게 있어서는 차이의 확인보다 더 중요한 것은 없단 말이지. 그러고 보면 학문이라는 것은 분류술이라고도 할 수 있어. 이를테면 한 사람 한 사람에 대해서 다른 사람들과 구별되는 특징이 무엇인지를 발견하면 곧 그 사람을 안다고 말하거든."

"그건 그렇습니다. 어떤 사람이 농부의 신을 신고 있으면 농부라고 하고, 어떤 사람이 왕관을 쓰고 있으면 왕이라고 합니다. 물론 그런 것도 차이라고 할 수 있겠죠. 하지만 그런 것쯤은 굳이 학문을 끌어댈 필요도 없이 아직 아무것도 배우지 못한 어린아이라도 알 수 있습니다."

"그러나 농부와 왕이 똑같은 차림을 하고 있다면, 어린아이는 그걸 구별하지 못할 수도 있지 않겠는가?"

"학문이라고 해서 그걸 구별할 수 있는 것은 아닙니다."

"그럴 수도 있겠지. 학문이 어린아이보다 현명하다고 말할 수 없을 테니까. 그것은 인정하겠네. 하지만 학문은 어린아이보다 끈질기단 말일세. 학문은 가장 단순한 특징에만 주의를 기울이진 않아."

"아니에요. 영리한 아이라면 그것도 가능하죠. 어린애는 눈짓이나 태도로 왕을 알아낼 수 있을 겁니다. 한마디로 말하면, 당신네 학자들은 너무 오만하다는 겁니다. 당신들은 우리 같은 사람들은 당신들보다 어리석다고 생각할 겁니다. 하지만 지식이 없어도 지혜는 가질 수 있거든요."

"자네가 그걸 깨닫기 시작했다는 건 기쁜 일일세. 내가 우리 둘 사이의 차이점에 대해 이야기할 때, 현명함이나 옳고 그름을 따지는 게 아니라는 사실을 자네도 알아차리게 될 거야. 내가 말하려는 것은 나와 자네는 다른 종류의 사람이라는 것뿐이야."

"그것을 이해하기는 그리 어렵지 않습니다. 그러나 당신은 특징의 차이뿐만 아니라 운명이나 소명의 차이에 대해서도 말합니다. 그렇다면 당신의 소명이 왜 저와 다르다고 생각하는 겁니까? 당신도 저처럼 하느님을 믿고 수도원에서 일생을 보내기로 결심했습니다. 저와 똑같이 하늘에 계신 아버지의 아들입니다. 우리 두 사람은 목표도 같고, 소명 역시 똑같습니다. 즉 하느님한테 귀의하는 겁니다."

"대단히 좋은 말이야. 교리학 책에 의하면 인간은 모두 똑같지. 그러나

48

삶은 그런 게 아니야. 예수님을 가슴에 안고 있는 사랑하는 제자와 예수님을 배반한 또 다른 제자에 대해 생각해 보자구. 이 두 사람의 소명은 같은 것이 아니었으리라고 나는 생각한단 말일세."

"나르치스, 당신은 궤변가입니다. 계속 이런 식이라면 우리는 더 이상 가까워질 수가 없습니다."

"우리는 어떤 식으로도 가까워질 수 없네."

"그런 말은 하지 마십시오."

"이건 진심일세. 해와 달이, 바다와 육지가 서로 가까워질 수 없듯이, 우리는 가까워질 수 없어. 우리 두 사람은 해와 달, 바다와 육지처럼 떨어져 있단 말이야. 우리의 목표는 상대방의 세계로 넘어 들어가는 것이 아니라, 서로를 인식하는 거지. 상대방을 있는 그대로 지켜보고, 존중해야 한단 말이야. 그리하여 서로 대립하면서도 보완하는 관계가 성립되는 것이지."

골드문트는 상심한 듯 고개를 숙였다. 그리고 곧 슬픈 표정이 되고 말았다. 그는 간신히 말했다.

"당신이 제 생각을 진지하게 받아주지 않는 것도 그 때문인가요?"

나르치스는 약간 머뭇거리다가 잠시 후 딱딱하지만 맑은 목소리로 대답했다.

"그래, 그 때문이야. 골드문트, 나는 오직 자네라는 인간 자체를 진지하게 받아들이고 있지. 자네 목소리의 모든 음조, 자네의 모든 몸짓, 자네의 해맑은 미소를 진실로 받아들이고 있단 말이야. 하지만 자네의 생각을 나는 그다지 심각하게 받아들이진 않아. 대신 다른 누구도 보여줄 수 없는 자네의 본질적인 모습을 나는 진지하게 받아들이는 거야. 자네한테는 다른 재능이 많은데, 어째서 유독 자네 생각이 주목받기를 바라는 거지?"

골드문트는 쓸쓸한 미소를 지었다.

"제가 그랬었지요. 당신은 언제나 저를 어린아이 취급한다고!"

그래도 나르치스의 태도는 변하지 않았다.

"나는 자네 생각의 일부만을 어린아이의 생각이라고 보고 있다네. 아까 서로 이야기한 것 중에서 영리한 아이는 학자보다 못할 것이 없다는 바로 그 점을 생각해 봐. 어린아이가 학문에 대해 말하려고 한다면 학자는 아마 그것을 심각하게 받아들이지 않을 거야."

그러자 골드문트가 격한 어조로 소리를 질렀다.

"학문에 대해 이야기하지 않을 때도 당신은 저를 비웃었습니다! 이를테면 내가 경건한 태도를 취하고 배움을 진척시키려고 애를 쓰면서 수도자의 길을 가겠다고 소망해도, 당신은 언제나 단지 어린아이의 소망에 불과하다는 듯이 비웃었습니다."

나르치스는 심각한 표정으로 그를 바라보며 말했다.

"만약 자네가 골드문트라는 한 인간의 모습을 보여줄 때면 나는 자네를 진지하게 대해. 그러나 자네가 늘 골드문트다운 것은 아냐. 나는 자네가 완전한 골드문트가 되기를 원할 뿐이야. 자네는 학자도 수도사도 아니야. 아주 보잘것없는 사람이라도 학자나 수도사는 될 수 있어. 자네는 스스로가 나보다 학문도 모자라고 논리가도 아니고 경건한 마음 또한 모자란다고 생각하는 모양인데, 당치 않은 생각이야. 문제는 자네가 자신이 어떤 존재인가를 나한테 제대로 보여주지 못한다는 점이야."

이런 대화가 끝난 후 골드문트는 당황하고 심지어 마음의 상처까지 받고서 돌아갔으나 며칠 뒤에는 자신이 앞장서서 계속 대화할 의향을 보였다. 이번에는 나르치스가 두 사람의 성격의 차이에 관해 구체적으로 보여줄 수 있었다. 골드문트도 그것을 이전보다 더 잘 받아들였다.

나르치스는 따뜻한 말씨로 이야기를 했다. 그는 골드문트가 오늘은 전보다 더 많이 마음을 털어놓고 자발적으로 자신의 이야기를 받아들이고 있으며 자신이 골드문트를 제압하고 있다는 것을 느꼈다. 그는 그 성공에 우쭐해져서 자신이 의도한 것 이상으로 많은 이야기를 했고, 또 스스로의 이야기에 도취되어버렸다.

"내 말을 좀 들어봐. 내가 자네보다 우월한 것은 단 한 가지밖에 없어. 말하자면 자네가 눈을 지그시 감고 졸고 있고 때로는 완전히 잠을 자고 있는데도, 나는 말짱하게 깨어 있다는 것뿐이야. 내가 깨어 있다고 말하는 것은 지성과 의식을 가지고, 자기 자신과 자신의 마음속에 있는 비이성적

50

인 힘이나 충동이나 약점을 감지하여 그것을 계산에 넣을 줄 아는 사람을 말하는 거야. 그것을 배우는 것만이 자네가 나를 만난 의미를 가질 수 있는 거라네. 골드문트, 자네에게는 정신과 자연, 의식과 꿈의 세계가 매우 복잡하게 뒤섞여 있어. 자네는 자네의 유년 시절을 잊어버리고 있지만, 자네 영혼의 깊숙한 곳에서는 유년 시절을 그리워하는 갈망이 꿈틀대고 있지. 자네는 그 때문에 괴로워하고 있지만 언젠가는 그 영혼의 소리를 듣게 될 거야. 그런 이야기는 이제 그만하지. 아까도 말했지만, 내가 깨어 있다는 점에서만은 자네보다 강하니까. 그 점은 자네보다 우월하지. 그러니까 내가 자네에게 도움을 줄 수 있는 거야. 하지만 다른 모든 면에 있어서는 자네가 나보다 훨씬 우월해. 자네가 스스로를 발견하기만 하면 자네는 나보다 우월해질 거야."

골드문트는 어안이 벙벙해진 표정으로 귀를 기울이고 있었으나, '자네는 자네의 유년 시절을 잊어버리고 있다.'는 말을 듣자 마치 화살에 맞기라도 한 듯 전신을 움츠렸다. 나르치스는 그러나 그것을 미처 눈치채지 못했다. 그는 이야기를 할 때면 그렇게 하는 것이 말하는 것보다 더 잘 이해되기라도 하는 것처럼 한참 동안 눈을 감고 있거나 먼 곳을 응시하는 버릇이 있는데, 그 때문에 골드문트의 얼굴에 일순간 경련이 일고 어두운 그늘이 지기 시작하는 것을 미처 보지 못했던 것이다.

"우월하다구요? 당신보다 제가요?"

골드문트는 중얼거렸다. 무슨 말을 하기는 해야겠는데 온몸이 굳어서 말이 나오지 않았다.

"당연한 일이야. 자네와 같은 기질을 가진 사람, 강하고 예민한 감각으로 느낄 줄 아는 몽상가나 시인, 혹은 사랑에 빠진 사람들은 우리 같은 인간, 즉 정신적 인간보다는 거의 예외 없이 대개 우월해. 그런 사람들은 모성의 풍요로움을 타고난 존재들이야. 그들의 삶은 충만해 있고, 사랑의 힘과 체험의 능력을 부여받은 존재들이지. 우리 같은 정신적 인간은 가끔 다른 사람들을 인도하고 지배하고 있는 것처럼 보일지도 모르지만 실은 충만한 삶을 전혀 모르고 메마른 삶을 살게 마련이야. 과실의 단물처럼 넘쳐흐르는 삶의 풍요로움, 사랑의 정원과 아름다운 예술의 나라는 바로 자네 같은 사람들 것이지. 자네들의 고향은 대지이지만 우리들의 고향은 관념이야. 자네 같은 사람들의 위험은 감각의 세계에 빠지는 것이지만 우리들의 위험은 진공의 공간에서 질식하는 것이야. 자네는 예술가이지만 나는 사상가일 뿐이야. 그리고 자네가 어머니의 품에 안겨 잠들어 있다면, 나는 황야에서 깨어 있는 셈이지. 나에게는 태양이 비치고 있으나 자네에게는 달과 별이 비치고 있고, 자네의 꿈속에는 소녀가 나타나지만 나의 꿈속에는 소년이 나타난다네."

나르치스는 말을 계속했다.

골드문트는 두 눈을 똑바로 뜨고 나르치스가 웅변가처럼 자기도취에 빠져서 하는 이야기에 귀를 기울였다. 그 말의 대부분이 송곳처럼 그의 폐부를 찔렀고, 특히 마지막 말을 듣고서는 더욱더 얼굴이 창백해져 눈을 감았다. 나르치스가 그것을 알아채고는 놀라서 물어보자, 몹시 창백해진 골드문트가 힘없는 목소리로 말했다.

"언젠가 제가 당신 앞에 쓰러져서 울음을 터뜨렸던 때를 기억하시겠지요. 그런 일이 두 번 다시 일어났다가는 큰일입니다. 그랬다가는 결코 제 자신을 용서할 수 없을 겁니다. 당신에게도 용서받지 못할 테구요! 이젠 나가주세요. 혼자 있고 싶습니다. 당신은 저를 두려움에 빠지게 하는 말을 하셨습니다."

나르치스는 몹시 당혹스러웠다. 그는 자신이 한 말에 말려들고 말았다. 다른 어떤 때보다 더 말을 잘한다는 느낌이 들었지만, 어떤 말이 친구에게 깊은 충격을 주었는지 갈피를 잡지 못했다. 어느 대목에선가 급소를 건드린 게 분명했다. 이런 순간에 이 친구를 홀로 내버려둘 엄두가 나지 않았다. 그는 한참을 망설였다. 골드문트의 얼굴에 드러난 괴로운 표정이 어서 떠나달라고 그를 재촉하고 있었다. 그는 몹시 뒤숭숭했지만 친구가 원하는 대로 그가 혼자 있을 수 있도록 황급히 그 자리에서 떠났다. 골드문트에게는 혼자 생각할 시간이 필요하다고 생각했던 것이다.

골드문트는 혼자 남았다. 전신이 떨려왔다. 그러나 과도한 긴장이 눈물로 터져 나오지는 않았다. 그는 마음속 깊이 절망적인 상처를 입은 느낌이었다. 친구가 갑자기 그의 가슴 한복판에 비수라도 꽂은 것처럼, 그는 간신히 숨을 내뿜으며 장승처럼 서 있었다. 심장은 금방이라도 멎을 것처럼 죄어들고 얼굴은 밀랍같이 창백해졌다. 두 손은 완전히 마비된 것처럼 꼼짝도 할 수가 없었다. 지난번의 비참한 심경이 되살아났다. 다만 그 정도가 좀 더 심할 뿐이었다. 마치 누군가가 목을 조르는 듯 답답했고 무슨 흉악스러운 것을, 도무지 참을 수 없는 끔찍한 것을 똑바로 쳐다보지 않으면 안 되는 심정이었다. 그렇지만 이번에는 답답한 마음을 풀기 위해 훌쩍거려 보았자 그 비참한 심경을 견디는 데는 아무런 도움이 되지 않았다. 오, 성모 마리아여, 어찌 된 일입니까? 무슨 일이 일어났습니까? 누가 저를 죽이기라도 했단 말인가요? 아니면 제가 누군가를 죽인 것일까요? 저는 어떤 끔찍한 말을 들은 것일까요?

골드문트는 헐떡이며 숨을 몰아쉬었다. 자신의 내부 속에 깊숙이 감추어져 있는 어떤 치명적인 것으로부터 자신을 구출해 내지 않으면 안 된다는 감정에 빠져 안간힘을 썼다. 마치 독약을 마신 것처럼 가슴이 찢어질듯 아팠다. 그는 물속에 빠져 허우적거리는 듯한 몸짓으로 방에서 뛰쳐나가 수도원에서 가장 한적하면서도 사람의 그림자라곤 보이지 않는 곳으로 달려갔다. 복도를 빠져나가 계단을 지나 지붕이 없는 곳으로, 하늘이 보이는 곳으로, 그는 수도원의 제일 구석진 피난처, 즉 안뜰의 회랑으로 들어섰다. 몇 개의 푸른 화단을 지나자 맑은 하늘에는 햇살이 가득했고, 서늘하다 못해 냉랭한 지하실 공기를 가르면서 감미롭고 수줍은 듯한 장미꽃 향기가 은근히 번져왔다.

나르치스는 이런 사정을 전혀 모른 채 이미 오래전부터 하려고 마음먹었던 일을 하고 있었다. 즉 그의 친구에게 달라붙어 있는 마귀를 이름까지 대며 불러내서 자기 면전에서 때려눕히고 만 것이었다. 마귀는 골드문트가 묻어둔 마음속 비밀을 마구 헤집어내더니 미칠 듯한 고통으로 몸부림치며 뒤덮어버렸다. 나르치스는 오랫동안 수도원 안을 헤매 다니며 친구를 찾았으나 친구의 모습은 어디에서도 보이지 않았다.

골드문트는 회랑에서 마당으로 통하는 둥글고 묵직한 아치형 돌문 아래서 있었다. 그 문은 조그만 십자형 정원 쪽으로 이어져 있었고, 그 아치를 받친 둥근 기둥마다 짐승의 머리 형상이 조각되어 있었다. 돌에 조각된 개인지 늑대인지 분간되지 않는 형상들이 눈을 번뜩이며 그를 내려다보고 있었는데, 그것을 보는 순간 몸서리치는 전율과 함께 그의 마음속 상처가 쑤시듯이 아파왔다. 밝음으로 인도하는 길이나 이성을 찾아가는 길은 어디에도 보이지 않고 그의 앞에는 오직 고통만이 있었다. 죽을 것 같은 불안이 그의 목과 가슴을 마구 조여 왔다. 반사적으로 위를 쳐다보니 세 마리의 짐승들이 사나운 이빨을 드러내면서 그의 내장을 물어뜯을 듯 그를 노려보고 있었다.

'이제 나는 죽는구나.'

공포에 휩싸인 그는 전율로 몸을 부르르 떨었다.

'이렇게 정신이 나가는구나. 저 짐승들이 나를 잡아먹을 거야.'

그는 벌벌 떨면서 기둥 아래에 주저앉고 말았다. 고통이 너무 심해 더 이상 견딜 수가 없었다. 그는 완전히 의식을 잃고 말았다. 고개가 스르르 기울면서 그가 그렇게도 바라던 대로 자신의 존재가 아득히 사라지는 듯한 상태에 빠져들었다.

다니엘 원장은 그날 기분이 좋지 못했다. 그날 나이깨나 먹은 수사 둘이 그를 찾아와서는 오래전부터 서로간의 질투심에서 비롯된 하찮은 시빗거리를 다시 끄집어내어 격앙된 어조로 서로 상대방을 비난하며 욕설을 퍼부었다. 원장은 그들의 말을 잠자코 듣고 있다가 두 사람을 나무랐으나 아무 소용이 없었다. 할 수 없이 두 사람의 직위를 박탈하고 각자에게 상당히 무거운 벌을 내렸지만, 마음속에서는 자신이 소용없는 짓을 했다 싶은 느낌이 지워지지 않았다. 원장은 기진맥진한 상태에서 아래채에 있는 작은 성당의 기도실에 들어가서 기도를 드렸으나 개운치 않은 마음으로 다시 일어섰다. 그리고 가물거리듯 풍겨 오는 장미꽃 향기에 이끌려서 회랑 쪽으로 걸어갔다. 그는 거기서 실신해서 쓰러져 있는 골드문트를 발견했다. 평소에는 그렇게도 아름답고 젊음에 넘친 얼굴이 빛을 잃고 초췌해진 모습에 깜짝 놀라며 원장은 슬픈 빛으로 그를 바라보았다. 유쾌한 날도 아닌데 오늘 또 이런 일이 일어나다니……. 원장은 소년을 안아 일으키려고 했으나 몸무게를 감당할 수가 없었다. 원장은 한숨을 깊이 쉬면서 그 자리를 떴다. 그리고는 젊은 수도사 두 사람에게 소년을 부축하여 옮기게 한 다음 다시 의술에 능한 안젤름 신부를 보냈다. 아울러 나르치스를 불러오게 했다. 나르치스는 금방 그의 앞에 모습을 나타냈다.

"자네도 알고 있었나?"

원장이 나르치스에게 물었다.

"골드문트 말씀입니까? 골드문트가 아프다고도 하고 사고를 당한 것 같기도 하다는 이야기를 방금 들었습니다. 사람들이 그 친구를 옮겨놓았다고 하더군요."

"그렇다네. 회랑에 쓰러져 있는 걸 내가 발견했지. 도대체 거기에 무슨 볼일이 있어 갔는지 모르겠어. 사고를 당한 게 아니고 기절을 했더군. 느낌이 석연치 않아. 내 생각에는 이 일에 자네가 관련이 있거나 뭔가를 알고 있을 거라고 짐작되네만……. 그 친구는 자네와 절친한 사이 아닌가? 그래서 자네를 보자고 한 걸세. 무슨 말이든 좀 해보게나."

나르치스는 여느 때와 마찬가지로 절제된 태도와 어조로 오늘 골드문트와 나눴던 이야기를 간단히 보고하고, 오늘의 대화가 놀랍게도 이 친구를 얼마나 격렬하게 동요시켰는가를 말씀드렸다. 원장은 언짢은 표정을 감추지 않은 채 고개를 흔들면서 말했다.

"거 참 묘한 대화로군. 자네 설명을 들어보니, 그것은 다른 사람의 영혼에 대한 간섭이라고 생각되는군. 이를테면 영성 지도자와 나누는 대화라고 할 수 있지. 하지만 자네는 골드문트의 영성 지도자가 아니잖은가. 자넨 아직 영성 지도자가 될 자격이 없어. 사제 서품을 받지 않았으니까. 그런데 영성 지도나 다룰 수 있을 그런 문제에 대해 어떻게 조언자의 입장에서 학생과 그런 대화를 나눈단 말인가? 결과적으로, 보다시피 이렇게 좋지 않은 일이 일어나지 않았나."

원장은 진정하려고 애를 쓰며 말했다.

"원장님, 결과는 아직 모릅니다. 골드문트가 심하게 동요한 것을 보고 저도 무척 놀랐습니다. 하지만 우리의 대화가 골드문트에게 좋은 결과를 가져오리라는 것은 의심치 않습니다."

나르치스는 부드러우면서도 단호한 어조로 말했다.

"결과는 두고 봐야겠지. 그러나 나는 지금 결과에 대해서가 아니라 자네의 행동에 대해서 이야기하고 있는 중일세. 무슨 이유로 자네는 골드문트와 그런 대화를 나누게 되었나?"

"알고 계시겠지만 그는 제 친구입니다. 저는 그 친구에게 특별한 관심을 갖고 있습니다. 그를 각별히 잘 이해한다고 생각합니다. 신부님께서는 그를 대하는 저의 태도를 영적 지도자 같다고 하셨습니다. 하지만 저는 어떤 식으로도 성직의 권위를 주제넘게 넘은 적이 한 번도 없습니다. 단지 그 친구가 자기 자신을 알고 있는 것보다는 제가 그를 좀 더 잘 알고 있다고 믿었던 것입니다."

수도원장은 어깨를 으쓱했다.

"자네의 특별한 재능에 대해선 나도 잘 알고 있네. 다만 자네가 한 행동이 나쁜 결과를 일으키지 않으면 좋을 텐데 말이야. 골드문트가 무슨 병에라도 걸린 건 아닌가? 혹시 어디가 아프다거나 허약 체질인가? 잠을 잘 이루지 못하나? 아니면 아무것도 먹지 못하는 건가? 그것도 아니면 어디 특별한 통증이라도 있단 말인가?"

"아닙니다. 조금 전까지도 건강했습니다. 육체적으로는 아무 이상이 없습니다."

"그렇다면?"

"그 친구는 마음의 병을 앓고 있습니다. 신부님께서도 아시다시피 그는 지금 성적인 충동과 싸움을 시작할 그런 나이니까요."

"그건 나도 아네. 열일곱 살이던가?"

"열여덟입니다."

"열여덟. 그렇군. 충분히 그럴 나이지. 하지만 그것은 누구나 거치지 않으면 안 되는 자연스런 싸움이야. 그러니 그걸 가지고 그의 영혼이 병들었다고는 말할 수 없네."

"신부님, 그 친구는 단지 몸이 아픈 것이 아닙니다. 골드문트는 벌써 오랫동안 마음의 병을 앓아 왔습니다. 그렇기 때문에 다른 친구들에 비해 이 친구에겐 성적 갈등이 매우 위험한 것입니다. 제가 알기로는 그는 과거의 일부분을 잃어버렸다는 사실 때문에 괴로워하고 있습니다."

"그래? 어떤 부분을 잃어버렸단 말인가?"

"그의 어머니와 관계된 모든 것입니다. 그것에 관해서는 저도 아는 게 없습니다. 하지만 거기에 병의 원인이 있다는 것은 틀림없습니다. 이유를 말씀드리자면, 골드문트는 자신이 어머니를 일찍 잃었다는 사실 말고는 어머니에 대해 한 가지도 모른다고 말합니다. 저는 그가 자신의 어머니를 부끄러워한다는 느낌을 받았습니다. 하지만 그가 가진 모든 재능은 어머니에게서 비롯된 것이 분명합니다. 왜냐하면 그가 그의 아버지에 대해 말하는 것을 들어보면, 그의 아버지는 이렇게 사랑스럽고 풍부한 재능을 가진 아들과는 어울리지 않는다고 생각되기 때문입니다. 이 모든 사실은 그 친구가 말을 해줘서 알고 있는 것이 아니라 몇 가지 암시를 가지고 추론해 본 것입니다."

수도원장은 처음에는 '나르치스는 골드문트보다 우월하단 생각을 갖고 있구나.' 하고 우습게 여겼고, 또 이 모든 문제를 괜스레 신경 쓰이는 일로 생각했지만 차츰 심사숙고하기 시작했다. 수도원장은 골드문트의 아버지, 왠지 허식이 심하고 신뢰가 가지 않는 그 사나이에 대해 생각해 보았다. 이런저런 생각을 하다가 비로소 그 남자가 골드문트의 어머니에 대해 암시한 몇 마디 말이 갑자기 떠올랐다. 그 여자는 자신에게 치욕스런 행동을 하고 도망쳐버렸다고 말했던 것이다. 그리고 그는 어린 자식의 마음속에서 어머니에 대한 기억을 억누르고 어머니한테서 이어받았을지도 모르는 부도덕한 기질을 지워버리려고 애썼다고 했다. 그것이 어느 정도 성공해서 소년은 어머니가 못 다한 속죄를 위해 일생을 하느님께 바치기로 결심했다고 했던 것이다.

수도원장은 오늘처럼 나르치스에게 혐오감을 느낀 적이 없었다. 그렇지만 이 생각 깊은 젊은이의 추론은 얼마나 정확한가! 이 친구는 골드문트에 대해 너무나 잘 알고 있지 않은가!

오늘 일어난 일에 대해 마지막으로 한 번 더 질문을 하자, 나르치스는 이렇게 말했다.

"오늘 골드문트를 덮친 격렬한 충격은 저로 인한 것이 아닙니다. 저는 그가 자기 자신을 인식하지 못하고 있으며, 자신의 유년 시절과 자신의 어머니를 망각했다는 사실을 상기시켜 주었을 뿐입니다. 제가 한 어떤 말이 그의 마음에 충격을 주어, 암흑 속으로 빠져든 것이 분명합니다. 제가 그토록 오래전부터 맞서 싸우고 있는 그 암흑 말입니다. 그 친구는 마치 넋이 나간 사람 같았습니다. 마치 나는 알아보겠는데, 자기 자신은 누구인지 모르겠다는 식으로 저를 멀거니 쳐다보았습니다. 저는 그에게 너는 잠을 자고 있다, 정말로 깨어 있는 것이 아니라는 말을 종종 해주곤 했습니다. 이제 그 친구는 깨어난 것입니다. 저는 그 사실을 의심하지 않습니다."

면담이 끝났다. 나르치스는 질책은 받지 않았지만 당분간 골드문트를 찾아가는 것은 안 된다는 경고를 받았다.

그러는 사이에 안젤름 신부는 정신을 잃은 소년을 침대에 눕히고 옆에서 지켜보았다. 충격 요법을 써서 의식이 돌아오게 하는 것은 적절치 않을 것 같았다. 소년의 상태는 무척이나 좋지 않았다. 주름진 얼굴이 선량해 보이는 이 노인은 선의를 가지고 소년을 지켜보고 있었다. 그는 우선 맥을 짚어보고 심장의 박동을 들어보았다. 그는 이 소년이 뭔가 먹어선 안 될 것을 먹은 게 틀림없다고 생각했다. 이를테면 지나치게 찬 음식을 먹었거나 아니면 무슨 독초를 먹었다고 생각했다. 그런 것을 추측하면서도 혓바닥은 볼 수가 없었다. 안젤름 신부는 골드문트를 좋아했다. 그러나 그의 친구인, 너무나 조숙하고 새파랗게 젊은 나이에 선생이 된 나르치스는 견딜 수 없이 못마땅했다. 그런 그가 결국 큰일을 저지르고 말았잖은가. 이 어처구니없는 사건에 나르치스가 연루되어 있는 것이 틀림없다고 생각했다. 골드문트는 자연의 축복으로 태어난 듯 너무나 건강하고 눈이 맑은 소년이다. 그런데 어째서 이 사랑스런 소년이 하필이면 그 오만한 선생

녀석한테 마음을 털어놓은 것일까. 이 허황된 어학 선생한테는 이 세상에 살아 있는 그 무엇보다도 희랍어가 더 중요하지 않은가!

시간이 한참 흐른 뒤 문이 열리면서 원장이 들어왔을 때에도 안젤름 신부는 여전히 자리에 앉아서 정신을 잃고 있는 소년의 얼굴을 가만히 들여다보고 있었다. 이 얼마나 사랑스럽고 순진무구한 얼굴인가! 이렇게 자리를 지키고 앉아서 뭔가를 도와주어야만 할 것 같은데, 어쩌면 그것은 불가능할지도 모를 일이었다. 원인은 확실히 복통일 것이다. 향료가 든 붉은 포도주를 따뜻하게 데워 먹이고 대황(大黃, 대소변을 원활하게 해주고, 신열이나 헛소리를 할 때 잘 듣는 약초)을 달여 먹여야 하리라. 그러나 파리할 정도로 창백해진 얼굴을 들여다보면 볼수록 그의 마음에는 의혹이 생겨나는 것이었다. 경험이 풍부한 안젤름 신부는 다양한 종류의 환자를 보아왔다. 오랜 생애를 통해서 그는 악마에 홀린 사람을 몇 번이나 보았었다. 그는 그 의심이 되는 증세를 입에 담는 것이 꺼려져서 좀 더 참을성 있게 관찰해 보아야겠다고 마음먹었다. 하지만 이 가엾은 소년이 마귀에 홀린 것이 사실이라면, 그 범인을 찾아내어 가까이할 수 없도록 막아야 한다고 생각했다.

수도원장은 한걸음 다가서서 환자를 들여다보다가 한쪽 눈꺼풀을 젖혀 보았다.

"깨워도 괜찮을까요?"

원장이 물었다.

"좀 기다려보는 게 좋을 듯합니다. 심장은 거의 정상입니다만 아무도 이 아이 곁에 오지 못하게 해야 합니다."

"위중한 상태인가요?"

"그런 것 같지는 않습니다. 상처도 없고, 타박상을 입었거나 어디서 떨어진 흔적도 없습니다. 단지 정신을 잃었을 뿐입니다. 아마도 복통이 아닐까 생각합니다. 통증이 너무 심하면 의식을 잃을 수도 있으니까요. 만약 약물 중독이라면 고열이 있게 마련인데, 그렇진 않습니다. 다시 깨어나서 기운을 차릴 테니 걱정하지 마십시오. 생명에는 별 지장이 없으니까요."

"혹시 심리적 요인 때문일 가능성은 없습니까?"

"그럴 수도 있겠지요. 혹시 뭔가 아는 것 없습니까? 심한 충격을 받았다든지 누가 죽었다는 통지를 받았다든지, 심한 싸움을 했거나 모욕을 받았거나 한 일이 없었습니까? 그걸 알면 모든 게 분명해집니다."

"모르겠는걸요. 아무도 가까이하지 못하도록 신경을 써주세요. 그 애가 눈을 뜰 때까지 곁에 있어주십시오. 혹시 상태가 악화되면, 한밤중이라도 상관없으니 나를 부르십시오."

자리를 뜨기 전에 원장은 한 번 더 환자를 굽어보았다. 소년의 아버지가 생각났으며, 이 아름답고 쾌활한 금발의 소년이 수도원에 온 그날이 떠올랐다. 그를 보는 순간 모두가 좋아했던 기억들이 필름처럼 지나갔다. 수도원장인 자신도 이 소년을 기쁜 마음으로 맞이했다. 그러나 나르치스가 한 이야기도 사실은 옳았다. 이 소년에게서 아버지를 연상시키는 구석은 추호도 찾아볼 수 없었던 것이다. 아, 어딜 가도 근심 걱정이 태산같이 쌓였구나! 그러고 보면 인간이란 존재는 얼마나 무력한가! 내가 이 가엾은 소년을 보살피는 데 소홀한 것은 아닐까? 고해 신부를 제대로 만나지 못한 것은 아닐까? 수도원 안에서 나르치스 외에는 아무도 이 학생에 대해 알고 있지 못했는데 그래도 괜찮단 말인가? 아직 수련 과정을 밟고 있는 사람이, 수도사도 아니고 사제 서품도 받지 못한 사람이 그를 도울 수 있었단 말인가? 그리고 그 친구의 모든 생각이나 직관에는 왠지 기분 나쁜 우월감이나 심지어 적의 같은 것이 배어 있지 않은가. 어쩌면 나르치스도 상당히 오래 전부터 잘못된 대접을 받고 있지 않다고 누가 장담할 수 있단 말인가? 또 하느님의 말씀에 순종하는 듯한 나르치스의 태도 이면에 사악한 마음을 감추고 있을지 누가 알겠는가? 어쩌면 그는 이단일지도 모르잖은가. 어떻든 이 두 젊은이한테 닥쳐올 모든 문제에 대해 수도원장은 책임감을 느끼지 않을 수 없었다.

날이 어두워졌을 때 골드문트는 의식을 회복했다. 어질어질하면서 머리가 텅 빈 느낌이었다. 침대에 드러누워 있다는 것은 짐작이 갔지만 이곳이 어딘지는 통 알 수가 없었다. 그는 그런 것을 생각해 보려고도 하지 않았다.

아무래도 좋았다. 그러나 대체 어딜 갔다 왔을까? 온갖 것을 보고 부딪쳐 보았던 그 낯선 나라는 어디였을까? 어딘지 무척 먼 곳에 있었다. 무엇을, 무슨 이상한 것을, 무슨 으리으리한 것을, 무슨 흉악스런 것을, 잊어서는 안 되는 것을 그는 보았다. 그러나 그것을 잊어버렸다. 그곳은 어디였을까? 너무나 거대하고 고통스러우면서도 신성한 그 무엇이 눈앞에 떠올랐다가는 다시 사라졌건만 그게 무엇인지 도무지 생각나지 않았다.

그는 자신의 내면 깊은 곳에 귀를 기울여보았다. 그의 마음속 깊은 곳에서는 오늘 무엇인가가 찢어져서 터져 나왔다. 분명히 어떤 사건이 발생한 것이다. 그것이 무엇이었을까? 어지럽게 뒤엉킨 형상들이 엎치락뒤치락 요동치며 떠올랐다. 무엇인지 분명하지 않은 세 마리의 머리가 보였다. 그리고 장미꽃 향기가 났다. 아, 얼마나 끔찍하고 무서운 고통이었던가! 그는 눈을 감았다. 얼마나 끔찍하고 슬펐던가! 그는 다시 잠이 들었다.

그는 다시금 눈을 떴다. 여전히 잽싸게 빠져 달아나는 꿈의 세계가 아련히 가물거리는 와중에 다시 어떤 형상이 보였다. 그러자 고통스런 욕망을 느낄 때처럼 다시 온몸이 움츠러든 상태에서 전신을 떨었다. 그는 보았다. 볼 수 있었다. 서서히 의식이 돌아왔다. 한 여인을 보았다. 환하게 빛나는 커다란 여인을, 함박꽃처럼 웃음이 피어오르고 눈부신 머리카락을 가진 여인을. 어머니였다. 동시에 '너는 너의 유년 시절을 망각해 버렸어.' 하는 소리가 분명히 들렸다. 그러나 그것은 누구의 목소리였을까? 그는 귀를 기울이며 생각하다가 마침내 깨달았다. 그것은 나르치스였다. 나르치스? 그 순간 몸을 한번 뒤척이면서 모든 것을 기억해 냈다. 이제야 알게 되었다. 아, 어머니, 어머니! 산더미처럼 쌓였던 망각의 더께가 걷혔다. 망망대해 같은 망각의 바다가 갈라졌다. 잃어버렸던 어머니가 파랗게 빛나는 위엄 어린 시선으로 다시 그를 바라보고 있었다. 말로 표현할 수 없을 만큼 사랑했던 그의 어머니가.

침대 곁의 안락의자에 기대 졸고 있던 안젤름 신부가 눈을 떴다. 소년이 움직이며 호흡하는 소리가 들렸다. 그는 조심스레 몸을 일으켰다.

"누가 계신 거예요?"

골드문트가 물었다.

"나야. 걱정하지 마, 불을 켤 테니."

그는 걸어놓은 등잔에 불을 켰다. 주름지고 선량해 보이는 얼굴이 불빛에 드러났다.

"제가 지금 앓아누운 건가요?"

소년이 물었다.

"정신을 잃었었단다. 골드문트, 손을 이리 다오. 맥을 좀 짚어보자꾸나. 기분은 어떤가?"

"좋습니다. 안젤름 신부님, 감사합니다. 이 친절을 어떻게 갚지요? 이젠 아무 데도 아프지 않습니다. 좀 피곤할 뿐입니다."

"물론 피곤할 테지. 하지만 곧 다시 잠이 들 거다. 그전에 포도주나 한잔 마시렴. 여기 준비한 게 있어. 같이 마실까? 우정의 표시로 말이다."

그는 조심스레 포도주에다 향료를 넣은 다음 따뜻한 물을 컵에 따랐다.

"우리 둘은 한참 동안 잠에 빠졌었군. 잠에 흠뻑 빠져서 정신을 차리지 못하는 인간이라고, 큰일 날 간호인이라고 날 생각할지 모르지만 우리는 같은 인간이란 말이야. 안 그래? 자, 이 마법의 음료수를 마셔볼까? 밤중에 몰래 조금씩 마시는 술만큼 기분 좋은 것은 없거든. 자, 건배!"

의사인 신부가 호쾌하게 웃으며 말했다.

골드문트는 미소를 지으며 잔을 부딪치고 맛을 보았다. 따뜻한 포도주는 계피와 정향나무 향료가 들어 있고 설탕을 넣어서 달콤했다. 이런 술은 생전 처음 마셔보는 것이었다. 지난번 그가 앓아누워 있었을 때는 나르치스가 그를 보살펴주었다. 그때 일이 머리에 떠올랐다.

희미한 등잔불 아래에서 한밤중에 늙은 신부와 따뜻하고 달콤한 포도주를 마신다는 것은 정말 유쾌한 일이 아닐 수 없었다.

"아직도 배가 아픈가?"

나이 든 신부가 물었다.

"아뇨."

"그래? 나는 복통이라고 생각했는데. 그럼 아무 이상이 없구먼. 혀를 좀 내밀어봐. 그래, 좋아. 이 늙은 안젤름이 또 잘못 짚었는걸. 아침까지 가만히 누워 있으면, 내가 다시 와서 진찰할 거야. 포도주는 벌써 다 마셨지? 그래야지. 틀림없이 효과가 있을 거다. 어디 보자, 얼마나 남았나? 사이좋게 나누면 반잔씩은 더 마실 수 있겠구나. 골드문트! 넌 정말 우릴 놀라게 했어. 어린 송장처럼 회랑에 쓰러져 있었으니 말이야. 정말 배는 아프지 않은 거야?"

두 사람은 킬킬대고 웃으면서 남아 있던 환자용 포도주를 사이좋게 나누어 마셨다. 신부는 농담을 늘어놓았고, 골드문트는 감사하고 즐거운 마음으로 눈에 생기를 띠며 신부를 바라보았다. 잠시 후, 신부는 잠자리에 들기 위해 자리를 떴다.

골드문트는 한참이나 눈을 뜬 채로 누워 있었다. 환영(幻影)들이 다시금 그의 마음속에서 서서히 걸어 나왔다. 친구의 말이 다시금 떠올랐으며 영혼 속에서 금발로 반짝거리는 여인이, 어머니의 모습이 또 나타났다. 그 모습은 흡사 뜨거운 바람처럼 그를 스치고 지나갔다. 생기와 따스함과 다정함과 은밀한 경고를 실은 구름처럼 그의 가슴속으로 스며들었다. 아, 어머니! 제가 어떻게 어머니를 잊어버릴 수 있단 말입니까!

5

　지금까지 골드문트는 그의 어머니에 관해 몇 가지 이야기를 들은 적이 있지만 언제나 다른 사람들의 입을 통해 들은 소문에 불과했다. 그래서 어머니의 모습이 머릿속에 하나도 들어 있지 않은 것이었다. 그나마 자기가 알고 있다고 생각하는 내용마저도 나르치스에겐 대부분 숨겨왔다. 그에게 어머니란 함부로 발설해선 안 될 어떤 존재였으며, 사람들이 수치스럽게 여기는 존재였다. 어머니는 아름답고 야성적인 댄서였다. 비록 지체가 높긴 했지만 상서롭지 못하게도 이교도 출신의 여인이었다. 골드문트의 아버지는 그 여인을 가난과 굴욕의 수렁에서 구출해 주었다고 늘 이야기했다. 그 여인이 이교도라는 것을 몰랐기 때문에 아버지는 어머니에게 세례를 받고 종교를 갖게 했다. 그러고는 결혼식을 올린 다음 조신한 아낙네로 만들어놓았다. 어머니는 몇 년 동안 얌전하게 질서 있는 생활을 해나갔으나 지난날의 기질이 되살아났는지 아버지를 근심하게 하는 추문을 일으켰다는 것이다. 남자들을 유혹하고, 며칠 혹은 몇 주일씩 집을 비우고, 무서운 여인이라는 소문이 퍼져나갔다. 그리고는 몇 번이나 남편한테 붙들려 왔다가 끝내는 영영 모습을 감추고 말았다는 것이었다. 그러고도 한동안은 어머니에 관한 소문이 사라질 줄 몰랐다. 그 고약한 소문은 마치 별똥별의 꼬리처럼 깜박이다가 완전히 사그라졌다. 그 여인의 남편은 그녀가 안겨준 불안과 공포, 치욕과 놀라움으로 충격 속에서 몇 해를 보내다가 몇 년이 지나서야 겨우 안정을 찾았다. 그리고는 배반한 여자를 대신해서 아들의 교육에 정성을 쏟았다. 아들의 모습은 그 어머니를 빼어 닮았다. 아버지는 슬픔으로 초췌해졌지만 마음은 이전보다 경건했다. 그는 아들 골드문트에게 어머니의 죄를 씻으려면 일생을 하느님께 바쳐야 한다는 믿음을 심어주었다.

골드문트의 아버지가 행방을 감춘 아내에 대해 곧잘 이야기하는 내용은 대충 이런 것이었다. 그는 이런 이야기를 내켜하지 않았지만, 골드문트를 수도원에 맡길 때도 수도원 원장에게 암시를 주었다. 그리고 이 끔찍한 전설 같은 이야기가 아들이 어머니에 관해 알고 있는 전부이기도 했다. 그렇지만 골드문트는 그런 이야기를 의식 한편으로 밀쳐내고 거의 잊어버리도록 교육을 받아왔었다. 그리하여 그는 어머니의 진짜 모습을 완전히 망각하고 있었다. 어머니의 진짜 모습은 전혀 달랐다. 아버지나 하인들의 입에 오르내리는 이야기들이나 어둡고 욕된 소문으로 꿰어 맞춰진 것이 아니라 전혀 다른 모습이었다. 그는 자신이 겪은 어머니에 대한 실제 기억을 잊어버리고 있었는데, 갑자기 아주 어린 시절에 느꼈던 별처럼 빛났던 그 진짜 모습이 다시 떠오르는 것이었다.

"제가 어떻게 그분을 잊어버릴 수 있었는지 모를 일입니다. 지금까지 제가 가장 사랑한 사람은 어머니였습니다. 그만큼 무조건적으로 열렬히 사랑한 사람은 없었습니다. 어머니는 저에게 있어 태양이며 달이었습니다. 제 영혼 속에 빛나던 그 모습이 어떻게 점점 희미해져 갔고 끝내는 형태도 없이 사악한 마녀로 변해 버렸는지 모르겠습니다. 하지만 이미 여러 해 전부터 어머니는 저와 아버지에게는 그런 존재가 되어버렸으니까요."

골드문트가 친구한테 이렇게 말했었다.

그 후 얼마 안 되어 나르치스는 수련 과정을 마치고 정식으로 사제복을 입게 되었다. 그러면서 골드문트에 대한 나르치스의 태도가 두드러지게 달라졌다. 골드문트 또한 전에는 나르치스의 주의나 조언에 대해 귀찮은 지식이나 행동의 우월감을 나타내는 오만이라고 생각하고 거부하기도 했으나, 지난번의 커다란 체험 이후로 이 친구의 예지에 대해 경탄해 마지않으면서 존경의 태도를 보이기 시작했다. 친구의 말 중에서 얼마나 많은 부분이 마치 예언이라도 되는 것처럼 실현되었던가! 이 통찰력 있는 인간은 자기 인생의 비밀을, 보이지 않는 상처를 얼마나 정확하게 추측했던가! 그리고 얼마나 지혜롭게 자신의 마음을 치유해 주었던가!

그 이후로 소년은 마음의 병이 다 나은 것처럼 보였다. 그때의 기절은 나쁜 결과를 남기지 않았을 뿐만 아니라 골드문트의 태도 속에 있던 일종의 장난기나 나이에 걸맞지 않은 영악스러움이나 진지하지 못한 태도가 눈 녹듯이 사라지고 만 듯했다. 왠지 조숙하게 수도사의 티를 낸다거나 하느님께 특별히 봉사해야 한다는 의무감 같은 것이 사라진 것이다. 소년은 자기 자신의 길을 깨닫고 난 뒤부터는 나이에 맞는 젊음을 되찾은 동시에 성숙해진 것처럼 보였다. 그는 그 모든 것이 나르치스의 덕분이라고 생각하며 감사했다.

그런데 나르치스는 며칠 전부터 자신의 친구에 대해 특별하게 신중한 태도를 갖기 시작했다. 골드문트는 그를 매우 흠모하고 있는데도 나르치스는 그전처럼 우월감을 가지고 무엇을 가르치려는 듯한 태도를 보이지 않았다. 오히려 겸손하기까지 한 모습으로 나르치스는 골드문트에게 어떤 신비로운 근원으로부터 길어 올린 힘을 불어 넣어주었다. 그것은 골드문트가 여태껏 느껴보지 못했던 힘이었다. 나르치스는 친구의 비밀에 더 이상 관여하지 않고도 그의 성장을 촉진시켜 줄 수는 있었다. 친구가 자신의 도움이나 지도에서 벗어나는 것을 그는 기쁜 마음으로 지켜보았지만, 한편으로는 마음이 서글프기도 했다. 그는 골드문트에게 자기는 한때 거쳐간 어떤 단계, 언젠가는 벗어버려야 할 껍질 같은 존재가 되었다고 느꼈던 것이다. 그렇지만 아직까지도 그는 골드문트에 대해 골드문트 자신이 그 자신을 알고 있는 이상으로 알고 있었다. 왜냐하면 골드문트는 자신의 영혼을 되찾았고 영혼의 부름에 따라갈 각오가 되어 있었지만, 그러면서도 자신이 어디로 이끌려갈지는 여전히 모르고 있었기 때문이다. 나르치스는 친구의 영혼이 어느 방향으로 나아가려는지 예감하고 있었으나 그를 도와줄 힘이 없었다. 사랑하는 이 친구의 길은 나르치스 자신이 결코 밟아보지 못할 나라로 이어져 있었던 것이다.

골드문트는 학문에 대해 전보다 열의를 보이지 않았다. 예전에 친구들과 대화할 때 논쟁을 즐겨 하던 태도도 사라졌다. 그는 옛날에 나누던 대화의 상당 부분을 부끄러움을 느끼며 떠올리곤 했다. 한편 나르치스에게는 얼마 전부터 모종의 변화가 일어나기 시작했다. 수련 과정을 마쳤기 때문인지 아니면 골드문트와의 일을 겪은 탓인지는 알 수 없지만, 어쨌든 그는 혼자 틀어박혀서 금욕과 고행을 하고 정신적인 단련을 해야 할 필요성을 느꼈다. 단식을 하면서 오랜 시간 기도를 드렸고, 자주 참회를 하며 자발적으로 고해를 해야겠다는 충동이 일곤 했다. 골드문트도 그런 나르치스의 충동을 이해하고 공유하면서 동참했다. 마음의 병을 고치고 나서부터 그의 본능은 매우 예민해졌다. 비록 장래의 목표에 대해서는 조금도 알지 못하지만, 이제 자신의 운명이 준비되고 있다는 사실을 어렴풋이 느끼기 시작했다. 천진난만함과 평온함으로 가득 찼던 모종의 보호 기간이 끝나고 팽팽하게 긴장된 자신의 내면에서 모든 것이 준비되어 있다는 사실이 명확하게 감지되었다. 그러한 예감은 마음을 들뜨게 했고, 마치 연애를 할 때의 달콤함처럼 그의 마음을 사로잡아서 밤늦게까지 잠들지 못할 때도 많았다. 그런가 하면 그 예감은 가끔씩 그의 가슴을 짓누르기도 했다. 어머니가, 오랫동안 잊어버렸던 어머니가 그를 다시 찾아온 것이었다. 그것은 숭고한 행복이었다. 그러나 그의 마음을 유혹하는 어머니의 목소리는 그를 과연 어디로 데려가려는 걸까? 어디인지 알 수 없는 그곳에는 어떤 불확실한 것, 미로처럼 얽힌 것, 견디기 힘든 것, 어쩌면 죽음이 기다리고 있을지도 모를 일이었다. 그 목소리는 아늑하고 평온한 곳, 안전한 곳, 그러니까 수도원 공동체 생활로 데려갈 것 같지는 않았다. 어머니의 부름은 그가 그토록 오랫동안 자신의 소망이라고 생각하고 있었던 아버지의 가르침과는 완전히 상반되는 것이었다. 그러나 심한 몸살을 앓듯이 강렬하고도 불안하게, 뜨겁게 달아오르는 이러한 느낌은 골드문트에게 마음의 경건함을 길러주었다. 성모 마리아를 향한 기나긴 기도를 되풀이하다 보면 그를 어머니 쪽으로 끌어당기던 복받치는 감정의 물결이 어느덧 잦아드는 것이었다. 그러나 그의 기도는 기괴하고 장엄한 몽상으로 끝나버리는 경우가 많았다. 너무나 자주 체험하는 오관의 헛된 꿈은 온갖 감각이 달라붙어 있는 어머니에 관한 몽상이기 일쑤였다. 그 속에서 향기를 지닌 어머니의 세계가 그를 감싸면서 때로는 수수께끼 같은 사랑의 눈길로 조용히 지켜보기도 했다. 마치 넓은 바다나 낙원처럼 저 깊은 곳에서 속삭이는 듯한 어머니의 세계는 감미로우면서도 씁쓸한 맛을 느끼게 했다. 그의 목마른 입술과 눈가에 명주실 같은 부드러운 머리카락이 스치기도 하는 등 어머니는 사랑에서 우러나오는 모든 것을 갖고 있었다. 달콤한 사랑이 배어 있는 푸른 눈매, 행복을 약속하는 부드러운 미소, 사랑으로 어루만져주는 위로……. 그러나 어머니의 내부에는 성스러운 베일 밑에 무섭고 어두운 것, 욕망과 불안, 죄악과 고통, 탄생과 피할 수 없는 죽음…… 이 모든 것이 함께 있었다.

소년은 영혼의 눈을 뜨게 해준 몇 겹이나 되는 감각의 실에 엉켜 있는 꿈속으로 깊이 빠져 들어갔다. 그 몽상 속에서 눈부신 생명의 아침인 유년 시절과 어머니의 사랑처럼 그리운 과거의 기억들이 매혹적으로 되살아났다. 그러나 그 속에는 뭔가를 약속하며 이제 막 닥쳐올 유혹적이고도 위태로운 미래가 함께 떠돌고 있었다. 어머니와 성모 마리아와 사랑하는 연인이 하나로 녹아 있는 그 몽상은 다시 생각해 보면 끔찍스런 범죄나 하느님에 대한 모독, 또한 결코 속죄할 수 없는 죄처럼 여겨지기도 했다. 그런가 하면 그는 그 속에서 일체의 구원과 조화를 발견하기도 했는데, 뭔가 알 수 없는 신비에 가득 찬 생명이 그를 응시하고 있다는 느낌이 들었다. 또한 그것은 근원을 알 수 없는 어둡고 음울한 세계인 것 같기도 하고, 동화 속에서나 나올 법한 위태로운 일들로 가득 찬 딱딱한 가시덤불처럼 여겨져서 두렵기도 했다. 그러나 그것은 어머니에게서 오고 어머니한테로 돌아가는 신비였다. 어머니의 맑은 눈 속에 깃들여 있는 아주 작고 어두운 그늘, 언제 닥쳐올지 모를 무서운 심연이었다.

어머니에 관한 이런 몽상에 빠져들다 보면 기억 속에 묻어 두었던 유년 시절이 자주 떠올랐다. 끝을 모르는 깊은 곳에 가라앉아 있던 상실의 기억들이 수많은 추억의 꽃들로 피어나면서 황금빛으로 반짝이고 예감으로 가득 찬 향기를 실어왔다. 그것은 유년 시절에 대한 감정으로, 언젠가 직접 겪은 것만 같았던 추억의 모습으로 되살아났다. 그는 물고기의 꿈을 꿀 때도 많았다. 등이 검거나 은빛인 물고기들이 무리를 이루어 시원스럽고도 매끈하게 헤엄쳐 와서 그의 몸속에서 뛰놀기도 하고 그의 몸을 통과해 재빨리 지나가기도 했다. 그것들은 행운의 소식을 가지고 오는 심부름꾼처럼 더 아름다운 현실의 도래를 전해주는가 하면, 왔다 갔다 하면서 꼬리를 살랑거리다가는 그림자처럼 저 멀리 사라지면서 행운의 소식 대신에 새로운 신비를 남겨놓기도 했다. 이렇게 그는 헤엄치는 물고기나 날아가는 새의 꿈을 자주 꾸었다. 꿈속에 나타난 물고기와 새는 마치 자신이 만든 피조물이라도 되는 것처럼 그의 뜻대로 움직였다. 마치 그 자신의 호흡처럼 조절할 수가 있었으며, 그 어떤 시선이나 생각처럼 그의 내면에서 찬연히 우러나와 다시 그의 내면으로 되돌아가는 것이었다. 그는 때때로 정원에 대한 꿈을 꾸기도 했다. 동화 속에서나 나옴직한 나무들과 흐드러진 꽃들, 그리고 검푸른 동굴이 있는 기괴한 뜰이 나타났다. 수풀 사이로는 이름을 알 수 없는 짐승들이 눈을 번뜩였고, 나뭇가지 위로는 커다란 뱀들이 미끄러지듯 스르르 기어 다녔다. 그런가 하면 포도 덩굴과 키 작은 나무 덤불 속에서는 큼직한 야생 딸기들이 이슬을 머금고 햇빛에 반짝였다. 그 딸기를 따서 손바닥에 올려놓으면 그것이 부풀어 오르면서 피처럼 따뜻한 즙을 흘리기도 했고, 뭔가를 애타게 찾는 듯이 재빠르게 눈망울을 굴리기도 하는 것이었다. 골드문트는 더듬거리며 어느 한 나무에 기대어서서 나뭇가지 하나를 휘어잡았다. 그러자 줄기와 가지 사이에서 마치 겨드랑이 털처럼 곱슬곱슬한 수염이 마구 뒤엉킨 채 빽빽하게 자라나 있는 것이 눈에 보였고 촉감으로도 느껴졌다. 어느 날은 자신에 대한 꿈을 꾸기도 하고, 그와 같은 이름의 성인(聖人)에 대한 꿈을 꾸기도 했다. 골드문트, 즉 크리소스토무스(둘 다 '황금의 입'이라는 뜻)가 꿈속에 나타나 황금의 입으로 말을 했고, 그러면 그 말들이 작은 새의 무리가 되어 날개를 파닥거리며 떼 지어 날아가 버렸다. 어떤 때는 이런 꿈도 꾸었다. 그는 커서 어른이 되었으나 어린아이처럼 땅바닥에 주저앉아서 쌓여 있는 흙으로 조그만 말이나 황소, 혹은 조그만 남자나 여인 같은 형상을 빚고 있었다. 그는 흙을 가지고 뭔가를 만드는 놀이가 너무나 재미있었다. 동물이나 남자의 형상에는 우스꽝스럽도록 큰 성기(性器)를 달아주기도 했는데, 꿈속에서도 그것은 매우 익살맞다는 생각이 들었다. 그러다가 그 장난에 싫증이 나면 그 자리를 떴다. 그런데 자기 뒤쪽에서 큼직한 무언가가 아무 소리도 내지 않으면서 살금살금 다가오는 느낌이 들었다. 걸음을 멈추고 뒤돌아보면 놀라움과 공포로 기절할 만한 광경이 펼쳐져 있었다. 거기에는 그가 만들었던 조그만 점토 형상들이 엄청나게 커져서 살아 움직이는가 싶더니 행렬을 지어 그의 곁을 묵묵히 지나갔다. 그러다가 마침내는 거대한 탑처럼 우뚝 솟으며 세상 속으로 나아가는 것이었다.

골드문트는 현실 세계보다도 오히려 이런 꿈속에서 자신이 더 살아 있다는 느낌을 받곤 했다. 교실이나 수도원의 뜰, 도서실, 침실, 성전 등 현실의 세계는 피상적인 껍질에 불과했다. 이 현실 세계는 꿈에 충만된 초현실적인 세계를 감싸고 있는 얇은 껍질에 지나지 않았다. 이 얇은 껍질은 한 번만 딴 마음먹고 찌르면 금방 구멍이 뻥 뚫릴 것 같았다. 따분한 수업시간에 읽는 희랍어의 발음에 알 수 없는 예감이 섞여든다거나, 생물을 가르치는 안젤름 신부의 약초 주머니 속에다 향기를 불어넣는다거나, 아치형 창문의 기둥 위로 불쑥 솟은 돌기둥의 담쟁이덩굴을 흘낏 쳐다본다거나 하는 따위의 사소한 자극들이 현실 세계의 표피에 구멍을 뚫을 수 있을 것 같았다. 그러면 평온해 보이지만 메마른 현실의 뒤편에서 사납게 날뛰는 형상 세계의 심연이 모습을 드러내고, 영혼 속에 심어진 형상들의 세계가 고삐에서 풀려나 은하수처럼 강물로 쏟아져 내릴 것만 같았다. 그런 몽상 속에서 라틴어의 머리글자 하나가 성모 마리아의 화사한 얼굴로 변했고, 성모 찬송의 길게 뽑는 음조는 천국 문이 되었다. 희랍어의 자모는 달리는 말이나 기어오르는 뱀으로 둔갑하여 꽃잎 밑으로 슬그머니 사라져 버리고 문법책의 두꺼운 표지만 남아 있는 것이었다.

골드문트는 이러한 꿈에 대해서 좀처럼 이야기하지 않았다. 단지 나르치스에게 이 꿈의 세계에 대해 몇 번 암시를 했을 뿐이었다.

어느 날 골드문트가 말했다.

"저는 길가에 피어 있는 꽃 한 송이나 기어 다니는 조그만 벌레 한 마리가 도서관을 가득 채운 모든 책보다도 훨씬 더 많은 것을 이야기하고, 더 많은 내용을 함축하고 있다는 생각이 듭니다. 문자나 말로써는 아무것도 말할 수가 없습니다. 가끔 어떤 희랍어 글자, 가령 세타(Θ)라든지 오메가(Ω) 같은 글자를 쓸 때 펜을 약간 돌리기만 하면 문자가 꼬리를 치면서 물고기로 변합니다. 그럴 때면 세상의 크고 작은 온갖 냇물과 강물, 그리고 시원하고 물기 있는 모든 것이 마음속에 떠오릅니다. 호메로스가 항해하던 큰 바다라든가 어부였던 베드로가 예수님의 제자로 거듭나던 그 물가도 생각납니다. 그런가 하면 그 문자는 새로 변해 꼬리를 치거나 깃을 곧추세우면서 몸을 부풀리기도 하고, 잠시 지저귀다 날아가 버리기도 합니다. 나르치스 선생님, 당신은 그런 문자를 그다지 특별한 것이라고는 생각하지 않으시죠? 그러나 저는 그런 문자를 가지고 하느님께서 이 세계를 창조하셨다고 말하고 싶습니다."

"나도 그런 것들을 대단하다고 생각해. 그것은 마법의 문자일세. 그 문자를 가지고 어떠한 악령이라도 불러낼 수 있으니까. 그렇긴 하지만 학문을 하는 데만은 적합하지 않지. 인간의 정신이란 확고한 것, 형체가 분명한 것을 좋아하기 마련이어서 학문의 세계에서 정해놓은 기호들에 의지할 수 있기를 원하거든. 또한 변해가는 것보다는 고정되어 있는 것을 좋아하고, 가능성보다는 현실성을 더 사랑하지. 오메가라는 글자가 뱀이나 새가 되는 것을 참지 못한단 말이야. 그래서 정신이 자연 속에서는 생존할 수 없는 거야. 정신은 자연을 거역하고서야 자연의 맞수로서 생존하는 법이니까. 골드문트, 자네는 지금 결코 학자가 되지 않을 거라는 결심을 나한테 털어놓고 싶은 거지?"

나르치스가 슬픔에 잠긴 듯한 목소리로 말했다. 골드문트는 그의 말대로 오래전부터 그런 결심을 하고 있었다고 동의했다.

"저는 집요하게 정신의 길을 추구할 생각은 없습니다."

골드문트는 빙긋 웃어 보인 다음 계속 말을 이었다.

"저에게 있어 정신의 세계나 학문의 세계라는 것은 제가 겪은 아버지의 세계와 같습니다. 말하자면 저는 아버지를 무척 사랑하고, 아버지를 닮았다고 생각했습니다. 아버지가 말씀하신 것은 절대적이라고 믿으면서 무조건 따랐습니다. 그러나 어머니가 다시 나타나자 사랑이 무엇인지 비로소 깨달았습니다. 어머니의 모습과 나란히 서 있는 아버지의 모습은 갑자기 너무 작게 느껴졌고, 심지어는 불쾌한 느낌과 함께 거부감까지 생겼습니다. 그래서 저는 정신과 관계되는 모든 것은 아버지와 결부된 것으로 생각하게 되었으며, 어머니와는 무관하면서 어머니한테 적대적인 것이라고 이해하게 되었습니다. 그러다 보니 그것을 어느 정도는 경시하면서 얕잡아 보게까지 되더군요."

골드문트는 농담 비슷하게 말했으나 친구의 슬픈 얼굴을 밝게 해줄 수는 없었다. 나르치스는 사랑으로 어루만지듯이 잠자코 그를 바라보았다. 그러다가 나르치스가 입을 열었다.

"자네가 하는 말을 잘 알겠어. 이제 더 이상 논쟁을 할 필요가 없을 거야. 자네는 눈을 뜬 거야. 이제는 자네도 자네와 나 사이의 차이가 무엇인지 알았을 거야. 또한 어머니의 혈통을 타고난 사람과 아버지의 혈통을 타고난 사람의 차이, 영혼과 정신과의 차이를 인식한 거야. 그리고 수도원에서 생활하며 수도자로서 일생을 살겠다는 자네의 노력이 잘못이었다는 것도 이제 곧 깨닫게 될 테고. 그리고 그것은 자네의 아버지가 알게 모르게 강요한 믿음이었음을 알게 될 거야. 자네의 아버지는 그러한 믿음을 자네에게 불어넣어 어머니에 대한 기억을 씻어내려고 하셨던 거야. 그것이 아니라면 어머니한테 복수를 하고 싶었을지도 모르지. 그런데도 수도원에서 일생을 보내야겠다는 결심이 자네의 소명에 따른 것이라고 여전히 믿고 있는 것은 아니겠지?"

골드문트는 골똘히 생각에 빠진 채 우아하면서도 섬세하고 수척한 친구의 손을 바라보았다. 가냘프고 하얀 그 손은 의심할 여지없이 금욕주의자의 손, 학자의 손이었다.

"저는 아직도 잘 모르겠습니다."

그는 마치 노래를 부르듯, 더듬거리며 음절 하나하나를 길게 빼는 어조로 말했다. 그의 말투는 조금 전부터 계속 그런 식이었다.

"저는 정말 모릅니다. 당신은 제 아버지에 대해 다소 냉혹한 판단을 하고 계십니다. 아버지는 큰 슬픔을 겪으셨습니다. 그러나 이 문제에 관해서는 당신의 말이 옳을지도 모릅니다. 제가 이 수도원에 온 지 3년이 지났는데도 아버지는 지금껏 한 번도 저를 찾아주지 않으셨습니다. 제가 영원히 이곳에서 살기를 아버지는 바라고 있고, 어쩌면 그렇게 하는 것이 최선일지도 모릅니다. 그리고 저 자신도 늘 그렇게 원했으니까요. 그러나 지금은 제가 실제로 뭘 원하고 있는지조차 모르겠습니다. 전에는 독본 속에 있는 문자처럼 모든 게 단순했습니다. 지금은 어느 것 하나 단순한 것이 없습니다. 문자조차도 그렇게 단순하지가 않습니다. 모든 것이 수많은 의미와 얼굴들을 갖게 되었습니다. 제가 어떻게 했으면 좋을지 정말 모르겠습니다. 지금은 그런 문제를 생각하는 것조차 힘이 듭니다."

"억지로 생각할 필요는 없어. 자네가 가야 할 길이 어느 쪽인지는 저절로 밝혀질 테니까. 그 길은 이미 시작되었어. 자네를 다시 어머니에게 데리고 가기 시작했거든. 자네와 어머니를 더욱 가깝게 해줄 거야. 그리고 자네의 아버지에 대해 내가 지나칠 정도로 냉정하게 판단하는 것은 아니야. 설마 아직도 자네 아버지에게 돌아갈 생각이 있는 것은 아니겠지?"

나르치스가 말했다.

"아닙니다. 나르치스, 절대로 그렇지 않습니다. 만약 그렇다면 학교를 졸업하는 대로 곧 돌아가려고 생각했을 겁니다. 혹은 지금 당장이라도. 왜냐하면 저는 학자가 되지 않을 것이므로 라틴어나 희랍어, 수학 같은 것은 지금으로도 충분하니까요. 하지만 아버지한테로 돌아가지는 않을 겁니다……."

골드문트는 이렇게 말을 한 후 생각에 잠겨 잠시 먼 곳을 쳐다보다가 갑자기 소리치듯 말했다.

"도대체 당신은 무엇 때문에 자꾸 저한테 말을 시키거나 질문을 던져서 제 속을 훤히 비춰주고 또 스스로를 깨닫게 하는 겁니까? 지금도 아버지에게 돌아갈 생각이냐고 물으니까, 그럴 생각이 없다는 것이 불현듯 확실해졌습니다. 당신은 어떻게 그처럼 제 속을 꿰뚫어볼 수 있는 겁니까? 당신은 모든 것을 다 아는 것 같습니다. 당신이 당신과 저에 대해서 여러 가지를 이야기해 주면, 이야기를 듣는 그 순간에는 잘 알아듣지 못했다가도 시간이 지나면 그것이 너무나 중요한 말이라는 걸 깨닫곤 합니다. 저의 혈통이 어머니 쪽이라고 말씀하신 이도 당신이었고, 제가 뭔가에 홀려 유년 시절을 망각하고 있다는 것을 발견한 것도 당신이었습니다. 당신은 어떻게 그토록 인간을 잘 이해하는 겁니까? 저도 그런 비결을 배울 수는 없습니까?"

나르치스는 빙그레 웃으며 고개를 가로저었다.

"그건 안 돼. 자네에겐 불가능한 일이야. 많은 것을 배울 수 있는 인간도 있으나 자네는 그렇지 못해. 자네는 결코 학자가 될 수 없을 거야. 그리고 과연 그걸 배울 필요가 있을까? 자네는 그럴 필요가 전혀 없는데 말이야. 자네에게는 다른 재능이 있어. 풍부한 재능과 자질을 나보다 훨씬 많이 가지고 있지. 하지만 자네는 나보다 약해. 자네는 내가 하는 이야기를 이해하려고 하지 않을 때가 많았어. 자네는 가끔 망아지처럼 거역했고, 나는 그런 자네를 달래는 것이 쉽지 않았지. 그래서 나는 자네의 마음을 아프게 한 적이 적지 않았지. 나는 또 미몽에 사로잡혀 있는 자네를 일깨우지 않으면 안 되었어. 자네에게 어머니의 기억을 일깨워주었을 때도 처음에는 마음이 많이 아팠을 거야. 자네는 마치 죽은 사람처럼 회랑에 쓰러지기도 했잖은가. 자네는 틀림없이 '아니, 왜 이러는 거야? 내 머리카락을 쓰다듬지 마! 이거 놓으라니까! 난 참을 수 없어.'라고 마음속으로 외쳤을 거야."

"그럼 저는 아무것도 배울 수 없다는 말씀입니까? 자꾸 바보만 되어가는데도 언제까지나 어린아이처럼 이대로 있어야 한다는 말씀인가요?"

"자네에게 가르쳐 줄만한 사람이 나타날 거야. 나한테서 배울 수 있는 것은 이제 이걸로 끝이야, 골드문트."

"아닙니다. 우리가 그러자고 친구가 된 건 아닙니다! 짧은 구간을 지난 다음 목표에 도달했다고 해서 간단하게 끝내버린다면 그것이 무슨 우정이란 말입니까? 당신은 벌써 저한테 싫증을 느끼셨나요? 당신은 제가 싫어졌 단 말씀입니까?"

골드문트가 소리쳤다.

"이 정도로 그만해 줘. 자네에 대한 내 마음이 식지 않았다는 것은 자네가 더 잘 알고 있지 않나."

나르치스는 이렇게 말한 다음 시선을 땅바닥에 떨어뜨리고는 한참 동안 격한 동작으로 왔다 갔다 했다. 그리고는 이상하다는 듯이 친구의 얼굴을 한참 동안 빤히 바라보다가 확고하고 단호한 어조로 나지막하게 말했다.

"이것 봐, 골드문트! 우리는 좋은 친구였어. 목표가 있었고, 자네는 목표 에 도달했어. 그것은 자네를 일깨워주는 일이었지. 하지만 나는 이 우정이 끝나지 않길 바라네. 우리의 우정이 늘 거듭 새로워져서 새로운 목표에 도달하길 진심으로 바란다네. 그러나 지금은 자네의 목표가 확실하지 않기 때문에 자네를 인도해 줄 수도 없고 동반자가 되어줄 수도 없어. 자네에게 떠오르는 어머니의 모습한테 물어보고 귀를 기울여봐! 나는 불확실한 세계 에서는 나의 목표를 찾을 수가 없으니까. 내가 찾는 목표는 여기 수도원에 있고, 그것은 쉴 새 없이 나에게 뭔가를 요구하고 있어. 내가 자네의 친구가 되는 것은 허락되어 있지만 깊이 관여해도 좋다는 허락은 없어. 나는 수도 사가 되기로 서약을 했거든. 나는 사제 서품을 받기 전에 가르치는 일에서 물러나 단식과 고행을 할 생각이야. 그 기간 동안에는 세속적인 것에 관해 서는 일체 말해선 안 돼. 물론 자네하고도."

골드문트는 이해하면서도 슬픔을 떨쳐내지 못하는 목소리로 말했다.

"당신은 이제 그 일을 결행하게 되는군요. 저도 평생을 교단에 몸담을 생각이었다면 그렇게 했을 테지요. 그렇다면 수련 과정을 마치고 단식과 고행을 하고 나면, 당신의 그다음 목표는 무엇입니까?"

"자네도 알고 있을 텐데?"

나르치스가 말했다.

"아, 그렇지요. 몇 년 후면 최고의 스승이 될 거예요. 아니 어쩌면 교장이 될 수도 있을 테고. 그리고 교과 내용을 개선하고 도서실을 확장하시겠지요. 아마 책도 쓰실 거구요. 그렇지 않다고요? 그럼 그렇다고 치고, 그다음 목표는 뭔가요?"

나르치스는 희미하게 미소를 지어 보였다.

"목표? 나는 교장으로 죽을지도 모르고, 그렇지 않으면 수도원장이나 주교가 되어 있을지도 모르지. 그러나 그런 직책은 아무 상관도 없어. 내 목표는 내가 가장 잘 봉사할 수 있는 터전, 내 성질이나 특성이나 재능이 가장 잘 펼쳐지고 작용할 수 있는 터전을 찾는 거야. 그 밖에 다른 목표는 없어."

"수도사들에게 다른 목표는 없습니까?"

골드문트가 물었다.

"그래, 목표는 그걸로 충분해. 히브리어를 배우고 아리스토텔레스의 책에 주석을 다는 것, 혹은 수도원의 성당을 잘 꾸미고 형제들끼리 돈독한 유대를 맺으며 묵상을 하는 것 등 여러 가지 일들이 있겠지. 수도사들에게 그런 것들은 평생을 바쳐도 못 다할 목표가 될 테니까. 그렇지만 나한테는 그런 것들이 목표가 될 수 없어. 나는 수도원의 재산을 늘리려 한다거나 교단과 교회를 개혁하는 일에는 뜻이 없어. 나는 내 능력으로 가능한 범위 내에서 내가 이해하는 방식대로 정신의 길에 정진하려는 생각뿐, 그 밖에는 아무것도 바라지 않아. 이런 것은 목표가 될 수 없는 걸까?"

그의 말을 듣고 나서 골드문트는 한참 동안 대답할 말을 생각했다.

"당신의 말씀이 옳습니다. 그런데 당신이 목표를 향해 가는 과정에서 제가 방해가 됐습니까?"

"방해가 되었느냐구? 천만에! 골드문트, 자네보다 더 내가 가야 할 길을 재촉해 준 사람은 없었어. 자네가 나한테 힘든 문제를 안겨주긴 했지만, 나는 그런 문제를 두려워하는 사람이 아냐. 오히려 나는 어려운 고비를 통해 배움을 얻었고, 더러는 그걸 극복하는 일도 가능해졌으니까 말이야."

골드문트는 나르치스의 말을 가로채어 반농담조로 말했다.

"당신은 아주 훌륭하게 어려움을 극복했습니다. 그렇지만 저를 돕고 이끌어주고 제 영혼을 건강하게 해주었다고 해서, 당신이 정말 정신에 정진했다고 할 수 있을까요? 아마 당신은 수도 생활에 뜻을 두고 있는 학생 하나를 꾀어내어, 당신이 말하는 정신에 대립되는 사람으로 키워오지는 않았나요? 그러니까 당신이 선하다고 여기는 것과는 정반대되는 어떤 것을 행하고 믿고 추구하는 사람을 만든 것은 아니냐고요?"

골드문트의 말을 듣고 나서 나르치스는 매우 심각한 표정으로 말했다.

"어째서 그런 생각을 하지? 자네는 아무래도 나를 잘 이해하지 못하는 것 같아! 어쩌면 나는 장차 수도사가 될 사람의 앞날을 망쳐놓고 그 대신 비범한 운명에의 길을 터놓았는지도 모르지. 그렇지만 자네가 내일 당장 우리 아름다운 수도원을 송두리째 태워 없애버리거나 혹은 그릇된 학설을 세상에 퍼뜨린다 하더라도, 나는 그 길로 향하도록 자네를 도운 것을 한순간도 후회하지 않을 거야."

그는 다정스럽게 친구의 어깨에 두 손을 얹었다.

"이봐, 골드문트. 이것 또한 내 목표의 하나이건 아니든 간에, 강하고 가치 있는 특별한 인간을 만났을 때 그를 이해하지 못한다거나 문제를 풀어주지도 못하고 도와주지도 못하는 그런 처지가 되고 싶지는 않네. 그리고 분명히 말해 두고 싶은 것이 있어. 자네와 내가 무엇이 되든, 우리의 형편이 어떻게 되든, 자네가 나를 진지하게 필요로 생각하는 순간에 내가 자네를 외면하거나 마음의 자물쇠를 채우는 일은 없을 거야. 결코 그런 일은 없을 거란 말일세."

나르치스의 말은 작별 인사처럼 들렸다. 사실 그것은 작별의 전주곡이었다. 골드문트는 친구 앞에 서서 그의 단호한 표정과 어떤 목표를 지향하고 있는 비장한 눈길을 지켜보면서 이제 두 사람은 형제도 친구도 또는 그와 비슷한 그 무엇도 아니라는 것을, 두 사람의 갈 길이 벌써 갈라져버렸다는 것을 확실히 느낄 수 있었다. 지금 자기 앞에 서 있는 이 사람, 이 사람은 몽상가도 아니고 어떤 운명의 부름 따위를 고대하지도 않았다. 그는 어디까지나 수도사였던 것이다. 그는 이미 자신을 바치기로 서약했으며, 움직일 수 없는 어떤 질서와 의무에 얽매인 사람이었다. 그는 교단과 교회, 그리고 정신이 요구하는 일에 헌신하는 존재였다. 이와 반대로 자신은 그 세계에 속한 사람이 아니라는 사실이 오늘에 와서 분명해졌다. 그에게는 고향도 없었고, 오직 미지의 세계만이 그를 기다리고 있을 뿐이었다. 지난날의 그의 어머니도 마찬가지 처지였다. 어머니는 가정을, 남편과 아들을, 공동체의 질서를, 의무와 명예를 저버리고 정처 없이 불확실한 세계로 달아났다. 어머니는 이미 오래전부터 그 속에 침잠해 있을 것이다. 골드문트 자신에게 목표가 없듯이 어머니도 마찬가지로 목표가 없었을 것이다. 목표를 가진다는 것은 다른 사람에게 주어진 몫일 뿐 그의 몫은 아니었다. 아, 그런데 나르치스는 이 모든 것을 오래전부터 얼마나 훌륭하게 통찰하고 있었단 말인가! 그의 판단은 얼마나 옳았던가!

이런 일이 있고 난 며칠 뒤 나르치스는 어디론가 잠적해 버렸다. 대신 다른 선생이 그가 가르치던 과목을 맡았고, 도서실에서 그가 앉던 자리는 계속 비어 있었다. 그러나 나르치스가 완전히 사라진 것은 아니었다. 그가 화랑을 지나가는 것을 가끔 볼 수 있었으며, 성전의 돌바닥 위에 무릎을 꿇고 앉아 중얼거리며 기도하는 소리가 들릴 때도 간혹 있었다. 그가 수련 과정의 마지막 과정에 접어들었다는 것을 알 수 있었다. 그는 단식을 하고 밤중에 묵상을 하기 위해 잠자리에서 세 번씩 일어났다. 그는 사라진 것은 아니지만 이미 다른 세계로 옮겨지고 있었던 것이다. 간혹 그를 볼 수 있었지만 그에게 가까이 갈 수도, 무엇을 함께할 수도, 말을 걸 수도 없었다. 그러나 골드문트는 언젠가는 나르치스가 다시 나타나리라는 것을 알고 있었다. 나르치스는 다시 자기 책상이나 식당의 자기 자리에 앉을 것이며 다시 이야기를 하게 될 것이다. 그러나 지난 일이 그대로 되풀이되지는 않을 것이고, 나르치스가 다시 그의 친구가 될 수도 없을 것이다. 그런 것을 생각해 보니 수도원과 수도생활, 어학과 논리학, 공부와 정신의 세계를 중시하고 흥미를 느끼게 된 것도 전적으로 나르치스 덕분이었다는 것이 분명해졌다. 나르치스의 모범이 그를 유혹한 것이었다. 나르치스처럼 되는 것이 그의 이상이었다. 물론 수도원장도 있었다. 그는 원장을 존경하고 사랑했으며, 그분에게서 고귀함을 발견하기도 했다. 그러나 다른 사람들, 교사, 학생, 침실, 식당, 학교, 수업, 묵상시간, 기도 등 수도원의 이 모든 것들은 만일 나르치스가 없다면 전혀 관심을 둘 이유도 의미도 없었다. 내가 이곳 수도원에서 할 일이 무엇일까? 그는 뭔가를 막연하게 기다리고 있었다. 비가 오는 날 가야 할 길을 정하지 못한 나그네처럼, 그는 수도원의 처마 끝에 혹은 나무 밑에 서 있었다. 그는 자신이 길손에 불과하다고 느꼈고, 낯선 사람을 재워주지 않을까봐 불안하고 두려웠다.

　이 무렵의 골드문트의 생활은 망설임과 작별의 연속이었다. 그는 자신이 좋아했거나 의미가 있었다고 여겨지는 장소를 모조리 찾아다녔다. 헤어지는 것을 섭섭하게 여길 사람들이 별로 없다는 사실을 확인하고 그는 뭐라 말할 수 없는 야릇한 충격을 받았다. 나르치스와 다니엘 원장, 선량하고 다정스런 안젤름 신부, 그리고 친절한 문지기 아저씨와 쾌활한 이웃인 밀러 아저씨 정도가 마음에 걸리는 전부였다. 하지만 이들조차도 이제는 골드문트의 현실과는 거리가 먼 존재처럼 여겨졌다. 그들보다도 성전 위층에 있는 커다란 돌로 만든 마리아 상이나 현관에 줄지어 서 있는 12사도 상들과 헤어지는 것이 오히려 더 서운할 것 같았다. 그는 그 성상들 앞에서, 회랑에 둘러싸인 분수대 앞에서, 세 개의 짐승 머리를 가진 기둥 앞에서 한참 동안 걸음을 멈추었다. 안마당에 서 있는 보리수나무들과 정문 입구의 밤나무에 기대보기도 했다. 이 모든 것이 언젠가는 추억으로 떠오를 것이다. 그의 가슴속에 아로새겨진 작은 그림책으로 남을 것이다. 이 모든 것의 한가운데 서 있는 지금도 그것들이 벌써 그에게서 빠져 달아나기 시작하여 현실성을 잃고 있으며, 마치 유령처럼 과거의 것으로 변해가고 있었다. 그는 그를 가까이에 두기를 좋아하는 안젤름 신부와 약초를 캐기도 하고, 수도원의 물방앗간에서 하인들과 어울려 가끔씩 포도주나 구운 물고기를 먹으며 즐거운 시간을 보내기도 했지만 그 모든 일이 벌써 낯설어지고 어슴푸레해져 갔다. 물론 저 위쪽의 황혼에 싸인 성당의 기도실에서 친구인 나르치스가 정진하고 있었다. 하지만 그는 이미 골드문트에게 그림자나 다름없는 존재가 되어버렸다. 이렇듯 둘러싸고 있던 모든 것이 현실에서 멀어져 갔고, 오직 가을날의 무상한 기운만이 그를 감쌀 뿐이었다.

　골드문트의 마음속에서는 그 무엇도 삶 자체만큼 생생한 현실성을 갖지 못했다. 그에게는 심장의 불안스런 고동, 가슴 아픈 그리움, 꿈속의 기쁨과 불안만이 존재하고 있을 뿐이었다. 그는 마치 그 세계에 속한 것처럼 그 세계에 자신을 맡겼다. 책을 읽거나 공부를 할 때도, 동료 학생들과 같이 있을 때도 그는 모든 것을 잊은 채 자신 속으로 가라앉아 오직 내면의 흐름과 소리에만 자신을 맡길 수 있었다. 그 내면의 흐름과 소리는 그를 저 멀리로 데려가서 그윽한 선율이 넘쳐흐르는 깊은 샘물을 보여주기도 했고, 동화 같은 체험으로 가득 찬 심연들을 보여주기도 했다. 그 소리들은 한결같이 어머니의 목소리처럼 울려 퍼졌고, 그를 바라보는 헤아릴 수 없이 많은 시선들도 모두 어머니의 눈길이었다.

6

어느 날 안젤름 신부는 골드문트를 그의 약초실로 불러들였다. 그 방에는 뭐라 표현할 수 없을 정도로 신기한 향내가 가득했다. 골드문트는 그 방의 구석진 곳까지 속속들이 알고 있었다. 안젤름 신부는 그에게 책장 사이에 깨끗이 보관되어 있는 바싹 마른 식물을 보여주면서 이 식물 이름을 아는지, 그리고 들판에 피어 있을 때는 어떤 형태인지를 정확하게 묘사할 수 있느냐고 물었다. 골드문트는 할 수 있다고 대답했다. 식물의 이름은 고추나물이었다. 그는 그 특징을 하나도 남김없이 자세하게 설명했다. 나이 드신 신부님은 만족한 표정으로 그것이 많이 자라고 있는 곳을 가르쳐주면서 오후에 그 약초를 한 아름 채집해 달라고 부탁했다.

"그 대신 오후 수업을 쉬게 해주마. 거절하진 않겠지? 크게 손해를 보는 것도 아니니까 말이야. 고지식하고 지루한 문법만 파고들기보다는 자연을 두루 아는 것도 학문의 일부이니까."

골드문트는 수업을 받는 대신에 두세 시간 식물을 채집해 오라는 그 고마운 분부를 기꺼이 받아들였다. 그리고 그 기쁨을 완벽하게 맛보기 위해 그는 마구간지기에게 블레스를 타게 해달라고 부탁했다. 식사를 끝낸 그는 점막이 말에 올라타고 느긋한 마음으로 햇볕이 따스하게 내리쬐는 들판으로 달려 나갔다. 거의 한 시간 동안이나 그는 이리저리 달리면서 신선한 공기와 들판의 향내를 맡았다. 무엇보다도 즐거운 것은 말을 타는 그 자체였다. 그리고는 맡은 일을 떠올리며 신부님이 일러준 장소를 찾았다. 그는 그늘진 단풍나무 밑에 말을 맨 다음 말과 장난을 치다가 먹이를 주고 나서 그 식물을 찾기 시작했다. 오랫동안 방치되어 있었던 탓인지 몇 뙈기의 밭두렁엔 갖가지 잡초들이 무성하게 자라 있었다. 조그맣고 가녀린 양귀비풀이 수많은 양귀비씨 꽃술을 둘러쓴 채 바싹 마른 완두 덩굴과 하늘색 꽃이 피어 있는 치커리와 색이 변한 여귀 풀 사이에 서 있었다. 밭 사이의 경계선에 차곡차곡 쌓아둔 돌무더기 틈새에는 도마뱀이 살고 있었고, 거기에는 벌써 노란 꽃을 피우고 있는 한 무더기의 고추나물 이 자라고 있었다. 골드문트는 그것을 캐기 시작했다. 한 다발을 캐고 나서 돌 위에 걸터앉아 쉬었다. 햇살이 무척 뜨거웠다. 멀리 바라다 보이는 어둡 게 그림자 진 숲 기슭을 건너다보자 그곳으로 가고 싶은 충동이 일었으나, 고추나물이나 말에서 너무 멀리 떨어진 곳까지 갈 생각은 없었다. 그래도 여기서는 매여진 말을 잘 볼 수 있었다. 그는 햇볕에 달구어진 작은 자갈더 미 위에 주저앉은 채 가만히 숨을 들이키며 달아난 도마뱀이 또 나오지 않나 하고 주의 깊게 살펴보았다. 그러다가 고추나물의 냄새를 맡아보기도 하고 그 조그만 잎새들을 쳐들어 햇살에 비춰보기도 했다. 그러자 수백 개의 자잘한 가시털이 눈에 들어왔다.

그것을 바라보고 있노라니 참으로 신기하다는 생각이 들었다. 무수하 게 달린 작은 잎사귀 하나하나에 마치 수를 놓은 것 같은 하늘이 한 조각 씩 와서 박혀 있는 듯했다. 골드문트는 모든 것이 신기하고 불가사의하게 만 여겨졌다. 도마뱀도, 약초도, 돌멩이들까지도 얼마나 신비로운지……. 골드문트를 무척이나 아끼는 안젤름 신부는 직접 약초를 캐러 나올 수가 없는 형편이었다. 다리가 아파서 꼼짝할 수 없는 날이 많았고 자신의 의술 로도 그것을 고치지 못했다. 아마 머지않아 돌아가실지도 모를 일이었다. 약초실의 약초는 계속 향기를 뿜어내고 있었지만, 방 안 어디에서도 노 (老)신부의 기운은 더 이상 느껴지지 않았다. 어쩌면 안젤름 신부는 십 년이나 이십 년 정도는 더 살아계실지도 모른다. 그러나 그 성성한 백발과 눈가에 붉거진 주름살들을 지닌 채로 살아가실 것이다. 그렇다면 골드문 트 자신은 어떻게 될까? 20년 뒤에는 어떤 모습일까? 아, 아무리 아름답다고 해도 모든 것은 불가사의했고 슬프기만 했다. 사람은 아무것도 모르는 존재라는 사실이 실감났다. 인간은 그저 이 땅을 누비고 다니기도 하고, 숲을 가로질러 말을 달릴 뿐이었다. 그런가 하면 뭔가를 요구하고 약속을 하며, 그리움을 불러일으키는 여러 가지 것들과 마주치기도 한다. 밤하늘의 별들, 갈대가 무성한 호숫가, 어떤 사람의 시선이나 황소의 눈, 지금까지 한 번도 보지 못했지만 아득한 먼 옛날부터 그리워하고 있었던 것들이 당장이라도 베일을 벗을 것만 같다. 그러나 그런 순간은 슬그머니 지나가버리고, 이내 아무 일도 없었던 것처럼 되고 만다. 수수께끼는 여전히 풀리지 않고, 비밀의 마법도 풀리지 않는다. 그리하여 끝내는 늙어서 안젤름 신부나 다니엘 원장 같은 현자가 될 것이다. 하지만 그렇다고 하더라도 아무것도 모르기는 마찬가지여서, 여전히 무언가를 기다리며 귀를 기울이는 존재인 것이다.

그는 속이 텅 빈 달팽이 껍질 하나를 주워들었다. 달팽이 껍질은 돌멩이들 사이에 부딪혀 희미하고 가느다란 소리를 냈으며, 내리쬐는 햇볕으로 인해 따뜻하게 달아 있었다. 골드문트는 둘둘 말린 껍질의 굴곡, 잔금이 새겨진 나선형 곡선, 이상스럽게 꼬불꼬불한 꽃술 모양의 머리 부위, 진주처럼 반짝거리는 텅 빈 구멍 등을 관찰하는 데 온 정신이 팔렸다. 그는 손가락으로 더듬어서 촉감만으로 형태를 느껴보려고 잠시 눈을 감았다. 그것은 오랜 버릇이자 장난이었다. 느슨한 손가락 사이로 달팽이를 어루만지다가 누르지 않고 굴려가면서 그 모습을 그려볼 때면 말로 표현할 수 없는 희열이 온몸을 관통했다. 그러면서 그러한 형태가 창조되기까지의 경이와 그런 형태에 몸통이 갖춰지기까지의 마술적 신비야말로 학교나 학문에서 얻을 수 없는 귀한 것이라는 생각이 꿈처럼 떠올랐다. 그리고는 인간의 모순은 모든 것을 이차원의 평면으로 보고 묘사하려는 경향에서 비롯되었다는 생각이 얼핏 들었다. 모든 이성의 결함과 무가치함도 아마 그와 비슷한 문제로 정리될 것이라고 여겼지만, 골드문트는 확신을 갖지는 못했다. 달팽이 껍질이 그의 손가락 사이에서 미끄러져 떨어졌다. 갑자기 몸이 나른해지더니 졸음이 밀려온 것이다. 그는 시들자마자 진한 향내를 풍기기 시작한 약초 다발 위에 고개를 숙이고 있다가 햇빛을 받으며 잠이 들었다. 그의 신발 위로 도마뱀이 지나다녔고 무릎 위에서는 캐놓은 약초가 시들어갔다. 블레스는 단풍나무 밑에서 그를 초조하게 기다리고 있었다.

누군가가 저쪽 숲에서 걸어왔다. 빛이 바랜 파란 치마를 입고 검은 머리에 붉은 두건을 쓴 여인이었다. 얼굴은 햇볕에 그을어 있었는데, 여인은 한 손에 보자기로 싼 꾸러미를 들고 입에는 작고 새빨간 패랭이꽃을 물고 있었다. 그녀는 호기심과 미심쩍은 기색으로 저 멀리 앉아 있는 사람을 계속 바라보았다. 그러다가 그가 잠이 든 것을 알아채고는 조심스레 가까이 다가섰다. 햇볕에 탄 맨발을 그대로 드러낸 채 골드문트 바로 앞에 걸음을 멈춰 선 여인의 표정에는 미심쩍어하는 기색은 어느덧 사라지고 보이지 않았다. 자고 있는 잘생긴 젊은이는 전혀 위험하게 느껴지지 않았고, 도리어 호감을 주는 인상이었던 것이다. '이분은 왜 이런 잡초가 무성한 곳에 왔을까?' 반쯤 시든 약초 다발을 보고 여인은 빙그레 미소를 지었다.

골드문트는 눈을 떴다. 머리의 촉감이 부드러웠다. 그는 모르는 여인의 무릎을 베고 누워 있었던 것이다. 아직 잠이 덜 깨어 어리둥절해하는 그의 눈을 낯선 갈색 눈동자가 가까이에서 내려다보고 있었다. 골드문트는 크게 당황하지 않았다. 결코 위태로운 상황은 아니었다. 따스한 갈색 눈동자가 부드럽게 내려다보고 있었기 때문이다. 그 여인은 놀라는 그의 눈길과 마주치자 생긋 웃어 보였다. 무척이나 다정하게 느껴지는 미소였다. 그도 차차 입가에 미소를 띠기 시작했다. 생긋 웃는 그의 입술 위로 그 여인의 입술이 내려왔다. 둘은 부드러운 입맞춤으로 인사를 나누었다. 그때 골드문트는 문득 마을에 갔던 날 저녁의 일과 머리를 땋은 어린 소녀가 떠올랐다. 그러나 입맞춤은 아직 끝나지 않은 상태였다. 여인은 자신의 입술을 그의 입술에서 떼지 않은 채 계속 비벼대며 유혹하더니, 나중에는 갈증에 허덕이는 사람처럼 핥아대며 덤벼들었다. 그러한 움직임은 그의 피를 달아오르게 했으며, 그의 몸속 깊은 곳에서 잠자고 있는 피까지 깨어나게 했다. 길게 이어진 침묵의 유희 속에서 갈색의 여인은 골드문트를 부드럽게 가르치며 자기 자신의 몸을 소년에게 맡겨버리는 것이었다. 그로 하여금 탐색하고 발견하게 해주었으며, 그를 불타오르게 하는가 하면 이글거리는 불꽃을 식혀주기도 했다. 행복하고도 짧은 사랑의 희열이 뭉게뭉게 피어올라 황금빛으로 타올랐다가 이내 기울어지며 꺼져버렸다. 그는 두 눈을 감은 채 여인의 가슴에 얼굴을 묻고 누워 있었다. 한마디도 말을 할 수가 없었다. 여인은 몸을 움직이지 않은 채 그의 머리카락을 부드럽게 어루만지면서 그가 제정신으로 돌아오기를 기다렸다. 얼마 후 그는 눈을 떴다.

"이봐요! 도대체 당신은 누구예요?"

"나는 리제라고 해요."

여인이 말했다.

"리제……? 리제, 당신은 아름답고 사랑스럽군요."

그는 음미하듯 그 말을 되풀이하고 나서 말했다.

여인은 입술을 그의 귀에 갖다대고 소곤거렸다.

"당신, 처음이었지요? 이전에 사랑한 사람이 아무도 없었어요?"

그는 그렇다고 고개를 끄덕이고는 벌떡 일어나서 주위를 둘러보았다. 그리고는 들판 건너편에 걸려 있는 하늘을 쳐다보며 소리쳤다.

"아! 벌써 해가 기울었어. 이젠 돌아가야 해."

"어디로요?"

"수도원으로. 안젤름 신부님한테로 돌아가야 해요."

"마리아브론 수도원으로요? 당신 그곳에서 살아요? 내 곁에 더 있고 싶지 않아요?

"물론 그러고 싶어요."

"그럼 가지 말아요!"

"아니, 그건 안 돼요. 그리고 약초를 더 캐야 해요."

"당신은 수도원에 있나요?"

"그래요, 저는 수도원에 머물고 있는 학생이에요. 하지만 이젠 거기서 떠날 거예요. 그러면 당신한테 가도 될까요, 리제? 당신 집은 어디예요?"

"나에겐 집이 없어요. 나한테 이름을 가르쳐 주지 않을래요? 아, 골드문트라구요? 귀여운 골드문트, 저에게 한 번만 더 키스해 줘요. 그럼 보내줄게요."

"집이 없다구요? 그럼 잠은 어디서 자요?"

"당신이 원한다면 숲이나 건초더미 위에서 나와 함께 지낼 수도 있어요. 오늘밤에 올래요?"

"그럴게요. 그런데 어디에서 어떻게 만나지요?"

"혹시 귀여운 부엉이 소리를 낼 수 있나요?"

"한번도 해보지 않았어요."

"그럼 한번 해보세요."

그는 곧 부엉이 소리를 흉내 냈고, 여인은 킬킬대면서 즐거워했다.

"그럼 오늘밤 수도원에서 나와 부엉이 소리를 내세요. 난 근처에 있을 테니까요. 귀여운 골드문트, 내가 마음에 들어요?"

"당신이 너무 마음에 들어요. 리제, 꼭 나갈게요. 지금은 가봐야 해요."

골드문트는 숨을 헐떡일 정도로 말을 달려 해질 무렵에 수도원으로 돌아왔다. 다행히도 안젤름 신부가 몹시 바쁜 것을 보고는 안심이 되었다. 학생 하나가 맨발로 개울을 거닐다가 유리 조각에 발이 찔렸기 때문이었다. 이제는 나르치스를 찾아갈 때가 되었다고 생각했다. 그는 식당에서 일하는 수도원 형제들 중 한 사람을 붙들고서 나르치스가 어디 있는지를 물어보았다. 그는 금식하는 중이어서 식당에 오지 않을 거라고 했다. 그런 데다 밤에 철야기도를 하기 때문에 지금쯤은 잠을 자고 있을 것이라고 전해주었다. 골드문트는 달려갔다. 기나긴 수련 기간 동안, 나르치스는 수도원 안쪽의 고해소 중 하나를 침실로 사용했다. 골드문트는 주저하지 않고 달려가 문에 귀를 갖다대었다. 엄격히 금지되어 있는 일이지만 그에게는 문제가 되지 않았다.

좁다란 나무 침대에 나르치스가 누워 있었다. 어둠 속에서 창백하고 수척한 얼굴로 두 손을 가슴 위에 포갠 채 가만히 드러누워 있는 모습은 마치 죽은 사람 같았다. 그런데 나르치스는 눈을 뜨고 있었다. 잠을 자는 것이 아니었다. 그는 아무 말 없이 골드문트를 쳐다보았다. 나무라는 기색은 보이지 않았지만, 그렇다고 마음의 움직임이 느껴지는 것도 아니었다.

그는 어떤 다른 시간대와 세계 안에 들어가 있는 것 같았다. 한참 후에야 간신히 친구를 알아보았다.

"나르치스! 용서해 주십시오. 당신을 방해한 것을 용서해 주십시오. 당신이 지금 저와 이야기를 해서는 안 된다는 것을 알고 있습니다. 그러나 제 이야기를 들어주세요. 제발 부탁입니다."

나르치스는 생각에 잠긴 듯이 한동안 멍하게 있다가 정신을 차리려고 애를 쓰는 사람처럼 눈을 깜박였다.

"그렇게 절실한 일인가?"

나르치스기 낮은 목소리로 물었다.

"그렇습니다. 지금 저는 당신과 작별해야 하거든요."

"그렇다면 어쩔 수 없군. 자네가 온 것을 헛되게 할 수는 없지. 이리 와서 내 옆에 앉아. 15분쯤은 시간이 있어. 그 뒤에는 첫 번째 철야기도가 시작되거든."

그는 수척한 몸을 일으켜 아무것도 깔지 않은 나무 침대 위에 힘없이 앉았다. 골드문트도 그 옆에 나란히 앉았다.

"제발 용서해 주십시오!"

골드문트는 잘못을 자각하며 말했다. 이 좁은 방과 이부자리도 없는 딱딱한 나무 침대, 며칠 밤을 새워 야위고 지친 얼굴, 긴장의 기색이 역력한 얼굴빛과 반쯤은 꺼진 듯한 휑한 눈빛……. 이 모든 것은 그에게 자신이 얼마나 방해가 되고 있는가를 여실히 보여주었다.

"그럴 것까지는 없어. 나를 염려할 필요는 없으니까. 나는 아무 데도 이상이 없어. 자네는 방금 작별을 고하러 왔다고 말했지? 그렇다면 이제 이곳을 떠나겠다는 말인가?"

"오늘 떠날 겁니다. 무슨 말을 해야 할지 모르겠군요. 순식간에 모든 것을 결정하고 말았어요."

"아버지한테서 무슨 소식이라도 왔는가?"

"아니요. 아버지가 아니라 인생 그 자체가 저에게 왔습니다. 아버지도 상관없고, 누구의 허락도 없이 저는 떠나는 거예요. 당신에게 정말 부끄럽고 죄송합니다만, 저는 이곳에서 달아나는 거예요."

골드문트는 그의 기다랗고 하얀 손가락을 내려다보았다. 수도복의 소맷자락에서 가냘픈 손가락이 유령처럼 기다랗게 삐져나와 있었다.

"시간이 없으니까 핵심만 말해. 간단명료하게 말이야. 그렇지 않으면 자네한테 일어난 일을 내가 말해 볼까?"

그의 준엄하면서도 지친 얼굴에서는 전혀 느낄 수 없던 부드러운 미소가 그의 목소리에서 느껴졌다.

"말씀해 보십시오."

골드문트가 간청하듯 말했다.

"자네는 사랑에 빠진 거야. 여자를 알았고."

"그걸 어떻게 아셨습니까?"

"자네 표정에 나타나 있어. 사람들이 사랑할 때 갖는 도취된 특징이 자네의 모습에서 드러나고 있으니까. 그러니 이제 자네가 말해 봐."

골드문트는 망설이면서 친구의 어깨 위로 손을 얹었다.

"전에도 그런 말을 들었습니다. 나르치스, 하지만 이번만은 틀렸습니다. 이건 전혀 다릅니다. 저는 들판에 나가 따스한 햇살 아래서 잠이 들었습니다. 그런데 눈을 떠보니 제 머리가 아름다운 어느 여인의 무릎 위에 눕혀져 있었습니다. 저는 제 어머니가 이제야 저를 데리러 왔나 하고 생각했습니다. 그렇다고 그 여인을 어머니라고 여긴 것은 아닙니다. 그녀는 짙은 갈색 눈에 검은 머리였지만, 제 어머니는 저처럼 금발이었으니까요. 하지만 저는 어머니를 보았고, 어머니의 목소리를 들었습니다. 그 여인은 어머니가 보낸 심부름꾼이었습니다. 제 가슴에 피어난 꿈처럼 아름다운 한 여인이 갑자기 모습을 드러내 제 머리를 그녀의 무릎 위에 얹고 꽃 같은 미소를 띠며 사랑해 주었습니다. 맨 처음 키스를 할 때, 저는 제 마음속에서 무언가가 녹아내리는 듯한 형언할 수 없는 전율을 느꼈습니다. 지금까지 제가 느꼈던 모든 그리움, 모든 꿈, 모든 달콤한 불안, 제 마음속에 잠자고 있던 모든 비밀들이 눈을 뜨고 모든 것이 변모하여 마치 마법에 걸린 것처럼 새로운 의미를 갖게 되었습니다. 그 여인은 저에게 여자의 본질과 비밀이 무엇인지를 가르쳐 주었습니다. 그 여인 덕분에 불과 반시간 동안에 저는 나이를 몇 살 더 먹은 것처럼 성숙해졌습니다. 이제 저는 많은 것을 알게 되었습니다. 따라서 이 수도원에 단 하루도 머물러 있을 이유가 없다는 것을 불현듯 깨달았습니다. 어두워지면 곧 떠나겠습니다."

나르치스는 조용히 끝까지 듣고 나서 고개를 끄덕였다.

"순간적인 일이었군. 하지만 내가 예상했던 대로야. 나는 자주 자네를 떠올릴 거고, 자네는 내가 옆에 있어주었으면 하고 바랄지도 모르지. 내가 자네를 도와줄 수 있는 일이 뭐가 있을까?"

"될 수 있으면 저를 막돼먹은 놈으로 단정해 버리지 않도록 원장님께 잘 말씀해 주십시오. 이 수도원에서 저에게 관심을 가진 사람은 그래도 그분과 당신뿐이었습니다."

"알았네……. 또 다른 용무가 있을 텐데?"

"네, 부탁이 하나 있습니다. 훗날 제 생각이 나거든 저를 위해 기도해 주십시오. 그리고…… 그동안 고마웠습니다."

"뭐가 고맙다는 거지, 골드문트?"

"당신의 우정, 당신의 인내, 그 모든 것이 고맙습니다. 그리고 이렇게 어려운 상황에서도 제 이야기를 들어주신 것, 또 저를 만류하지 않은 것도……."

"어떻게 내가 자네를 붙잡겠는가? 내가 어떤 생각을 하고 있는지는 자네도 잘 알 텐데. 그건 그렇고 어디로 갈 작정이지, 골드문트? 목적지가 있는 거야? 그 여인한테 갈 건가?"

"네, 그 여인과 같이 가겠습니다. 목적지는 없습니다. 그 여인은 이방인이고 집도 없습니다. 아마 집시인 것 같습니다."

"골드문트, 그 여인과 동행하는 것은 극히 짧은 동안일는지 몰라. 너무 그 여인을 의지하지 않았으면 좋겠네. 그 여자에게는 친척이나 남편이 있을지도 모르지. 그들이 자네를 어떻게 받아들일지도 모르는 일이고."

골드문트는 나르치스에게 기댔다.

"잘 알고 있습니다. 여태 그런 생각은 해보지 않았지만 말입니다. 제겐 목표가 없다고 당신에게 말한 적이 있습니다. 그 여자가 아무리 저를 사랑한다 하더라도 저의 목표가 될 수는 없습니다. 그 여자에게 가기는 합니다만, 그녀 때문에 가는 것은 아닙니다. 가지 않으면 안 되기 때문에, 저를 부르는 소리가 들리기 때문에 가는 것입니다."

골드문트는 거기서 말을 끊고 한숨을 쉬었다. 두 사람은 나란히 기대앉았다. 변함없는 우정이 느껴지자 슬프면서도 행복했다. 잠시 후 골드문트가 이야기를 이어나갔다.

"제가 눈이 멀어 아무것도 예견하지 못한다고는 생각지 말아 주세요. 저는 그렇게 하지 않으면 안 되기 때문에, 오늘 실로 기이한 경험을 했기 때문에 기꺼이 떠나는 것입니다. 그러나 행복과 만족에 가득 차서 떠나는 건 아닙니다. 이 행로는 매우 험난할 거라고 생각합니다. 그렇지만 멋지고 아름다운 길이 되기를 바랍니다. 한 여인의 사람이 되고, 사랑을 준다는 것은 정말 멋지고 아름다운 일이지 않습니까! 제 이야기가 어리석게 들리더라도 비웃진 말아 주십시오. 그러나 한 여인을 사랑하고 그 여인에게 진심을 바친다는 것, 그녀를 온전히 내 속으로 감싸고 또 감싸여 있다고 느끼는 것은, 당신이 약간 비웃는 듯한 말투로 '사랑에 빠졌다.'라고 말하는 것과는 완전히 다릅니다. 그것은 결코 조롱거리가 아닙니다. 그 사랑은 제게 있어서 삶으로 통하는 길이고 삶의 의미로 통하는 길입니다. 아, 나르치스! 저는 당신한테서 떠나야만 합니다. 저는 당신을 사랑합니다. 나르치스, 잠잘 시간도 없는데 이렇게 시간을 내주어서 정말 고맙습니다. 당신과 헤어진다고 생각하니 너무나 마음이 무겁습니다. 저를 잊지 않을 거지요?"

"더 이상 마음을 괴롭히지 말게. 나는 자네를 결코 잊지 않을 거야. 그리고 언젠가는 자네가 다시 돌아올 걸 믿어. 그렇게 되기를 바라면서, 나는 자넬 기다리고 있을 거야. 형편이 힘들어지면 나에게 오든가, 나를 불러줘. 잘 가거라, 골드문트. 하느님이 늘 자네와 함께하기를 기도하겠네."

나르치스가 자리에서 일어나자 골드문트는 그를 껴안았다. 그는 친구가 몸으로 하는 애정 표현을 쑥스러워한다는 것을 알기 때문에 키스는 하지 않고 다만 두 손을 어루만지기만 했다.

어느덧 날이 어두워졌다. 나르치스는 골방을 나와 문을 닫고는 성당 쪽으로 걸어갔다. 포장된 돌 위에서 슬리퍼 끄는 소리가 덜그럭거렸다. 골드문트는 다정스런 시선으로 수척해진 친구의 뒷모습을 물끄러미 바라보았다. 그의 모습은 드디어 복도 끝에 이르러 어둠을 뚫고 그림자같이 성당 안으로 사라졌다. 수련과 의무와 덕성의 세계가 그를 빨아들이며 빨리 들어오기를 재촉하는 것 같았다.

아, 모든 것이 얼마나 기이하고 이상야릇했던가! 얼마나 기묘하고 혼란스러웠던가! 이번에도 소스라치게 놀라면서 넘쳐흐르는 마음을 주체하지 못하고 막 피어나는 사랑에 도취되어 친구를 찾아오지 않았던가. 그것도 친구가 단식과 철야 기도로 온몸이 초췌해져 있는 때가 아니었던가. 친구는 오직 정신에만 봉사하고, 온전히 하느님 말씀을 받드는 종이 되기 위하여 자신의 젊음과 가슴과 감성을 십자가에 못 박아 제물로 바치고 순종을 요구하는 엄격한 가르침을 따르고 있는데 말이다. 친구는 여위고 창백한 얼굴에 앙상한 뼈마디만 남은 손을 늘어뜨린 채 드러누워 있다가, 마치 죽은 사람 같은 표정으로 나를 바라보았다. 그렇지만 이내 분명한 의식을 되찾아 다정스런 친구의 모습을 보여주었지. 그리고 여자와의 사랑에 빠져 있는 친구에게 귀를 기울여주었고, 참회와 수련 시간 사이에 얼마 안 되는 휴식 시간을 기꺼이 바쳤던 것이다! 이런 종류의 사랑이 존재한다는 사실은 뭐라 표현할 수 없을 만큼 아름다웠다. 그것은 자아를 버린 완전한 사랑, 온전한 정신적 사랑이었다. 오늘 햇볕이 내리쬐는 들판에서 맛본 사랑, 감각의 앞뒤를 분간하지 못했던 사랑의 유희와는 얼마나 판이한 사랑인가! 그렇지만 둘 다 사랑이었다.

아, 나르치스는 이제 그에게서 사라지고 말았다. 마지막 순간에도 두 사람이 서로 닮지 않았다는 것을 거듭 그에게 보여주고 나서, 나르치스는 지금 제대(祭臺) 앞에서 지친 무릎을 꿇고 기도와 묵상을 하며 성찰의 시간을 가질 준비를 하고 있을 것이다. 그에겐 두 시간 이상 쉬는 것도, 자는 것도 허용되지 않았다. 그에 반해 골드문트는 이곳에서 도망쳐 리제를 만나 달콤하고 동물적인 유희를 즐길 것이다. 만약 그럴 마음만 있었다면 나르치스는 거기에 대해 경청할 만한 말을 해줄 수도 있었을 것이다. 그러나 골드문트는 이제 나르치스와는 다른 존재가 되어버렸다. 이 아름답고도 소름 끼치는 수수께끼와 혼란을 규명하고, 거기에 대해 중요한 사실을 이야기할 필요가 그에게는 없어진 것이다. 이제는 자신의 앞에 놓인 막연하고 불확실하면서 어리석은 골드문트만의 길을 가는 방법 외에 그 어떤 의무도 그에게는 지워져 있지 않았다. 다만 자신을 기다리고 있는 아름답고 따뜻한 젊은 여인을 사랑하는 것과 한밤에 성당에서 기도드리고 있는 최고의 친구를 몸 바쳐 사랑하는 것밖에는……

여러 가지로 혼란스런 감정에 휩싸여 안마당의 보리수나무를 지나 물방앗간을 통해 밖으로 나가는 길을 찾으면서, '마을에 가기' 위해 콘라트와 함께 똑같은 샛길을 지나서 수도원을 빠져나오던 날의 밤이 문득 머리에 떠올라 그는 슬그머니 미소를 지었다. 그 당시 그는 얼마나 가슴을 두근거리면서 금지된 소풍에 나섰던가. 그런데 지금은 이곳을 영원히 떠나, 훨씬 더 엄격하게 금지되고 위험한 길을 가는데도 전혀 두렵지가 않았다. 또한 문지기 아저씨나 수도원 원장님, 그 밖의 여러 선생님들의 생각도 나지 않았다.

지금은 개울에 널빤지가 놓여 있지 않아서 다리 없는 개울을 건너야만 했다. 그는 옷을 벗어서 건너편으로 던진 다음 가슴까지 차오를 만큼 수심이 깊고 세차게 흘러가는 차가운 개울을 건넜다.

개울을 건너 옷을 입는 동안에도 그의 사념은 다시 나르치스에게로 향했다. 지금 그는 나르치스가 예견하고 이끌어주었던 그 길로 가고 있다는 것을 명확히 깨달았다. 순간 수치스런 느낌이 들면서, 자기를 비웃는 듯한 영리한 나르치스의 모습이 똑똑히 그의 눈앞에 떠올랐다. 나르치스는 어처구니없을 정도로 어리석은 그의 이야기를 숱하게 들어주었고, 언젠가는 그가 고통에 처한 중요한 순간에도 그것으로부터 그의 눈을 뜨게도 해주었다. 당시에 나르치스가 그에게 들려준 몇 마디 말이 다시금 그의 귓가를 맴돌았다. '자네가 어머니의 품에 안겨 잠들어 있다면, 나는 황야에서 깨어 있는 셈이지. 나에게는 태양이 비치고 있으나 자네에게는 달과 별이 비치고 있고, 자네의 꿈속에는 소녀가 나타나지만 나의 꿈속에는 소년이 나타난다네.'

골드문트의 가슴은 잠시 얼어붙은 것처럼 죄어들었다. 옆에는 아무도 없었고 오직 홀로 어둠 속에 서 있었다. 뒤에는 수도원이 있었다. 형식상의 고향에 불과했지만 그래도 역시 오래 기거하며 정든 집이었다.

그러면서 동시에 골드문트는 또 다른 느낌에 사로잡혔다. 나르치스가 이제 더 이상 우월한 식견을 가지고 자신에게 충고를 해주거나 이끌어주는 존재가 아니라는 사실을 깨달았다. 오늘 그는 전혀 새로운 세계에 발을 들여놓은 기분이었다. 여기서는 오직 혼자서 길을 찾아야 하며, 나르치스 같은 친구가 더 이상 길을 이끌어줄 수 없을 터였다. 골드문트는 이런 사실을 자각하자 몹시 기뻤다. 누군가에게 의존해 있던 시절을 되돌아본다는 사실이 그로서는 답답하기도 하고 부끄럽기도 했던 것이다. 이제 그는 어린아이도, 학생도 아니었다. 이제야 그는 볼 수 있었다. 그것을 깨닫고 보니 기분이 참 좋았다. 그렇지만 헤어진다는 것은 얼마나 힘든 일이었던가! 친구가 건너편 성당에서 무릎 꿇고 있는 것을 알면서도 아무것도 도와줄 수가 없고, 아무 역할도 하지 못한다는 것은 참으로 서글픈 일이었다. 그는 그에게 아무것도 아니었다. 그리고 이제부터 기나긴 세월을 어쩌면 영원히 그와 헤어져서 살아야 할지 모른다. 그에 관한 소식을 듣지도 못하고, 그의 목소리도 듣지 못하며, 그의 고귀한 눈을 더 이상 볼 수 없다는 것은 얼마나 괴로운 일인지!

골드문트는 체념한 듯이 자갈길을 더듬어 터덜터덜 걸었다. 수도원의 담장에서 백여 발짝쯤 걸어간 후 그는 멈추어 서서 숨을 가다듬었다. 그리고는 부엉이 소리를 흉내 냈다. 그러자 저편 개울 밑에서 화답하는 소리가 들려왔다.

'짐승들처럼 소리를 지르는구나.' 그는 이렇게 생각하며 사랑의 유희를 하던 오후의 한때를 더듬어보았다. 그와 리제 사이에는 애무가 끝나가던 마지막 순간에야 겨우 몇 마디 말을 주고받았다는 데 생각이 미쳤다. 그런 반면, 나르치스와는 얼마나 기나긴 대화를 나누곤 했던가! 그러나 지금은 완전히 다른 세계로 들어선 느낌이었다. 이야기를 하는 것이 아니라 부엉이 소리로 서로를 꾀어내는, 언어가 아무런 뜻을 갖지 않는 세계로 들어선 것 같았다. 그는 이런 상태가 마음에 들었다. 그는 더 이상 언어와 사념에 대해서는 아무런 생각을 할 필요가 없었던 것이다. 다만 리제를 향한 갈망만이 있을 뿐이었다. 언어 따위는 필요 없는 맹목적인 감정과 탐색, 신음소리와 함께 서로가 녹아들어가는 것에 대한 욕구만 필요할 뿐이었다.

리제의 모습이 보였다. 그 여자는 숲에서 벗어나 그가 있는 곳으로 나와 있었다. 그는 손을 내뻗어 그녀를 더듬었다. 부드러운 손길로 여인의 머리와 머리카락, 목덜미와 뺨, 날씬한 허리와 탄력 있는 엉덩이를 어루만졌다. 한 팔로 여자를 안은 채, 어디를 가느냐고 묻지도 않고 아무 말 없이 앞으로 계속 걸어갔다. 여자는 어두움을 잘도 헤치고 능숙하게 숲으로 들어갔다. 그녀한테 발걸음을 맞추느라 진땀이 흐를 지경이었다. 여자는 여우나 담비처럼 밤눈이 밝은지 아무것에도 부딪치거나 걸리지 않고 걸어갔다. 그는 어떤 언어도 아무런 생각도 없이 어둠 속으로, 숲속으로, 신비가 가득 찬 나라로 이끌리는 대로 자신을 맡기고 있었다. 그는 더 이상 떠나온 수도원도, 나르치스에 대해서도 생각하지 않았다.

그들은 아무런 말없이 어둠 속을 걸었다. 때로는 쿠션처럼 부드러운 이끼 위를, 때로는 광대뼈같이 불거진 딱딱한 뿌리가 튀어나온 어두운 숲길을 아무 말도 없이 걸어 들어갔다. 아주 캄캄했다가 때로는 높다란 곳에 매달린 잎새 사이로 밝은 하늘이 드러나 보이기도 했다. 관목들에 얼굴을 부딪히기도 하고 나무딸기의 덩굴이 옷에 걸리기도 했다. 그녀가 속속들이 알고 있는 길이어서 거침없이 헤쳐 나갔다. 한참 후에 두 사람은 듬성듬성한 소나무 사이로 탁 트인 곳에 이르렀다. 희뿌연 밤하늘이 드러났다. 숲이 끝나고 초원으로 뒤덮인 골짜기가 두 사람을 맞이했다. 달콤한 건초 냄새가 났다. 그들은 소리 없이 흘러가는 개울을 건너갔다. 활짝 트인 이곳은 숲속보다 한층 더 고요했다. 관목들의 속삭임도, 짐승의 울음소리도, 고목들의 가지가 부러지는 소리도 들리지 않았다.

커다란 건초더미 옆에서 리제는 걸음을 멈추었다.

"여기서 쉬어요."

두 사람은 건초에 주저앉아서 우선 숨을 내쉬며 휴식을 취했다. 둘 다 다소 지쳐 있었다. 두 사람은 팔과 다리를 마음껏 뻗고 밤의 정적에 귀를 기울였다. 시간이 흘러 이마의 땀이 마르고 얼굴이 서서히 식는 것이 느껴졌다. 골드문트는 흐뭇한 피로 속에 웅크리고 앉아 무릎을 끌어당겼다 폈다 하는 동작을 반복하면서 밤공기와 건초 냄새를 깊게 들이마셨다. 과거도 떠올리지 않고 미래도 생각하지 않았다. 오직 사랑하는 여인의 향기와 따스함에 서서히 이끌리고 매혹 당할 뿐이었다. 때때로 그녀의 쓰다듬는 손길이 느껴지면 그에 응답할 뿐이었다. 차츰 달아오르기 시작한 그녀가 자꾸 몸을 밀어붙이자 그의 몸은 서서히 녹아내렸다. 언어도 사고도 필요 없었다. 소중하고 아름다운 모든 것이 또렷하게 느껴졌다. 여인의 육체에서 발산되는 젊음의 기운과 단순하고 건강한 아름다움이 감지되었고, 그녀의 몸이 뜨거워지면서 욕정으로 타오르는 것이 생생하게 전해져 왔다. 또 이번에는 그 여자가 첫 번째와는 다른 방법으로 사랑을 받고 싶어 하는 것을 분명히 알 수 있었다. 그녀는 이번에는 그를 유혹하거나 가르치는 것이 아니라 그가 달려들어 욕망을 드러내길 기다리고 있는 것이었다. 그는 거센 욕망의 물결이 흐르는 대로 가만히 내버려두었다. 소리도 없이 서서히 타오르는 불길은 두 사람의 보잘것없는 침상을 침묵의 온 밤이 살아 숨쉬는 중심으로 만들어 갔고, 그는 행복감에 젖어들었다.

리제의 얼굴 위에 허리를 굽히고 어둠 속에서 그녀의 입술에 키스를 하자 갑자기 그녀의 눈매와 이마가 부드러운 빛 속에서 흔들리는 것 같았다. 그는 놀라움으로 눈을 번쩍 뜨며, 그 빛이 보얗게 비치다가 급속도로 강해지는 것을 지켜보았다. 그리고 뒤를 돌아보았다. 기다랗게 줄을 지어 있는 어두운 숲 기슭 위에 달이 떠 있었다. 하얗고 보드라운 빛이 리제의 이마와 볼 위에, 동그스름한 하얀 목 위에 흐르는 것을 보고 정신이 아득해졌다. 그는 꿈결 같은 목소리로 나지막하게 말했다.

"당신은 정말 아름다워."

리제는 부끄러운 듯 미소로 답했고, 그는 여자의 몸을 반쯤 일으켜 조심스럽게 여자의 몸에서 옷을 벗겼다. 리제는 차디찬 달빛 속에서 어깨와 가슴을 드러냈다. 그는 넋을 잃고 그 모습을 바라보다가 입술로 그녀의 몸을 더듬었다. 여자는 마술에 걸린 듯 눈길을 아래로 향한 채 황홀한 표정으로 꼼짝도 하지 않았다. 그녀도 자신의 아름다움을 이 순간에 처음으로 알아차리기라도 한 것처럼.

7

시간이 흐를수록 들녘의 공기가 서늘해지고 달이 높이 떠오르는 동안, 사랑하는 연인들은 비록 초라하지만 포근한 잠자리에서 사랑의 유희 속으로 빠져 들어갔다. 그들은 달빛이 부드럽게 비치고 있는 침상에 함께 누워 선잠을 자는가 하면, 깨어났을 때는 다시 서로에게 몸을 돌려 불꽃을 튀기면서 부둥켜안았다가는 다시 잠이 들곤 했다. 마지막으로 깊게 껴안고 나서는 두 사람 모두 지칠 대로 지쳐버렸다. 리제는 건초더미에 깊이 몸을 파묻고 이따금 가쁜 숨을 내쉬곤 했다. 골드문트는 꼼짝도 하지 않고 똑바로 드러누워 희멀건 달과 하늘을 하염없이 쳐다보았다. 두 사람의 마음속에서는 정체를 알 수 없는 슬픔이 복받쳐 올랐고, 그 슬픔에서 도망치려는 듯이 그들은 다시 잠을 청하곤 했다. 그들은 깊게 잠들지 않으면 절망에 함몰되기라도 한다는 듯이 잠에 빠져들었다. 그것이 마치 이 세상에서의 마지막 잠인 것처럼, 그리고 영원히 깨어 있어야만 하는 선고를 받은 것처럼, 이 세상의 온갖 잠이란 잠을 모두 자신들의 내부로 끌어넣기라도 할 것처럼 깊이 잠들었다.

골드문트가 눈을 떴을 때 리제는 그 검은 머리카락을 손질하고 있었다. 그는 멍하게 겨우 반쯤 뜬 눈으로 잠시 그녀를 쳐다보았다.

"벌써 일어났어요?"

골드문트가 먼저 말했다.

여자는 흠칫 놀라며 그에게로 몸을 돌렸다.

"이젠 가봐야겠어요. 당신을 깨우기 싫었어요."

여자는 당황하고 속절없는 목소리로 말했다.

"이렇게 깨어 있잖아요. 그런데 벌써 가야 하는 건가요? 우리는 갈 곳도 없는 처지잖아요."

"나야 그렇지만…… 당신은 수도원으로 돌아가야 할 사람이잖아요?"

리제가 말했다.

"이제는 수도원에 가지 않습니다. 나도 당신처럼 혼자고 어떤 목적지도 없습니다. 그러니까 당신하고 같이 가려는 겁니다."

여자는 시선을 옆으로 돌리며 말했다.

"골드문트, 당신은 나와 같이 갈 수 없어요. 이제 난 남편에게 돌아가야 해요. 밤에 집을 비웠기 때문에 남편한테 두들겨 맞을지도 몰라요. 내 말을 믿지 않겠지만 길을 잃었다고 할 거예요."

그 순간 골드문트는 나르치스가 이미 이런 예상을 하고 있었다는 사실이 떠올랐다.

'그렇군.'

그는 자리에서 일어나 여인에게 악수를 청하며 말했다.

"제가 잘못 생각했군요. 저는 둘이서 함께 지낼 수 있을 거라고 생각했거든요. 그런데 당신은 정말로 나를 깨우지도 않고 돌아갈 생각이었나요?"

"당신이 화를 내며 나를 때릴 거라고 생각했어요. 남편에게 매 맞는 건 어쩔 수 없다지만 당신한테까지 맞고 싶지는 않았어요."

그는 여자의 손을 꼭 잡았다.

"리제, 나는 당신을 때리지 않아요. 오늘도 그렇고 앞으로도 그런 일은 절대 없을 겁니다. 당신에게 매질하는 남편 대신 차라리 나와 같이 떠나는 게 어떻겠어요?"

여자는 재빨리 그의 손을 뿌리쳤다.

"안 돼요, 안 돼!"

여자는 거의 울부짖듯이 소리를 질렀다. 여자는 그에게서 마음을 돌리려고 했고, 그에게서 다정스런 말을 듣는 것보다는 차라리 남편에게 얻어

맞는 쪽을 원하는 듯했다. 그는 그 사실을 감지하고 손을 놓아주었다. 그러자 여자는 두 손으로 얼굴을 가리고 울음을 터뜨리더니 그와 동시에 달음질을 쳤다. 여자는 그렇게 떠나버렸다. 그는 아무 말 없이 여자의 뒷모습을 바라볼 뿐이었다. 어떤 보이지 않는 힘의 부름에 이끌리듯 풀밭 위를 힘겹게 달려가는 리제가 가여웠다. 그 보이지 않는 힘이 무엇인지 그는 생각하지 않을 수 없었다. 그 여자가 가엾어 보이는 동시에 자기 자신도 측은하게 느껴졌다. 아무래도 자신은 행복과는 거리가 먼 것 같다는 생각이 들었다. 그는 세상으로부터 버림받은 사람처럼 혼자 덩그러니 앉아 있었다. 그러는 동안 몸이 피곤한 탓인지 졸음이 밀려왔다. 이렇게 피곤에 지쳐보긴 처음이었다. 슬퍼할 날은 앞으로도 얼마든지 있을 것이었다. 그는 다시 잠 속으로 빠져 들어갔다.

그가 눈을 떴을 때, 벌써 중천에 떠오른 해가 그를 따갑게 내리쬐고 있었다. 휴식은 이것으로 충분했다. 그는 재빨리 일어나 개울로 달려가서 얼굴을 씻고 목을 축였다. 간밤에 나누었던 유희의 시간들을 떠올리자 갖가지 장면들이 눈앞을 스쳐지나갔다. 그러면서 다정하고 사랑에 넘친 감정들이 마치 향기로운 꽃 냄새를 맡은 것처럼 감미롭게 되살아났다. 기운차게 걸어가면서 그는 그 생각을 되풀이했고, 그 느낌들을 다시 되새겨보았다. 그러면서 몇 번이고 그것들을 맛보고 향기를 느끼고 더듬어보았다. 그 낯선 여인은 그에게 얼마나 많은 꿈을 실현시켜 주었으며 얼마나 많은 봉오리를 꽃피우게 했던가! 그리고 얼마나 많은 호기심과 그리움을 진정시켜주고 또 새삼스레 일깨워주었던가?

이제 그의 눈앞에는 거친 들판이 펼쳐져 있었다. 바싹 마른 휴한지(休閑地)와 어두컴컴한 숲이 있었고, 그 너머에는 농가와 물방앗간, 촌락과 도시가 있을 것이었다. 처음 대하는 낯선 세계가 막막하게 그를 기다리고 있었다. 그를 즐겁게도 하고, 슬프게도 해줄 준비를 한 채……. 그는 더 이상 창문을 통해 세상을 바라보는 학생이 아니었다. 이제 그의 방랑은 싫든 좋든 어쩔 수 없이 집으로 돌아가지 않으면 안 되었던 이전과 같은 그런 산책이 아니었다. 이제는 이 거대한 세계가 현실이 되었으며, 그는 세상의 일부가 되었다. 그 속에서 그의 운명이 조용히 기다리고 있었고, 이 세상을 굽어보는 하늘은 그의 하늘이었으며 이 세상의 날씨는 그의 날씨였다. 이 커다란 세계 안에서 그는 아주 작고 보잘것없는 존재였다. 왜소한 그는 푸르게 펼쳐진 숲속을 토끼처럼 달렸고, 하찮은 벌레처럼 기어갔다. 여기서는 더 이상 기상이나 미사나 수업이나 점심때를 알리는 종소리는 울리지 않았다.

그는 무척이나 배가 고팠다. 보리빵과 한 잔의 우유, 밀가루 수프만이라도 있었으면 하는 생각이 간절했다. 마치 굶주린 이리처럼 그의 위장이 맹렬하게 요동쳤다. 보리밭을 지나갔다. 이삭이 절반쯤 익어 있었다. 그는 이삭을 따서 껍질을 벗긴 다음 그 미끌미끌한 보리 알갱이를 부지런히 비벼댔다. 그렇게 새 이삭을 자꾸 따서 호주머니를 가득 채웠다. 그러다가 개암이 눈에 띄었다. 아직 익지 않아 새파랬지만 열매를 따서 껍질을 깨물었다. 그리고는 덜 익은 열매지만 그것을 좀 더 따서 주머니에 집어넣었다.

숲이 다시 시작되었다. 떡갈나무와 물푸레나무가 섞인 전나무 숲이었다. 이곳에는 산딸기가 지천으로 널려 있었다. 그는 이곳에서 휴식을 취하면서 허기를 달래고 땀을 식혔다. 가느다랗고 딱딱한 풀 사이로 푸른 초롱꽃이 피어 있고 반짝반짝 빛나는 갈색 나비가 이리저리 날다가는 저 멀리로 사라져버렸다. 성녀 제노베파는 이런 숲에 살고 있었을 것이다. 그 이야기를 그는 언제나 좋아했다. 아, 성녀 제노베파를 만날 수 있다면! 어쩌면 숲속에는 은거지가 있었을 것이다. 백발이 성성한 노신부가 동굴이나 나무 껍질로 지은 오두막집에서 살고 있을지도 모른다. 어쩌면 이 숲속에는 숯 굽는 사람이 살고 있을지도 모를 일이다. 그런 사람을 만난다면 무척 반가울 텐데. 어쩌면 도적들이 있을지도 모르지만 그에게는 아무 짓도 하지 않을 것이다. 누구라도 좋으니, 사람을 만날 수만 있다면 얼마나 좋을까. 하지만 그는 알고 있었다. 오늘도 내일도, 앞으로도 계속 이 숲속에서는 아무도 만날 수 없으리라는 것을. 무엇이든 닥치는 대로 맞닥뜨리지 않으면 안 될 판이었다.

딱따구리가 나무를 쪼는 소리가 들려왔다. 그는 딱따구리가 있는 곳을 찾아내려고 한참 동안 애를 썼다. 그러다가 마침내 찾아냈다. 딱따구리 한 마리가 나무둥지에 달라붙어서 나무를 쪼며 부지런히 고개를 움직이는 것을 그는 오랫동안 지켜보았다. 짐승들과 이야기를 나눌 수 없다는 것이 안타까웠다. 딱따구리를 불러내서 다정스럽게 말을 하며 나무들 속에서 살아가는 생활이나 그의 일과 기쁨에 대한 이야기를 들어볼 수 있다면 좋을 텐데…… 아, 사람이 변신을 할 수 있다면 얼마나 좋을까!

그는 한가할 때면 이따금 그림을 그리던 기억이 떠올랐다. 꽃이나 잎새, 나무, 사람의 머리 등 온갖 것을 스케치하곤 했었다. 그림을 그릴 때면 시간 가는 줄도 모를 만큼 즐거웠었다. 그런가 하면 때때로 그는 작은 조물주라도 된 것처럼, 마음 내키는 대로 온갖 생물들을 만들어내곤 했었다. 꽃잎에다 눈이나 입을 그려 넣기도 하고 가지에서 움터 나오는 봉오리들을 가지고 갖가지 형상을 만들어내기도 했으며, 잎새의 다발을 손가락 모양으로 만들기도 했고 나무에다 머리를 달아주기도 했다. 이런 장난을 하면서 마술에 걸린 양 행복에 잠긴 적이 참으로 많았다. 그는 요술을 부릴 줄도 알았다. 선을 그리며 이제 막 형체를 갖추기 시작한 형상이 나뭇잎이나 물고기 주둥이, 여우의 꼬리나 사람의 눈썹이 되기도 하여 스스로 놀라기도 했었다. 지금 그는 그때 조그만 널빤지 위에 장난으로 그린 선이 여러 형태가 되었던 것처럼, 사람도 변신할 수 있어야 하지 않을까 하는 생각을 했다. 골드문트는 하루나 아니 한 달쯤 딱따구리가 되고 싶었다. 그리고 나무 꼭대기에 둥지를 틀고 미끌미끌한 줄기를 높이 기어 올라가 단단한 부리로 나무껍질을 쪼며, 꽁지깃으로 전신을 곧추세우고 싶었다. 딱따구리의 말을 하고 나무껍질 속에서 맛있는 것을 날라 오고 싶었다. 나무의 텅 빈 속을 울리며 쪼아대는 소리가 달콤하면서도 날카롭게 울려왔다.

숲속을 지나는 동안 골드문트는 갖가지 동물들과 마주쳤다. 덤불 속에서 불쑥 튀어나오는 여러 마리의 토끼도 보았다. 그가 가까이 다가가자 토끼들은 그를 빤히 쳐다보다가는 쫑긋이 귀를 세우면서 반대쪽으로 쏜살같이 달아나버렸다. 조그만 빈터에서 기다란 뱀을 보았으나 뱀은 달아나지 않았다. 살아 있는 뱀이 아니라 허물만 남은 뱀이었다. 그는 그것을 손에 들고 살펴보았다. 회색과 갈색의 아름다운 무늬가 등허리에 이어져서 마치 거미줄처럼 보였다. 노란 부리를 한 까만 티티새도 보였다. 그 새들은 불안해 보이는 까만 눈망울로 그를 응시하다가는 바닥에 닿을 듯 나직이 떠서 날아가 버렸다. 멧새와 피리새들도 많았다. 숲 한 곳에 구덩이가 있었는데, 거기에는 시퍼런 물이 가득 고여 있었다. 그 위를 기다란 다리를 가진 거미가 이상한 장난에 도취된 듯 뒤엉켜져서 정신없이 움직이고 있었다. 그 위로는 진한 물색의 날개를 가진 잠자리 몇 마리가 날아다니고 있었다. 벌써 저녁때가 가까워졌다. 그때 그는 뭔가를 보았다. 아니, 이미 그것은 어디론가 사라지고 발밑에는 흐트러진 나뭇잎뿐이었다. 나뭇가지가 부러지는 소리와 젖은 땅이 철벅거리는 소리가 들렸다. 뚜렷이 보이진 않았지만 엄청나게 육중한 짐승이 맹렬한 기세로 덤불을 꺾으며 돌진해 갔다. 사슴 같기도 하고 멧돼지 같기도 했지만 정확히 알 수는 없었다. 그는 두려움에 떨며 한동안을 장승처럼 서 있었다. 흥분된 상태에서 그는 그 짐승이 달려간 쪽으로 귀를 기울였다. 사방이 다시 고요해졌는데도 아직도 헐떡거리는 가슴을 간신히 억누르며 주위를 살폈다.

숲에서 나가는 길을 찾을 수가 없었으므로 이곳에서 밤을 새지 않으면 안 되었다. 잠잘 만한 곳을 찾아 이끼로 침상을 만들고 있는 동안, 만일 이 숲속에서 영원히 벗어나지 못한다면 어떻게 될 것인가 하고 생각해 보았다. 그것은 커다란 불행이라고 그는 생각했다. 산딸기 같은 열매로 연명하면서 이끼 위에서 잠을 잘 수는 있을 것이다. 뿐만 아니라 오두막을 짓는다거나 불을 피우는 것까지도 틀림없이 해낼 수 있을 것이다. 하지만 조용히 잠자는 나무들 사이에서, 사람을 피해 달아나는 짐승들 틈에서 언제까지나 혼자 살아가야 한다는 건 참을 수 없을 만큼 슬픈 일일지도 모른다. 사람의 얼굴이라고는 볼 수 없고, 어느 누구와도 인사를 나눌 수가 없으며, 여자도 볼 수가 없고, 키스도 하지 못하며, 입술과 팔다리로 사랑의 유희를 은밀하게 즐길 수 없다는 것은 생각조차 하기 싫은 일이었다. 그런 신세가 될 몸이라면 차라리 곰이나 사슴 같은 짐승이 되는 편이 나을 것이다. 그 때문에 내세의 행복을 단념하는 한이 있더라도……. 수곰이 되어 암곰을 사랑하는 것도 과히 나쁠 것 같지 않았다. 이성이나 언어 등 온갖 것을 갖고 있으면서도 사랑받지 못한 채 쓸쓸하게 목숨을 이어나가는 것보다는 그 편이 훨씬 나을 것 같았다.

이끼로 만든 침상에 누워 잠들기 전에 그는 뜻도 모를 수수께끼 같은 숲속의 온갖 이야기를 호기심과 불안한 마음으로 듣고 있었다. 그들은 지금 그의 친구였다. 그들과 함께 살면서 그들의 습성에 적응하고, 그들과 부대끼면서 화합해 나가야만 하는 것이다. 이 시간부터 그는 여우나 작은 사슴, 전나무, 그리고 노송나무와 한 무리가 되었다. 그들과 같이 살면서 그들과 공기와 햇살을 공유하고 그들과 함께 날이 밝기를 기다리고 그들과 함께 굶주리거나 그들의 손님이 되어야 하는 것이다.

이윽고 그는 잠이 들었다. 꿈속에서 갖가지 동물과 인간들이 나타났다. 그는 곰이 되어 암곰 리제를 잡아먹을 듯이 애무하다가 소스라치게 놀라면서 눈을 떴다. 한밤중이었다. 왜 그런지 알 수 없었으나 가슴이 몹시 불안하게 뛰면서 갈피를 잡을 수가 없었다. 마음이 어지러운 상태에서 그는 한참 동안 생각에 잠겼다. 그러자 어제도 오늘도 저녁기도를 드리지 않고 잠이 들었다는 사실이 떠올랐다. 그는 일어나서 무릎을 꿇고 어제와 오늘 못한 기도를 합해서 저녁기도를 두 번 반복했다. 그러고 나서 이내 다시 잠이 들었다.

아침이 되어 눈을 뜬 골드문트는 이상한 느낌이 들어 주변을 두리번거렸다. 그는 자신이 지금 어디 있는지조차 잊고 있었던 것이다. 그러나 숲이 주는 불안감은 점차 가시면서 새로운 희열이 느껴졌다. 그는 해가 뜨는 방향을 향해 발걸음을 재촉했다. 한참을 가다가 이윽고 평평한 장소를 발견했다. 가지가 전혀 없는 굵고 곧은 전나무만 자라는 곳이었다. 그 나무들 사이로 잠시 걸어가고 있으려니 수도원의 대성당 기둥들이 생각나기 시작했다. 바로 얼마 전에 성당의 검은 문으로 그의 친구 나르치스가 사라지는 모습을 보았던 것이다. 그게 언젯적 일이던가? 그것이 정말 불과 이틀 전의 일이란 말인가?

3일째 되는 날에야 그는 겨우 숲속에서 빠져나왔다. 반갑게도 가까운 곳에 사람이 있다는 흔적을 발견했다. 갈아놓은 밭, 밀이나 귀리가 자라고 있는 넓은 밭이랑, 그리고 풀밭을 따라 여기저기에 사람이 지나다니는 좁다란 길이 나 있었다. 골드문트는 밀 이삭을 훑어서 씹었다. 손질된 밭들이 다정하게 그를 바라보았다. 황량한 숲속에서 오랫동안 지낸 그에게는 오솔길도, 귀리도, 시든 꽃이 하얗게 매달린 깜부기도 모두 정답게 느껴졌다. 이제 곧 사람들이 살고 있는 곳으로 갈 수 있을 것이다. 한참 후에야 밭이랑 옆을 지나갔다. 그곳에 십자가가 서 있었다. 그는 무릎을 꿇고 기도를 드렸다. 언덕에 불쑥 튀어나온 능선을 돌아 그늘진 보리수 아래에서 그는 갑자기 멈춰 섰다. 그는 황홀한 마음으로 흐르는 물소리에 귀를 기울였다. 그 물은 나무 틈으로 해서 기다란 나무통에 떨어지고 있었다. 시원하고 단물을 마셨다. 말오줌나무의 열매는 벌써 까맣게 익어 있었다. 말오줌나무 사이로 두세 채의 초가지붕이 솟아 있는 것을 보자 너무나 반가웠다. 그리고 그런 그리운 정경보다도 그를 더 감동시킨 것은 암소의 울음소리였다. 마치 환영 인사라도 하는 듯한 울음소리가 흐뭇하고 따스하고 평화롭게 들려왔다.

그는 울음소리가 들려오는 오두막집으로 걸음을 옮겼다. 빨간 머리와 담청색의 눈을 한 어린 소년이 흙먼지를 뒤집어쓰고 문 앞에 앉아 있었다. 소년은 물이 가득 든 옹기 항아리를 옆에 세워놓고 흙에 물을 섞어 반죽을 하는 중이었다. 그의 맨발은 벌써 반죽으로 범벅이 되어 있었고 반죽을 한 손가락 사이에서 그 진흙이 삐져나오는 모양을 지켜보는 소년의 표정은 무척 진지하면서도 행복해 보였다. 소년은 흙덩이로 구슬을 만들기도 하고 공을 만들기도 했다. 소년은 아래턱까지 동원하여 그 진흙을 주물렀다.

"꼬마야, 안녕."

골드문트는 다정한 말투로 말을 건넸다. 그러나 웬 낯선 사람을 발견한 소년은 입을 씰룩거리며 통통한 얼굴을 찌푸리더니 울음을 터뜨리며 쏜살같이 집 안으로 들어갔다. 골드문트는 소년의 뒤를 쫓아서 부엌으로 들어갔다. 그곳은 매우 어두침침해서, 한낮의 환한 햇빛 아래 있다가 들어서자 처음에는 아무것도 보이지가 않았다. 하지만 만일을 위해 그는 어떤 상황에서도 통할만한 인사를 정중하게 했다. 그러나 대답은 없고, 연신 소년을 달래고 있는 노인의 가냘픈 목소리만 들려왔다. 한참이 지나 소년의 울음소리가 잦아들자 그때서야 키 작은 노파가 어둠 속에서 일어서더니 가까이 다가왔다. 노파는 한 손을 눈에다 대고 손님을 올려다보았다.

"실례합니다, 할머니. 하느님과 모든 성인들의 축복이 늘 함께하기를 빕니다! 사흘 만에 처음으로 사람의 얼굴을 보게 되었습니다."

골드문트가 다시 인사를 했다.

노파는 어안이 벙벙한 듯한 시선으로 그의 얼굴을 물끄러미 쳐다보기만 했다.

"대체 무슨 일이시오?"

노파가 불안스런 표정으로 물었다. 골드문트는 손을 내밀어 노파의 손을 잡으며 말했다.

"여기서 조금 쉬면서 불을 지피실 때 도와드렸으면 합니다. 그리고 괜찮다면 빵 한 조각만 얻을 수 있다면 좋겠습니다. 뭐 급할 것은 없지만요."

골드문트는 벽 쪽에 놓여 있는 긴 의자에 앉았다. 노파가 꼬마에게 빵을 한 조각 잘라주자, 빵을 받아든 소년은 긴장과 호기심을 감추지 못하면서도 금방이라도 울음을 터뜨리면서 달아날 태세로 낯선 사람을 쳐다보고 있었다. 노파는 빵을 한 조각 더 잘라서 골드문트에게 건네주었다.

"정말로 고맙습니다. 하느님이 은총이 함께하길!"

"배가 고프오?"

노파가 물었다.

"아뇨, 그렇지는 않아요. 산딸기로 배를 채웠거든요."

"저런! 우선 이거라도 들어요! 어디서 왔수?"

"마리아브론 수도원에서 오는 길입니다."

"그러면 신부님이신가?"

"아뇨, 학생입니다. 지금은 여행하는 중입니다."

노파는 반은 비웃는 듯하고, 반은 어리둥절한 듯한 시선으로 그를 쳐다보았다. 그리고 주름살투성이가 된 말라빠진 목을 늘이면서 머리를 절레절레 흔들었다. 노파는 그가 빵을 먹는 동안 소년을 밖으로 내보내려고 손을 잡고 나갔다. 그리고 다시 돌아온 노파는 호기심을 가득 담은 표정으로 물었다.

"무슨 새로운 소식이라도 알고 있나?"

"뭐 별로……. 안젤름 신부님을 아시나요?"

"몰라. 그 사람은 왜?"

"편찮으십니다."

"편찮으시다구? 돌아가실 정도요?"

"모르겠어요. 다리가 많이 불편하십니다. 잘 걷지 못하시거든요."

"돌아가실 정도요?"

"모르겠어요. 어쩌면 그럴 수도 있겠지요."

"그럼 돌아가시게 내버려둘 수밖에 도리가 있나. 수프를 끓여야 하는데, 나무 쪼개는 걸 좀 도와주게."

노파는 아궁이 옆에서 꺼낸 바싹 마른 전나무 장작과 도끼를 그에게 건네주었다. 그는 노파가 시키는 대로 땔나무를 쪼갰다. 노파는 장작을 타다 남은 불 속에 집어넣었다. 그리고는 허리를 구부리고 불이 붙을 때까지 연신 불어대는 노파를 그는 가만히 바라보았다. 노파는 반듯하면서도 독특한 배열로 전나무와 너도밤나무 장작개비를 차곡차곡 쌓았다. 아궁이에서는 불이 활활 타올랐다. 노파는 커다란 가마솥을 불꽃 속으로 밀어넣어 연통과 이어져 있는 그을음투성이의 새까만 삼발이 위에 걸쳐놓았다.

골드문트는 노파가 시키는 대로 우물에서 물을 길어오기도 하고 우유통에서 위에 떠 있는 기름을 걷어내기도 했다. 그리고 연기가 자욱한 어둠속에 앉아 현란한 불꽃과 그 위로 주름살투성이인 노파의 얼굴이 불빛을 받아 나타났다가 또 사라지는 것을 쳐다보았다. 그러는 동안 판자벽 저쪽에서 암소가 죽통을 파헤치는 소리가 들려왔다. 그의 마음은 평온해졌다. 보리수, 우물, 가마솥 밑에서 넘실대는 불꽃, 암소의 되새김질 소리와 죽통소리, 테이블이며 긴 의자가 놓여 있는 어두컴컴한 방, 한시도 쉬지 않고 부지런히 움직이는 노파의 동작이나 그 모든 것이 아름답게 느껴졌다. 평화로운 분위기에서 선량한 사람의 온기, 고향 등의 냄새가 묻어나왔다. 이 농부 할머니는 소년의 증조할머니였고, 소년의 이름은 쿠노였다. 소년은 가끔씩 부엌으로 들어와서는 말을 한마디 하지 않은 채 여전히 겁먹은 눈초리로 흘끗거렸다. 그러나 처음 봤을 때처럼 울지는 않았다.

　이윽고 할머니의 아들과 그의 처가 들어왔다. 그들도 농부였다. 그들은 낯선 사람이 집 안에 있는 것을 보고 몹시 놀라는 눈치였다. 농부는 당장 욕이라도 퍼부으며 달려들 기세였다. 그는 미심쩍은 듯한 표정으로 골드문트의 팔을 붙들고 문간으로 끌고 나가 밝은 곳에서 얼굴을 찬찬히 뜯어보았다. 그러더니 너털웃음을 터뜨리고는 허물없는 사이처럼 그의 어깨를 툭툭 치면서 식사나 함께하자고 했다. 그들은 곧 자리에 앉아서 자기 몫의 빵을 우유에 적셔 먹었는데 우유가 거의 바닥이 나자 농부가 나머지를 훌쩍 마셔버렸다.

　골드문트가 하룻밤 묵어갈 수 없겠느냐고 하자 농부는 방이 없어서 곤란하다고 했다. 그러면서 바깥에 나가면 건초더미가 널려 있는데, 괜찮다면 그곳에서 잘 수는 있을 거라고 했다.

　농부의 아낙은 꼬마를 옆에 앉혀놓고 대화에는 끼어들지 않았다. 그러나 식사를 하는 동안 내내 호기심 가득 찬 눈초리로 젊은 나그네를 붙들고 있었다. 그의 고수머리와 눈매는 처음부터 아낙의 마음을 끌었다. 그리고 깨끗하고 하얀 목과 품위 있어 보이는 매끈한 손, 그 손의 거침없고 아름다운 동작도 그녀의 마음에 들었다. 나그네이긴 하지만 당당하고 품위 있는 사람이었다. 거기다가 정말 젊었다. 무엇보다도 아낙의 마음을 강하게 끌어당기고 반하게 한 것은 나그네의 목소리였다. 그윽하게 사랑을 구하는 듯한 젊은 남자의 목소리는 마치 부드럽게 애무할 때의 느낌처럼 감미로웠다. 좀 더 오랫동안 이 목소리를 듣고 싶었다.

　식사가 끝나자 농부는 외양간에 볼일이 있다며 나갔다. 골드문트는 집 밖으로 나가 우물에서 손을 씻고 나지막한 우물 가장자리에 걸터앉아 몸을 식히면서 물소리에 귀를 기울였다. 마음을 정할 수가 없었다. 벌써 이곳을 떠나야 한다는 것은 서운한 일이었으나, 여기서는 이제 아무것도 구할 것이 없었다. 그때 농부의 아낙이 물통을 들고 나와 두레박으로 물을 푸기 시작했다. 그러다가 나지막한 소리로 말했다.

"이봐요, 오늘 밤에 멀리 가지 않을 거면 내가 먹을 것을 갖다 줄게요. 저기 기다란 보리밭 뒤에 건초더미가 있어요. 그 건초는 내일쯤이나 치울 거예요. 거기 있겠어요?"

그는 주근깨가 박힌 여인의 얼굴을 쳐다보았다. 굵직한 여인의 팔이 물통을 들어올렸다. 여인의 맑고 커다란 눈에는 따뜻함이 담겨 있었다. 그는 여인에게 빙그레 웃어 보이면서 머리를 끄덕였다. 여인은 물이 출렁출렁 넘치는 물통을 들고 대문 안의 어둠 속으로 사라졌다. 그는 고마운 일이라 생각하고 흡족한 기분으로 흐르는 물소리에 귀를 기울였다. 잠시 후 그는 안으로 들어가 농부와 할머니에게 악수를 청하고서 고맙다는 인사를 했다. 오두막집 안에서는 연기와 그을음과 우유 냄새가 났다. 조금 전까지만 해도 이 오두막은 밤이슬을 피하는 피난처이자 고향이었는데, 작별 인사를 하고 나자 금방 서먹서먹하게 느껴졌다. 그는 인사를 하고 밖으로 나왔다.

오두막 건너편으로 교회가 보였다. 그 근처에는 아름다운 숲과 굵직굵직한 고목 참나무가 무리지어 있었고, 그 아래에는 키가 작은 풀들이 자라고 있었다. 그는 그늘에서 발걸음을 멈추고 우람한 나무줄기 사이를 하릴없이 왔다 갔다 했다. 여인과의 사랑이란 참으로 묘한 것이라고 그는 생각했다. 그것은 말을 필요로 하지 않았다. 그 여인은 그에게 밀회장소를 가르쳐 줄 때만 언어를 사용했을 뿐 다른 모든 것은 말로 하지 않았다. 도대체 무엇으로 말한 걸까? 눈으로? 그렇다. 그리고 어느 정도 당황한 목소리의 떨림으로, 또는 피부에서 미묘하게 발산되는 냄새로 말했다. 남녀가 서로를 갈구할 때는 그것만으로도 금세 알아차릴 수가 있었다. 얼마나 섬세한 비밀의 언어인가! 그런데 이러한 언어를 그렇게 빨리 터득하다니 이 얼마나 신기한 일인가……. 그는 오늘 밤이 몹시 기다려졌다. 그 커다란 금발의 여인은 어떠할까? 어떤 눈길로 바라보고, 어떤 어조로 말을 할까? 몸매는 어떠하며 팔다리는 어떻게 움직일까? 입맞춤을 할 때의 촉감은 어떨까 등 샘솟는 호기심을 누를 길이 없었다. 확실히 리제와는 다를 것이다. 지금쯤 리제는 어디 있을까? 탄력 있는 까만 머리와 갈색의 살결을 가진 리제, 가끔 짤막한 한숨을 내뱉는 리제. 남편한테는 얼마나 얻어맞았을까? 지금도 나를 생각하고 있을까? 내가 오늘 새로운 여인을 발견한 것처럼 리제도 지금쯤 새로운 애인을 발견했을까? 그런데 이 모든 것이 어떻게 그토록 순식간에 지나갈 수 있을까? 그리고 왜 이처럼 가는 곳마다 행운이 따르는 것일까! 또 그 모든 것이 얼마나 아름답고 뜨겁던가! 어떻게 이처럼 기묘하게 변했단 말인가! 그것은 죄악이며 간음이었다. 며칠 전만 하더라도 그런 죄악을 저지르느니 차라리 스스로 목숨을 끊었을 것이다. 그러나 지금 그는 벌써 두 번째 여인을 기다리고 있지 않은가. 그런데도 그의 양심은 정지했단 말인가!

그러나 그의 양심이 조용히 멈춰 있는 것은 아니었다. 그의 양심이 간혹 침착성을 잃고 중압감을 느끼는 것은 간음이나 육욕 때문만은 아니었다. 그것은 사람이 죄를 저질러서 생기는 죄책감이 아니라 태어날 때부터 갖고 있는 죄책감이었다. 이것이 신학에서 말하는 원죄라고 하는 것일까? 그럴지도 모른다. 사실 삶 자체에는 죄악 비슷한 것이 깃들여 있는 것이다. 그렇지 않다면 나르치스처럼 순결하고 높은 식견을 가진 사람이 무엇 때문에 심판받는 죄인처럼 참회를 해야 한단 말인가? 왜 골드문트 자신 또한 마음속 깊은 어딘가에서 그러한 죄책감을 느끼지 않으면 안 되었을까? 골드문트 자신은 진정으로 행복하지 않았단 말인가? 그는 젊고 건강했으며, 하늘을 나는 새처럼 자유롭지 않았는가? 여인들이 그를 사랑하지 않았던가? 그가 느낀 은밀한 쾌감을 상대방에게 줄 수 있다면 그러한 행위야말로 얼마나 아름답고 멋진 일인가? 그럼에도 불구하고 그는 왜 완전히 행복하지 못했던 것일까? 왜 그의 행복 속으로 때때로 그 기묘한 괴로움이나 나지막한 불안, 덧없음에 대한 비탄이 스며드는 것일까? 그는 자신이 사색가가 아니라는 것을 알고 있으면서, 왜 그다지도 자주 회의에 빠지고 깊은 생각에 잠겨들었을까?

그럼에도 불구하고 산다는 것은 아름다운 것이었다. 그는 풀밭에 앉아 보랏빛의 조그만 꽃을 따서 눈 가까이에 갖다대고 작고 오목한 꽃받침 속을 들여다보았다. 거기에는 핏줄 같은 줄이 지나가고 머리털처럼 섬세한 미세기관들이 펼쳐져 있었다. 마치 여인의 품안이나 생각하는 사람의 뇌처럼 거기에서도 생명이 약동하며 욕망이 꿈틀대고 있었던 것이다. 아! 인간이란 왜 이다지 무지한 걸까? 왜 이런 꽃들과는 이야기를 나누지 못했던 것일까? 하지만 인간들끼리도 진실한 대화를 나누는 것이 얼마나 힘든 일이었던가. 마음속 대화를 나누기 위해서는 특별한 행운이 따르거나 마음의 준비가 필요하지 않았던가. 그렇지만 사랑에는 어떤 언어도 필요치 않다는 사실이야말로 참으로 마음 놓고 고마운 일이었다. 만약 사랑이 언어를 필요로 했다면 숱한 오해와 어리석음으로 사랑 자체가 산산조각 났을지도 모른다. 아! 리제의 눈. 지그시 감은 그녀의 눈. 초점이 풀리고 바르르 떠는 그 눈꺼풀 사이로 넘쳐흐르는 환희를 어떤 학문이나 시의 언어로 표현할 수 있단 말인가. 그것을 표현하거나 생각할 수 있는 것은 아무것도 없다. 그럼에도 불구하고 사람들은 이야기하고 싶은 욕구에 자주 사로잡히고, 그 영원한 충동에 관해 사고하려는 욕구에 수시로 시달리지 않는가!

골드문트는 조그만 식물의 잎이 줄기 둘레에서 아름답고 기묘하게 줄지어 있는 모습을 관찰했다. 베르길리우스의 시는 아름다웠고, 그는 그 시구들을 좋아했다. 그렇지만 식물의 줄기에 붙어 있는 조그만 잎새의 원추형 질서야말로 그 명징함이나 지혜로움, 아름다움이나 의미심장함이 베르길리우스의 시구들 못지않았다. 인간이 유일무이한 이런 꽃을 단 하나라도 만들어낼 수 있다면, 그것은 얼마나 즐겁고 행복하고 매혹적이며 고귀하며 의미가 깊은 행위가 될까? 하지만 그것은 그 누구도 해낼 수 없는 일이었다. 어떠한 영웅도, 황제도, 교황도, 성인(聖人)도……

해가 기울자 그는 농부의 아낙이 일러준 곳을 찾은 다음 그녀를 기다렸다. 이렇듯 한 여인이 오직 사랑만을 좇아서 찾아온다는 것을 알고 기다리는 것은 참으로 멋진 일이었다.

여인은 빵과 베이컨 조각을 보자기에 싸가지고 와서 그에게 내밀었다.

"당신을 위해 가져왔어요. 드세요."

여인이 말했다.

"나중에 먹을게요. 내가 바라는 것은 빵이 아니라 바로 당신이니까요. 당신이 얼마나 멋진 것을 가지고 왔는지 보여줘요!"

여인은 그에게 멋진 것을 잔뜩 안겨주었다. 허덕이는 입술, 반짝이는 이, 햇볕에 그을려서 벌겋지만 튼튼한 팔, 그리고 목 아래쪽의 속살은 눈처럼 희고 보드라웠다. 여자는 기쁨을 언어로 표현하지는 않았지만 사람의 간장을 녹이는 유혹적인 소리를 토해내곤 했다. 그녀는 여태껏 한 번도 느껴보지 못했던, 부드럽고 사랑의 감정이 담뿍 담긴 예민한 손길이 자기 몸에 닿자 몸을 바르르 떨었다. 여인의 살결에는 소름이 돋았으며 목청에서는 고양이 울음소리 같은 신음이 새어나왔다. 그녀는 리제에 비해 사랑의 유희에 몹시 서툴렀다. 하지만 그녀에겐 놀라운 힘이 있었다. 애인의 목을 부러뜨릴 듯이 으스러지게 껴안는 것이었다. 그녀의 사랑은 어린아이처럼 단순하면서도 탐욕스러웠다. 그러면서도 한편으론 수줍어했다. 골드문트는 그녀와 함께 보낸 시간이 너무나 행복하고 만족스러웠다.

이윽고 여인은 한숨을 내쉬면서 무거운 발걸음으로 자리를 떴다. 뿌리치고 떠나가는 것이 괴로웠지만 언제까지 이곳에 머물러 있을 수는 없는 노릇이었다.

혼자 남게 된 골드문트는 한동안은 행복에 도취되어 있었지만 이내 슬픔에 잠겨들었다. 그리고 한참 후에야 여인이 가져온 빵과 베이컨이 떠올라 그것을 먹어치웠다. 벌써 밤은 이슥해졌다.

8

골드문트의 방랑은 계속되었다. 어느 한 곳에서 이틀 밤 이상 머무는 경우는 드물었으며, 어디를 가도 여인들이 그녀를 탐하면서 행복하게 해주었다. 그의 얼굴은 햇빛에 그을어 갈색이 되고, 유랑과 거친 음식 때문에 수척해졌다. 수많은 여자들이 이른 아침에 그에게 작별을 고하고 떠나갔다. 어떤 여자들은 눈물을 흘리며 떠나곤 했는데, 그때마다 그는 이런 생각을 하곤 했다. '왜 한 여자도 내 곁에 머무르지 않는가? 그녀들은 분명히 나를 좋아하고, 사랑을 불태우기 위해 불륜까지도 감수하지 않는가? 그러면서도 왜 곁에 머무르지 않는 것일까? 그 여자들은 왜 모두가 매 맞는 것을 두려워하면서도 남편에게로 이내 돌아가는 걸까?' 그를 진심으로 붙드는 여인은 한 사람도 없었다. 자기를 데려가 달라고 사정하는 사람도 없었으며, 방랑의 기쁨과 괴로움을 함께 나눌 각오를 하는 사람도 없었다. 물론 골드문트가 그렇게 하자고 유혹하거나 어떤 여인에게도 그런 생각을 갖도록 종용하지는 않았다. 자신의 마음도 자유를 원하고 있음을 깨달았기 때문이었다. 어떤 여자를 떠올려보아도 예외 없이 한 여자가 떠나가면 바로 다음 여자의 품이 그리워졌던 것이다. 그리고 어디를 가나 여자들의 사랑은 그 자신의 사랑과 마찬가지로 덧없이 사라졌다. 그리고 불꽃처럼 열렬히 타오르던 사랑이 그토록 빨리 식어버린다는 것을 알게 되자 그 사실이 기이하기도 했고 다소 슬프기도 했다. 그것은 과연 옳은 일인가? 아니면 그 자신에게 문제가 있는 것일까? 여자들이 그를 원하고 좋아하면

112

서도, 건초더미나 이끼 위에서 짧은 순간을 보내는 것 이상으로는 그와 함께 있는 것을 바라지 않도록 운명이 정해진 것은 아닌가? 아니면 그가 유랑생활을 하고 있기 때문일까? 집이 있는 사람들은 유랑자의 생활을 대하게 되면 먼저 두려움을 가질 수도 있을 테니까. 아무튼 그는 도무지 판단을 내릴 수 없었다.

그는 여자들과 나누거나 배우는 유희가 싫증나지 않았다. 물론 남자에 대해 아무것도 모르는, 나이 어린 처녀들에게 마음이 끌렸다. 그런 여자들에게는 진심으로 빠져들 수 있었다. 그러나 애인이 있는 수줍은 처녀한테 접근하는 것은 쉽지 않았다. 그는 부인들한테 즐겨 배웠고, 어느 여자나 무엇 하나쯤은 그에게 남겨주었다. 어떤 몸짓, 특별한 키스, 독특한 기교, 혹은 몸을 맡기거나 사리는 방법 등……. 골드문트는 그 모든 것을 받아들였다. 싫증내지 않고 어린아이처럼 어떤 유혹이라도 받아주었다. 그렇게 함으로써 비로소 그 자신이 유혹적인 존재가 되었다. 그의 외모에서 풍기는 아름다움만으로는 부인들이 그렇게 쉽게 접근해 오지 않을 것이다. 그의 어린아이 같은 순진함과 개방적인 태도, 순진한 호기심에서 비롯된 거리낌 없는 욕망의 표출, 여자가 그에게 무엇을 요구하든 그것에 대해 언제든지 받아들일 준비가 되어 있었기 때문에 가능했다. 그가 스스로 깨닫지는 못했지만, 그는 매번 여자들이 그에게 원하고 꿈꾸는 대로 해주었다. 어느 여인한테는 부드럽고 조심성 있게, 다른 여인한테는 재빨리 집어삼킬 듯이, 어느 때는 처음 동정을 바치는 소년처럼, 또 어느 때는 능숙한 경험자처럼……. 그는 유희와 싸움, 한숨과 웃음, 수줍음과 뻔뻔스러움을 자유자재로 구사할 수 있었다. 그는 절대로 여자가 원하지 않는 행위를 하지 않았다. 예민한 감각을 가진 여자라면 누구나 그의 성향이 그렇다는 것을 눈치챘으며, 그것이 그가 여성들에게 사랑받는 이유였다.

그는 짧은 기간 동안에 수많은 사랑의 형태와 사랑의 기교를 배웠다. 수많은 여인들에게서 경험을 얻었을 뿐만 아니라 여성을 보고, 느끼고, 만지고 냄새를 맡는 방법까지 배웠다. 어떤 종류의 목소리도 알아들을 수 있는 민감한 귀를 갖게 되었으며, 여성의 목소리를 듣고 벌써 그 여자의 사랑의 능력과 종류, 범위를 정확히 알아 맞출 수 있는 방법을 배웠다. 머리가 목 위에서 어떠한 형태로 윤곽을 드러내고 있는가, 흘러내린 머리카락을 어떻게 쓸어 올리는가, 무릎 뼈를 움직이는 온갖 다양한 방법들을 황홀감을 느끼면서 관찰하곤 했다. 그는 어둠 속에서 눈을 감고 가만히 손가락을 더듬어 여자의 털의 종류를 하나하나 구별해 내는 방법도 배웠다. 어떤 여자의 머리카락이 다른 여자의 머리카락과 어떻게 다르며, 어떤 여자의 살결과 솜털이 다른 여자의 그것과 어떻게 다른가를 알게 된 것이다. 그는 바로 그런 것에 유랑생활의 의미가 있으며, 인식과 구별의 능력을 섬세하고 다양하게 그리고 깊이 있게 배우고 연습하기 위해 이 여자에게서 저 여자에게로 옮겨 다닌다는 것을 오래전부터 느끼기 시작했다. 마치 상당수의 음악가들이 한 가지 악기뿐 아니라 세 가지나 네 가지 혹은 더 많은 악기를 연주할 줄 아는 것처럼, 완벽의 경지에 이르기 위해서는 여자들의 사랑을 온갖 방식으로 수없이 다양하게 겪어야 할지도 모를 일이었다. 물론 이런 경험이 무엇에 도움이 되고 그 결과가 어떻게 될지는 그 자신도 알 수 없었다. 다만 그가 느낄 수 있는 것은 자신이 어딘가로 가는 길 위에 있다는 사실뿐이었다. 그는 라틴어나 논리학에 어느 정도의 능력은 있다고 하지만 그 능력과 재능이 놀라울 정도로 특출한 것은 아니었다. 그러나 사랑과 여자와의 행위에서는 특별한 능력이 있었다. 그는 힘들이지 않고 쉽게 익혔으며, 뭐든 잊어버리지 않고 경험이 저절로 축적되어 정리되었던 것이다.

유랑생활을 한 지 일 년이 지난 어느 날, 골드문트는 아름답고 멋진 두 딸을 가진 어느 유복한 기사의 저택에 이르렀다. 때는 이른 가을이어서 밤이 되면 추위를 느낄 만큼 쌀쌀했다. 지난해 가을과 겨울을 지내면서 추운 밤들을 겪었기에 앞으로 다가올 몇 달간의 생활을 생각하니 기분이 울적해졌다. 겨울에는 떠돌이 생활을 하는 것이 쉽지 않은 것이다. 기사의 저택에 이르러 그는 식사와 잠자리를 청했다. 이곳에서 그는 정중한 대접을 받았다. 나그네가 학문을 한 사람으로, 희랍어를 할 수 있다는 이야기를 들은 집주인은 그를 하인들의 식탁에서 자기가 앉은 식탁으로 옮기도록 분부하고 자기와 같은 위치의 사람으로 대하는 것이었다. 딸들은 눈을 다소곳이 내리깔고 있었는데 큰딸 리디아는 열여덟 살이었고, 동생 율리에는 열여섯 살이었다.

이튿날 골드문트는 길을 떠날 생각이었다. 그 아름다운 두 아가씨 중에서 누구도 손에 넣을 가망이 없을 뿐 아니라 그를 붙잡아둘 만한 다른 어떤 여자도 없었기 때문이었다. 그런데 어쩐 일인지 아침 식사를 마친 다음 집주인이 그를 어느 방으로 데리고 갔다. 무슨 특별한 목적이 있는 것처럼 그를 방 안으로 안내한 집주인은 학문이나 책에 대한 자신의 특별한 취향에 대해 젊은이에게 점잖게 이야기하기 시작했다. 그리고 그는 지금까지 모은 책으로 가득한 책장, 주문 제작한 필기대, 그리고 아껴 보관해 둔 종이와 양피지 꾸러미 등을 보여주었다. 나중에 알게 된 사실이지만, 이 경건한 기사는 젊었을 땐 학교에 다닌 일이 있었으나 그 후에는 계속 전쟁과 세속생활에 젖어 살았으며, 결국 중병을 앓게 되면서 하느님의 계시를 받고 순례의 길을 떠나 젊은 시절의 죄악을 참회했다는 것이었다. 그는 로마를 거쳐 콘스탄티노플까지 갔었는데 집에 돌아와 보니 아버지는 돌아가시고 집은 텅텅 비어 있더라는 것이었다. 그는 그 후 고향에 정착하여 결혼을 했고, 부인을 잃은 뒤에는 딸들을 키우는 일에만 정성을 쏟았다고 했다. 그리고 이제 황혼기에 접어들어 그 옛날 자신이 행한 순례 여행에 대한 자세한 기록을 정리하기 시작했다는 것이었다. 몇 장(章)을 써놓았지만 — 골드문트에게 고백한 것에 따르면 — 라틴어 실력이 부족해서 여러 가지로 막히는 것이 많다고 했다. 그래서 만약 골드문트가 지금까지 쓴 그의 글을 정서하면서 앞으로도 계속 그를 도와준다면 새 옷도 지어주고 이 집에 마음껏 머물러 있어도 좋다고 제의해 왔다.

계절은 벌써 가을이었다. 골드문트는 이런 가을이 유랑자에게 어떤 의미인가를 잘 알고 있었다. 새로운 옷차림도 그가 원하던 것이었다. 그러나 무엇보다도 기쁜 것은 오랫동안 두 자매와 한집안에 있게 된 것이었다. 그는 망설이지 않고 즉석에서 승낙했다. 얼마 지나지 않아 고참 하녀는 옷장에서 고운 무늬의 갈색 천을 찾아 골드문트의 의복과 모자를 만들어야만 했다. 기사는 까만 색깔로 학생복같이 만드는 게 좋다고 고집했으나 골드문트는 무엇이든 상관없다고 했다. 드디어 멋진 의복이 만들어졌다. 그것은 옛날 귀족의 자제들이 입는 옷 같기도 하고, 어찌 보면 사냥복 같기도 했는데, 어떻든 그 옷은 그에게 썩 잘 어울렸다.

라틴어 문제도 생각보다 쉽게 진행되었다. 지금까지 쓴 것을 그들은 함께 훑어나갔다. 골드문트는 정확치 못하고 불충분한 많은 단어를 정정했을 뿐 아니라 여기저기에서 기사의 짧고 서툰 문장들을 분명한 구조와 세련된 표현으로 고쳐주었다. 그 문장들은 매우 짜임새가 있었고 시간상으로도 순서가 깔끔하게 정리되었다. 기사는 무척 만족해하며 칭찬을 아끼지 않았다. 그들은 그 일로 매일 최소한 두 시간씩을 바쁘게 보냈다.

골드문트는 성처럼 보일 만큼 견고하고 넓은 저택에서 여러 가지 소일거리를 발견했다. 그는 사냥을 하기도 하고, 사냥꾼 힌리히를 따라다니며 활 쏘는 방법을 배우기도 했다. 그러는 동안 개와 친구가 되었으며, 말도 마음껏 탈 수 있었다. 그가 혼자 있을 때는 별로 없었다. 이야기 상대는 대개 개나 말, 혹은 힌리히나 고참 하녀 레아였다. 고참 하녀는 남자처럼 걸걸한 목소리로 농담을 무척 잘하고 호들갑스럽게 웃어대는 살찐 노파였다. 개를 돌보는 소년이나 양을 지키는 목동이 이야기 상대가 될 때도 있었다. 마음만 먹으면 이웃에 사는 방앗간의 부인과 밀애를 즐길 수도 있었지만, 그는 자중하고 순진한 숫총각처럼 행세했다.

또한 그는 기사의 딸들에게 완전히 매혹 당했다. 동생 쪽이 더 아름다웠으나 새침데기여서 골드문트와는 거의 한마디도 하지 않았다. 그는 극도의 조심성과 은근한 태도로 두 처녀에게 접근해 갔는데, 처녀들은 그의 접근을 그칠 줄 모르는 구애라고 느끼고 있었다. 동생은 여전히 침묵을 지키고 있었는데 그 태도는 다서 오만해 보이기까지 했다. 언니 리디아는 그에 대해서 특별한 것을 발견한 듯 마치 별스런 학자를 대하듯이 했다. 그리하여 반은 어려워하면서도, 반은 조롱이라도 하듯 호기심 어린 표정으로 수도원에서의 생활에 대해 질문을 하기도 했다. 그녀는 그럴 때면 언제나 귀부인 같은 우월감을 드러냈다. 골드문트는 두 여성의 태도를 있는 그대로 받아들였다. 그래서 그는 리디아를 대할 때는 귀부인과 같이, 율리에를 대할 때는 어린 수녀를 대하듯이 했다. 저녁 식사 후 그의 이야기로 평상시보다 오랜 시간 두 딸을 식탁에 붙잡아두는 데 성공한다거나, 정원에서 리디아가 그에게 말을 걸 때면 그는 만족해하면서 그것이 일종의 발전이라고 생각했다.

이 가을, 저택 안마당에 있는 높다란 물푸레나무의 잎은 오랫동안 떨어지지 않았고 정원에는 들국화와 장미꽃이 오래도록 피어 있었다. 그러던 어느 날 손님이 찾아왔다. 이웃 영주와 그의 부인이었다. 그들은 따뜻하고 부드러운 햇살에 이끌리어 평소에는 안 하던 먼 소풍을 하다 보니 이곳까지 오게 되었다며 하룻밤 숙박을 청했다. 말몰이 하인과 타고 온 말도 함께였다. 기사는 매우 공손하게 그들을 맞아들였다. 자연히 골드문트의 침대는 객실에서 서재로 옮겨지고, 그 방은 손님을 위해 꾸며졌다. 몇 마리의 닭과 물방앗간에서 얻은 물고기로 요리를 하느라 법석을 떨었다. 골드문트는 잔치처럼 흥겨운 분위기에 기꺼이 끼어들었고, 이 낯선 귀부인이 자신에게 관심을 갖고 있다는 것을 이내 알아차렸다. 그 귀부인의 목소리나 눈빛을 보고 호감과 탐욕을 눈치채기가 무섭게 리디아의 태도가 변하고 있었다. 리디아가 뾰로통한 얼굴로 그와 귀부인을 관찰하기 시작한 것을 알아채곤 더욱더 긴장하기 시작했다. 저녁 만찬이 시작되었을 때 귀부인의 발이 테이블 밑에서 골드문트의 발을 희롱하기 시작했다. 부인의 희롱과 더불어서 골드문트를 황홀하게 했던 것은 리디아였다. 리디아는 침묵과 긴장 속에서 부인이 그에게 추파를 던지는 행동 하나하나를 호기심이 가득 담긴 시선으로 관찰하고 있었던 것이다. 나중에 그는 일부러 나이프를 마룻바닥에 떨어뜨린 다음 테이블 밑으로 허리를 굽혀 그것을 주우면서 귀부인의 허벅지와 발목을 애무해 주었다. 그러자 리디아의 얼굴이 더욱 창백해지더니 입술을 깨무는 것이 그의 눈에 들어왔다. 그는 수도원에서 있었던 에피소드들을 계속 이야기하고 있었으나 손님인 귀부인은 그가 구애하는 소리를 마음속으로 더 기다리고 있는 것 같았다. 다른 사람들도 그의 이야기에 귀를 기울였다. 그의 후원자이자 집주인인 기사는 호의를 갖고, 이웃에 사는 영주는 표정 하나 변하지 않은 채 이 젊은이의 내부에서 불붙고 있는 불길에 압도당하고 있었다. 리디아는 그가 이토록 열변을 토하는 것을 여태까지 본 적이 없었다. 그는 활짝 핀 꽃 같았고, 식탁의 공기는 흥분으로 달아올랐다. 그의 눈은 불꽃처럼 빛났고, 행복을 노래하며 사랑을 애원하는 듯한 그의 목소리가 사람들 마음속에 깊게 울려 퍼졌다. 세 여자는 그것에 대해 각기 다른 감정을 느꼈다. 어린 율리에는 격한 방어 심리와 거부감을 가졌고, 영주의 부인은 더할 수 없는 만족감으로 황홀해했다. 반면 리디아는 심장의 요동을 고통스럽게 느끼고 있었다. 마음속에서 솟구치는 동경과 나직한 저항, 격렬한 질투가 뒤얽혀서 급기야는 그녀의 얼굴이 마치 열에 들뜬 것처럼 벌게졌다. 그런 상태에서 그녀의 눈동자가 불타기 시작했다. 골드문트는 그 모든 것을 고스란히 느낄 수 있었다. 그것은 그의 구애에 대한 은밀한 응답으로 되돌아왔으며, 그의 주위에는 사랑의 상념들이 새처럼 날아들어 서로의 몸을 맡기는가 하면 서로 저항하기도 하고 또 서로 싸우기도 했다.

식사가 끝난 뒤 율리에는 촛대에 불을 켜들고 어린 수녀처럼 쌀쌀하게 방에서 나가버렸다.

벌써 밤이 이슥해졌다. 다른 사람들은 그 후 한 시간이 지나도록 자리에서 일어날 줄을 몰랐다. 두 사나이가 곡물 수확이나 황제 혹은 주교님에 관한 이야기를 주고받고 있을 동안 리디아는 골드문트와 귀부인이 나누는 대화에 온 신경을 모으고 귀를 기울였다. 두 사람은 아무런 일도 아닌 것에 대해 쓸데없는 잡담을 나눌 뿐 그 무엇도 엮어내는 것 같지는 않았다. 그러나 길게 이야기를 나누는 사이사이 말로, 눈초리로, 억양으로, 하늘하늘한 몸짓으로 질기고 달콤한 그물을 촘촘하게 엮어간다는 것을 알 수 있었다. 그 하나하나에는 의미가 가득 실려 있었고, 따스한 열기가 배어 있었다. 리디아는 그 분위기를 호기심과 동시에 혐오스러운 감정으로 지켜보고 있었다. 골드문트의 무릎이 테이블 밑에서 낯선 귀부인의 무릎에 닿는 것을 보거나 느끼기라도 하면 리디아는 자신의 몸에 닿기라도 한 듯 화들짝 놀라기도 했다. 그날 밤 리디아는 잠을 이루지 못했다. 저 두 사람은 분명히 같이 잘 거라고 확신하면서 깊은 밤중까지 가슴을 졸인 채 귀를 기울였다. 두 사람이 이루지 못한 것을 리디아는 상상 속에서 실현시키고 말았다. 리디아는 두 남녀가 부둥켜안는 것을 보고 서로 키스하는 소리를 들었다. 동시에 배반당한 기사가 사랑의 유희를 하고 있는 그들을 불의에 습격하여 뻔뻔스러운 골드문트의 가슴에 칼을 꽂지나 않을까 조바심을 내기도 하고, 동시에 그렇게 해주길 바라기도 하면서 흥분으로 몸을 떨었다.

이튿날 아침에는 날씨가 흐린데다가 눅눅한 바람까지 불었다. 좀 더 머물고 가라는 권고를 뿌리치고 손님들은 출발을 서둘렀다. 영주의 부부가 말을 탈 때 리디아는 옆에 서서 악수를 하고 작별 인사를 했으나 정신은 다른 데 가 있었다. 그녀의 모든 감각은 그녀의 눈에 들어오는 어떤 광경에만 매달려 있었던 것이다. 기사의 부인이 말에 오르는 것을 골드문트가 손으로 받쳐주는 것을 보았고, 그의 오른쪽 손이 부인의 구두를 한순간 꽉 잡는 것을 그녀는 주의 깊게 바라보았다.

손님들이 떠나자 골드문트는 서재로 가서 하던 일을 계속했다. 반시간쯤 후에 리디아가 하녀에게 말을 끌어내오라고 이르는 소리가 들렸다. 주인은 창가로 다가가 밖을 내다보며 싱긋이 웃고는 고개를 설레설레 흔들었다. 두 사람은 리디아가 말을 타고 달려 나가는 모습을 바라보았다. 그날 라틴어로 문장을 다듬는 일은 거의 진도가 나가지 않았고, 골드문트의 마음은 몹시 산란했다. 주인은 친절하게도 평소보다 빨리 그를 일에서 해방시켜 주었다.

골드문트는 사람들이 눈치채지 않게 말을 타고 저택을 빠져나와, 차갑고 눅눅한 가을바람을 맞으며 퇴색한 풍경 속으로 달려 나갔다. 점점 빨리 달리다 보니 안장으로 말의 체온이 전해져 오면서 그 자신의 피도 뜨거워지는 것 같았다. 추수가 끝난 들판과 초원을 지나 갈대가 자라는 늪지대에 이르렀다. 그는 잠시 숨을 고르고 나서 다시 말을 몰았다. 하늘에 잔뜩 구름이 끼어 몹시 음산하게 느껴지는 날씨였다. 오리나무가 자라는 조그만 골짜기와 이끼 냄새가 풍기는 전나무 숲을 지나쳐 갈색으로 뒤덮인 텅 빈 황야를 달렸다.

갈색 구름이 뒤덮인 하늘과 선명한 대조를 이루며 어느 언덕배기 부근에서 천천히 말을 몰아가는 리디아를 발견했다. 그는 곧 그녀를 향해 달려갔고, 그녀는 그의 추적을 눈치채고는 속력을 내어 도망치기 시작했다. 그녀의 모습은 사라졌다가는 나부끼는 머리카락과 함께 다시 모습을 드러내곤 했다. 그는 미끼를 쫓듯 추격해 가다 갑자기 웃음을 터뜨리기도 했다. 그는 다정스럽게 작은 소리로 말을 격려하면서 기꺼운 마음으로 풍경들을 감상했다. 웅크리고 앉은 밭이랑, 오리나무 숲, 단풍나무, 늪의 진흙탕 기슭 등. 그러나 그의 시선은 목표물에서, 달아나는 아름다운 여인에게서 잠시도 떨어지지 않았다. 이제 곧 따라잡을 것이었다.

그가 바짝 따라온 것을 안 리디아는 달리는 것을 단념하고 말의 속도를 줄였다. 그러나 리디아는 추격자를 거들떠보지도 않았다. 날렵하게, 태연하게, 마치 거기에 있는 사람은 자기 혼자뿐인 것처럼 말을 계속 앞으로 몰았다. 그는 리디아와 나란해졌다. 두 마리의 말은 서로 나란히 걸어갔다. 말과 기사 모두 땀을 흘리고 있었다.

"리디아!"

그가 나지막하게 불렀다.

리디아는 대답을 하지 않았다.

"리디아!"

여전히 대답이 없었다.

"리디아, 당신이 말을 타고 달리는 모습을 멀리서 보니 정말 멋있더군요. 당신의 나부끼는 황금빛 머릿결의 아름다움을 어떻게 표현해야 할는지! 그리고 당신이 내게서 달아난다는 것은 참으로 이상한 일이지요. 이제야 나는 당신이 나를 조금은 좋아하고 있다는 걸 알게 되었소. 여태껏 그걸 눈치채지 못했었지요. 어제 저녁까지만 해도 의심하고 있었으니까. 당신이 나에게서 도망치려고 했을 때 비로소 나는 알았소. 아름답고 사랑스런 리디아! 힘들 텐데 말에서 내리지 않겠소?"

그는 말에서 얼른 뛰어내리는 것과 동시에 리디아가 도망치지 못하도록 고삐를 잡았다. 눈같이 하얀 그녀의 얼굴이 그를 내려다보았다. 말에서 안아 내려주었을 때 리디아는 왈칵 눈물을 쏟았다. 그는 리디아를 조심스럽게 몇 발자국 이끌고 가다가 마른 풀 위에 앉히고 그 옆에 무릎을 꿇었다. 그러자 그녀는 앉은 채로 울음을 그치려고 안간힘을 썼다. 한참 후에야 그녀는 울음을 그쳤다.

"아, 당신은 정말 나쁜 사람이에요."

그녀기 간신히 입을 열었다.

"내가 그렇게 나쁜 사람이오?"

"골드문트, 당신은 여자를 유혹하는 사람이에요. 조금 전에 당신이 저에게 한 말은 없었던 걸로 해줘요. 그렇게 뻔뻔스러운 말이 어디 있어요? 그리고 당신은 저에게 그런 말을 할 자격도 없는 사람이에요. 제가 당신을 사랑하다니요……. 어떻게 그런 생각을 할 수가 있지요? 잊어주세요! 하지만 제가 어제 저녁에 본 것들을 어떻게 잊을 수 있을까요?"

"어제 저녁에 도대체 무엇을 보았다는 말이오?"

"흥, 시치미 떼지 말아요! 제발 그런 거짓말은 그만둬요! 제 눈앞에서 그 여자한테 추파를 던지다니, 정말 너무해요! 당신은 부끄럽지도 않았나요? 심지어 당신은 테이블 밑에서 그 여자의 다리를 쓰다듬기까지 했어요. 제가 보는 앞에서! 그리고 지금은 그 여자가 가버리자 제 뒤를 쫓아왔어요! 당신은 정말 부끄러움이 뭔지도 모르는 사람이에요."

그는 더 이상 아무 말도 하지 않고 그녀의 옆에 무릎을 꿇었다. 그를 애처롭다는 듯이 쳐다보는 그녀의 모습이 너무나 아름다웠다. 그러면서 그녀가 느끼고 있는 고통이 그에게 전해졌다. 그도 억울한 심정을 호소하지 않으면 안 될 것 같은 느낌이 들었다. 그러나 그녀가 무슨 말을 했건, 그는 그녀의 눈동자 속에서 사랑을 느낄 수 있었다. 떨리는 그녀의 입술에는 사랑이 담겨 있었다. 그는 그녀의 말보다 그 눈을 믿었다.

리디아는 그의 대답을 기다리고 있었다. 그러나 아무런 대답이 없자 충혈된 눈으로 그를 쳐다보며 다시 말했다.

"정말로 당신은 부끄러움이라는 걸 모르는 사람이라고요!"

"용서해 줘요. 그러나 우리는 지금 해서는 안 되는 이야기를 하고 있습니다. 그것은 내 책임입니다. 부끄러움을 모르느냐고 당신은 묻고 있습니다. 물론 나도 부끄럽습니다. 하지만 나는 당신을 사랑합니다. 사랑은 부끄러움을 염두에 두지 않는 법입니다. 화내지 마십시오!"

그는 조용히 말했다.

리디아는 아무 말도 듣고 있지 않은 것 같았다. 주저앉은 채 꼭 다문 입술로 옆에 아무도 없는 것처럼 까마득히 먼 곳으로 시선을 던지고 있었다. 그가 이런 상황에 놓여진 적은 한 번도 없었다.

그는 가만히 리디아의 무릎에 얼굴을 대고 말없이 머리를 눕혔다. 그 감촉은 금세 그의 마음을 편안하게 해주었다. 하지만 감히 그녀에게 손을 댈 수가 없어서 이내 슬퍼졌다. 리디아는 여전히 꼼짝하지 않고 앉아서 아무 말 없이 먼 곳만 응시하고 있었다. 말할 수 없는 거북함, 말할 수 없는 슬픔이었다! 그러나 리디아의 무릎은 그가 비벼대는 따스한 볼을 물리치지 않고 다정스레 받아주었다. 그는 가만히 눈을 감은 채 그의 무릎에 머리를 눕히고서 그 고귀하고 기다란 곡선을 자신의 안으로 서서히 받아들였다. 품위 있고 맵시 있는 이 무릎이 리디아의 기다랗고 아름다운 두 팔과 얼마나 닮아 있는가를 떠올리며 골드문트는 환희와 감동을 맛보았다. 그는 감사한 마음으로 그녀의 무릎에 얼굴을 비벼대면서 볼과 입술로 대화를 나누었다. 그러자 망설이는 듯한 리디아의 손이 나는 새와 같이 사뿐하게 그의 머리카락 위에 얹혀졌다. 부드러운 손이 가만히 그의 머리카락을 만지작거렸다. 가늘고 긴 손가락과 반달 모양으로 볼록한 장밋빛 손톱, 그는 리디아의 손을 정확하게 관찰하고 경탄한 적이 있었다. 그는 그녀의 손을 자기 손처럼 잘 알고 있었다. 지금 리디아의 보드라운 손가락이 수줍게 그의 곱슬머리와 대화를 나누고 있었다. 리디아의 손가락 언어는 어린아이처럼 순진하고 조심스러웠으나 그것은 사랑이었다. 그는 감사한 마음을 감추지 못한 채 자신의 얼굴을 리디아의 손바닥에 대고 비비면서 목덜미와 뺨에 그녀의 손바닥이 와 닿는 것을 느꼈다.

그러다가 리디아가 말했다.

"이제 돌아갈 시간이 됐어요."

그는 고개를 들어 애정 어린 표정으로 그녀를 쳐다보며 손가락에 가만가만 입을 맞추었다.

"제발, 일어나요. 돌아가야 해요."

그는 그녀의 말을 따랐다. 두 사람은 자리에서 일어나 말에 올라탔다. 골드문트의 가슴에는 행복이 물결치고 있었다. 리디아는 얼마나 아름다우며 또 얼마나 어린아이같이 순진하고 부드러운가! 아직 한 번도 리디아와 키스한 적은 없었지만 그의 마음은 리디아로 가득 차 있었다. 두 사람은 질풍같이 달렸다. 저택 입구 근처에 와서야 비로소 리디아는 깜짝 놀라며 말했다.

"둘이 함께 들어가서는 안 돼요. 어떻게 이런 어리석은 짓을!"

그리고 그들이 말에서 내린 다음 마부가 달려 나오는 아슬아슬한 순간이 되어서야 리디아는 얼른 그의 귀에 대고 소곤거렸다.

"당신, 어젯밤에 그 여자한테 갔는지 안 갔는지 말해요!"

그는 몇 번이나 고개를 저으면서 안장을 풀기 시작했다.

오후에 아버지가 외출하자마자 리디아는 그의 서재에 나타났다.

"정말이에요?"

리디아는 정열적인 어조로 재빨리 물었다. 그는 그 말의 뜻을 이내 짐작할 수 있었다.

"그렇다면 왜 그렇게 추잡한 짓을 했어요? 정말 혐오스러웠다고요. 어째서 그 여자한테 반한 척한 거예요?"

"사실 내 마음은 당신한테 있었어요. 그 여자의 발보다 당신의 발을 부드럽게 쓰다듬고 싶었소. 하지만 당신의 발은 테이블 밑에서 한 번도 나한테 오지 않았고, 저에게 당신을 사랑하느냐고 물어주지도 않았어요."

그가 말했다.

"골드문트, 정말 제가 좋아요?"

"물론이오."

"하지만 그래서 어떻게 하겠다는 거죠?"

"모르겠소, 리디아. 그런 것은 아무래도 상관없소. 당신을 사랑하는 것 자체만으로 나는 행복합니다. 어떻게 된다는 것은 생각하지 않고 있소. 당신의 모습을 보고, 당신의 목소리를 듣고, 당신의 손이 나의 머리를 만져 줄 때 나는 행복하오. 키스를 하게 되면 더욱 기쁠 거요."

"약혼자한테만 키스할 수 있어요. 골드문트, 그렇게 생각하지 않나요?"

"그런 걸 생각해 본 적은 없소. 당신이 내 약혼자가 될 수 없다는 것은 당신도 잘 알고 있을 거 아니오?"

"그래요. 당신은 제 남편이 될 수도 없고 항상 제 옆에만 있을 수도 없기 때문에 저에게 사랑 이야기를 하는 것은 옳은 일이 아니에요. 그런데도 당신은 저를 유혹할 수 있다고 믿었나요?"

"나는 그런 걸 믿지도 않았을 뿐만 아니라 생각해 본 적도 없소. 리디아, 나는 당신의 키스를 받고 싶다는……. 우리는 너무 이야기가 많군요. 하지만 사랑하는 사람들끼리는 그렇게 하지 않습니다. 당신은 나를 좋아하지 않죠?"

"오늘 아침에는 그 반대의 말을 했잖아요."

"그리고 당신도 반대의 행동을 했구요."

"제가요? 그것이 무슨 뜻이죠?"

"처음에 당신은 내가 다가가는 것을 보고 나를 피해 달아났소. 그래서 나는 당신이 나를 사랑하고 있다고 생각했지. 그다음에 당신은 울고 말았소. 이것 또한 나를 사랑하기 때문이라고 생각했소. 또 내가 당신의 무릎 위에 머리를 눕혔을 때 당신은 나의 머리를 쓰다듬어주었는데, 나는 그것이 사랑이라고 믿었소. 그런데 그것이 이젠 아무 의미도 없단 말이오?"

"저는 어젯밤에 당신이 발을 만진 여자하고는 달라요. 당신은 벌써 그런 여자한테 익숙해져 있는 것 같아요."

"그렇지 않아요. 당신은 그 여자보다 훨씬 아름답습니다."

"저는 그런 걸 말하고 있는 게 아니에요."

"하지만 결국 같은 얘기인 셈이죠. 당신은 자신이 얼마나 아름다운지 알고 있습니까?"

"저한테도 거울은 있어요."

"리디아, 당신은 당신의 이마를 거울에 비추어본 적이 있기나 한가요? 그리고 어깨를, 손톱을, 무릎을. 그 모든 것들이 서로 잘 어울려서 얼마나 아름다운 모습을 하고 있는지 알고나 있나요?"

"어쩌면 그런 말을! 당신 속셈을 알 것 같아요. 당신은 바람둥이여서 저한테 허영심을 불어넣으려는 거예요."

"유감스러운 일이지만 절대 그런 것이 아닙니다. 무엇 때문에 당신한테 허영심을 불어넣겠어요? 당신은 아름답고, 나는 거기에 대해 감사한다는 것을 보여주고 싶을 뿐입니다. 당신은 그 말을 제 입으로 하도록 만들고 있는데, 나는 말을 하는 것보다 몇 배나 더 내 마음을 잘 나타낼 수 있어요! 말로는 당신한테 아무것도 배울 게 없고, 당신도 저한테 배울 것이 아무것도 없습니다."

"도대체 당신한테서 뭘 배우라는 거죠?"

"리디아! 나는 당신한테서, 당신은 나한테서 서로 배우는 거요. 하지만 당신은 그걸 원하고 있지 않아요. 당신은 당신을 신부로 맞아들이려고 하는 사람만을 사랑하려고 하니까. 하지만 그 사람은 당신이 아무것도 모른다는 것, 심지어 키스조차 할 줄 모른다는 것을 알게 되면 웃을 거요."

"그래요? 그렇다면 당신은 나한테 키스하는 방법을 가르쳐 주려는 거군요? 선생님!"

그는 리디아에게 빙긋이 웃어보였다. 리디아의 말은 그의 기분을 상하게 했지만 그녀의 얼마간 과격하면서도 진심 아닌 영리한 말솜씨 뒤에는 처녀다운 면모가 감춰져 있었다. 그녀는 순수한 처녀다움에 휩싸여 있었고, 불안이 엄습하자 몸을 떨면서 그것에 저항하고 있다는 걸 그는 느낄 수 있었다.

그는 더 이상 대답하지 않았다. 대신 리디아에게 싱긋 웃어주며 그녀의 불안한 시선을 자신의 시선으로 감싸 안았다. 그리고 리디아가 저항을 하면서도 서서히 긴장을 푸는 기색이 느껴지자 그는 리디아의 얼굴에 자신의 얼굴을 서서히 갖다댔다. 드디어 입술이 맞부딪쳤다. 그는 가만히 리디아의 입술을 스쳤다. 리디아의 입술은 어린아이처럼 가볍게 응답했으나 그가 놓아주지 않으리라는 것을 깨달았는지 놀라면서도 고통스러운 표정으로 그 입술을 살며시 열었다. 그는 부드럽게 사랑을 구하면서 여자의 입술이 다시 그에게로 돌아올 때까지 쫓아갔다. 그리하여 별다른 어려움 없이 키스를 주고받는 방법을 가르쳤다. 마침내 리디아는 힘없이 그의 어깨에다 얼굴을 파묻었다. 그는 가만히 그녀를 내버려둔 채 짙은 금발의 냄새를 맡으면서 부드러운 음성으로 그녀의 귀에 대고 속삭였다. 그리고 그 순간, 그가 아직 아무것도 모르던 학생 시절에 집시 여인 리제를 통해 그 비밀을 깨달았던 일이 떠올랐다. 리제의 머리카락은 얼마나 까맣고, 그 아름다운 갈색 살결은 얼마나 매끄러웠던가! 햇볕이 내리쬐는 가운데 시든 고추나물은 또 얼마나 진한 향기를 풍겼던가! 그런데 그것은 벌써 아득한 옛날 일이 되었고, 또 얼마나 먼 곳에서 아련히 비쳐오는 걸까! 이다지도 빨리, 꽃도 피기 전에 온갖 것들이 다 시들어버렸고 다시 피어날 기미조차 보이지 않고 있지 않은가!

리디아는 천천히 일어났다. 그러나 그 표정은 조금 전과 사뭇 달랐다. 리디아의 열망하는 듯한 커다란 눈이 그를 진지하게 바라보았다.

"가게 해줘요, 골드문트. 당신 곁에 너무 오래 있었어요. 아, 사랑하는 내 사람!"

그들은 매일 비밀의 시간을 찾아내었고, 골드문트는 사랑하는 여인의 사랑의 노예가 되어버렸다. 처녀의 사랑은 그로 하여금 신비로운 행복에 잠기도록 했고 그를 감동시켰다. 리디아는 거의 한 시간 동안이나 그의 두 손을 붙들고 그의 눈을 쳐다보기만 하다가 어린아이처럼 살짝 입을 맞추고는 자리를 뜨곤 했다. 그런가 하면 어떤 때는 완전히 긴장을 풀고 싫증이 날 정도로 키스를 하지만 몸을 만지는 것은 허락하지 않았다. 또 한번은 그를 기쁘게 해줄 생각으로 얼굴을 붉게 물들인 채 한쪽 가슴을 보여주기도 했다. 그녀는 수줍어하면서 자그맣고 흰 열매를 옷 속에서 꺼내 보였던 것이다. 그가 무릎을 꿇고 거기에다 키스를 하자 리디아는 목까지 새빨개지며 조심스럽게 옷 속으로 열매를 감추었다. 그들의 대화는 처음과는 완전히 다르게 진행되어 스스로 그 방법을 터득해 갔다. 리디아는 자신의 유년 시절의 꿈과 놀이들에 대해 말하기를 좋아했으며, 또 그가 리디아와 결혼할 수 없기 때문에 두 사람의 사랑은 옳지 않다는 말도 자주 했다. 그런 이야기를 할 때면 그녀는 슬픔에 잠겼고 그들의 사랑은 슬픔의 비밀에 감싸여 갔다.

골드문트는 처음으로 한 여자에게서 단순한 욕정만이 아닌 사랑을 받고 있다는 것을 느꼈다. 어느 날 리디아가 말했다.

"당신은 정말 아름답고 쾌활해 보이지만 사실은 그렇지 않아요. 당신의 두 눈 속에는 슬픔만이 가득 차 있어요. 마치 이 세상에는 행복 같은 것은 존재하지도 않고, 아름다움이나 사랑하는 모든 것들이 우리 곁에 오랫동안 머물지 않으리라는 것을 알고 있는 것 같아요. 당신의 눈은 세상에서 가장 아름답지만, 당신의 눈만큼 슬픈 눈도 없을 거예요. 그것은 당신에게 고향이 없기 때문일 거예요. 당신은 숲에서 나와 저한테 왔어요. 그리고 언젠가는 다시 이끼 위에서 잠자는 유랑을 계속하겠죠. 그런데 저의 고향은 어디에 있는 걸까요? 당신이 떠나더라도 저에게는 아버지와 동생이 있죠. 또한 제가 들어앉아 당신을 생각할 수 있는 방과 창문은 있지만, 마음의 고향은 절대로 가질 수 없을 거예요."

그는 리디아의 이야기에 아무 대답도 하지 않고 가끔씩 미소를 보이면서 슬픈 표정을 지었다. 그는 말로써 위안을 주는 말 따위는 하지 않았다. 다만 가슴에다 여자의 머리를 안고, 어린아이를 달래는 엄마처럼 아무 뜻도 없는 소리를 나직이 읊조렸을 뿐이었다.

한번은 리디아가 이렇게 말했다.

"골드문트, 저는 당신이 어떻게 될지 알고 싶어요. 저는 그런 생각을 자주 해요. 당신은 수월한 삶을 살 것 같지는 않아요. 아, 당신이 제발 행복했으면 좋겠어요! 때때로 당신은 틀림없이 시인이 될 거라고, 환상과 꿈을 가지고 그것을 아름답게 표현하는 시인이 될 수 있을 거라고 생각할 때도 있어요. 아, 그러나 당신은 온 세상을 헤매고 다닐 테지요. 그리고 모든 여자가 당신을 좋아할 테지만, 그래도 당신은 외로울 거예요. 차라리 수도원의 친구들한테 돌아가는 게 낫지 않을까요? 당신이 늘 말씀하시는 친구한테로! 저는 당신이 숲속에서 쓸쓸하게 죽어가지 않도록 당신을 위해 기도드릴 거예요."

눈에 초점을 잃은 리디아의 표정은 너무나 진지했다. 그러다가도 이내 큰 소리로 웃으면서 농담을 하거나 그와 함께 늦가을의 들판으로 말을 몰고 나가 그에게 재미있는 수수께끼를 내기도 했고 시든 잎이나 윤기 나는 도토리를 그에게 집어던지며 장난을 치기도 했다

골드문트의 마음은 하염없는 슬픔으로, 넘치는 사랑으로 혼란스러웠다. 11월의 겨울바람이 지붕을 흔들며 스치는 소리가 들려왔다. 잠들기 전에 오랜 시간 동안 그런 감정에 휩싸이는 것이 습관이 되어 있었다. 그는 거의 매일 밤 그랬던 것처럼 나지막한 소리로 마리아의 노래를 불렀다.

당신은 정녕 아름다워라, 마리아여.
당신 속에는 원죄의 흔적도 없나이다.
당신은 정녕 이스라엘의 기쁨,
당신은 죄 많은 자들의 어머니이시니!

노래는 그의 영혼의 한가운데로 가라앉았고, 밖에서는 바람이 부르는 노랫소리가 들려왔다. 불안과 방황, 숲과 가을, 고향이 없는 이들의 인생에 관한 노래였다. 그는 리디아를 생각했고, 나르치스를 생각했으며, 또한 어머니를 생각했다. 그의 가슴은 왠지 모를 불안으로 터질 것처럼 답답했다.

그때 방문이 열리고 어둠 속에서 하얀 잠옷을 입은 모습이 나타났다. 골드문트는 그런 그녀를 멍하니 바라보았다. 리디아가 소리 없이 맨발로 걸어와 가만히 문을 닫고 그의 침대에 앉았다.

"리디아! 귀여운 나의사랑, 나의 순결한 꽃! 리디아, 당신 지금 뭘 하는 거지?"

"당신한테 왔죠. 잠시 동안만요. 나의 골드문트가 침대에서 자는 모습을

보고 싶었거든요. 내 황금의 심장."

리디아는 그의 곁으로 바싹 다가와서는 가슴을 두근거리며 가만히 드러누웠다. 그가 마음대로 키스하는 것도 막지 않았으며 놀라움을 감추지 못하는 그의 두 손이 자신의 몸을 마음껏 애무하는 것도 막지 않았다. 그러나 그 이상은 허락하지 않았다. 잠시 후 그녀는 그의 두 손을 부드럽게 떼어내더니 그의 눈에 키스를 한 다음 조용히 사라졌다. 문이 덜커덩 소리를 내며 닫혔고, 지붕의 골조에 바람이 부딪혀 가볍게 흔들리는 소리도 들려왔다.

모든 것이 마법에 걸린 듯 비밀과 불안, 약속과 위험의 기운이 가득했다. 골드문트는 무엇을 어떻게 해야 좋을지 몰랐다. 불안에 싸인 채 잠이 들었다가 깨어보니 베개가 온통 눈물로 얼룩져 있었다.

며칠 후 그녀는 다시 찾아왔다. 감미롭고도 순결한 유령처럼 나타나서는 이전과 마찬가지로 그의 옆에 드러누웠다. 그의 팔에 안기어 귀에다 대고 속삭였다. 그녀에겐 할 말도 많았고, 하소연할 것도 많았다. 그는 다정한 표정으로 그녀의 이야기에 귀를 기울였다. 그녀를 그의 왼팔에 위에 눕히고 오른손으로는 그녀의 무릎을 어루만졌다.

리디아는 그의 볼에 입술을 대고 소리를 낮춰 말했다.

"골드문트, 이제 두 번 다시 당신하고 같이 있을 수 없게 되어 무척 슬퍼요. 우리들의 아늑한 행복과 비밀은 이제 더 이상 계속될 수 없어요. 율리에가 벌써 의심하는 눈치예요. 얼마 안 가서 나한테 사실을 다 털어놓으라고 강요할 거예요. 그렇지 않다면 아버지가 눈치챌지도 모르구요. 당신 침대에 드러누워 있는 사실이 발각되면 당신의 리디아는 불행해질 거예요. 두 눈은 울어서 퉁퉁 부어오르고, 세상에서 가장 사랑하는 사람의 목이 나무에 매달려 바람에 나부끼는 걸 보게 될 테죠. 아, 당신! 차라리 지금 빨리 달아나요. 아버지가 당신을 묶고 목을 매달기 전에. 예전에도 그런 것을 본 적이 있어요. 도둑이었지요. 당신이 그런 모습이 된다는 것은 상상도 하기 싫어요. 골드문트, 차라리 저를 잊고 달아나요. 당신은 죽어선 안 돼요. 당신의 파란 눈을 새들이 쪼아댄다면, 그건 생각만으로도 너무 끔찍해요. 아니, 아니! 내 사랑, 가서는 안 돼요. 아, 당신이 나를 버려두고 가면 저는 어떡해요?"

"리디아, 나하고 함께 도망치지 않겠어? 세상은 넓으니까!"

그러자 리디아가 탄식하듯 말했다.

"그렇게 할 수만 있다면 얼마나 좋겠어요. 당신하고 같이 온 세상을 돌아다닌다면 얼마나 행복할까요! 하지만 저는 그럴 수 없어요. 숲속에서 잠을 자거나 집도 없이 떠돌아다니며, 지푸라기가 머리카락에 달라붙는 그런 짓은 못해요. 그리고 아버지께 수모를 안겨드릴 수도 없어요……. 그러니 안 돼요. 이제 그런 말은 그만해요. 공상과 현실은 달라요. 저는 할 수 없어요! 더러운 접시에 담긴 음식을 먹지 못하고 문둥병 환자의 침대에서 잠잘 수 없는 것과 마찬가지예요. 아, 우리에겐 편안하고 아름다운 것은 모두 다 금지되어 있어요. 우리 두 사람은 고뇌하며 살아갈 운명을 안고 태어난 거예요. 가여운 내 사랑! 결국 저는 당신의 비참한 모습을 보고야 말 것만 같아요. 그리고 저는 감금되었다가 수녀원으로 보내질 거예요. 당신은 제 곁을 떠나야 해요. 그러면 당신은 다시 집시 여인이나 농부의 아낙 곁에서 잠을 자겠지요. 아, 제발 사람들이 당신을 잡아서 묶기 전에 어서 떠나요! 우리는 결코 행복해질 수 없을 거예요."

그는 여전히 리디아의 무릎을 어루만지고 있었다. 그러다가 슬그머니 손을 움직여 그녀의 음부를 부드럽게 만지면서 애원하듯 말했다.

"나의 꽃봉오리여! 우리는 행복해질 수 있어요. 안 되겠소?"

리디아는 화를 내지는 않았지만 그의 손을 가볍게 뿌리치면서 그에게서 몸을 빼냈다.

"안 돼, 안 돼요! 그런 일은 허락할 수 없어요. 당신 같은 떠돌이는 아마 모를 거예요. 그래요, 저는 나쁜 짓을 하고 있었어요. 제 나쁜 행실은 온 집안에 수치를 안겨주게 될 거예요. 하지만 마음속 어느 한구석에는 지키고 싶은 것이 있어요. 거기엔 아무도 들어와서는 안 돼요. 그걸 인정해 주어야만 해요. 그렇지 않으면, 두 번 다시 당신 방에 들어오지 않을 거예요."

골드문트는 그러한 금기(禁忌)와 그녀의 소망이나 암시를 결코 무시하려 들지 않았다. 그 자신도 리디아가 얼마나 막강한 힘으로 그를 지배하고 있는가를 깨닫고서 새삼 놀랐다. 그러면서도 그는 고통스러웠다. 그의 관능은 여전히 진정되지 않았고, 그의 마음은 그러한 의존 상태에 격렬하게 저항했다. 때로는 그러한 의존 상태에서 벗어나려고 애를 쓰면서, 어린 율리에에게 호감을 사기 위해 지나칠 정도로 깍듯하게 대하기도 했다. 이 중요한 인물과 좋은 관계를 유지할 필요성이 있었고, 되도록이면 그의 눈을 속여야 했기 때문이다. 그런데 율리에는 매우 기묘한 존재였다. 그녀는 어린아이같이 순진해 보이다가도 한순간 모든 것을 알고 있다는 표정을 짓곤 하는 것이었다. 율리에가 리디아보다 아름답다는 사실은 의심할 여지가 없었다. 그녀는 아주 빼어난 미인이었다. 다소 영악한 면이 있긴 하지만 어린아이 같은 순진성을 지닌 그녀의 아름다움은 골드문트를 매혹시키기에 충분했다. 골드문트는 곧잘 율리에에게 마음이 쏠려 있는 자신을 발견하곤 당황하기도 했다. 그의 관능을 자극하는 그녀의 매력을 통해 그는 욕망과 사랑의 차이를 깨닫고는 놀라기도 했다. 처음에는 두 자매를 똑같은 눈으로 지켜보았었다. 두 자매 모두 욕망을 품어볼 만한 존재였지만, 율리에가 더 아름답고 유혹할 만한 대상이라고 느꼈었다. 그래서 차이를 두지 않고 둘의 환심을 사려고 했으며, 언제나 두 사람을 동시에 주시했었다. 그리고 지금은 리디아가 그를 사로잡고 있었던 것이다. 지금은 그녀를 너무나 사랑한 나머지, 그 사랑을 지키기 위해 그녀를 완벽하게 소유하는 것까지 단념하게 되었다. 리디아의 영혼이 그에게 친숙해지고 사랑스럽게 여겨졌으며, 그녀의 어린애다운 순진성과 부드러움, 그리고 곧잘 슬픔에 잠기는 성향 등 모든 것이 자신의 성격과 너무나 닮았다는 생각이 들곤 했다. 그리고 그녀의 영혼이 그녀의 육체와 얼마나 부합되는가를 알게 되면서 그는 놀라움과 함께 더욱 그녀에게 빠져들었다. 그녀가 어떤 행동이나 말로 자신의 소망이나 생각을 표현하면, 그녀의 영혼에서 우러나오는 말과 태도도 그녀의 눈빛이나 몸을 통해 똑같은 형태로 드러나곤 했던 것이다.

골드문트는 리디아의 몸과 마음을 형성하고 있는 원형과 법칙을 발견한 순간부터, 가끔 그 형태를 포착하여 그것을 재현해 보고 싶은 욕구에 휩싸였다. 그는 남몰래 깊숙이 보관하고 있었던 몇 장의 종이에다 여자의 머리 윤곽과 눈매의 선, 손이나 무릎 등을 떠올리며 펜으로 그려보곤 했다.

율리에와의 관계는 다소 어려워졌다. 율리에는 자신의 언니가 사랑의 큰 파도에 흔들리고 있다는 것을 분명히 느끼고 있었다. 율리에의 완강한 이성은 그것을 용납하지 않았지만, 그녀의 관능은 호기심과 욕망에 넘쳐서 사랑의 낙원을 넘보곤 했다. 율리에는 골드문트에 대해 과장된 냉담성으로 거부감을 드러내면서도 어떤 순간에는 놀라움과 탐욕스런 호기심을 가지고 그를 주시하곤 했다. 율리에는 리디아에게 짐짓 부드러운 태도를 보였다. 때때로 그녀는 욕망을 감추고서 리디아의 침실로 찾아와, 사랑과 성(性)의 영역을 호흡해 보는가 하면 금지된 비밀의 언저리를 슬쩍 건드려보기도 했다. 그런가 하면 어떤 때는 찌를 듯한 태도로 리디아의 비밀을 알고 있다는 것을 은연중에 드러내면서 경멸하는 기색을 노골적으로 나타냈다. 그럴 때면 리디아는 초조함과 함께 마음의 상처를 입곤 했다. 그 아름답고 변덕스러운 처녀는 사랑을 속삭이는 리디아와 골드문트 사이에서 불안감을 조성하듯 하늘하늘 타오르며 자극을 가하는가 하면, 방해를 하면서 두 사람의 은밀한 속삭임을 엿들었다. 때로는 아무것도 모르는 처녀로 가장하기도 하고 때로는 모든 것을 다 알고 있는 위험한 존재로 비치기도 했다. 그리하여 율리에는 갑자기 순진한 어린아이에서 위세 있는 존재로 부상했다. 골드문트는 식사 때 이외에는 율리에와 얼굴을 마주치지 않아 덜했지만 리디아는 율리에의 그와 같은 태도로 몹시 괴로워했다. 또한 골드문트가 율리에의 자극에 대해 전혀 무관심하지 않다는 것을 리디아도 눈치채고 있었다. 골드문트가 지금의 사태를 인정한다는 식으로 동생을 물끄러미 바라보는 것을 리디아는 자주 목격했다. 그녀는 뭐라고 말할 수도 없는 상황에서, 모든 것이 너무 힘들고 위험하게 느껴졌다. 특히 율리에의 기분을 상하게 하거나 무시당하는 느낌이 들게 해서는 안 되었다. 아, 리디아가 간직하고 있는 사랑의 비밀은 어느 순간에라도 발각될 수 있는 시한폭탄이었다. 또한 괴로움과 불안에 찬 행복에 종말을 고한다 하더라도, 이후 자신에게 내려질 가혹한 벌이 눈에 보이는 듯했다.

골드문트는 가끔씩 자신이 왜 진작 떠나지 않았는가에 대해 이상하게 생각했다. 지금과 같은 생활을 계속하기는 힘들었다. 사랑하지만 희망은 없었다. 허락을 얻어 행복을 지속시킬 가망도 없고, 지금까지 그래왔던 것처럼 가볍게 욕망을 충족시킬 가망도 없었다. 영원히 자극만 받고 목말라하지만, 결코 해소할 길이 없는 충동을 견뎌내면서 항시 위험을 감수해야만 하는 것이다. 왜 진작 떠나지 않고 여기 이대로 머물러서 온갖 혼란과 뒤얽힌 감정에 휩싸여 갈피를 잡지 못하는가? 그것은 자기 집이 있고 정상적인 생활을 하는 사람들, 따뜻한 잠자리가 있는 사람들을 위한 체험과 감정일 뿐이다. 그런 까다롭고 복잡한 상태에서 벗어나 그런 것들을 증오하거나 비웃어주는 것이야말로 자기처럼 집도 없고 아무런 의무도 없는 유랑자의 권리가 아닌가? 그렇다. 그에겐 그런 권리가 있다. 그런데 이곳에서 고향과 비슷한 것을 구하기 위해 참을 수 없을 만큼의 고통과 당혹스러움까지도 감수한다는 것은 정말 어리석은 짓이 아닌가. 하지만 그러면서도 골드문트는 그렇게 행동했고 고통을 기쁘게 받아들였으며 행복에 젖기도 했다. 그런 식으로 사랑한다는 것은 어리석고 복잡하며 고통스런 일이었으나 경이로운 일이기도 했다. 사랑이 주는 어둡고 아름다운 비애, 어리석음과 절망조차도 놀라운 것이었다. 잠시도 잠을 이루지 못하고 온갖 상념에 빠져 번민하는 밤, 그런 밤은 정말 아름다웠다. 리디아의 입술이 짓는 괴로운 표정과도 같이, 그녀가 사랑과 근심에 관해 얘기할 때 자기를 잊고 자기를 바치는 그 목소리의 울림처럼 모든 것이 아름답고 소중했다. 몇 주일 사이에 리디아의 보드라운 얼굴에 고통의 그림자가 어리더니 결국 빠져나올 수 없는 고뇌의 늪 속으로 가라앉고 말았다. 이 표정을 그림으로 묘사한다는 것은 그에게는 매우 아름답고도 중요한 일로 생각되었다. 그리고 지난 몇 주 동안에 그 자신도 달라지고 훨씬 성장했다는 기분이 들었다. 그다지 현명한 일은 아니지만 경험을 쌓게 되었고, 그의 영혼이 더 행복해진 것은 아니지만 훨씬 더 성숙해지고 풍요로워졌다는 것이 느껴졌다.

그는 이제 더 이상 소년이 아니었다.

리디아는 부드럽지만 자신을 잊어버린 듯한 목소리로 그에게 말했다.

"당신은 저 때문에 슬퍼해서는 안 돼요. 저는 당신을 즐겁게 해드리고 싶고 당신이 행복해지는 걸 보고 싶을 뿐이에요. 당신을 슬프게 하고, 제가 가진 불안과 슬픔을 당신에게 건네 드린 걸 제발 용서해 주세요. 저는 너무나 이상한 꿈을 꾸곤 해요. 매일 밤 막막하게 펼쳐진 어두운 황무지를 걸었어요. 그곳을 걸으면서 당신을 찾았지만 당신의 모습이 보이지 않는 거예요. 당신을 잃어버렸다는 것을 알았지만 저는 자꾸만 그렇게 혼자서 걸어 다녔어요. 그러다가 잠에서 깨면 이런 생각이 들어요. 아, 아직 그 사람이 여기에 있고 만날 수 있으니 얼마나 감사한 일인가! 그러다가 당신이 머지않아 떠날 거란 생각을 하면……. 하지만 괜찮아요! 지금 이렇게 곁에 있으니까요."

어느 날 아침, 일찍 잠에서 깬 골드문트는 침대에 누운 채 잠시 생각에 잠겼다. 꿈속의 온갖 광경들이 눈앞에 어른거리면서 갈피를 잡을 수가 없었다. 그 꿈속에서 어머니와 나르치스를 보았는데, 두 사람의 모습이 아직도 생생했다. 꿈에서 벗어나자 이상한 빛이 새어 들어왔다. 조그만 창으로 들어오는 빛이 오늘은 특이했다. 그는 일어나서 창가로 달려갔다. 창을 둘러싸고 있는 장식과 마구간의 지붕, 저택의 입구가 눈에 들어왔다. 그리고 그 건너편으로는 푸르름이 느껴지는 시골 풍경이 흰색으로 고스란히 빛나고 있었다. 이번 겨울에 내린 첫눈이 온 사방을 뒤덮고 있었던 것이다. 불안한 마음과 고즈넉한 겨울 풍경이 이루는 조화가 그를 망연하게 만들었다. 밭과 숲, 언덕과 들판은 얼마나 고요한가. 해가 뜨나 바람이 부나, 비가 오나 가뭄이 들거나 눈이 오건 간에 얼마나 감동적으로 경건하게 자신을 내맡기고 있는가. 그리고 단풍나무와 물푸레나무들도 부드럽게 가지 위에 내려앉은 아름다운 겨울의 짐을 말없이 감내하며 견디고 있지 않은가. 사람들도 저들처럼 될 수 없을까? 이런저런 생각을 하며 그는 안마당으로 나가 눈 속을 걸었다. 두 손으로 눈을 움켜쥐어보기도 하면서 정원을 이리저리 돌아다니다가 눈 덮인 장미덩굴 울타리를 바라보았다.

아침 식사로 수프를 먹으면서 모두들 첫눈 이야기를 했다. 두 딸도 바깥의 풍경을 감상한 모양이었다. 올해는 첫눈이 늦게 내렸다. 벌써 크리스마스가 다가오고 있었다. 주인인 기사는 눈이 내리지 않는 남국의 이야기를 했다. 하지만 골드문트로 하여금 첫눈이 온 이날을 잊지 못하게 한 일은 밤이 이슥해서 발생했다.

그날 자매는 말다툼을 벌였으나 골드문트는 그걸 모르고 있었다. 밤이 되어 집안이 고요해지고 어두워졌을 때, 언제나와 마찬가지로 리디아가 그에게 와서는 그의 옆에 조용히 드러누웠다. 그리고는 그의 가슴에 머리를 묻고서 그의 심장 고동 소리를 들으며 자신의 불안한 마음을 달랬다. 리디아는 침울해 보이기도 했고 슬퍼 보이기도 했다. 그녀는 율리에의 배반을 겁내고 있었지만 그 이야기를 골드문트에게는 하지 않았다. 그녀는 가만히 그의 가슴에 기대어 누운 채 그가 속삭이는 사랑의 말을 들으며 그의 손이 자신의 머리를 쓰다듬는 것을 느끼고 있었다.

그런데 누운 지 얼마 되지 않아서, 리디아는 별안간 소스라치며 자리에서 벌떡 일어났다. 골드문트도 누군가가 방문을 열고 들어오는 것을 보고 적지 않게 놀랐다. 그런 와중에 그 그림자가 침대 머리에 서서 허리를 굽혔을 때, 비로소 율리에라는 것을 알아차렸다. 그의 가슴은 일시에 죄어들었다. 율리에는 잠옷 위에 걸치고 있던 망토를 벗어서 마룻바닥에 집어던졌다. 그러자 리디아는 마치 칼에 찔리기라도 한 듯 비명을 지르면서 털썩 주저앉아 골드문트에게 매달렸다.

멸시와 조소가 섞인 말투로, 그러나 약간은 떨리는 음성으로 율리에가 말했다.

"나 혼자 쓸쓸히 방에서 뒹굴고 싶진 않아. 나도 여기에 같이 눕고 싶어. 안 그러면 아버지를 깨울 테야."

"좋습니다. 자, 와요."

골드문트가 말하면서 이불을 들췄다.

율리에는 침대로 올라왔다. 그는 비좁은 침대에 빈 자리를 만드느라 진땀을 뺐다. 리디아가 얼굴을 파묻고 드러누운 채 꼼짝도 하지 않았기 때문이었다. 그들 셋은 함께 누웠다. 골드문트를 가운데에 두고 두 자매가 양쪽 옆자리를 차지하고 누운 것이다. 얼마 전까지만 해도 골드문트는 그런 상황을 고대해 왔다는 생각을 떨쳐버릴 수가 없었다. 그는 자신의 옆구리에 와 닿는 율리에의 엉덩이를 느끼면서 불안감 속에서도 남모르는 희열로 몸을 떨었다.

"언니가 그렇게도 자주 찾아오는……."

율리에는 잠시 멈췄다가 다시 입을 열었다.

"당신의 침대에 누워보면 기분이 어떨지 꼭 알고 싶었어요."

골드문트는 율리에를 진정시키기 위해 자신의 빰을 가만히 그녀의 머리에 대고 부드럽게 비벼댔다. 그리고 마치 고양이를 쓰다듬듯 부드러운 손길로 그녀의 엉덩이와 무릎을 어루만졌다. 그녀는 그의 손이 가는 대로 아무 말 없이 자신을 맡겼다. 마술에 걸린 듯이 황홀함에 빠진 상태에서 그녀는 조금도 반항하지 않았다. 골드문트는 그렇게 마술을 걸면서도 한편으론 리디아에게도 마음을 쓰고 있었다. 그는 리디아의 귀에다 사랑을 속삭이며 그녀의 얼굴을 그에게 향하도록 했다. 그는 소리 나지 않게 리디아의 입술과 눈에 키스를 하면서 손은 반대쪽의 동생을 꼼짝 못하게 붙들고 있었다. 그러면서 견딜 수 없을 만큼 숨 막히는 이 상황이 비정상적이라는 생각이 또렷이 의식되었다. 그의 왼손이 그것을 깨닫게 했다. 그 손을 기다리고 있는 아름다운 율리에의 팔다리와 익숙해지고 있을 동안, 그는 처음으로 리디아와의 사랑이 아름답기는 하지만 가능성이 전혀 없다는 것을 깨달았을 뿐만 아니라 우스꽝스럽게까지 느껴졌다. 그의 입술이 리디아에게 머물고 그의 손이 율리에에게 머무르고 있는 동안, 리디아로 하여금 자신에게 몸을 완전히 맡기도록 강요하거나 아니면 자신이 떠나지 않으면 안 될 것 같은 생각이 들었다. 그녀를 사랑하면서도 단념해야 한다는 것은 어불성설이며 부당한 일이었다.

골드문트는 리디아의 귀에 대고 속삭였다.

"리디아. 우린 쓸데없이 괴로워하고 있어. 지금처럼 우리 셋이 모두 행복해질 수 있잖아! 우린 욕망이 원하는 대로 하자고!"

리디아가 부들부들 떨며 몸을 빼냈기 때문에 그의 욕망은 또 다른 한 사람에게로 옮겨갔다. 그의 손이 율리에의 마음을 흡족하게 해주었기 때문에 율리에는 떨리는 듯한 탄성을 내지르며 욕망의 쾌감을 표시했다.

그 탄성을 듣자마자 마치 독약이라도 마신 것처럼 리디아의 가슴이 질투심으로 죄어들었다. 리디아는 침대에서 벌떡 일어나 이불을 침대에서 걷어내어 던지면서 장승처럼 서서 소리를 질렀다.

"율리에, 돌아가자!"

율리에는 온몸을 움츠렸다. 셋 다 발각될지도 모를, 그 생각 없는 흥분이 몹시 위험한 일임을 깨닫고 아무 말 없이 일어섰다. 그러나 욕망이 짓밟히고 기만당한 골드문트는 일어나는 율리에를 재빨리 얼싸안으며 양쪽 젖가슴에 번갈아 입을 맞추고는, 타는 듯한 목소리로 그녀의 귀에 속삭였다.

"율리에, 내일 또 만나요!"

리디아는 맨발에다 잠옷 바람으로 서 있었다. 돌로 된 방바닥의 냉기에 발가락이 얼어붙었다. 그럼에도 불구하고 그녀는 율리에의 외투를 마룻바닥에서 집어 들어 괴롭고도 비굴한 몸짓으로 동생의 몸에 걸쳐주었다. 어둠 속이었지만 동생은 그것을 알아보고 감동한 나머지 언니와 화해할 마음이 생겼다. 자매는 방에서 소리 없이 나가버렸다. 골드문트는 모순된 감정에 휩싸여 두 자매가 사라져가는 소리에 귀를 기울이다가 집 안이 고요해지자 그제야 긴 한숨을 토해냈다.

이처럼 젊은 세 사람의 기묘하고도 부자연스런 동침이 있은 다음 골드문트는 온갖 생각에 뒤얽힌 채 근심어린 고독과 적막 속으로 빠져들었다. 두 자매 역시 침대에 들어간 후 오기를 부리느라 대화를 나누지 못한 채 입을 꼭 다물고서 잠을 이루지 못했다. 불행과 갈등을 몰고 오는 유령이 무의미와 고독을 불러들이고, 영혼을 혼란에 빠뜨리는 유령이 집 안 전체를 장악하고 있는 것만 같았다. 한밤중이 되어서야 골드문트는 겨우 잠이 들었다. 율리에는 새벽녘이 되어서야 겨우 잠이 들었고, 리디아는 한잠도 이루지 못한 채 뒤척이다가 희미하게 찾아오는 아침을 맞았다. 리디아는 얼른 일어나서 옷을 바꾸어 입고 나무로 만든 조그만 그리스도 상(像) 앞에 무릎을 꿇고 앉아 한참 동안 기도를 했다. 그러다가 층계에서 아버지의 발자국 소리가 들리자 그녀는 밖으로 나가서 이야기할 것이 있다고 청을 드렸다. 율리에의 순결을 걱정하는 마음과 자신의 질투심을 구별하려 들지 않은 채 리디아는 이 사태를 매듭짓기로 결심을 한 것이다. 리디아가 충분한 근거들을 들이대며 아버지에게 모든 것을 일러바쳤을 때까지도 골드문트와 율리에는 잠에서 깨어나지 않았다. 리디아는 이 사랑의 모험에 율리에가 가담했다는 것만은 밝히지 않았다.

골드문트가 여느 때나 다름없는 시간에 서재로 들어서자, 평소 같으면 실내화를 신고 펠트 웃옷을 걸치고서 글쓰기에 한창일 집주인이 그날은 장화를 신고 무사복을 입은 데다 칼까지 차고 있었다. 골드문트는 그것이 무엇을 뜻하는지를 이내 알아차렸다.

"모자를 써! 자네하고 같이 갈 곳이 있네."

집주인인 기사가 말했다.

골드문트는 못에 걸린 모자를 벗겨들고 계단을 내려가는 주인을 따라 갔다. 안마당을 지나 대문 밖으로 나갔다. 살짝 얼어붙은 눈 위로 미끄러지는 그들의 발밑에서 눈이 바스락거렸고, 하늘에는 아직도 아침노을이 가시지 않은 채였다. 주인은 아무 말 없이 앞장서서 걸어갔다. 젊은 친구는 따라가면서 몇 번이나 저택을, 자기 방의 창문을, 눈이 쌓인 경사진 지붕을 되돌아보았다. 마침내 그 모든 것이 시야에서 사라졌다. 저 지붕을, 저 창문을, 서재를, 두 자매를 이제 두 번 다시 보지 못하리라. 갑작스럽게 헤어지리라는 것은 오래전부터 예감하고 있었지만, 그래도 그의 가슴은 터질듯이 아팠다. 이 이별은 그에게 쓰디쓴 고통을 안겨주었다.

그들은 그렇게 한 시간이나 걸었다. 주인이 앞장서고 젊은이가 뒤따르면서 그들은 아무 말도 하지 않았다. 골드문트는 자신의 운명에 대해 생각해 보기 시작했다. 주인은 무장을 하고 있었고, 어쩌면 자신을 죽일지도 모른다. 하지만 골드문트는 그렇게 되리라고는 생각지 않았다. 위험은 그리 크지 않다. 주인이 칼을 가지고 있다 하더라도, 도망치기만 한다면 그로서도 속수무책일 것이다. 그렇다. 절대로 그의 생명이 위태로운 것은 아니었다. 하지만 모욕을 당하고, 증오로 가득 차 있는 이 사나이 뒤에서 이렇게 묵묵히 걸어간다는 것이, 이렇게 말없이 끌려간다는 것이 그로서는 점점 고통스러워졌다. 마침내 주인이 걸음을 멈췄다. 그리고는 갈라진 목소리로 말했다.

"이제부터는 혼자서 가게. 이쪽으로 계속 가게. 자네 몸에 배인 유랑생활을 계속하게나. 또다시 내 집 가까이에 얼씬거린다면, 그때는 그대로 총에 맞을 각오를 하게. 자네에게 보복할 생각은 없네. 내가 좀 더 생각이 깊었어야 했어. 너같이 젊은 놈을 내 딸 곁에 두지 말았어야 하는 건데. 하지만 만약 자네가 다시 돌아온다면, 그때는 목숨을 잃게 될 걸세. 자, 가게! 하느님께서 자넬 용서해 주시길!"

주인은 그 자리에 서 있었다. 눈 내린 아침의 희미한 빛 속에서 회색 수염에 뒤덮인 그의 얼굴은 생명의 기운이 모두 사라져버린 것처럼 보였다. 주인은 유령처럼 그렇게 우두커니 서서 골드문트가 언덕 너머로 사라질 때까지 꼼짝도 하지 않았다. 구름 긴 하늘에서는 붉은 햇살이 점점 힘을 잃어가고 있었고, 해는 좀처럼 모습을 드러내지 않았다. 눈발이 천천히 흩날리기 시작했다.

9

골드문트는 말을 타고 몇 번 와본 일이 있어 이 지역을 잘 알고 있었다. 얼어붙은 갈대밭 건너편에는 집주인이었던 기사 소유의 창고가 있었으며, 조금만 더 가면 그가 알고 지내던 농부의 집이 있었다. 이런 곳들 중에서 잠자리를 얻을 수 있을 것이다. 그리고 그다음 일은 그때 가서 생각하면 그만이다. 자유스러움과 유랑의 느낌이 서서히 돌아왔다. 얼마 동안 잊고 있었던 감정이었다. 이렇게 춥고 황량한 겨울날엔 이방인 신세가 별반 고마운 것이 아니었다. 고생과 굶주림과 가난의 냄새가 심하게 풍겨왔다. 하지만 낯선 땅이 광대하게 펼쳐져 있고 눈앞에 놓인 가혹한 시련을 단호하게 견뎌내야 한다는 생각이 들자, 안락한 생활에 젖어 사는 동안 걷잡을 수 없이 뒤얽혀져 있던 마음이 차분히 가라앉는 듯했다.

그는 지칠 때까지 걸었다. '이젠 말을 탈 수 없게 되었구나.' 하고 생각했다. 아, 넓은 세상이여! 눈발은 거의 그쳤고, 저 멀리 숲의 능선과 구름이 잿빛으로 뒤엉켜 있었다. 정적은 마치 세상의 끝까지 이어질 것처럼 끝없이 계속되었다. 불안에 떨고 있을 그 가엾은 리디아는 지금쯤 무엇을 하고 있을까? 리디아가 갑자기 불쌍해졌다. 텅 빈 갈대 늪 한가운데에 홀로 서 있는 키 작은 물푸레나무 밑에 앉아 쉬고 있는 중에도 리디아의 모습이 아련하게 떠올랐다. 그러다가 추위가 엄습해 오자 가만히 있다가는 그대로 굳어버릴 것만 같아서 발에 힘을 주고 서서히 발걸음을 옮겼다. 흐린 날씨에 해가 기울기 시작했다. 인적이라곤 없는 광막한 들판을 터벅터벅 걷다

보니 이런저런 상념도 달아났다. 지금은 생각이나 감정에 빠져 있을 때가 아니었다. 생각이나 감정이 아무리 아름답고 달콤하더라도 몸을 따뜻하게 하고 얼른 잠자리에 드는 것이 급선무였다. 담비나 여우처럼 차갑고 황량한 세상을 헤쳐가야 했고, 광활한 들판에서 몸이 상하지 않게 하는 것만이 해결해야 할 문제였다.

먼 곳에서 말발굽 소리가 나는 것 같아 이상하게 여기며 뒤를 돌아보았다. 추격을 받고 있는 것은 아닐까? 그는 주머니에서 사냥할 때 쓰는 조그만 단검을 꺼내 움켜쥔 다음 나무로 만든 칼집을 반쯤 풀었다. 말을 탄 사람이 시야에 들어왔다. 집주인이었던 기사의 마구간에 있던 말이라는 것을 멀리서도 알 수 있었다. 말은 집요하게 그를 향해 달려왔다. 달아나는 것이 아무 소용없는 일이라는 것을 깨닫고 그는 걸음을 멈추고서 기다렸다. 두렵지는 않지만 극도의 긴장과 호기심 때문에 가슴이 심하게 요동쳤다. 순간 그의 머리를 스쳐가는 것이 있었다. '만약 말을 타고 오는 저놈을 처치할 수 있다면 내 형편이 좋아질 텐데! 말 한 마리가 생기고, 그다음은…….' 하지만 말을 타고 온 사람이 나이 어린 마부, 맑고 푸른 눈을 가진 선량한 인상의 한스라는 것을 알고 나서 그는 웃지 않을 수 없었다. 이렇게 착하고 귀여운 녀석을 죽이려면 돌처럼 단단한 심장이 필요할 거다. 골드문트는 한스에게 정답게 인사를 했고, '한니발'이라고 불리는 말에게도 반갑다는 인사를 보냈다. 말도 이내 그를 알아보았다. 그는 땀에 젖은 말의 목덜미를 어루만져주었다.

"한스, 너 어딜 가는 거야?"

골드문트가 묻자, 그는 이를 내보이며 웃었다.

"당신한테 온 거죠. 벌써 많이도 걸었군요! 저는 지금 꾸물거릴 시간이 없어요. 당신에게 인사를 한 다음 이걸 전해드리면 이제 제 일은 끝납니다."

"누가 나에게 무얼 전하라고 한 거지?"

"리디아 아가씨가요. 골드문트 학사님, 당신 덕분에 오늘은 아주 심란하게 하루를 보내야 했어요. 이렇게 빠져나오기라도 했으니 다행이지만요. 제가 아가씨의 부탁을 받고 나온 것을 주인은 모르고 계십니다. 만약 알게 되면 제 목이 날아갈 거예요. 그럼 이걸 받아요!"

한스가 조그만 꾸러미를 내밀었고, 골드문트는 그것을 받아들었다.

"한스! 혹시 지니고 온 빵 없니? 있으면 좀 줘."

"빵요? 아직 조금 남았을 겁니다."

그는 주머니에서 까만 빵을 한 조각 꺼내서 건넸다. 그리고는 다시 길을 떠나기 위해 말에 올라타려고 했다.

"아가씨는 무얼 하고 있지? 너한테 아무 부탁도 안 하던? 혹시 편지 같은 것은 없니?"

골드문트는 계속 물었다.

"아무것도요. 잠깐 보았을 뿐이에요. 아실 거예요. 집안 분위기가 몹시 험악하고, 주인어른은 무척 노해 있답니다. 저는 그것을 전해드리라는 분부를 받았을 뿐이에요. 그 밖에는 아무것도 몰라요. 전 이만 돌아가 봐야 됩니다."

"좋아, 하지만 잠시만 기다려줘! 한스, 사냥할 때 쓰는 그 단검 말이야. 나에게 줄 수 없겠니? 내가 가진 것은 조그만 것뿐이라서. 늑대라도 만나게 되면……."

하지만 한스는 그 부탁을 거절했다. 그는 골드문트 학사님에게 무슨 변이라도 생긴다면 자신도 괴롭겠지만 단검은 줄 수 없다고 단호하게 말했다. 그리곤 작별 인사를 했다. 잘 지내라는 말과 함께 자기도 마음이 아프다고 했다.

한스는 악수를 한 다음 말을 타고 가버렸다. 그의 뒷모습을 지켜보았다. 골드문트의 가슴에 야릇한 슬픔이 밀려왔다. 그리고서 그는 꾸러미를 풀어 보았다. 꾸러미 안에는 회색 털실로 짠 튼튼하게 보이는 재킷이 들어 있었다. 틀림없이 리디아가 그를 위해 손수 짠 것임에 틀림없었다. 재킷 안에는 또 무슨 딱딱한 것이 잘 싸여서 들어 있었다. 한 조각의 햄이었는데 햄 가운데에는 조그맣게 자른 자국이 있었고, 그 속에 빛나는 금화 두 닢이 들어 있었다. 편지나 쪽지 같은 것은 없었다. 골드문트는 리디아의 선물을 손에 들고 허공을 달리는 마음으로 눈 속에 멍하니 서 있었다. 한참이 지난 후에 웃옷을 벗고 재킷을 갈아입었는데, 따뜻한 게 기분이 좋았다. 그 위에 얼른 웃옷을 껴입고 제일 안전한 주머니에다 금화를 숨기고는 가죽 끈을 맨 다음 들판을 가로질러 걸어갔다. 이제 좀 쉬지 않으면 안 되었다. 발은 아프고 피곤했으며 온몸이 무거웠다. 하지만 농부의 집에는 가고 싶지 않았다. 그곳에 가면 따뜻하게 몸을 녹일 수도 있고 우유도 얻어먹을 수 있을 테지만 가기가 싫었다. 이런저런 이야기를 너절하게 늘어놓으면서 꼬치꼬치 캐물을 것이 뻔한데, 그러한 상황을 견디지 못할 것 같았다. 그는 곳간에서 하룻밤을 새우고 나서 이른 아침에 찬 서리와 매서운 바람을 맞으면서 추위에 쫓겨 서둘러 걸어갔다. 그는 밤마다 기사 나 혹은 그 기사가 지녔던 칼과 두 자매의 꿈을 꾸었다. 여러 날 동안 고독과 우울함이 그의 가슴을 짓누르며 놓아주지 않았다.

며칠이 지난 어느 날 밤, 그는 한 마을에 이르러 잠자리를 구했다. 가난 한 농부들이 사는 이 마을에서는 빵은 구경도 못한 채 옥수수로 쑨 죽 한 그릇을 얻어먹었다. 이곳에서 새로운 체험이 그를 기다리고 있었다. 이 집 안주인이 밤중에 아기를 낳은 것이다. 골드문트도 그 자리에 있었다. 짚단에서 쉬고 있는데 농부가 도움을 청하러 왔고, 그는 산파 옆에서 등잔 을 비춰주었다. 생전 처음으로 그는 해산하는 광경을 보았다. 놀라움과 불타는 시선으로 산모의 얼굴을 바라보고 있다가 그는 새로운 사실을 발견 했다. 진통의 비명을 지르며 고통 속으로 나자빠진 여인의 얼굴을 불빛 아래에서 가만히 보고 있으려니, 예기치 않은 어떤 모습이 떠올랐던 것이 다. 찡그린 여인의 표정은 사랑의 절정에 다다른 여인의 얼굴 표정과 다를 것이 없어 보였다. 얼굴에 나타나는 엄청난 고통의 표정은 크나큰 쾌락의 표정보다 훨씬 더 격렬하게 일그러져 있어서 다소 흉해 보였다. 하지만 궁극적으로는 그 두 가지 표정은 서로 다르지 않았다. 오만상을 찌푸리다 가 잠잠해지는 점도, 이글이글 타오르다가 사그라지는 점도 같았다. 그 까닭이 무엇인지는 알 수 없었지만 고통과 쾌락이 형제처럼 닮을 수 있다는 사실을 깨닫게 되자, 그는 그것을 어떻게 표현해야 될지 모를 만큼 놀랐던 것이다.

그는 이 마을에서 또 다른 무엇을 체험했다. 해산한 밤이 지나고, 이튿날 아침이 되었다. 그가 유혹하는 눈짓에 이웃집 아낙이 금세 응했기 때문에 그 마을에서 하룻밤을 더 보내게 되었으며, 그 아낙을 아주 즐겁고 행복하게 해주었다. 최근 몇 주일 동안 어지간히 몸과 마음이 자극을 받았으면서도 환멸을 맛보았던 터라, 그는 오래간만에 충동적인 욕망을 풀 수 있게 되었다. 그리고 이런 식으로 머뭇거리는 동안에 그는 새로운 체험을 또다시 하게 되었다. 이틀째 되는 날, 빅토르라는 이름의 키가 크고 몹시 염치가 좋아 보이는 한 녀석을 마을에서 만났다. 언뜻 보면 수도자 같기도 하고 또 어찌 보면 부랑자 같기도 한 그는 어디서 주워들은 것 같은 라틴어로 그에게 인사를 걸어왔다. 학교 다닐 나이는 벌써 지나 보였는데 자신을 방랑 중인 학생이라고 했다.

뾰족한 턱에 수염이 난 이 사내는 친근감 비슷한 것을 보이며 골드문트에게 인사를 했다. 떠돌이 생활을 하는 사람 특유의 익살 섞인 유머는 단번에 사람을 사로잡는 힘이 있었다. 골드문트가 대체 어느 학교 학생이었으며 여행의 목적지가 어디냐고 물어보자, 이 별난 친구는 연설조로 이야기하기 시작했다.

"맹세코 말하거니와, 나는 여러 대학에서 수학했고 쾰른이나 파리에서도 수학한 일이 있지. 그리고 돼지 간으로 만든 소시지의 형이상학에 관해서라면 라이든 대학에서 내가 제출한 학위 논문만큼 알찬 글을 찾아보기 힘들 거야. 친구여, 그때부터 나는 사랑스런 내 영혼을 학대하기 위해서 견딜 수 없는 배고픔과 갈증을 안고 독일제국을 떠돌고 있다네. 나는 농사꾼들한테는 요주의 인물로 통하지만, 젊은 아낙네들한테 라틴어를 가르치고 마술을 부려서 밥을 얻어먹는 것이 직업이야. 앞으로의 내 목표는 시장 부인의 침대지만, 까마귀밥이 되어 죽지 않는다면 주교(主敎)라는 귀찮은 직무에 몸 바쳐야만 할 것 같아. 젊은 친구여! 손을 놀려 입에 풀칠을 하며 하루하루를 사는 것이 그 반대의 생활보다는 훨씬 낫다네. 결론적으로 토끼구이만큼 불쌍한 내 위 속을 흐뭇하게 해준 것은 없을 거야. 보헤미아의 왕이 내 형님인데, 우리 모두의 아버지께서 나와 그를 먹여 살리고 있지. 하지만 먹고 사는 최선의 방책은 나에게 일임해 두었다네. 그저께도 우리들의 아버지는 나에게 굶어죽을 지경인 늑대의 목숨을 구해 주라고 당치 않은 요구를 하지 뭔가. 만약 내가 그놈의 짐승을 때려죽이지 않았더라면, 자네는 나를 만나게 되는 영광을 누리지 못했을 거야. 인 세큘라 세큘로룸(영원히 축복을 빈다)! 아멘."

이런 종류의 자포자기적인 익살과 방랑자들이 즐겨 쓰는 라틴어에 아직 익숙하지 못한 골드문트는 망나니의 덥수룩한 모습과 유쾌하지 못한 웃음 소리에 얼마간 겁을 집어먹었다. 하지만 방랑기가 푹 배어 있는 유랑자가 왠지 마음에 들었기에, 그가 같이 여행을 하자는 제안을 해오자 그것을 받아들였다. 늑대를 때려죽였다는 이야기는 농담이나 허풍일 테지만, 둘이 있는 것이 마음 든든하고 두려움이 덜할 것 같았기 때문이다. 하지만 출발하기 전에 빅토르는 그가 말한 대로 라틴어로 농부들한테 말을 걸어서 어느 소작농의 집에서 하룻밤을 더 묵기로 했다. 그런데 빅토르는 골드문트가 지금까지 유랑생활을 하는 동안 농부의 집이나 마을에서 머물며 손님으로 대접받을 때와는 전혀 다른 행동을 했다. 그는 이 농가 저 농가를 기웃거리기도 했고, 아무 아낙네나 붙들고 지껄이다가는 마구간이나 부엌 등에 닥치는 대로 들어갔다. 그리고는 어느 집에서나 그에게 무엇인가를 주기 전에는 그곳을 떠나지 않을 작정인 것처럼 꼼짝도 하지 않았다. 그는 농부들에게 이탈리아의 전쟁 이야기를 해주기도 하고, 부뚜막 옆에서 전투의 노래를 불러주기도 했으며, 할머니들에게는 관절염이나 치통에 잘 듣는 약을 권하기도 했다. 그는 무엇이든 알고 있었고 어디든 안 가본 데가 없는 것 같았다. 그는 빵조각이나 호두, 배 쪼갠 것을 잔뜩 얻어가지고 바지춤에 처넣었다. 빅토르는 방랑하는 것에 싫증도 내지 않고 그럴싸한 연기로 사람들을 놀라게 하거나 환심을 샀으며, 서투른 라틴어로 학자 행세를 하거나 엉터리 같은 도둑의 암호로 탄복을 시키기도 했다. 그런가 하면 쉴 새 없이 이야기를 하는 중에도 날카롭고 빈틈없는 눈으로 좌중의 얼굴을 한 사람씩 뜯어보았고, 식탁 서랍이 열릴 때마다 그릇이나 빵 덩어리를 눈여겨보는 것을 잊지 않았다. 골드문트는 그런 그를 어이없어하며 지켜보았다. 골드문트는 빅토르의 이러한 태도가 유랑자로 사는 동안 온갖 일을 다 겪으면서 체득한 교활함이라고 생각했다. 굶주림과 추위는 물론이고 갖은 위험에 악착같이 몸을 들이밀면서 살아남기 위해 고투를 거듭해오는 동안 약삭빨라지고 당돌해진 것이 틀림없었다. 기나긴 세월 동안 유랑생활을 하다 보면 이렇게 되는 것이다! 골드문트는 언젠가는 자신도 이런 모습이 되지 않을까 하는 생각이 들었다.

다음 날 두 사람은 길을 떠났다. 골드문트는 처음으로 둘이서 함께하는 유랑을 경험했다. 그들은 사흘 동안 동행했는데, 골드문트는 빅토르에게서 이런저런 것들을 배웠다. 빅토르는 특히 생명의 위협으로부터 자신을 지켜내는 일과 잠자리를 구하고 먹을 것을 구하는 일의 중요성을 강조했다. 그래서인지 빅토르는 모든 것을 이 세 가지 일과 결부시키곤 했는데, 이제 그것은 본능이나 다름없는 습관이 되어버린 듯했다. 이러한 일들이 떠돌아다니는 사람한테는 그만큼 중요했던 것이다. 그는 겨울이든 밤이든, 전혀 관계가 없을 듯한 미미한 정보로도 사람들이 사는 인가가 가깝다는 것을 알아냈고, 숲이나 들판의 어떤 모퉁이에서도 휴식하는 장소나 잠자리로 적합한 곳을 정확하게 찾아냈다. 그런가 하면 어떤 집을 발견했을 때 방에 들어서는 순간 생활형편과 얼마나 유복한가를 알아냈으며, 친절과 호기심과 염려의 정도를 기가 막히게 구별해냈다. 빅토르는 대가의 경지에 들어섰다고 할 수 있을 만큼 그런 재주들을 완벽하게 터득하고 있었다. 그는 자신보다 연하인 골드문트에게 교훈이 될 만한 여러 가지를 가르쳐주었다.

어느 날 골드문트는 빅토르에게 그런 의도적인 속셈을 가지고 사람들에게 가까이 가고 싶지 않다고 말했다. 그러면서 자기는 비록 그런 재주가 없지만 겸손한 태도로 진심을 담아 부탁하면 손님으로서 대접받는 것을 거절당한 일이 극히 드물었다고 덧붙였다. 그러자 키다리 빅토르가 웃으면서 악의 없이 말했다.

"그래, 골드문트 너라면 그렇게 해도 통할지 몰라. 너는 앳되고 잘생긴데다 순진하게 보이니까. 그런 너의 외모가 너에게는 훌륭한 숙박권인 셈이야. 여자들한테는 호감을 주고, 남자들은 이놈은 순진하니까 아무한테도 나쁜 짓을 하지 않을 거라고 생각할 게 분명해. 하지만 생각해 봐. 인간은 나이를 먹는 법이야. 언젠가는 얼굴에 수염이 지저분하게 나고 깊게 주름이 잡히지. 바지에도 구멍이 뚫릴 테고. 그러다 보면 자기도 모르는 사이에 밉살맞고 환영받지 못하는 불청객이 되고 마는 거야. 그리고 눈가에는 젊음과 순진함 대신 굶주린 기색만 드러나게 되거든. 그렇게 되면 자기도 모르게 마음이 모질어질 뿐 아니라 이 세상에서 뭔가를 배울 수밖에 별수가 없는 거지. 세상에 대해 알지 못하면 이내 거름더미 위에서 잠을 자거나 개에게 오줌벼락을 맞게 될 거야. 하지만 보아하니 너는 언제까지고 떠돌아다닐 인간은 아닌 것 같다. 돌아다니는 놈치고는 손이 너무 곱고 고수머리 또한 너무 탐스럽단 말이야. 그러니까 언젠가는 좀 더 편안히 살 수 있는 구멍으로 기어들어갈 거야. 아늑하고 따스한 침실이라든가, 환경이 좋은 훌륭한 수도원이든가, 훈훈한 서재로 말이야. 너는 말쑥한 옷도 입었잖아. 그 정도의 차림이라면 귀공자라고 해도 의심하는 사람이 없을 걸."

빅토르는 자꾸 웃으면서 골드문트의 옷을 하나하나 살피듯이 만지작거렸다. 골드문트는 뒤로 한걸음 물러섰다. 호주머니 속에 감춰둔 금화가 생각났기 때문이다. 그는 기사의 저택에 잠시 머물렀었다는 것과 라틴어 문장 쓰는 것을 도와주고 좋은 옷을 얻어 입었다는 이야기를 했다. 빅토르는 왜 이 추운 겨울에 그런 따스한 보금자리를 떠났느냐고 물었다. 골드문트는 거짓말을 할 줄 몰랐기 때문에 기사의 두 딸에 대한 이야기를 했다. 그러자 두 사람 사이에 처음으로 말다툼이 벌어졌다. 빅토르는 골드문트에게 더할 수 없이 좋은 기회를 놓친 멍청이 같은 인간이라고 하면서, 지금이라도 그 잘못을 바로잡아야 한다고 했다. 그러면서 골드문트에게 둘이서 그 저택으로 찾아가, 골드문트는 얼굴을 보여서 안 되니까 빅토르 자신이 리디아에게 보내는 골드문트의 편지를 가지고 가서 돈이나 재물을 반드시 손에 넣겠다고 했다. 골드문트가 빅토르의 이러한 이야기에 반대하자, 빅토르는 쉬지 않고 계속 떠들어댔다. 골드문트는 이 문제에 관해서는 더 이상 한마디도 들으려 하지 않았다. 그래도 빅토르가 멈추지 않자 나중에는 골드문트가 화까지 냈다. 물론 기사의 이름이나 저택으로 가는 길에 대해서는 한마디도 발설하지 않았다.

빅토르는 골드문트가 잔뜩 화가 나 있는 것을 보며, 능글맞게 웃으면서 악의는 없었다고 변명을 늘어놓았다.

"이봐, 그렇게 화낼 필요 없어. 난 그저 자네가 다 잡은 노획물을 놓쳐버렸다는 것을 말한 것뿐이야. 하지만 자네는 친구의 호의를 받아들이는 데 너무 인색하군. 어쨌든 너는 싫단 말이지? 훌륭한 신사처럼 말을 타고 저택으로 돌아가서 그 아가씨와 결혼하겠다 이거지? 이봐, 너의 머릿속은 고상한지 모르지만 멍청한 생각들로 가득 차 있다고. 그러나 네 생각이 그렇다면 할 수 없지. 어쨌든 발가락이 얼어붙을 때까지 함께 걸어보자구."

저녁때까지 골드문트는 화난 얼굴로 아무 말도 하지 않았다. 하지만 그날은 인가도 사람의 발자국도 발견하지 못했기 때문에, 그는 빅토르가 전나무 가지를 잔뜩 쌓아올려서 만들어준 잠자리에서 자야만 했다. 그런 빅토르가 고마웠다. 그리고 두 사람은 먹을 것이 가득한 빅토르의 가방에서 빵과 치즈를 꺼내 먹었다. 골드문트는 화낸 것을 미안해하며 리디아가 보내준 재킷을 벗어서 빅토르에게 입고 자게 했다. 그리고 교대로 짐승이 오는지 망을 보기로 한 다음 자신이 먼저 보초를 서겠다고 자청했다.

골드문트는 소나무 줄기에 기댄 채 친구의 단잠을 방해하지 않으려고 한동안 잠자코 있었다. 그러는 동안에 몸이 너무 차가워져 그는 주위를 왔다 갔다 하며 몸을 풀었다. 그는 점점 더 먼 거리까지 이리저리 달려가 보았다. 그는 전나무 가지 끝에 걸린 희멀건 하늘을 바라보았다. 겨울밤의 깊은 정적이 장엄하면서도 불안하게 느껴졌다. 아무 대답도 없는 차가운 정적 속에서 그의 뜨거운 심장이 마구 고동치는 소리가 들렸다. 그는 발소리를 조심스레 죽이면서 잠들어 있는 친구의 숨소리에 귀를 기울였다. 자기가 집도 없는 떠돌이라는 느낌이 어느 때보다도 강하게 파고들었다. 그 자신과 그를 둘러싸고 있는 커다란 불안 속에서 그의 몸을 지킬 만한 담장도 집도 수도원도 이제는 없었다. 알지 못하는 사람들 사이로, 싸늘하게 비웃는 별들 사이로, 뭔가를 노리고 있는 짐승들 사이로, 꿋꿋하게 서 있는 나무들 사이로 혼자 떠돌아다니고 있는 것이다.

골드문트는 다짐했다. 평생 유랑생활을 계속한다 하더라도, 나는 결코 빅토르처럼 되지는 않을 것이다. 두려움에 대항하기 위해 도둑 같은 교활함과 호들갑스럽고 밉살맞은 행동과 저 허풍선이의 자포자기적인 익살을 배울 수는 없다고 생각했다. 하지만 어쩌면 이 영악하고 뻔뻔스런 사내의 말이 맞을지도 모른다. 골드문트는 결코 이 사내와 같은 부류의 사람이나, 온전한 방랑자는 될 수 없으리라는 생각도 들었다. 언젠가는 또다시 어느 담장 안으로 기어들어갈 것이다. 하지만 그렇게 해도 그에겐 여전히 마음의 고향도 목표도 없을 것이다. 진정으로 보호받고 안전하다는 느낌도 결코 갖지 못할 것이다. 결국 자기를 둘러싸고 있는 세계는 하나의 아름다운 수수께끼에 불과한 것이다. 이상한 힘을 가진 풀 수 없는 수수께끼. 그리하여 그는 언제까지나 정적의 한가운데서 귀를 기울이고 뛰노는 심장을 억누르면서 자신의 덧없음과 허약함을 거듭 확인할 것이다. 몇 개의 별이 머리 위에서 빛을 발하고 있었다. 저 멀리서 구름이 움직이는 것 같았으나 바람은 불지 않았다.

밤이 이슥해졌을 때 빅토르가 눈을 떴다. 골드문트는 그를 깨우고 싶지 않았지만, 그가 먼저 골드문트를 불렀다.

"이리 와. 이번엔 네가 잘 차례야. 좀 자두지 않으면 아침에 힘들 거야."

골드문트는 그가 시키는 대로 잠자리에 누워 눈을 감았다. 몸은 몹시 고단했지만 잠은 오지 않았다. 이런저런 생각에 그는 잠을 이루지 못했다. 스스로도 인정하고 싶지 않지만 빅토르에 대한 어떤 불안과 의혹이 그를 잠들지 못하게 했는지도 모른다. 그는 자기가 왜 리디아의 이야기를 이 막돼먹은 인간에게 했는지 납득이 되지 않았다. 골드문트는 빅토르에게도 화가 났고, 자기 자신에게도 화가 났다. 그리고 그와 헤어질 최선의 방법이 무엇인지, 그 기회가 언제일지를 곰곰이 생각했다.

그러다가 그는 잠이 들었다. 얼마나 지났을까, 빅토르의 두 손이 그의 몸을 더듬으면서 여기저기 뒤지고 있다는 것이 느껴져 그는 소스라치게 놀랐다. 그의 한쪽 호주머니에는 단검이, 다른 쪽에는 금화가 들어 있었다.

빅토르가 그것을 눈치채면 틀림없이 둘 다 훔쳐갈 것이다. 그는 일부러 깊이 잠든 척하며 몸을 뒤척이다가 빅토르의 팔을 눌렀다. 빅토르는 살며시 손을 빼냈다. 골드문트는 그에게 너무나 화가 나서 아침이 되면 헤어져야겠다고 마음속으로 결심했다.

그런데 다시 한 시간쯤 지났을 무렵에 빅토르가 다시 그의 몸을 뒤지기 시작했다. 골드문트는 너무나 화가 난 나머지 꼼짝도 하지 않으면서 눈을 뜨고 비웃는 어조로 말했다.

"비켜! 아무리 뒤져도 훔칠 건 아무것도 없으니까."

골드문트의 소리에 깜짝 놀란 빅토르가 그의 목을 졸랐다. 골드문트가 저항하며 몸을 일으키려고 하자, 그는 그의 가슴 위에 올라앉아서 그의 목덜미를 힘껏 움켜쥐었다. 숨을 쉴 수 없게 된 골드문트는 혼신의 힘으로 버둥거렸으나 빠져나올 수가 없었다. 갑자기 죽음의 공포가 밀려왔다. 그는 가까스로 손을 호주머니 속에 집어넣어 칼집에서 단검을 뽑아 든 다음 무릎으로 자기를 누르고 있는 빅토르를 잽싼 동작으로 연이어서 찔렀다. 잠시 후에 빅토르의 두 손이 스르르 풀렸고, 그제야 그는 숨을 쉴 수가 있었다. 골드문트는 깊은 안도의 숨을 내쉬었다. 그런데 몸을 일으켜 세우려고 하자 끔찍한 신음소리를 내면서 길쭉한 빅토르의 몸이 맥없이 털썩 고꾸라졌다. 그가 흘린 피가 골드문트의 얼굴 위로 흘러내렸다. 그가 간신히 일어나 살펴보자, 어스름 속에서 나뒹구는 빅토르는 온통 피투성이였다. 그가 일으켜 세우려 했으나 빅토르의 몸은 다시 자루처럼 힘없이 나동그라졌다. 그의 가슴과 목에서는 계속 피가 흘러내렸고, 입에서 새어나오는 숨소리는 점점 약해져 갔다.

'나는 사람을 죽이고 말았구나.'

죽어가는 그의 곁에서 무릎을 꿇고 그 얼굴에 죽음의 빛이 번져가는 것을 보며 계속해서 그런 생각을 했다.

'성모 마리아여! 저는 지금 사람을 죽였습니다.'

그는 그 자리에 있는 것을 더 이상 참을 수가 없었다. 골드문트는 단검을 집어 들어 털 재킷에다 문질러 닦았다. 빅토르가 입고 있는 그 옷은 리디아가 사랑하는 사람을 위해 손수 뜬 것이었다. 그는 나무로 된 칼집 속에 단검을 꽂아 다시 주머니 속에 넣고는 재빨리 일어났다. 그리고는 있는 힘을 다해 그 자리에서 도망쳤다.

익살맞은 이 유랑자의 죽음은 그의 마음을 무겁게 짓눌렀다. 날이 새자 그는 몸을 덜덜 떨면서 빅토르가 흘린 핏자국을 눈으로 깨끗하게 닦아냈다. 그리고 하루 종일 불안 속에서 정처 없이 헤맸다. 그의 마음을 가라앉게 하고, 회한과 두려움을 잊게 해준 것은 추위와 굶주림이었다.

그는 눈 덮인 황무지를 헤매다가 길을 잃고 말았다. 제대로 잠을 자지 못한데다 아무것도 먹지 못한 골드문트는 절망적인 상황에 빠졌다. 몸속에서는 굶주림이 들짐승처럼 울부짖었고, 기진맥진한 나머지 몇 번이나 들판 한가운데 널브러졌다. 그럴 때마다 그는 두 눈을 감고는 이제 끝장이다, 잠자고 싶다, 눈 속에서 죽고 싶다고 생각했다. 하지만 굶주림은 그를 포기하게 그대로 내버려두지 않았다. 그는 그저 살아야겠다는 욕망만으로 미친 듯이 달렸다. 극도의 절망 속에서 이성은 어딘가로 사라지고 생명을 부지하려는 알 수 없는 힘과 야생적 본능과 적나라한 욕망이 그를 감싸면서 그에게 원기를 불어넣었다. 눈이 쌓여 있는 두송나무 숲에서 얼어붙은 손으로 바짝 마른 조그만 열매를 따서 혓바닥에 댔다. 맛이 거칠고 씁쓸했다. 그 열매를 전나무 잎으로 싸서 입에 넣고 질근질근 씹었다. 맛이 지독하게 아렸다. 그는 갈증을 달래기 위해 한 움큼의 눈을 퍼먹기도 했다. 뻣뻣하게 굳은 두 손을 입김으로 불면서 언덕 위에 앉아 애타는 심정으로 사방을 휘둘러보았다. 보이는 것은 황무지와 숲뿐이고 사람의 흔적은 어디에서도 찾을 수가 없었다. 머리 위로 몇 마리의 까마귀가 날아가자, 그는 원망스럽고 담담한 심정으로 그들을 노려보았다. 아니, 저것들이! 그러나 조금이라도 다리에 힘이 남아 있는 동안은, 그리고 내 몸 안의 피에 온기가 남아 있는 동안에는 너희들의 밥이 되지 않을 것이다. 그는 일어서서 죽음의 공포와 싸우면서 달리고 또 달렸다. 마지막 남은 기운을 짜내며 안간힘을 쓰다 보니 몸에 열이 오르면서 일시에 피로가 몰려왔다. 몸에 열이 오르자 그는 온갖 기괴한 생각에 사로잡혔다. 그는 알아들을 수도 없이 작은 소리로 중얼거리는가 하면, 때로는 횡설수설하며 크게 소리를 지르기도 했다. 그는 자기가 찔러 죽인 빅토르가 앞에 있기라도 한 것처럼, 경멸 섞인 어조로 무뚝뚝하게 지껄여댔다.

"이 교활한 친구야, 기분이 어떤가? 너의 내장 속에도 달빛은 비치고 있나? 여우가 네 옆에서 냄새를 맡고 있는 거 맞지? 너는 늑대를 죽였다고 했어. 그놈의 목을 물어뜯었나? 아니면 꼬리를 쥐어뜯었나? 이 주정뱅이야, 너는 내 금화를 훔치려고 했어. 욕심 많은 돼지 같은 자식! 그런데 이 작고 귀여운 골드문트가 자네를 놀라게 한 건가? 빅토르, 나 때문에 늑골이 근질거렸겠지! 그런데 너는 언제나 가방 속에 치즈며 소시지를 잔뜩 가지고 다녔지……. 이 돼지 같은 놈아, 너는 식충이야!"

골드문트는 헉헉거리면서 죽은 사람에게 욕을 퍼부으며 횡설수설했다. 그는 저 불쌍한 놈이 스스로 무덤을 팠다고 비웃어주었다. 얼간이, 멍청이, 사기꾼, 야비한 놈!

하지만 한참을 그러고 나서 그의 생각과 말은 불쌍한 빅토르에게서 멀어지고 이내 잊어버렸다. 대신에 율리에의 모습이 떠올랐다. 그날 밤 그에게서 멀어져가던 아름다운 모습 그대로였다. 그는 율리에를 애타게 부르면서 수없이 많은 사랑의 말을 퍼부었고, 정신이 혼미한 상태에서 부끄러움도 잊은 채 온갖 달콤한 말로 그녀를 유혹했다. 그의 애무에 화답하듯 율리에가 그의 곁으로 다가와 옷을 벗었다. 그리고는 애원하는 것 같기도 하고 도발하는 것 같기도 한 목소리로 비참하게 죽기 전에 단 한순간만이라도 자기와 함께 있어 달라고 말했다. 율리에의 봉긋 솟아오른 젖가슴과 그녀의 다리 그리고 겨드랑이 밑으로 늘어진 금발의 곱슬곱슬한 털이 눈앞에서 어른거려 정신이 몽롱해졌다.

골드문트는 눈 덮인 광야의 곳곳에 널려 있는 메마른 갈대들을 헤치며 걸음을 재촉했다. 그러나 고통과 슬픔을 억누르지 못해 비틀거리면서도 깜빡거리며 다가오는 생명의 욕구에 고무된 듯 또다시 알 수 없는 말을 지껄이기 시작했다. 이제 그가 말을 거는 상대는 나르치스였다. 그는 나르치스를 향해 새로운 생각과 지혜와 농담의 말을 던졌다.

"나르치스, 당신도 무서운가요? 몸이 떨려요? 무얼 깨달았죠? 그렇습니다, 세상은 죽음으로 가득 차 있습니다. 울타리 밖에도 나무 그늘에도 죽음이 도사리고 있습니다. 아무리 담장을 높이 쌓아올려도, 기숙사나 성당이나 교회를 지어도 아무 소용이 없습니다. 죽음이 창문 밖에서 기웃거리며 웃고 있으니까요. 죽음은 당신네들 모두를 잘 알고 있습니다. 한밤중에 창밖에서 죽음이 킬킬대며 이름을 부르는 소리가 들릴 겁니다. 성가를 부르고, 제대에 정성스레 촛불을 켜두고, 저녁기도와 아침 미사를 드리고, 처방실에 약초를 모으고, 서가에 책을 높이 쌓아둔다고요! 당신은 아직도 단식을 하고 있나요? 잠도 자지 않고 깨어 있습니까? 아무리 발버둥쳐도 죽음의 사자가 손을 써서 뼈다귀만을 남기고 모든 것을 당신에게서 빼앗아갈 겁니다. 이봐요, 나르치스! 빨리 달아나십시오. 뼈라도 흩어지지 않게 단단히 붙드십시오. 정신을 차리지 않으면 모두 사방으로 흩어지고 맙니다. 아, 불쌍한 인간의 뼈여! 아! 불쌍한 인간의 목구멍과 위장이여! 아! 가련한 두개골 밑의 뇌수여! 모두 다 사라지려고 합니다. 모든 것이 악마한테 몰려가려 하고, 나무 위에서 까마귀들이 기분 나쁜 울음소리를 내고 있습니다."

　길을 잃고 헤매는 사나이는 지금 자신이 어디를 향해 달리는지, 어디에 있는지, 누워 있는지 서 있는지 전혀 의식하지 못했다. 그는 덤불 위에 쓰러지기도 하고 나무에 부딪히기도 하면서 손으로는 쌓인 눈과 가시를 무의식적으로 움켜쥐기도 했다. 그러면서도 죽음으로부터 도망치려는 의지가 무엇보다 강해서 그를 한 걸음씩 앞으로 내딛게 했다. 마침내 그가 정신을 잃고 기절해 누운 곳은 며칠 전에 유랑자인 빅토르와 만났던 곳, 밤중에 산모 옆에서 불을 들고 있었던 바로 그 마을이었다. 그곳에서 그는 정신을 잃고 쓰러져 있었다. 사람들이 우르르 몰려와서 그를 빙 둘러싸고 수군거렸으나, 그는 아무 소리도 들을 수 없었다. 그때 그와 잠깐 사랑을 나누었던 여자가 그를 알아보고는 그의 행색에 깜짝 놀랐다. 그녀는 가여운 생각이 들어 남편한테 욕을 얻어먹어가면서도 거의 다 죽어가는 그를 마구간으로 옮겼다.

얼마 지나지 않아 골드문트는 다시 일어나서 걸을 수 있게 되었다. 마구간의 온기와 오랜 수면, 그 여자가 그에게 먹여준 염소젖 덕분에 정신을 차리고 기운을 얻었다. 단지 방금 전까지 겪었던 그 모든 일들이 마치 오랜 시간이 흘러간 것처럼 뒤로 멀어지고 있었다. 빅토르와 함께 시작한 유랑, 전나무 밑에서 보낸 춥고 불안에 찬 겨울밤, 잠자리에서 벌어진 끔찍한 싸움과 죽음, 전신이 꽁꽁 얼어붙은 채 굶주림에 허덕이며 착란 상태에서 헤매 다닌 낮과 밤들……. 그 모든 것이 잊혀진 듯한 과거가 되었다. 하지만 그것은 잊어버린 것이 아니고 견뎌내면서 지나온 것에 불과했다. 뭐라고 표현할 수 없는 공포는 여전히 떠나지 않았다. 그는 그 모든 일들을 과거라는 시간 속으로 밀쳐내 버리려고 했으나 그 공포는 끔찍하면서도 소중한 것, 깊이 가라앉아 있으면서도 너무나 생생한 울림으로 남아 있었다.

2년도 채 안 된 사이에 그는 집 없이 떠도는 생활의 온갖 즐거움과 괴로움을 구석구석까지 알게 되었다. 홀로 있다는 것, 자유롭다는 것, 숲과 짐승의 소리에 귀 기울이는 것, 방탕하고 무책임한 사랑, 죽을 것만 같은 쓰디쓴 궁핍이 무엇인지 알게 된 것이다. 여러 날 동안 여름 들판을 헤매보기도 했고, 몇 주일씩 숲에서 지내기도 했으며, 며칠씩 눈 속에서 보내기도 했다. 그런 중에 죽음의 불안에 시달리다가 죽음의 언저리까지 가보기도 했다. 그중에서 가장 강렬하고 기이한 체험은 죽음에 맞서 저항했던 일이었다. 자신의 나약함과 비참함을 너무나 잘 알고 있는데도, 절망적으로 죽음에 부딪히는 그 순간에는 미처 의식하지 못했던 아름답고도 놀라운 생명의 힘이 몸속에서 끈질기게 꿈틀거렸던 것이다. 이러한 체험을 통해 아름답고 놀라운 생명의 힘이 죽음의 두려움보다 훨씬 크고 진실하다는 사실을 새삼 깨달았으며, 마음속에 깊이 새겨졌다. 쾌락의 몸짓이나 표정이 아이를 낳는 산모나 죽어가는 사람들의 몸짓과 똑같다는 사실도 절실하게 통감했다. 해산하는 아낙네의 신음소리와 찡그린 얼굴 표정은 얼마나 신기했던가! 반면 길동무 빅토르가 고꾸라지면서 너무나 조용히, 그리고 순식간에 피를 흘리던 모습은 얼마나 기이했던가! 또 그것을 바라보는 자신의 모습은 어떠했던가! 굶주림에 허덕이던 날에는 죽음의 그림자가 자기를 둘러싸고 기웃거린다는 것을 얼마나 또렷하게 느꼈던가! 굶주림과 추위는 얼마나 큰 고통이었던가! 그리고 그것들과 어떻게 맞서 싸웠던가! 죽음의 공포를 밀쳐내려고 얼마나 몸부림쳤으며, 그것에서 벗어나려고 얼마나 미쳐 날뛰었던가! 그것이 누구의 삶이든 간에 이보다 더한 일이 그 앞에 놓여 있을 것 같지 않았다. 아무리 생각해도 이 체험에 대해 이야기를 나눌 상대는 나르치스밖에 없을 듯싶었다. 그 누구도 들어주려 하지 않고, 혹여 들어주었다고 해도 이해할 수 없을 테니까.

마구간의 짚더미에서 겨우 제정신이 돌아왔을 때 골드문트는 금화가 없어진 것을 알았다. 굶주림에 허덕이며 몽롱한 상태에서 비틀거리며 헤매 다닌 마지막 날에 잃어버린 것일까? 그는 곰곰 생각해 보았다. 그 금화는 그에게 매우 귀중한 것이었다. 도저히 단념할 수가 없었다. 그는 금화의 값어치도 알지 못했지만 그 금화는 두 가지 이유에서 그에게 소중한 것이었다. 그것은 그에게 남겨진 리디아의 유일한 선물이었다. 털로 짠 재킷은 빅토아르의 시체에 감긴 채 피로 범벅이 되어 숲속에 버려졌다. 그러니까 금화는 리디아의 선물 가운데 그에게 남아 있는 유일한 것이었다. 그리고 무엇보다도 빅토르와 싸우고 마침내 그를 죽게까지 한 것도 바로 그 금화 때문이었다. 그런데 그 금화를 잃어버렸다면 그날 밤에 벌어진 끔찍한 일은 모든 의미와 가치를 잃어버리고 마는 것이었다. 그는 한참 동안 생각한 끝에 농부의 아내에게 이 사실을 말했다.

"크리스티나, 주머니 속에 넣어뒀던 금화가 없어졌어."

"그래요? 그걸 이제 알았어요?"

그 여자의 얼굴에는 무어라 말할 수 없는 애정이 넘쳤고 또한 다정한 미소가 담겨 있었다. 그 미소가 너무도 매혹적이어서 그는 몸이 쇠약해진 것도 잊고 한쪽 팔로 여자의 목덜미를 휘감았다.

"당신도 어지간히 딱한 사람이에요. 영리하고 멀쩡한 사람이 그렇게 바보 같은 짓을 하다니! 금화를 그렇게 아무렇게나 넣고 다니는 사람이 세상에 어디 있어요? 당신은 순진하고 사랑스럽지만 바보예요! 당신을 짚단 위에 눕히고 나서 바닥에 떨어져 있는 그 금화를 내가 발견했어요."

여자가 영리해 보이는 미소를 지으며 말했다.

"당신이 갖고 있나요? 지금 어디 있지요?"

"찾아봐요."

여자는 웃으면서 골드문트가 그것을 찾도록 내버려두었다. 그러다가 한참이 지나서야 그의 웃옷을 가리켰다. 그녀는 금화를 웃옷 속에 꼭꼭 숨겨 꿰매놓았던 것이다. 이어서 그녀는 어머니처럼 친절한 충고를 수없이 늘어놓았다. 그녀의 충고는 이내 잊어버렸으나 그녀가 베풀어준 친절과 순박하면서도 선량한 미소만은 결코 잊지 않았다. 그는 그녀에게 고마움을 표하려고 애를 썼다. 그리고 며칠이 지나자 다시 걸을 수 있을 정도로 몸이 회복되어 그는 다시 길을 떠나려고 했다. 그러자 그녀는 며칠 내로 날씨가 따뜻해질 것이라면서, 그때 떠나는 것이 좋겠다고 그를 말렸다. 사실이 그러했다. 골드문트가 다시 길을 떠날 즈음에는 공기에 습기가 가득했고, 허공에서는 귓전을 스치고 지나가는 부드러운 바람소리가 들려 왔다.

10

다시 얼음이 녹아 냇물이 흐르고, 썩은 낙엽 아래에서 오랑캐꽃 냄새가
피어올랐다. 골드문트는 또다시 변해가는 계절 속으로 걸어 들어갔다. 숲
과 산과 구름에 휘감기는 태양을 느끼면서 이 집에서 저 집으로, 이 마을에
서 저 마을로, 이 여자에게서 저 여자에게로 헤매고 다녔다. 차가운 밤이
찾아오면 가슴에 슬픔을 한 아름 끌어안고 창문 밑에 웅크리고 앉아 밤을
지새운 적도 여러 번 있었다. 그럴 때면 창문 안에는 불이 켜져 있고, 이
지상에 존재하는 모든 행복과 고향과 평화 등이 그 불빛 속에서 타올랐다.
붉게 비치는 창문 안의 모든 것들은 부드럽고 다정하게 빛을 발했지만,
그것들은 그가 손으로 만질 수 없는 것들이었다. 그가 이미 잘 알고 있다고
생각하는 그 모든 것들이 되풀이되며 떠오르곤 했는데, 그것들은 매번
다른 모습이었다. 들판이나 황무지나 혹은 자갈길 위를 오래도록 헤매던
기억이나 여름철 숲속에서 잠을 자던 일, 어슬렁거리며 이 마을 저 마을을
기웃거렸던 일, 건초를 뒤집거나 호밀을 딴 다음 무리 지어 귀가하는 젊은
처녀들을 뒤따라가던 일, 첫 서리가 내렸을 때의 끔찍한 추위……. 이러한
모든 것이 알록달록한 실 꾸러미가 되어 그의 눈앞에서 끝없이 이어지며
되살아나는 것이었다.
　이렇게 몇 년이 지난 어느 날, 골드문트는 연녹색의 싹이 움트고 있는
느티나무 숲 산등성이에 올라 눈앞에 펼쳐져 있는 새로운 풍경을 내려다보
았다. 그것은 그의 두 눈을 즐겁게 해주었으며, 가슴속에서는 희망과 욕정

이 꿈틀거렸다. 그는 며칠 전부터 눈에 보이는 이 지역에 가까워지고 있다는 것이 느껴졌고, 알 수 없는 기대감이 생겼다. 그런데 이 한낮에 예감했던 풍경이 갑자기 눈앞에 펼쳐져 있자 그는 놀라지 않을 수 없었다. 회색의 나무줄기와 부는 바람에 간간이 흔들리고 있는 나뭇가지들 사이로 갈색과 초록이 어우러진 골짜기가 내려다보였다. 그리고 그 골짜기 한가운데로 폭이 넓은 푸른 강이 힘차게 흐르고 있었다. 이제 당분간은 황무지와 숲과 고독뿐인 길을 헤매지 않아도 될 거라는 생각이 들었다. 골짜기 아래에는 흐르는 강을 따라 전국에서 가장 아름다운 길로 손꼽히는 유명한 도로가 뻗어 있었으며, 양쪽에는 기름지고 풍요로운 땅이 펼쳐져 있었다. 그 강에는 뗏목과 나룻배가 떠다니고 있고, 도로를 따라가면 아름다운 마을과 성들, 그리고 수도원과 번화한 도시로 이어졌다. 마음만 먹으면 누구나 이 길을 따라 몇 주 동안은 여행할 수 있었으며, 숲이나 늪지대의 갈대밭 같은 데서 길을 잃을 염려도 없었다. 뭔가 새로운 세계가 펼쳐진 것 같아 그의 가슴이 마구 뛰기 시작했다.

그날 저녁나절에 그는 벌써 아름다운 한 마을에 들어서 있었다. 큰 도로를 따라서 붉은 포도밭 언덕과 강 사이에 있는 마을이었다. 집집마다 지붕에는 빨간 색칠이 되어 있었고, 아치형 대문과 돌계단으로 된 작은 골목길들이 나 있었다. 대장간에서는 빨간 불빛이 길거리까지 새어나왔고, 달아오른 모루를 두들기는 맑은 소리가 연이어 울려 퍼졌다. 이 마을에 처음 온 골드문트는 호기심에 넘쳐 골목들을 기웃거리면서 어느 집 처마 밑에 걸음을 멈추기도 했고, 술집 문 앞에서는 포도주 냄새를 맡기도 했다. 그리곤 강가로 가서 비릿한 냄새가 배어 있는 서늘한 강물의 향기를 맡기도 하고, 성전과 묘지를 둘러보기도 했다. 그러는 동안 밤을 지낼 수 있을 만한 잠자리도 물색해 두었다. 그리고 마을에 있는 사제관을 찾아가서 고행중인 수도자들에게 베푸는 양식을 청해볼 작정이었다.

사제관에는 살이 찌고 얼굴이 불그레한 신부가 있었다. 신부는 골드문트에게 이것저것 찬찬히 캐물었다. 그는 얼마간은 감추고 얼마간은 이야기를 꾸며대며 자신의 신상과 상황을 말해 주었다. 그러자 친절하게 그를 맞으면서 맛있는 음식과 포도주를 제공해 주었다. 그리고 오랜 시간 신부와 이런저런 이야기를 나누면서 그날 밤을 보냈다. 이튿날 그는 강기슭을 따라 도로를 타고 여행을 계속했다. 강 위에는 뗏목과 화물선도 보였고, 그가 걸어가는 길로는 많은 짐마차가 지나갔다. 그를 마차에 태워주는 사람도 간혹 있었다. 그림 같은 풍경들로 넘쳐나는 봄날은 쏜살같이 지나갔다. 마을이나 조그만 읍들이 그를 맞아주었고, 여자들은 화초를 심으려고 웅크리고 앉은 채 정원 울타리 뒤에서 미소를 보냈다. 해가 질 무렵에는 처녀들이 노래를 부르면서 마을로 돌아갔다.

어느 물방앗간 집 젊은 처녀가 그를 사로잡아서 그는 이틀 동안이나 그곳에 머물면서 그 일대를 둘러보았다. 그 처녀는 농담도 하면서 항상 웃는 얼굴로 그를 대해 줬다. 그는 그런 그녀가 좋아서 물방앗간의 심부름꾼이 되어 언제까지나 그곳에 눌러앉고 싶을 정도였다. 그는 어부들 옆에 앉아서 쉬기도 하고, 마부들이 말먹이를 주거나 털을 빗겨주는 것을 돕기도 했다. 그 대신 빵과 고기를 얻기도 하고 마차를 얻어 타기도 했다. 오래도록 혼자만 지내온 터라 길동무를 만나 함께 여행하는 일도 즐거웠고, 숲속에서 고독과 굶주림에 허덕인 뒤라 먹을 것 걱정이 없는 사람들과 유쾌한 이야기를 나누며 배불리 먹고 나면 기분이 좋아졌다. 그리하여 그는 이 즐거운 물결에 자신을 내맡겨두었고, 그 물결은 계속 그를 어딘가로 실어갔다. 주교(主敎)가 상주하는 도시가 가까워질수록 거리는 북적댔고 활기에 넘친다는 것이 느껴졌다.

땅거미가 질 무렵, 그는 어느 마을에 당도하여 잎이 우거진 나무 밑 강가에서 서성거렸다. 물은 기슭의 나무뿌리 밑을 훑어 내리면서 조용히 흘러갔고, 언덕 위로 떠오른 달이 강물을 밝히면서 나무들 아래로 그림자를 드리웠다. 그는 그곳에서 한 처녀가 앉아 울고 있는 것을 발견했다. 그 처녀는 애인과 말다툼을 했는데, 애인이 그녀를 둔 채 혼자 가버린 것이었다. 골드문트는 처녀 옆에 앉아 하소연을 들어주었다. 그는 그녀의 손을 어루만져주기도 하고 숲과 포도덩굴에 관한 이야기와 어린 사슴의 이야기를 들려주면서 처녀를 위로해 주었다. 처녀는 다소 마음이 진정되었는지 슬며시 웃으면서 그의 입맞춤을 아무런 저항 없이 받아들였다. 그런데 잠시 후에 처녀의 애인이 그녀를 찾으러 다시 돌아왔다. 남자는 어느 정도 마음이 가라앉자 자신이 한 행동을 뉘우쳤던 것이다. 그 남자는 골드문트가 자기 애인의 옆에 앉아 있는 것을 보자, 대뜸 달려들어 주먹을 올려붙였다. 너무나 갑작스럽게 당한 봉변에 골드문트는 당황했으나 재빨리 방어 자세를 취하여 그를 꼼짝 못하게 만들었다. 그 남자는 있는 힘을 다해 그의 손아귀에서 빠져나가더니 욕을 퍼부어대며 마을로 달아났다. 처녀도 이미 달아나고 없었다. 골드문트는 사태가 평화롭게 해결될지 어떨지 알 수 없어서 마음이 편치 않았다. 그는 잠잘 생각도 하지 않은 채 고요한 달빛을 받으며 힘이 다할 때까지 계속 걸었다. 그는 자신이 힘깨나 쓰게 된 것 같아 매우 뿌듯한 기분이 들었으나, 밤이슬에 젖은 신발이 무겁게 느껴졌을 무렵에는 갑자기 피곤이 몰려와서 바로 옆에 있는 나무 밑에 드러누워 그대로 잠이 들었다.

무엇인가가 얼굴을 간질이는 바람에 눈을 떴다. 벌써 날이 밝은 지 오래였다. 그는 잠에 취한 채 손으로 얼굴을 철썩철썩 치면서 간지러움을 쫓고는 다시 잠이 들었다. 그런데 또다시 무엇인가가 얼굴을 간질였다. 그가 얼굴을 비비며 눈을 뜨자, 농가의 처녀가 그를 내려다보고 서 있었다. 그녀가 버드나무 가지 끝으로 그를 간질이고 있었던 것이다. 골드문트는 비틀거리면서 몸을 일으켰다. 두 사람은 서로를 바라보며 미소를 지었고, 그리고 눈짓을 하며 고개를 끄덕거렸다. 처녀는 그를 좀 더 좋은 곳으로 안내하겠다고 말하면서 어느 헛간으로 그를 데리고 갔다. 두 사람은 거기서 같이 잠을 잤다. 잠시 후 그녀는 자리에서 일어나더니 막 짜온 듯한 따뜻한 우유를 조그만 통에 가득 담아 가지고 다시 들어왔다. 그는 골목길에서 주워 가지고 있던 파란 리본을 그녀에게 선물로 주었다. 그는 떠나기 전에 한 번 더 키스를 했다. 그 처녀의 이름은 프란치스카였다. 골드문트는 그녀와 헤어지는 것이 슬펐다.

그날 밤 그는 어느 수도원에 들러 하룻밤을 묵고 아침 미사에도 참석했다. 그의 기억 속에서 무수한 추억이 되살아나 가슴이 일렁거렸다. 아치형 천장의 차디찬 돌에서 스며 나오는 냉기, 돌로 된 복도를 걸을 때마다 나는 신발 소리, 그 모든 것들이 고향의 향기를 풍기며 그를 사로잡았다. 미사가 끝난 다음 성당 안이 고요해진 후에도 골드문트는 계속 무릎을 꿇고 있었다. 그의 가슴은 기묘하게 팔딱거렸다. 그는 간밤에 여러 가지 꿈을 꾸었다. 어떻게든 과거를 청산하고 생활을 바꾸고 싶다는 생각이 샘솟았다. 까닭은 분명히 알 수 없지만, 아마도 마리아브론 수도원의 추억과 경건하게 보낸 어린 시절의 기억이 그를 움직인 것 같았다. 그는 고해성사를 하고 자신을 깨끗하게 해야겠다는 충동을 강하게 느꼈다. 수없이 많은 죄와 악행과 패륜을 고백해야만 했다. 하지만 그 무엇보다도 그의 가슴을 짓누른 것은 그의 손으로 죽게 한 빅토르의 최후였다. 그래서 그는 신부를 찾아갔다. 그간 저지른 이런저런 잘못을 고백했고, 특히 빅토르를 죽인 것에 대해 고백하며 참회했다. 아, 얼마나 오랫동안 고해성사를 드리지 않았던가! 그의 죄악은 헤아릴 수 없을 정도로 많았다. 그는 그 대가로 어떤 벌이라도 달게 받을 각오를 하고 있었다. 그러나 고해 신부는 별로 놀라지도 않은 채 조용히 듣고만 있다가, 진지하고 엄하게 꾸짖으며 경고했다. 하지만 신부의 목소리에는 친절과 연민이 배어 있었다. 마치 그런 떠돌이들의 생활에 대해 이미 알고 있는 것처럼. 신부는 그에게 지옥에 갈 것이라는 등의 말도 하지 않았고, 그 어떤 저주를 내릴 생각도 없는 듯했다.

골드문트는 홀가분한 마음으로 일어나 신부의 지시에 따라 제대 앞에서 보속을 위한 기도를 드린 다음 성당을 떠나려고 했다. 그때 한 줄기 빛이 창살 틈으로 새어 들어왔다. 그의 눈은 그 빛줄기를 따라갔다. 그 빛은 성당 벽에 서 있는 입상을 비추고 있었다. 골드문트는 그 입상에 매혹당한 듯 그쪽으로 서서히 몸을 돌린 다음 두 손을 경건하게 모으고서 사랑에 넘치는 눈길로 그것을 바라보았다. 그것은 고개를 숙이고 있는, 나무로 만들어진 성모 마리아 상이었다. 마리아 상은 부드럽고 온화했다. 파란 옷자락이 연약한 어깨에서 축 늘어져 있는 형상, 소녀같이 고운 손을 벌리고서 다소곳이 아래쪽을 내려다보고 있는 눈매와 아름답고 자애로움이 느껴지는 둥그스름한 이마……. 지금까지 이런 모습은 한 번도 본 적이 없다고 생각될 만큼 생기 넘치고 아름다웠다. 또한 다정하고 그윽한 영혼이 깃들어 있는 것처럼 느껴졌다. 골드문트는 마리아 상의 입과, 그리고 사랑스럽고도 다정해 보이는 목덜미의 온화한 움직임에서 잠시도 눈을 떼지 못하고 멍하니 바라보았다. 그는 자신이 늘상 동경해 왔고, 또 이미 꿈과 예감을 통해 자주 느끼면서 그리워했던 어떤 존재를 본 것만 같았다. 물러서서 돌아가려 하다가 그는 몇 번이나 뒤돌아보았다. 무엇인가가 그를 가지 못하도록 끌어당기는 것 같았기 때문이다.

마침내 돌아서려고 했을 때, 조금 전에 그의 고해를 들어준 신부가 그의 뒤에 서 있었다.

"마리아 상이 아름답지요?"

그 신부가 다정하게 물었다.

"형언할 수 없을 정도로 아름답습니다."

골드문트가 대답했다.

"그렇게 말하는 사람이 많지요. 그러나 이것은 진짜 성모 마리아 상이 아니오. 지나치게 현대적이고 세속적이며, 모든 것이 과장되어 있고 사실적이지 않다고 이야기하는 사람도 있습니다. 그 때문에 뜨거운 논쟁이 벌어지지요. 아무튼 당신 마음에 들었다니 기쁩니다. 이 마리아 상을 이곳에 모신 지는 이제 일 년이 되었습니다. 우리 성당의 후원자가 봉헌한 것인데, 니콜라우스라는 조각가의 작품입니다."

"니콜라우스요? 그분이 누굽니까? 어디 계시죠? 신부님께서 아는 분인가요? 제발 그분에 대해 무엇이든 말씀해 주세요! 이런 작품을 만들 수 있는 분이라면 틀림없이 훌륭하고 은총 받은 분일 겁니다."

"나는 그분에 대해 별로 아는 것이 없습니다. 그는 주교님이 계시는 도시에 사는 조각가입니다. 여기서 한나절쯤 걸리죠. 그는 예술가로서 높은 평판을 받고 있는 명인이죠. 예술가가 성인(聖人)인 경우는 드문 일이라, 이분도 성인은 아니지만 재능이 뛰어나고 품성이 고매한 분입니다. 나는 몇 번 만나본 일이 있습니다."

"네에, 만나본 일이 있었군요. 어떤 분이셨나요?"

"당신은 그분한테 매료된 모양이군요. 그렇다면 찾아가보시죠. 그리고 보니파시오 신부가 안부 전하더라고 전해주십시오."

골드문트는 넘칠 듯이 기뻐하며 감사의 인사를 드렸다. 신부는 미소를 지으며 자리를 떴으나 골드문트는 신부가 자리를 뜬 다음에도 한참 동안을 이 신비로운 입상 앞에서 떠나지 못했다. 마리아 상의 가슴은 살아 숨쉬는 것 같았고, 얼굴에는 너무나 큰 고통과 그윽한 온화함이 공존하고 있는 듯하여 그의 가슴이 죄어들었다.

골드문트는 전혀 다른 사람이 되어 성당에서 나왔다. 또한 그의 발걸음이 닿는 세상 역시 전혀 다른 세상으로 변모해 있었다. 나무로 깎아 만든 감미롭고 거룩한 입상 앞에 선 그 순간부터 골드문트는 지금까지 한 번도 가져보지 못한 무엇을, 다시 말해 하나의 목표를 갖게 되었다! 그는 이제 비로소 목표를 갖게 되었으며, 아마 그 목표에 도달할 수 있을 것이다. 또 그렇게 되면 그의 망가진 삶 전체가 고귀한 의미와 가치를 얻을 수 있을지도 모를 일이었다. 이 새로운 감정은 골드문트를 기쁨과 희열에 휩싸이게 했으며, 그의 발걸음은 날개라도 달린 듯 가벼웠다. 그가 걸어가는 이 길은 이제 더 이상 어제와 같은 비좁고 험한 길이 아니었다. 이 길은 이제 든든한 놀이터요 편안한 휴식처이며, 스승으로 삼고 싶은 명인에게로 가는 이름답고 쾌적한 길이었다. 그는 뛰다시피 걸음을 재촉하여 해가 지기 전에 그 도시에 도착했다. 성벽 뒤에는 탑들이 우뚝 서 있고, 성문들 위에는 끌로 새긴 문장(紋章)들이 채색되어 있었다. 두근거리는 가슴을 안고 그는 이 길 저 길을 빠져나갔다. 골목길의 혼잡이나 떠들썩한 장사꾼들이나 말을 탄 기사나 의장 마차 등 그 어느 것도 그의 눈에 들어오지 않았다. 그는 성문 밑에서 맨 처음에 만난 사람에게 다짜고짜로 니콜라우스 명인이 어디 사느냐고 물었다. 그러나 그를 아는 사람은 아무도 없었다. 골드문트는 무척 실망했다.

그는 웅장한 집들이 들어차 있는 광장으로 나왔다. 대개의 집들은 그림이나 조각으로 장식되어 있었다. 어느 집 현관에서 밝은 색으로 채색된

멋들어진 병정의 큼지막한 입상이 빛을 발하고 있는 것이 눈에 들어왔다. 병정 상은 그 성당의 마리아 상처럼 아름답지는 않았지만, 종아리를 드러내고 수염투성이 턱을 보란 듯이 내밀고 있는 자태가 아주 독특했다. 골드문트는 이것도 그 명인이 만든 작품일지 모른다고 생각했다. 그는 그 집으로 들어가 계단으로 올라갔다. 거기서 가죽옷을 입은 남자와 마주쳤다. 그에게 니콜라우스 명인을 만날 수 있느냐고 묻자, 그 남자는 그 사람한테 무슨 용건이 있느냐고 따지듯이 물었다. 골드문트는 화가 치미는 것을 간신히 누르고서 그분한테 심부름 가는 것이라고 말했다. 그제야 그 사람은 니콜라우스 명인이 살고 있는 골목길의 이름을 가르쳐 주었다. 그가 길을 물어 그 집 앞에 이르렀을 때는 해가 이미 져서 어두웠다. 불안하긴 했으나 그래도 마음은 무척 행복했고 즐거웠다. 그는 명인의 집 앞에서 걸음을 멈춘 다음 창문을 쳐다보다가 하마터면 그대로 안으로 뛰어 들어갈 뻔했다. 하지만 날도 저물고 자신의 모습이 땀과 먼지로 범벅이 되었다는 사실을 깨닫고는 조바심을 누르고 기다리기로 했다. 하지만 그러고도 한참 동안 그 집 앞에 서 있었다. 그가 막 돌아서서 가려던 참에 한쪽 창문에 불이 켜지더니, 누군가가 창문 앞으로 다가서는 것이 보였다. 무척이나 아름다운 금발의 처녀였다. 방 안의 부드러운 등잔 불빛이 처녀의 등 뒤에서 흘러나왔다.

다음 날 아침, 거리가 다시 밝아지고 떠들썩해지자 골드문트는 간밤에 묵었던 수도원에서 세수를 하고 옷과 신발의 먼지를 털어낸 다음 어제의 그 골목길로 다시 갔다. 그가 대문을 두드리자 나이 든 하녀가 나왔다. 문을 열어준 하녀가 선뜻 명인한테 안내해 주려고 하지 않아, 골드문트는 여러 가지 말로 구슬려서 간신히 노파의 마음을 돌리는 데 성공했다. 비로소 노파가 그를 안으로 안내하여, 작업장으로 쓰고 있는 조그만 응접실에서 앞치마를 두르고 서 있는 명인과 대면했다. 골드문트가 보기에 마흔이나 쉰 살쯤 되어 보였는데, 수염을 기른 데다 체격이 좋은 사내였다. 그는 연푸른 눈으로 날카롭게 골드문트를 쳐다보며 무슨 용건이냐고 간단히 물었다. 골드문트는 보니파시오 신부의 안부를 전했다.

"용건은 그뿐인가?"

그의 물음에 골드문트는 숨도 제대로 고르지 않고 말했다.

"선생님! 저는 수도원에서 선생님이 만든 마리아 상을 보았습니다. 아, 그렇게 싸늘하게 절 쳐다보지 말아 주십시오. 저는 다만 사랑과 존경의 마음으로 선생님께 온 것입니다. 저는 그 무엇도 두렵지 않습니다. 기나긴 세월 동안 유랑생활을 하며 숲속이나 눈 속에서 추위와 굶주림의 쓰라림도 실컷 경험했습니다. 저는 그 누구도 두려워하지 않지만 선생님은 두렵고 무섭습니다. 아, 저는 단 한 가지 소원이 있습니다. 제 가슴은 그 소원으로 가득 차 있고, 그것이 저를 괴롭히면서 마음 아프게 합니다."

"대체 어떤 소원인가?"

"선생님 밑에서 견습생이 되어 배움을 얻고 싶습니다."

"그런 소원을 가진 자는 자네만이 아닐세. 하지만 나는 견습생을 두고 싶지 않아. 내게는 이미 두 명의 조수가 있다네. 그런데 자네는 어디서 왔는가? 부모님은 뉘신가?"

"저는 부모님이 안 계십니다. 저는 어느 수도원의 학생이었습니다. 그곳에서 라틴어와 희랍어를 배우다가 도망쳐 나왔습니다. 그 이후 줄곧 떠돌이 생활을 하고 있습니다."

"그런데 어째서 조각가가 되지 않으면 안 된다고 생각하지? 그런 일을 해본 경험이라도 있는 건가? 데생이라도 해본 적이 있나?"

"스케치는 많이 했습니다. 지금 가지고 있지는 않지만요. 그렇지만 왜 조각을 배우고 싶은가는 말씀드릴 수 있습니다. 저는 그간 살아오면서 여러 가지 생각에 빠져 있었습니다. 갖가지 형태의 얼굴이나 모습을 보고 거기에 대해서도 많은 생각을 했습니다. 그런데 그 생각 가운데서 몇 가지가 저를 끊임없이 괴롭혔고, 저를 절망하게 했습니다. 특이한 것은, 어떤 형상을 보면 모종의 형식과 모종의 곡선이 도처에서 반복하여 나타난다는 것입니다. 이를테면 이마는 무릎에 대응되고, 어깨는 허리에 대응되는 식입니다. 그리고 가장 깊은 데까지 들어가 보면 결국 그 모든 것은 인간의 본성이나 감정과 완벽하게 일치합니다. 인간은 바로 그런 무릎과 어깨,

이마를 가지고 있는 것입니다. 그리고 어느 날 밤에 산모의 해산을 도와주면서 발견한 것인데, 인간이 가진 최대의 고통과 최고의 쾌락이 아주 흡사하게 표현된다는 사실을 깨달았습니다."

명인은 상대방의 마음을 꿰뚫어보기라도 할 것처럼 날카로운 시선으로 낯선 청년을 바라보았다.

"자네가 지금 한 말이 무슨 뜻인지 알고 있나?"

"네, 선생님. 선생님께서 만든 마리아 상에 표현되어 있는 것도 바로 그런 상태입니다. 저는 그것을 발견하고 너무나 기쁘면서도 놀랐습니다. 제가 찾아온 것도 그 때문입니다. 아, 그 아름답고 사랑스런 얼굴에는 너무도 많은 고뇌가 서려 있었습니다. 하지만 그와 동시에 그 모든 고통이 순연한 온화함과 다정한 미소에 감싸여 행복함으로 바뀌는 것이었습니다. 그것을 본 순간 저의 마음속에서 섬광과 같은 것이 스쳐지나갔습니다. 기나긴 세월 동안 생각하고 꿈꾸던 것이 이제 비로소 확실해진 느낌이었습니다. 그리고 제가 무엇을 해야 하며 어디로 가야 할지를 깨달았습니다. 니콜라우스 선생님, 진심으로 부탁드립니다. 제발 선생님 밑에서 배울 수 있도록 허락해 주십시오."

싸늘하고 날카로운 표정 그대로 주의 깊게 듣고 있던 니콜라우스가 입을 열었다.

"여보게 젊은 친구? 자네는 예술에 대해 놀라울 정도로 훌륭하게 말할 줄 아는군. 자네 나이에 쾌락이니 고통이니 하는 것에 대해 그렇게 많은 생각을 하고, 그것을 말로써 표현해 낼 수 있다니 정말 놀랍네. 자네가 떠돌아다닌 지난 몇 해가 신기하기도 하고 말이야. 언제 저녁 시간에 술이라도 한잔하면서 그런 것에 대해 편안하게 이야기를 해보면 좋겠네. 하지만 분명하게 해둘 것이 있네. 서로 편안하게 흥미 있는 이야기를 나눈다는 것과 함께 생활하면서 작업한다는 것은 별개의 문제야. 여기는 일터란 말일세. 여기는 일을 하는 곳이지 담소를 나누는 곳은 아닐세. 여기서는 무엇을 생각한다거나 무엇을 입으로 말할 줄 아느냐 하는 것은 전혀 중요하지 않네. 오직 손으로 무엇을 만들어낼 줄 아는 것만이 통할 뿐이지. 자네의

166

이야기가 매우 진지하고 진실되게 느껴져서 이대로 그냥 돌려보내지는 않겠네. 자네가 무얼 해낼 수 있을지 한번 보기로 하지. 점토나 밀랍을 가지고 무얼 만들어본 적은 있나?"

골드문트는 그 말을 듣는 순간 언젠가 꿈속에서 본 광경이 떠올랐다. 꿈속에서 그는 점토로 작은 인물상을 만들었는데 그것들이 벌떡 일어나더니 이내 거인들로 변모했다. 하지만 꿈 따위에 대해서는 입을 다문 채 아직 한번도 그런 일을 해본 적이 없다고 대답했다.

"좋아, 그럼 스케치라도 한번 해보게. 저기 책상에 종이와 목탄이 있네. 앉아서 스케치를 해봐! 시간은 충분히 주겠네. 점심때나 저녁때까지 있어도 좋네. 그런 다음에 자네가 어디에 쓸모가 있을지 알게 될지도 모르니까. 그럼 이제 이야기가 끝난 것 같으니, 나는 작업을 시작하겠네. 자네도 스케치를 시작하게."

니콜라우스가 지정해 준 의자에 앉아 골드문트는 스케치를 할 채비를 했다. 그는 서두르지 않았다. 그는 얌전하고 성실한 학생처럼 가만히 기다렸다. 명인은 그에게 반쯤 등을 돌린 채 흙으로 작은 인물상을 만드는 작업을 계속했다. 골드문트는 호기심과 애정에 넘친 눈빛으로 명인의 일하는 모습을 바라보았다. 약간 희끗희끗한 머리칼과 군은살이 박였지만 영혼이 숨 쉬는 듯 기품 있는 장인(匠人)의 손길에는 미묘한 마력이 서려 있었다. 그는 골드문트가 상상했던 것과는 다른 모습이었다. 생각보다 나이가 많았고, 겸손하면서도 냉정했다. 또한 메마르고 무뚝뚝해서 조금도 행복해 보이지 않았다. 요모조모 사물을 뜯어보는 눈초리가 조금의 빈틈도 허락하지 않을 만큼 날카로웠고, 그의 주의는 온통 일에 쏠려 있었다. 덕분에 골드문트는 작업으로부터 그를 떼어내어 명인의 전체적인 모습을 조심스럽게 관찰할 수 있었다. 골드문트는 이 사람은 학자가 될 수도 있었겠다는 생각이 들었다. 그는 조용하고 엄격한 탐구자였다. 그는 수많은 선구자들이 자기보다 먼저 시작했었고, 또 언젠가는 후진들에게 넘겨주어야 할 하나의 작품에 몰두해 있었다. 그것은 집요한 노력을 요구하는 작품, 오래도록 살아남을 작품, 기나긴 세월이 걸려도 결코 완결되지 않을 작품이었다. 그 작품 속에는 수많은 세대에 걸친 노고와 헌신, 끈질긴 집념이 집약되어 있었다. 명인을 관찰하는 동안, 그는 그의 얼굴에서 그가 어떤 사람인지를 읽어냈다. 그의 머리에는 방대한 지식과 사고가 담겨 있고, 그는 인간이 하는 일에 대한 겸허한 마음과 불가사의한 가치에 대한 깨달음을 가진 사람이었다. 그러나 그의 두 손이 드러내는 언어는 또 별개였다. 그의 손과 얼굴 사이에는 모순이 있었다. 그의 두 손은 매우 단단하지만 매우 섬세한 손가락을 가지고 있었다. 그 손가락을 점토 속에 집어넣어 모양을 만들고 있었는데, 점토를 주물럭거리는 손놀림은 사랑을 하는 남자가 몸을 맡기고 있는 연인의 온몸을 어루만지고 있는 손길과 닮아 있었다. 그 손길에는 사랑에 빠져서 사뿐히 날아오르는 감정이 가득 담겨 있었고, 열성적이긴 하지만 받는 것과 주는 것 사이에 구별이 없었으며, 뭔가를 탐하면서도 경건함이 느껴졌고, 매우 오래된 깊은 경험에서 비롯된 움직임처럼 안전한 장인(匠人)의 숨결이 배어 있었다. 골드문트는 속으로 탄성을 지르면서 은총 받은 듯한 두 손을 넋 나간 듯이 바라보았다. 얼굴과 손 사이의 모순만 없었더라도 기꺼이 명인의 모습을 스케치했을 텐데, 그 모순이 그를 무력하게 만들어버렸다.

골드문트는 일에 몰두해 있는 예술가를 정신없이 관찰하면서 이 인물의 비밀을 캐내고 싶은 충동에 사로잡혔으나, 그의 마음속에서는 다른 모습이 형체를 갖추면서 그의 영혼 앞에 어른거리기 시작했다. 그것은 한 인간의 영상, 그가 누구보다도 더 잘 알고 있고 마음속으로 흠모해 마지않던 사람의 모습이었다. 그 모습에는 분열이나 모순 따위는 없었다. 그 형태 역시 다양한 특징을 갖고 있었으며, 수많은 갈등을 상기토록 해주었다. 그것은 친구인 나르치스의 모습이었다. 그것은 하나의 영상으로 떠올랐다가 점차 구체적으로 그 모습을 뚜렷하게 드러내기 시작했다. 정신에 의해 형성된 기품 있는 머리, 정신적인 일에 자신을 바쳐온 사람 특유의 긴장과 품격이 느껴지는 아름다운 입, 슬픔이 깃든 눈, 그리고 정신적인 것을 위한 싸움으로 인해 영적으로 변해 있는 수척해진 어깨와 기다란 목덜미, 부드럽고 우아하면서도 품격이 느껴지는 손이 드러났다. 골드문트는 수도원에서 도망친 이래, 친구의 모습을 이처럼 똑똑히 보고 이다지도 완벽하게 자신의 마음속에 지녀본 적이 없었다.

골드문트는 마치 꿈을 꾸듯이, 어떤 불가항력에 이끌려 조심스레 스케치를 하기 시작했다. 그는 스승도, 자신도, 자신이 지금 앉아 있는 장소도 잊어버린 채 가슴에 간직한 영상을 애정 어린 손길로 경건하게 다듬었다. 그는 실내의 광선이 서서히 이동하는 것도, 선생이 몇 번이나 넘겨다보는 것도 의식하지 못했다. 그는 마치 희생된 제물을 바치는 의식과도 같이 그에게 부여된 과제를, 그의 마음이 자신에게 가져다준 과제를, 즉 자신의 영혼 속에 살아 있는 그대로의 친구 모습을 부각시키는 데 몰두했다. 딱히 그런 생각을 한 것은 아니지만, 이렇게 하는 것이 마음에 진 빚을 갚는 길이며 감사의 뜻을 표하는 것이라고 느꼈다.

니콜라우스가 스케치 작업을 하고 있는 그의 곁으로 다가와서 말했다.

"점심시간일세. 식사하러 같이 가는 게 어때? 어디 보세. 무얼 어떻게 그렸나?"

그는 골드문트의 뒤로 돌아가서 커다란 목탄지를 내려다보았다. 그리고는 그를 옆으로 제쳐놓고 조심스럽게 그림을 집어 들었다. 골드문트는 그제야 꿈에서 깨어났다. 그리고 사뭇 불안한 중에도 기대에 차서 명인을 바라보았다. 명인은 스케치를 두 손으로 받쳐 들고서 엄숙한 느낌의 검푸른 눈을 매섭게 뜨고 아주 꼼꼼하게 들여다보았다.

"자네가 그린 이 사람은 누군가?"

잠시 후에 니콜라우스가 물었다.

"제 친구입니다. 젊은 수사이자 학자입니다."

"좋아, 저쪽 안마당에 샘이 있으니 손을 씻게. 그 후 식사하러 가세. 조수는 지금 없네. 바깥에서 일을 하고 있지."

골드문트는 명인이 하라는 대로 했다. 안마당에 있는 우물을 발견하고 손을 씻었다. 그리고 '선생의 생각을 알기만 한다면 좀 더 기분이 좋을 텐데.' 하고 생각했다. 그가 다시 들어오니 명인은 그곳에 없었다. 대신에 명인이 옆방에서 왔다 갔다 하는 소리가 들렸다. 다시 모습을 나타낸 명인 역시 세수를 마치고 작업복 대신 멋진 천으로 만들어진 아름다운 웃옷을 걸치고 있었다. 그 모습은 참으로 화려하고 당당해 보였다. 명인이 앞장서서 계단을 올라갔다. 호두나무로 만들어진 계단의 손잡이 기둥에는 조그만 천사의 머리가 새겨져 있었다. 새로 만들어진 입상과 오래전 입상의 행렬이 줄지어 서 있는 복도를 지나 아름다운 한 방으로 들어갔다. 방은 마룻바닥도 벽도 천장도 단단한 나무로 되어 있었으며, 창문 한쪽에 식탁이 준비되어 있었다. 한 처녀가 들어왔다. 골드문트는 그 처녀가 낯익었다. 어젯밤 창가에서 보았던 바로 그 아름다운 금발 처녀였다.

"리즈베트, 한 사람 분을 더 가져와야지. 손님을 모시고 왔단다. 그건 그렇고……. 참, 이름을 아직 모르는군."

명인이 말했다.

골드문트는 명인에게 자기의 이름을 알려주었다.

"음, 골드문트의 식사 준비는 되어 있니?"

"잠시만 기다리세요, 아버지."

처녀는 쟁반을 들고 나가더니 잠시 후 돼지고기와 완두콩과 흰 빵을 하녀한테 들려서 돌아왔다. 식사를 하면서 명인은 딸과 이야기를 나누었다. 골드문트는 아무 말도 하지 않았고 음식도 조금밖에 먹지 않았다. 너무나 불안하고 답답해서 견딜 수가 없었던 것이다. 명인의 딸은 그의 마음을 몹시 끌었다. 딸은 그의 아버지만큼이나 키가 크고 탄탄하고 아름다운 몸매를 갖고 있었다. 그러나 그녀는 마치 유리벽 뒤에 있는 사람처럼 무표정해서 감히 가까이할 엄두가 나지 않았다. 뿐만 아니라 골드문트에게 인사치레로라도 말을 걸거나 시선 한번 던지는 법이 없었다.

식사가 끝나자 명인이 말했다.

"지금부터 나는 반시간쯤 쉬겠네. 자네는 작업장으로 가든지 나가서 거리를 산책하든지 마음대로 하게나. 용건은 나중에 말하기로 하고."

골드문트는 인사를 하고 밖으로 나왔다. 명인은 그의 스케치를 본 지한 시간이 지났는데도 거기에 대해서는 한마디 말도 언급하지 않았다. 게다가 또 반시간이나 기다리지 않으면 안 되었다. 하지만 달리 어떻게 할 수도 없었으므로 그냥 기다렸다. 그는 작업장으로 들어가지 않았다. 자신의 스케치를 다시 볼 용기가 나지 않았기 때문이었다. 그는 안마당에 나가서 우물가에 앉아 대롱에서 끊임없이 흘러내려 깊은 돌그릇 속으로 떨어지는 물줄기를 바라보았다. 물은 홈으로 떨어지면서 쉴 새 없이 하얀 방울로 변하곤 했다. 그는 어두운 샘물 속 수면에 떠 있는 자신의 모습을 바라보았다. 물속에서 그를 쳐다보고 있는 골드문트는 그 옛날 수도원에 있던 골드문트가 아니었다. 리디아와 사랑을 나누던 시절의 골드문트도 아닌 듯했다. 그렇다고 숲속을 헤매던 골드문트도 아니었다. 그는 그 자신은 물론이고 모든 사람은 다 그 물속으로 흘러들어가 끊임없이 변신하여 마침내는 모두 녹아 없어지지만 예술가에 의해 만들어진 형상은 언제까지나 변하지 않고 똑같은 모습으로 그대로 남아 있는 것은 아닐까 하고 생각했다.

그러면서 모든 예술과 모든 정신의 근본은 죽음에 대한 공포가 아닐까 하는 생각이 문득 들었다. 우리는 죽음을 겁내고 생명의 덧없음을 안타까워하며, 꽃이 시들고 잎이 떨어지는 것을 슬픔으로 바라보면서 우리들 자신도 마침내 그렇게 스러질 거라고 생각하지 않는가. 우리가 예술가로서 어떤 형상을 창조하거나 사상가로서 어떤 법칙을 탐구하고 생각을 정리하는 것도 우리 자신을 거대한 죽음의 의식에서 구해내고, 우리 자신보다도 더 오래 지속될 존재를 창조하기 위해서가 아닐까. 명인이 창조한 아름다운 마리아 상의 모델이 된 여자는 벌써 늙었거나 세상을 떠났는지도 모른다. 또한 명인 자신도 언젠가는 죽고 말 것이다. 그러면 그의 집에는 다른 사람이 들어와 살게 될 것이고, 그의 식탁에서는 다른 사람들이 앉아 식사를 하게 될 것이다. 그러나 그의 작품은 언제까지나 그대로 남아 있을 것이며, 조용한 수도원의 성당을 지키면서 백 년 혹은 그보다 훨씬 오랜 시간이 흐른 후에도 꽃향기를 풍기면서 빛을 발할 것이다. 그 아름다움은 언제까지나 변치 않을 것이고, 슬픔이 가시지 않은 듯한 입가에는 변함없이 똑같은 미소가 머물러 있을 것이다.

명인이 계단을 내려오는 소리가 들려, 그는 작업장으로 얼른 되돌아갔다. 니콜라우스 선생은 왔다 갔다 하면서 골드문트의 스케치를 거듭 들여다보았다. 그러다가 창가에서 걸음을 멈추더니, 다소 망설이는 듯하면서 무뚝뚝한 소리로 말했다.

"견습생이 되면 적어도 4년 동안은 배워야 하고, 아버지 되는 사람은 스승한테 수업료를 내는 것이 우리의 관습이네."

그리고 그가 잠시 말을 중단했기에, 골드문트는 명인이 자기한테서 수업료를 받지 못할까봐 걱정하는 것이 아닐까 하는 생각이 들었다. 그는 그 생각이 드는 순간 호주머니에서 주머니칼을 꺼내 바느질로 꿰매서 감춰 뒀던 금화를 웃옷에서 끄집어냈다. 니콜라우스는 깜짝 놀란 표정으로 그 모습을 바라보다가 골드문트가 금화를 내밀자 큰 소리로 웃었다.

"허허, 자네는 내 말을 그렇게 받아들였나? 아니, 이보게! 금화는 그대로 넣어두게. 자, 내 말을 들어봐! 나는 우리 조합에서 일반적으로 제자를 어떻게 키우고 있는가를 말했을 뿐이야. 하지만 나는 보통의 선생도 아니고 자네 또한 그저 그런 제자는 아니잖은가. 즉 그저 그런 평범한 제자라면 열세 살이나 열네 살, 혹은 아무리 나이를 많이 먹었다 하더라도 열다섯 살에는 제자로 들어서는 게 관습이야. 그리고 수업기간의 반은 계속 일꾼 노릇을 해야 되고 막일을 해야 되지. 하지만 자네는 벌써 기골이 있는 청년이네. 나이로 보아서도 벌써 도제(徒弟)가 되고도 남았을 것이고, 어쩌면 장인(匠人)이 되었을지도 모르지. 우리 조합에는 수염이 난 견습생은 일찍이 없었네. 게다가 내 집에는 견습생을 들이지 않겠다고 벌써 말하지 않았었나. 그리고 보아하니 자네는 시키는 대로 고분고분 심부름이나 할 사람으로도 보이지 않는구면."

골드문트는 초조해서 몸을 가눌 수조차 없었다. 명인의 신중한 말 한마디 한마디가 그를 꼼짝도 할 수 없게 붙들어 매었다. 그리고 그 말이 끔찍할 정도로 지루하고 판에 박힌 말처럼 여겨져 답답하기도 했다. 그래서 그는 분통을 터뜨리며 소리쳤다.

"저를 견습생으로 받아들일 생각이 없다면서 왜 그렇게 따지듯이 시시콜콜 말씀하시는 겁니까?"

172

명인은 꿈짝도 하지 않은 채 지금까지의 태도를 그대로 유지하면서 이야기를 이어갔다.

"나는 한 시간 동안이나 자네의 문제에 대해서 숙고해 보았네. 그러니 자네도 인내심을 갖고 내 이야기를 들어주게. 나는 자네 스케치를 보았네. 부분적으로 결점은 있지만 아름다운 그림이었네. 안 그랬더라면 잔돈푼이나 쥐어주고서 자네를 쫓아버렸을 거야. 자네의 스케치에 대해서는 더 이상 이야기하고 싶지 않네. 다만 자네가 예술가가 될 수 있도록 도와주고 싶을 뿐이야. 어쩌면 자네는 그럴 운명을 타고났는지도 몰라. 그렇지만 견습생은 될 수 없단 말일세. 그리고 견습생의 자격으로 견습기간을 마치지 않은 사람은 우리 조합에서는 도제나 장인이 될 수 없어. 그건 아까 말한 그대로일세. 그렇지만 한 가지 시도를 해볼 수는 있지. 자네가 한동안 이 도시에 머물 수 있다면 나한테 와서 좀 배워도 좋아. 의무도 계약도 없이. 그리고 언제 떠나도 좋네. 조각 끝을 여기서 몇 개쯤 부러뜨려도, 통나무를 몇 개쯤 망가뜨려도 상관없어. 그리고 자네가 조각가가 될 수 없다는 것을 알게 된다면 그때 다른 길을 가더라도 아무 말 하지 않겠네. 뭐 이쯤으로 불만은 없겠지?"

골드문트는 명인의 이야기를 들으면서 따지듯이 불퉁거린 것이 부끄러웠고, 또한 깊은 배려에 고마움과 함께 감동이 밀려와 어찌할 바를 몰랐다.

"정말 감사합니다. 저는 집도 없는 사람입니다. 숲속에서도 지냈는데 이 도시에서 못 지낼 이유가 있겠습니까? 선생님께서 저에게 견습생을 대할 때처럼 애를 쓰시거나 책임을 떠맡길 원치 않으시는 것도 잘 알겠습니다. 저는 선생님께 배울 수 있다는 것만으로도 행운이라 생각합니다. 선생님께서 저에게 그런 허락을 해주시다니…… 진심으로 감사드립니다."

//

이 도시에서는 골드문트의 주위를 새로운 모습들이 에워쌌다. 그에게
새로운 생활이 시작된 것이다. 이 지방과 도시가 그를 유혹하듯 풍성하게
맞이해 준 것처럼 이 새로운 생활은 기쁨과 수많은 약속을 동반하면서
그를 맞이해 주었다. 그의 영혼 속에 깃든 슬픔과 예지의 밑바닥은 조금도
흐트러지지 않은 채 그대로 남아 있었지만, 표면적인 생활은 다채로운
빛깔로 연출되었다. 골드문트의 삶을 통해서 가장 즐겁고 가뿐한 생활이
이제 막 시작되었다. 바깥으로 드러난 측면에서 보면 주교가 상주하는
이 풍족한 주교좌(主敎座)의 도시는 무수한 유희와 정경으로 그를 맞이해
주었고, 안으로는 이제 막 눈뜨기 시작한 예술가적 정신이 발현되면서
새로운 감정과 경험을 선사해 주었다. 그는 스승의 도움으로 생선시장
근처에 있는 어느 연금술사의 집에 거처를 마련했으며, 스승과 연금술사에
게서 목재와 석고, 물감, 니스와 옻칠, 금도금 등에 관한 기술을 익혔다.
　골드문트는 천부적인 재능을 갖고 태어났지만 그것을 표현할 수 있는
적당한 방법을 찾지 못한 수많은 불행한 예술가들과는 달랐다. 사실 이
세상에는 아름다움을 깊고 넓게 느끼면서 동시에 영혼 속에 고귀한 형상들
을 담아내는 재능을 타고났으면서도 정작 그런 형상들을 외적으로 표현하
여 다른 사람들을 즐겁게 해주는 방법을 찾지 못하는 사람들이 상당수
있다. 하지만 골드문트는 그런 재주의 결핍 때문에 괴로워하지는 않았다.
그는 손을 놀려서 무엇인가를 만드는 재주와 솜씨를 익히는 것이 수월하고

174

즐거웠다. 또한 주말이 되면 몇몇 동료들과 어울려 류트(가장 오래된 현악기의 하나) 연주법을 익히고 일요일이 되면 마을의 무도장에서 춤을 배우는 일도 어렵지 않았다. 그런 것을 익히기는 쉬웠고, 크게 애쓰지 않아도 자연스럽게 진척되어 갔다. 물론 목각(木刻)만큼은 여전히 성의를 다해 노력해야 했고, 간혹 어려움과 실망도 맛보아야 했다. 뿐만 아니라 이런저런 재질의 멋진 나무 조각을 형편없이 절단 내기도 했고 몇 번이나 손가락에 큰 상처를 내기도 했다. 그렇지만 그는 금방 초보 수준을 넘어 제법 어려운 것도 다룰 수 있는 기술을 습득했다. 그럼에도 불구하고 스승은 가끔 씁쓸해하며 이렇게 말하기도 했다.

"골드문트, 자네가 내 견습생이나 도제가 아닌 것이 참으로 다행이네. 자네가 시골길과 숲속을 헤매다 내게 찾아왔듯이 언젠가는 또 그곳으로 돌아갈 거라는 것을 우리가 알고 있다는 것도 좋은 일이지. 자네가 이곳 주민이나 기술자가 아닌 고향도 없이 떠도는 뜨내기라는 사실을 모르는 사람 같으면 아마도 스승이 자기 제자들한테 요구하게 마련인 이런저런 일들을 자네한테 시켰을 거야. 자네는 신명이 날 때는 정말 훌륭한 일꾼이네. 하지만 자네는 지난 주일에는 이틀이나 아무것도 하지 않았더군. 또 어제는 안마당 작업장에서 두 개의 천사 상에 광택을 입혀야 했는데 반나절 동안이나 잠을 자니 않았나?"

스승의 꾸지람은 지당했다. 골드문트는 아무 변명도 하지 않고 가만히 듣고만 있었다. 그는 자신이 신뢰를 받을 수 있는 인간도, 부지런한 인간도 아니라는 사실을 깨닫고 있었다. 어떤 일이 그에게 어렵게 느껴지거나 그 완성이 확실하다고 느껴지는 일이 앞에 있을 때는 그는 부지런한 일꾼이었다. 그러나 힘들지는 않지만 시간과 근면이 요구되는 일은 싫어하고 못 견뎌했다. 그런 일은 대개 수작업을 요구했기에 충실하면서도 끈기 있게 수행해야 했는데, 그는 그런 일을 잘 견뎌내지 못하고 힘들어했다. 그는 이따금 자신에게서 그런 점을 발견하곤 스스로도 불안해하면서 놀라기도 했다. 지난 몇 해 동안의 유랑생활이 그를 이렇게 게으르고 믿지 못할 사람으로 만든 것은 아닐까? 아니면 어머니한테 물려받은 기질이 그의 속에서 자라나 그를 압도하는 것은 아닐까? 그것도 아니라면 도대체 무엇이 결핍되어 있는 것인가? 그는 수도원에서 지냈던 처음 몇 년을 또렷이 기억했다. 그때는 너무나 부지런하고 착실한 학생이었다. 그런데 지금은 그런 인내심이 모두 어디로 사라진 것일까? 어떻게 싫증도 내지 않고 라틴어 구문을 익히는데 그토록 몰두할 수 있었으며, 마음 한구석에서는 사실 그다지 대단한 것이라고 생각지도 않았으면서 까다로운 그리스어 문법을 익힐 수 있었던 것일까? 그런 생각들이 이따금 두서없이 떠올랐다. 그 무렵 그를 단련시켜주고 격려하면서 날개를 달아준 것은 사랑이었다. 그의 학습은 나르치스의 사랑을 얻으려고 애쓰는 것 외에 아무것도 아니었다. 나르치스로부터 사랑을 얻는 방법은 그의 주의를 끄는 것과 그의 인정을 받는 것뿐이었다. 그때는 사랑하는 선생이 자기를 인정해 주는 눈길을 보내주기만 하면 몇날 며칠이고 노력을 아끼지 않았다. 그리하여 그가 간절히 원했던 목표에 도달하여 나르치스의 친구가 될 수 있었던 것이다. 그렇지만 아이러니컬하게도 바로 그 나르치스가 골드문트에게 학자로서의 부적합성을 지적하고, 마음속에 묻혀 있던 어머니의 영상을 생생하게 되살려냈다. 그 후 학식이나 수도자의 생활이나 덕성을 쌓는 대신 그의 본성에서 솟구치는 강렬하고도 근본적인 원초적 충동, 즉 성욕이나 여인의 사랑, 자유에 대한 갈구와 방랑벽 등이 그를 지배하게 되었다. 그런데 이제 골드문트는 명인이 만든 마리아 상을 보고 나서 자신 안에 깃들어 있는 예술가적인 재능을 발견하였고, 새로운 길로 접어들어 다시 한 곳에 머물게 된 것이다. 그렇다면 이제 어떻게 될 것인가? 그가 들어선 길은 어디로 계속 이어질 것인가? 장차 어떤 장애가 나타날까?

　처음에는 그 이유를 알지 못했다. 단지 그가 알고 있는 것은, 니콜라우스 명인을 무척 존경하지만 한때 나르치스를 사랑했던 방법과는 다르다는 점이었다. 아니, 선생을 실망시키고 화나게 해주는 것이 때로는 즐겁기조차 하다는 것뿐이었다. 니콜라우스의 손으로 이루어지는 형상, 적어도 그 중에서 제일 잘된 작품들은 골드문트가 숭배하고 존경하는 모범들이었다. 하지만 명인 자신은 결코 골드문트에게 모범이 될 수 없었다.

입가에 더할 수 없는 괴로움과 아름다움이 스며 있는 성모상, 그 성모상을 조각한 예술가적인 정신과 함께 깊은 경험과 예감들을 형상화할 수 있는 그 불가사의한 두 손을 가진 인간이 바로 니콜라우스였다. 그러나 니콜라우스의 내면에는 이런 인간과 함께 또 다른 기질이 숨어 있었다. 즉 어느 정도는 엄격하고 예민한 아버지의 기질, 조합의 우두머리다운 기질, 또는 딸과 늙고 못생긴 하녀와 같이 조용한 집에서 세파의 시달림 없이 다소 침울한 생활을 보내고 있는 홀아비다운 기질이 그의 또 다른 모습이었다. 그는 골드문트의 과격한 충동을 경멸했고 강력하게 거부했다. 그는 정직과 억제, 규율과 체면 등을 지켜나가는 생활이 몸에 배어 있는 사람이었던 것이다.

골드문트는 스승을 존경했기에 감히 다른 사람에게 그에 대해 꼬치꼬치 캐묻는다거나 다른 사람 앞에서 그의 인격을 비판하는 따위의 말들은 그 스스로도 결코 허락하지 않았다. 하지만 1년이 지난 후에는 상황이 달라졌다. 그는 니콜라우스에 대해 아주 자세한 부분까지를 알게 되었고, 그런 그를 사랑했다. 스승은 그에게 있어 매우 중요한 존재였다. 스승 또한 그를 사랑했지만, 사랑하는 것만큼 미워했다. 그는 골드문트에게 조금의 휴식도 주지 않았다. 그러다 보니 제자인 골드문트는 사랑과 불신의 감정을 동시에 갖고서 스승을 대하게 되었고, 또한 점차 눈떠 가는 호기심을 가지고 스승의 특성과 생활의 비밀을 파헤쳐 들어갔다. 골드문트는 빈 방이 있는데도 니콜라우스가 집에 견습생이나 도제를 자신의 집에 머물게 하지 않고, 외출을 하지 않는 것은 물론이고 집에 손님을 초대하는 일도 없다는 것을 알게 되었다. 스승은 아름다운 딸을 열성을 다해 감동적으로 사랑하지만, 누구에게도 보여주길 꺼려했다. 그런가 하면 이 홀아비의 엄격하고 조로한 금욕주의 이면에는 아직도 왕성한 충동이 잠재되어 있었다. 간혹 출장 부탁을 받고 여행을 하게 되면 며칠 동안 사람이 이상하게 변하면서 젊어지기도 한다는 것을 알게 되었다. 언젠가 한번은 니콜라우스가 조각한 연단(演壇)을 설치해 주러 어느 낯선 소도시의 교회에 간 적이 있는데, 그때 밤에 몰래 창녀를 찾아갔다. 그 후 며칠 동안은 몹시 불안해하며 얼굴을 계속 찌푸리고 있는 것을 골드문트는 목격했었다.

시간이 흐를수록 이런 호기심 이외에도 골드문트를 스승의 집에 붙들어 매는 또 다른 무엇이 있었다. 그의 마음을 흐뭇하게 해준 아름다운 리즈베트가 있기 때문이었다. 그녀를 볼 기회는 아주 드물었다. 그녀는 작업장에 들어오는 법이 없었다. 그녀의 수줍음과 냉정한 태도는 아버지에게서 강요를 받았기 때문인지, 아니면 그녀 자신의 천성에 의한 것인지 확실치 않았다. 다만 분명한 것은 스승이 두 번 다시 그를 식탁에 초대하지 않았다는 것과 딸을 만날 수 있는 모든 기회를 차단했다는 사실이다. 리즈베트는 엄격하게 보호받으며 귀하게 길러지고 있는 딸이라는 것을 그는 알 수 있었고, 결혼을 전제로 하지 않는 사랑이나 연애는 전혀 가망이 없어 보였다. 그리고 그녀와 결혼하고 싶은 사람은 우선적으로 품위 있는 집안 자식으로서 상급층에 속하는 조합원의 일원이어야 했고, 넉넉한 재산과 집 정도는 가지고 있어야 했다.

리즈베트의 미모는 집시 여인이나 농가 아낙들과는 차원이 달랐다. 그녀는 첫날부터 골드문트의 눈을 매혹시켰다. 그녀에겐 아직 그가 알지 못하는 그 무엇이 있었다. 독특한 인상은 그를 격렬하게 끌어당겼지만 쉽게 친근감을 갖지 못하게 했으며, 뭔가 모르게 불안하게까지 만드는 묘한 구석이 있었다. 그녀는 지나친 침착성과 천진무구함, 엄격한 규율과 함께 순결함을 지녔으면서도 결코 유치하지 않았다. 또한 그녀의 단정한 품행에는 냉담함과 오만함이 깃들어 있었다. 그녀의 천진무구함이 그를 감동시키지는 않았지만 그렇다고 무기력하게 만들지도 않았다. 오히려 그를 자극하고 도발시키기에 충분했다. 시간이 흐르는 동안 그녀의 자태가 골드문트의 마음속에 차츰 어떤 형상으로 자리를 잡게 되었고, 그는 그녀를 모델로 인물상을 만들어보고 싶다는 생각을 하기 시작했다. 하지만 그것은 지금 그대로의 모습이 아니었다. 각성된 정신과 관능에 눈을 뜬 여인, 삶에 고뇌하는 여인, 어린 소녀가 아닌 성숙한 처녀의 모습으로 형상화하고 싶었다. 흐트러짐 없이 찬란하게 빛을 발하는 그녀의 아름다운 얼굴이 쾌락이나 고통에 의해 일그러지면서 떨어지는 꽃잎처럼 벌어지고 마침내 그 비밀을 드러내는 모습을 보고 싶다는 욕구가 곧잘 그를 에워쌌다.

　그 밖에도 또 하나 다른 얼굴이 있었다. 그의 영혼 속에서 둥지를 틀고 있는 얼굴이었다. 그는 예술가로서 그 얼굴을 표현하고 싶은 열망에 사로잡혀 있지만, 그 얼굴은 그에게서 자꾸만 달아나 안개처럼 숨어버리곤 했다. 그것은 어머니의 얼굴이었다. 지난날 나르치스와의 대화를 통해서 잃어버린 기억의 심층에서 어머니의 얼굴을 끄집어냈지만, 새롭게 떠오른 어머니의 얼굴은 이미 오래전부터 그때의 모습이 아니었다. 이곳저곳을 떠돌던 나날들, 사랑을 나누던 수많은 밤들, 그리움에 목말랐던 시간들, 생명의 위협을 느끼고 지옥 언저리까지 갔던 순간들을 넘기면서 어머니의 얼굴은 서서히 변모했고 한층 더 풍요로워졌다. 더 깊어진 표정과 다양한 빛깔을 지닌 그 얼굴은 더 이상 그가 기억하고 있던 어머니의 모습이 아니었다. 원래 지니고 있던 표정과 빛깔은 점차 한 개인을 넘어선 어머니 상(像), 즉 온 인류의 어머니인 이브의 형상으로 바뀌었다. 스승 니콜라우스의 작품 중에는 고통 받는 성모님의 모습을 완벽하고도 강렬하게 표현한 마리아 상이 있다. 그것은 골드문트로서는 도무지 표현해 낼 수 없는 완벽함의 극치였다. 스승이 이런 형상을 다듬은 것과 같이, 골드문트 자신도 언젠가는 이브의 모습으로 떠오르는 세속적인 어머니 상을 그의 마음속에 자리 잡고 있는 가장 오래되고 사랑스럽고 신성한 모습 그대로 형상화해 보겠다는 소망을 가졌다. 그러려면 지금보다 더 성숙하고 더 확실한 능력을 가져야만 했다. 그의 마음속에 존재하고 있는 이 형상은 그 자신의 어머니에 대한 기억과 사랑의 추억으로부터 떠올린 형상에 불과했지만 그것은 끊임없는 변모와 성장을 거듭해 갔다. 집시 여인 리제의 표정과 기사의 딸 리디아의 표정, 그리고 수많은 여인들의 얼굴들이 그 근원적인 형상 속으로 스며들고 있었다. 그가 사랑했던 수많은 여인들의 얼굴뿐만 아니라 그가 겪었던 온갖 체험과 충격과 감동들이 이 형상에 녹아들어 특성을 부여해 주었다. 이 형상을 구체적으로 표현해 낼 수 있는 날이 온다면 그것은 어느 특정한 여인이 아닌 모든 사람들의 어머니로서 생명 그 자체를 형상화해야 할 터였다. 골드문트는 가끔 그것이 눈에 보이는 듯했다. 그 형상이 꿈속에도 종종 나타났다. 하지만 이 이브의 얼굴과 스스로 표현해야 할 얼굴에 대해 골드문트가 말할 수 있는 것은 극히 단순했다. 즉 그것은 삶의 쾌락이 고통이나 죽음과 내밀하게 연관되어 있음을 표현하는 것 말고는 그 밖에 어떤 것도 군더더기에 불과하다는 것이었다.

일 년이라는 기간 동안 골드문트는 많은 것을 배웠다. 재빠르고 완숙하게 스케치할 수 있을 만큼 솜씨를 갖추게 되었고, 자신감도 생겼다. 니콜라우스는 그에게 나무 조각을 하게 하는 한편 틈틈이 점토로 모형을 만들어보라고 지시했다. 그가 점토로 제일 처음 만든 작품은 높이가 한 자쯤 되는 조상(彫像)이었다. 그것은 리디아의 동생인 율리에의 감미롭고 매혹적인 자태를 담은 형상이었다. 스승인 니콜라우스는 이 작품을 칭찬해 주었다. 하지만 이것을 금속 주형(鑄型)으로 만들고 싶다는 골드문트의 청은 묵살당했다. 그의 스승은 그 모형에 대해 정숙하지 못하고 지나치게 세속적이라고 평했고, 그런 이유로 그의 청을 들어주지 않았던 것이다. 골드문트가 그다음에 시도한 작품은 나르치스의 상(像)이었다. 그는 그것을 요한 사도의 모습을 모형으로 해서 목각으로 만들기로 했다. 이 작업에 성공하면, 니콜라우스가 주문을 받아 벌써 오래전부터 두 명의 조수가 작업하고 있는 십자가 군상(群像)에 그것을 포함시킬 수도 있을 거란 바람이 내심 있었기 때문에 골드문트는 이 일에 최선을 다했다. 물론 최종 마무리 작업은 스승 니콜라우스가 할 것이다.

골드문트는 깊은 애정을 가지고 나르치스의 조상(彫像)을 만들어 나갔다. 그는 이 작업을 통해 자기 자신의 본모습은 물론이고 예술가로서의 정신과 영혼을 다시 찾아냈다. 그러나 그의 생각과는 달리 정상적인 궤도에서 벗어나는 일이 드물지 않게 생겼다. 여자들을 만나 사랑을 나누거나 무도회에 가기도 했고, 술자리나 주사위놀이판을 기웃거리다가 간혹 주먹다짐하는 일까지도 벌어져 마음이 뒤숭숭할 때가 많았다. 그럴 때면 일이 도무지 손에 잡히지 않아 하루나 혹은 며칠씩 작업장을 떠나 있기도 했다. 그런 가운데 깊은 생각에 잠긴 요한 사도의 형상이 통나무 속에서 터벅터벅 걸어 나와 그 모습을 드러냈다. 하지만 그는 마음의 준비를 갖추었을 때만 경건하고 겸허한 태도로 작업에 몰입했다. 그런 시간에는 즐겁지도 슬프지도 않았고, 삶의 환희나 인생의 덧없음도 생각하지 않았다. 그럴 때면 그 친구에게 의지하며 그의 인도를 기껍게 받아들였던 시절, 어두운 그림자 따위는 드리워지지 않았던 그 시절의 감정이 되살아나 그는 경이롭고 밝고 순수한 마음 상태를 유지할 수 있었다. 작업장에서 자신의 의지대로 형상을 새기고 있는 사람은 골드문트가 아니고 오히려 다른 사람이었다. 예술가인 그의 손을 빌려 삶의 무상함과 가변성으로부터 벗어나 삶의 본질에 관한 순수한 형상을 만들어가고 있는 주체는 또 다른 존재, 바로 나르치스였다.

이런 과정을 거쳐 참다운 작품이 태어난다는 것을 느끼면서, 골드문트는 때때로 전율하곤 했다. 스승이 만든 불멸의 작품 마리아 상도 그렇게 탄생되었을 것이다. 골드문트는 일을 시작하고 나서부터 그 마리아 상을 보기 위해 몇 번이나 수도원에 갔다 왔다. 스승이 문간 위쪽에 나란히 세워놓은 먼지 앉은 입상들 가운데서 최상의 것으로 꼽히는 작품 두 개도 신비롭고 거룩한 이런 과정을 거쳐 태어났을 것이다. 그와 마찬가지로 그에겐 더욱 신비하고 거룩하며 유일한 것이 될 또 다른 작품, 인류의 어머니 이브를 형상화할 그 작품도 언젠가는 이와 같은 과정을 거쳐 태어날 것이라고 생각했다. 아! 인간의 손으로 그러한 예술 작품을, 그와 같이 성스럽고 필연적이며 어떠한 욕망이나 허영에도 더럽혀지지 않는 형상을 창조할 수 있다면……

하지만 반드시 그런 것만은 아니라는 것을 골드문트는 진작부터 알고 있었다. 인간은 다른 형상도 얼마든지 만들어낼 수 있다. 아주 예쁘고 매혹적인 대상들이 위대한 장인의 솜씨로 만들어져서 예술 애호가들을 즐겁게 해주고, 성당이나 관공서의 홀을 장식하고 있지 않은가. 물론 이런 것들도 아름답기는 하지만, 참다운 영혼이 살아 있는 거룩한 형상은 아닌 것이다. 골드문트는 니콜라우스나 다른 명인들이 만든 작품 가운데서도 그런 작품들을 찾아볼 수 있었다. 그것들을 보고 있으면 그 착상이 뛰어나고 정교하며 고상한 품위까지 지니고 있음에도 불구하고 유희나 장식에 불과하다는 생각이 지워지지 않았다. 골드문트는 자신의 마음속에도 그런 작품을 만들고 싶은 욕구가 도사리고 있다는 것을 깨닫고는 부끄럽고 서글펐다. 아무리 순수함을 지향하는 예술가라 하더라도 스스로의 능력에 도취되거나 명예욕에 들떠서, 또는 자신의 기분에 휩싸여서 그러한 것을 세상에 내놓을 수 있는 법이다. 골드문트는 그러한 사실을 뼈에 사무치도록 알고 있었고, 또한 자신의 손끝에서도 그러한 불순함이 느껴졌던 것이다.

그런 사실을 처음으로 자각했을 때, 그는 견딜 수 없이 슬펐다. 아, 아무리 순수하다고 하더라도 예쁘장한 천사의 형상이나 혹은 다른 쓸데없는 것을 만들기 위해 예술가가 될 이유는 없었다. 그런 것은 기능공이나 소시민들, 혹은 조용히 자기 생활에 만족하는 사람들에게는 위안을 줄 수 있는 일일지 모르지만 그에게는 아무런 의미가 없는 일이었다. 예술이나 예술가라는 것도 그것이 태양처럼 빛나고 이글이글 타오르지 않는다면, 또한 폭풍우처럼 힘찬 것이 아니라면, 일시적인 쾌락이나 평온함을 가져다주는 것에 불과하다면 그런 것은 아무 소용이 없다고 생각했다. 그는 다른 무엇인가를 추구했다. 레이스를 단 옷에 근사한 화관을 쓰고 있는 곱디고운 마리아 상에 금도금을 하는 일 따위는 아무리 보수가 좋다 하더라도 그가 할 일이 아니라고 생각했다. 그런데 스승 니콜라우스는 어째서 그런 주문을 거절하지 않고 모두 다 받아들이는 걸까? 어째서 조수를 둘이나 데리고 있는 걸까? 시의원이나 수도원 원장들이 건물의 현관 장식이나 제대를 주문하면, 왜 그는 몇 시간이고 자를 손에 든 채 그들의 요구에 귀 기울이는 것일까? 아마도 하찮은 두 가지 이유 때문에 그렇게 할 것이라고 골드문트는 생각했다. 주문이 산더미처럼 밀려오는 유명한 예술가라는 자부심이 그 한 가지 이유일 것이고, 돈을 모으고 싶은 것이 또 한 가지 이유일 것이다. 돈이라고 해도 사업의 확장이나 사치를 위해서가 아니라, 오직 자기 딸을 위해서였다. 벌써 오래전부터 부자가 된 딸을 위해서, 그 딸을 그럴듯한 집에 시집보내기 위해서, 호두나무로 만든 침대에 값비싼 이불을 잔뜩 쌓아 두기 위해서였다. 마치 그 예쁜 처녀는 건초더미가 깔린 바닥에서는 절대로 사랑을 즐길 수 없다는 듯이!

그런 생각이 들 때면 골드문트의 마음 깊은 곳에서는 어머니의 피가 들끓으면서 꿈틀댔다. 그것은 한 곳에 정착하고 있는 사람이나 많은 재물을 가진 사람에 대해 떠돌이가 갖는 긍지와 멸시의 감정이었다. 지금 하고 있는 일이나 스승이 제작한 작품이 보기 싫어져서 도망치고 싶을 때도 가끔 있었다.

스승인 니콜라우스도 역시 마찬가지였다. 벌써 몇 번째 화를 삭이면서, 이토록 다루기 힘들고 믿을 수 없는 녀석을 받아들인 것을 후회했다. 이 젊은 녀석은 가끔 그의 인내력을 시험하기 위해 그를 실험대에 올려놓은 듯했다. 골드문트의 떠돌이 기질, 돈이나 소유에 대한 무관심, 낭비하는 버릇, 숱한 염문, 흔한 주먹다짐 등에 대해 알게 되면 도무지 마음을 너그럽게 가질 수가 없었던 것이다. 일개 떠돌이를, 결코 믿을 수 없는 녀석을 불러들인 셈이었다. 또한 이 떠돌이가 그의 딸 리즈베트를 어떤 눈으로 보고 있는가도 니콜라우스는 놓치지 않고 주시했다. 그럼에도 불구하고 그 모든 것을 참고 있는 것은 어떤 의무나 불안감 때문이 아니었다. 그것은 이제 윤곽을 드러내기 시작한 요한 사도의 형상을 완성시키겠다는 일념 때문이었다. 그가 처음에 이 떠돌이를 자기 곁에 붙들어놓은 이유도 좀 서툴기는 하지만 너무나 감동적이고 아름다운 스케치를 해보였기 때문이었다. 드러내놓고 인정한 것은 아니지만, 니콜라우스는 사랑의 감정으로 그를 바라보았다. 숲을 헤매다가 자신에게 굴러온 이 떠돌이가 섬세하면서도 어디 하나 빈 틈 없이 사도상을 완성해 가는 것을 지켜보면서, 니콜라우스는 한 가지만은 확신했다. 변덕스럽기도 하고 일하는 태도에도 문제가 많지만 그래도 언젠가는 그의 제자 가운데서 어느 누구도 만들어내지 못했던 그런 작품, 위대한 장인들도 좀처럼 성공시키지 못할 그런 작품을 탄생시킬 것이라는 믿음이 생겼다. 그러면서도 마음에 들지 않은 구석이 많아, 스승은 제자를 꾸짖기도 하고 화도 곧잘 냈다. 하지만 요한 사도 상(像)에 대해서만은 한마디 말도 하지 않았다.

골드문트는 재기발랄한 젊음과 어린애 같은 솔직성 때문에 많은 사람들에게서 호감을 샀으나, 최근 몇 해 사이에 그러한 그의 모습이 점차 사라져

갔다. 이제는 제법 어른스러워졌고 믿음직한 사나이가 되어, 여자들에게서는 자주 유혹을 받았으나 남자들한테서는 도무지 호감을 받지 못했다. 수도원 시절에 나르치스가 달콤하게 잠든 골드문트를 깨웠던 날, 세상과 방랑생활에 몸을 던진 그날 이후 그의 정서와 내면의 면모가 상당히 달라졌다. 귀엽고 순수한, 그래서 누구에게서나 사랑을 받는, 경건하면서도 성실한 수도원 시절의 학생은 이미 오래전에 사라지고 완전히 다른 사람이 되어 있었다. 나르치스는 그를 일깨워주었고, 여자들은 그 자신을 자각하도록 만들었으며, 방랑생활은 소년 같은 티를 말끔히 씻어주었다. 그는 친구를 만들지 않았다. 그의 마음은 여자들한테만 쏠려 있었다. 여자들은 별다른 노력을 하지 않아도 그를 손에 넣을 수 있었다. 원하고 있다는 눈짓 한 번이면 충분했다. 그는 여자에겐 언제나 무력해서 하찮은 추파에도 쉽게 응했다. 아름다움에 대해 매우 섬세한 감수성을 지닌 그는 아직 솜털에 싸여 있는 꽃다운 처녀들을 좋아했지만, 그다지 아름답거나 젊지 않은 여자들에게도 쉽게 마음을 열고 유혹에 응했다. 춤추는 모임에서는 간혹 소심하고 용기 없는 나이든 처녀한테 매달릴 때도 있었다. 아무도 탐내는 사내가 없는 그 처녀들에게는 일단 동정심을 갖지만, 동정심뿐만 아니라 식을 줄 모르는 일종의 호기심 때문에 그들에게 가까이 다가가는 것이었다. 일단 여자에게 빠져들기 시작하면 몇 주일이 계속되든 단 몇 시간에 불과하든 그 여자는 그에게 있어 가장 아름다운 존재가 되었고, 그 또한 자신의 모든 것을 바쳤다. 그리고 경험으로 알게 된 사실이지만, 여자는 누구든 아름다운 존재이며 다른 사람을 행복하게 해줄 능력이 있었다. 또 남자들에게 주목받지 못하고 멸시받는 여자라 할지라도 불꽃같은 정염으로 타오를 수 있었고, 방금 피어난 꽃 같은 여자일지라도 모성애 이상의 애틋함을 보여주었다. 또한 어떤 여자라도 그녀들 나름의 비밀과 매력을 지니고 있으며, 그런 매력의 열쇠를 여는 것은 정말 즐거운 일이기도 했고 상대방을 행복하게 해줄 수도 있었다. 그 점에 있어서는 어떤 여자도 예외가 없었다. 젊음이나 아름다움이 다소 모자란다 해도 그것은 어떤 독특한 몸짓에 의해 상쇄될 수 있었다. 하지만 어떤 여자도 그를

184

오래 붙들어 두지는 못했다. 그는 나이가 어린 여자나 아름다운 여자라고 해서 아름답지 않은 여자를 대할 때보다 더 많은 애정을 표시한다거나 고마워하는 법이 없었다. 그는 결코 중도에서 슬며시 때려치우는 그런 사랑은 하지 않았다. 하지만 어떤 여자는 사흘이나 혹은 열흘 정도 사랑의 밤을 보낸 다음에야 비로소 그를 사로잡았고, 어떤 여자는 첫날밤부터 흡족해하며 흠뻑 빠져들었다.

골드문트에게 사랑과 성의 쾌락은 인생을 따뜻하게 해줄 뿐 아니라, 가치를 가지고 가슴을 채워주는 유일한 것이었다. 그는 명예욕이라는 것을 몰랐기에, 그에게는 주교나 거지나 똑같은 인간이었다. 아무 차이가 없었다. 소득이나 재산도 그를 붙들어놓을 수는 없었다. 그는 그런 것을 경멸했다. 그는 그럴 수만 있다면, 그런 것을 위해서 털끝만큼도 자신의 인생을 허비하고 싶지 않았다. 그랬기에 간혹 풍족하게 돈을 벌게 되면 아무 생각 없이 탕진해 버렸다. 여자와의 사랑과 성(性)의 유희, 그것이 그에게는 무엇보다 중요하고 소중했다. 가끔 그가 슬픔과 권태의 늪 속으로 빠져들어가는 성향을 보인 것도 결국 성적 쾌락의 무상함과 덧없음을 경험한 데서 비롯된 것이었다. 사랑의 쾌감은 순식간에 불꽃처럼 피어올라 황홀경에 빠뜨리지만, 짧은 순간 갈망으로 불탔다가 이내 소멸되지 않는가. 골드문트는 그러한 과정 속에 모든 체험의 핵심이 들어 있다고 생각했고, 이것은 그에게 인생의 모든 환희와 고뇌를 말해 주는 상징이 되었다. 그는 사랑을 할 때와 마찬가지로 비애와 무상이 안겨주는 전율에도 몸과 마음을 온전히 내맡겼다. 그러한 비애와 우수 또한 그에게는 사랑이요 둘도 없는 쾌감이었던 것이다. 사랑의 환희가 최고조에 다다른 그 순간에는 그것이 세상에서 가장 고귀하고 가장 행복한 긴장일 수 있지만, 그 순간만 지나면 순식간에 사라져서 소멸해 버리지 않는가. 그렇듯이 내밀한 고독과 슬픔도 다시금 인생의 밝은 면에 몰입하여 몸과 마음을 맡기고 싶은 욕구로 변화될 수 있는 것이었다. 죽음과 쾌락은 하나였다. 사랑과 쾌락을 생명의 어머니라고 부를 수 있다면 죽음과 소멸 또한 그렇게 부를 수 있을 것이다. 골드문트의 어머니는 이브였다. 그녀는 행복의 근원인 동시에 죽음의 근원이기도 했다. 그녀는 영원히 낳고 또한 영원히 죽이는 존재였다. 그녀에게 사랑과 두려움은 하나였다. 그녀를 마음속에 오래도록 간직하고 있으면 있을수록 그것은 비유가 되고 거룩한 상징이 되었다.

골드문트는 자기가 가는 길이 어머니에게로, 그리고 쾌락과 죽음으로 치닫고 있다는 것을 알고 있었다. 비록 언어나 각성된 의식으로 표현하지는 못했지만, 그보다 더 깊은 차원에서 피의 직감으로 그것을 알 수 있었다. 아버지의 요소를 지니고 있는 생명적인 것, 즉 정신이나 의지는 그의 고향이 아니었다. 그런 것은 나르치스의 고향이었다. 골드문트는 이제 비로소 친구의 말을 온전히 이해하게 되었고, 그 친구에게서 대립적인 기질을 발견하게 되었다. 그는 이러한 깨달음을 요한 사도의 상(像)에 담아 형상화시켰다. 눈물나도록 나르치스가 보고 싶었고 그에 대해 신기한 꿈을 꾸기도 했다. 하지만 그럴 수는 있어도 그를 따라간다거나 그와 같은 부류의 사람이 되는 것은 불가능했다.

골드문트는 어떤 보이지 않는 감각으로 자신의 예술과 자신 안에 들어 있는 예술가적 기질의 비밀이 무엇인지 감지하고 있었다. 그는 마음속으로 예술을 사랑하면서도 때로는 과격하다고 할 만큼 거칠게 증오심을 드러냈다. 그는 의식적인 생각을 거치지 않은 채, 막연한 감정으로 수많은 비유를 떠올렸다. 이를테면 예술은 아버지의 세계와 어머니의 세계가 가진 정신과 죄의 결합이었다. 예술은 가장 감각적인 세계에서 시작하여 가장 추상적인 세계로 흘러갈 수 있었고, 혹은 순수한 관념의 세계에서 시작하여 가장 원초적인 육신의 세계에서 끝날 수도 있었다. 진정으로 숭고한 예술 작품, 교묘하게 마술을 부린 것처럼 훌륭한 작품, 영원의 비밀로 가득 차 있는 작품, 이를테면 명인이 만든 성모상처럼 의문의 여지가 없는 진짜 예술 작품, 단 하나의 오류도 없는 순수한 완벽한 예술 작품 등은 모두가 위험하기 이를 데 없는 양면성을 가지고 있었다. 그것들은 부드럽게 웃음 짓지만 그 의미를 헤아리기 어려운 이중의 얼굴을 갖고 있었고, 남성적이면서도 여성적인 얼굴처럼 본능적 충동과 순수한 정신을 함께 가지고 있었다. 골드문트가 언젠가 인류의 어머니인 이브의 형상을 만들어내는 데 성공한다면, 그것은 그러한 이중성을 무엇보다도 잘 드러낼 것이 분명했다.

　예술과 예술가의 존재야말로 골드문트에게 있어 심오한 대립이나 깊은 갈등과 화해하고 융화할 수 있도록 인도하는 그 무엇이었다. 그것은 그의 본성의 분열을 상징했지만, 늘 새롭게 균형을 유지할 수 있는 가능성이기도 했다. 하지만 예술은 결코 거저 주어지는 순수한 선사품은 아니었다. 대가도 지불하지 않고 어디서든 공짜로 얻을 수 있는 것도 아니었다. 예술은 수많은 값을 치러야 하는 것이었다. 예술은 희생을 요구했다. 골드문트는 3년 이상이나 사랑의 쾌락 다음으로 중요한 최고의 불가결한 것, 즉 자유를 예술에 바쳤다. 어떤 경계선도 마음대로 넘나드는 자유분방함, 방랑생활의 방종, 어디에도 소속되지 않은 독립성 등 그 모든 것을 그는 포기했던 것이다. 간혹 화가 나서 발작을 일으키듯 작업장과 일거리를 팽개칠 때면 사람들은 그를 고집불통에 반항적이고 이기적인 변덕쟁이라고 생각했을지 모르지만, 그 자신에게 있어서는 노예 같은 그러한 생활이 견딜 수 없을 만큼 힘들었고 비참하게 여겨졌던 것이다. 그럼에도 그가 굴욕을 참으면서 복종하지 않으면 안 되었던 대상은 선생이나 미래가 아니었고, 궁핍한 생활도 아니었다. 그것은 예술 그 자체 때문이었다. 예술은 겉으로 보아서는 매우 고상한 정신적 세계 같지만, 실은 하찮은 것들을 너무나 많이 필요로 했다. 예술을 하려면 안정된 작업 공간이 있어야 했고, 작업 도구가 있어야 했다. 비바람을 막는 지붕은 물론이고 각종 연장과 통나무, 점토, 물감 등과 함께 노동과 인내까지 동반되어야 했다. 그는 예술을 위해 야성적인 숲속의 자유를, 허허벌판에서 만끽하는 도취를, 위험하기는 하지만 짜릿한 쾌감을, 안빈낙도의 자부심을 모두 희생했다. 그러면서도 숨이 막힐 것 같은 고뇌 속에서 화를 삭이며 다시금 새로운 제물을 바쳐 나가지 않으면 안 되었다.

　골드문트는 이미 희생으로 바쳐진 일부분을 되찾으려고 조그만 복수를 하곤 했다. 자신의 생활을 꼼짝 못하게 묶어놓은 노예적인 질서와 뿌리내린 고정된 틀에서 벗어나기 위해 사랑의 모험을 감행하거나 경쟁자와 싸움을 벌이기도 했는데, 그럴 때면 그의 본성 깊숙이 갇혀 있던 야만성과 억눌려 있던 힘이 뿜어져 나왔다. 그는 싸움꾼으로 소문이 났고, 사람들이 그를 보면 슬슬 피하면서 겁내는 존재가 되어버렸다. 처녀를 찾아가는 길목이나 무도장에서 돌아오는 길에 별안간 어두운 골목길에서 습격을 받아 몇 대 얻어맞는 때도 있었다. 이럴 때 그는 으레 번개처럼 날쌔게 몸을 솟구쳐 막아내며 공격을 취했다. 숨이 차서 헐떡거리는 놈을 때려눕히고는 주먹으로 턱밑을 한 대 갈기기도 했고 머리끄덩이를 끌거나 멱살을 움켜잡고 목을 조르기도 했다. 이렇게 하고 나서 침울한 기분을 잠시 동안 잊기도 했으며, 그런 일들로 여자들에게 환심을 사기도 했다.

그러한 모든 사건들이 그의 일상을 풍요롭게 채워주었고, 요한 사도 상(像) 작업이 계속되는 동안에는 모든 일에 나름의 의미를 부여할 수 있었다. 그 작업은 참으로 오랜 시간이 걸렸다. 특히 얼굴이나 손발을 작업할 때는 가슴속에 새겨진 모습을 섬세하게 표현해 내기 위해 엄숙하고 끈기 있게 정신을 집중시켰다. 도제들이 일하는 작업장 뒤편의 조그만 목재창고에서 그는 입상의 마무리 작업을 마쳤다. 새벽녘이었다. 골드문트는 비를 가져와서 창고 안을 말끔하게 청소한 다음, 요한 사도의 머리카락 속에 쌓인 나무가루 먼지를 붓을 사용해서 조심조심 털어냈다. 그리고 한참 동안을 그 앞에 서 있었다. 그는 흔히 접할 수 없는 위대한 체험을 했다는 엄숙한 감정에 젖어 있었다. 한평생을 사는 동안 이런 체험을 또다시 할 수 있을는지, 아니면 이것으로 마지막일는지 모를 일이었다. 남자는 결혼식 날이나 기사로 임명되는 날, 여자라면 첫 해산을 한 다음에 이 같은 감동을 마음속 깊이 느낄 수 있을는지 모른다. 그것은 참으로 숭고한 감격이며 심오한 엄숙함이었다. 하지만 이토록 숭고하고 유일무이한 체험도 일단 그 순간이 지나고 나면 틀에 박힌 일상생활로 휩쓸려 들어갈 것이라는 은근한 불안감이 한쪽에서 고개를 디밀었다.

골드문트는 그대로 선 채 입상을 물끄러미 바라보았다. 뭔가에 귀를 기울이듯 그윽하게 고개를 들고 있는 아름다운 사랑의 사도(使徒)…….
이제 막 피어나는 꽃봉오리처럼 환하게 웃는 미소 속에는 차분함과 외경심이 가득 담겨 있었고, 아름다운 얼굴에는 헌신의 삶을 사는 사람만이 지닐 수 있는 경건함이 녹아 있었다. 이런 모습의 형상에서 그는 자신의 소년 시절 스승이며 친구인 나르치스를 떠올렸다. 아름답고 경건하고 이지적인 얼굴, 허공에 뜬 것처럼 날씬한 몸매, 품위와 믿음의 상징인 듯 위로 쳐들어진 기다란 두 팔……. 이 온갖 것들은 젊음과 내면적인 음악에 충만해 있으면서도 고통과 죽음의 그림자까지도 끌어안고 있었다. 하지만 절망과 혼란과 반항은 얼씬거릴 수조차 없을 만큼 완고해 보이기도 했다. 또한 즐거움이나 슬픔은 그런 고귀한 표정의 이면에 접어둔 채 어떤 불협화음에도 흔들리지 않겠다는 의지와 각오를 드러냄으로써 절묘하게 균형감을 유지하고 있었다. 그 영혼은 순수 자체였고, 조화 그 자체였다.

골드문트는 한참 동안 자신의 작품을 바라보며 서 있었다. 그의 관찰은 청춘의 첫 시절과 우정을 반추하는 이 작품에 대한 경건한 묵상으로 시작되었으나, 결국은 폭풍우처럼 몰려드는 격정과 무거운 상념으로 끝을 맺었다. 이제 그의 작품이 이곳에 서 있다. 이 아름다운 사도는 오래도록 이곳에 남게 될 것이고, 섬세하게 피어나는 아름다움은 결코 끝나지 않을 것이다. 그러나 그 작품을 만든 그 자신은 이제 작품과 작별하지 않으면 안 되었다. 내일 아침이 되면 이 작품은 더 이상 그의 것이 아니다. 이제는 그의 손길을 기다리지도 않을 것이며, 이제는 그의 손길에 의한 보살핌으로 성장하거나 꽃을 피우지도 않을 것이다. 이제는 그에게 삶의 피난처가 되어주지도 않고 위안이나 의미를 가져다주지도 않을 것이다. 그는 허망한 생각이 밀려와 조금 뒤로 물러섰다. 그렇다면 오늘 이 요한 상과 작별을 고하고, 스승과 이 도시 그리고 예술과도 작별하는 것이 최선의 방법이 아닐까 싶었다. 이곳에서는 이제 더 이상 할 일이 없었다. 그의 영혼 속에는 그가 만들어야 할 형상이 남아 있지 않은 것이다. 그가 그렇게도 만들고 싶어 하는 최고의 형상, 즉 이브의 형상에는 좀처럼 그의 손길이 미치지 못했으며 앞으로도 오래도록 그럴 것이다. 이제 다시 보잘것없는 천사 상에 금박을 입히거나 장신구 따위를 조각해야 한단 말인가?

골드문트는 그 자리에서 몸을 돌려 선생의 작업장으로 들어갔다. 조용히 안으로 들어가서, 니콜라우스가 그를 알아보고 말을 건네올 때까지 그는 문가에 그대로 서 있었다.

"골드문트, 무슨 일이지?"

"선생님, 작품이 완성되었습니다. 식사하러 가기 전에 한번 들러서 봐주셨으면 합니다."

"그래? 지금 당장 가지."

두 사람은 목조창고로 건너가서 실내가 더 환해 보이도록 문을 활짝 열어젖혔다. 니콜라우스는 그동안 이 작품의 진행 상태에 일부러 관심을 두지 않고 있었다. 골드문트의 작업이 방해받지 않도록 내버려두었던 것이다. 니콜라우스는 말없이 작품을 관찰했고, 일순 그의 무표정한 얼굴이 환하게 밝아졌다. 골드문트는 엄하게만 느껴지는 스승의 푸른 눈동자에 기쁨의 빛이 차오르는 것을 보았다.

스승 니콜라우스가 마침내 입을 열었다.

"잘했네! 아주 훌륭해. 골드문트, 도제 시절을 마감하는 작품이 될 거야. 자네는 이제 더 배울 것이 없어. 나는 자네의 이 작품을 조합 사람들에게 보여주고, 자네에게 장인(匠人) 증서를 발부하도록 요청하겠네. 자네는 그만한 자격이 있으니까."

골드문트는 그런 일에 관심도 없고 대단한 일이라고도 생각하지 않았지만, 스승의 말이 얼마만큼의 칭찬을 의미하는지를 알았기에 매우 기뻤다.

니콜라우스는 다시 한 번 천천히 요한 상의 주위를 돌아보더니 외마디 탄성을 지르며 말했다.

"이 인물상에는 경건함과 명료함이 넘쳐흐르고, 엄숙하지만 행복과 평화가 깃들어 있어. 사람들은 이 상을 보고 무척 밝고 쾌활한 심성을 가진 사람이 만들었다고 하겠는걸."

골드문트는 빙긋이 미소를 지었다.

"잘 보셨습니다. 이 인물상의 모델은 제 자신이 아니고 제가 무척 아끼는 저의 친구입니다. 이 조상(彫像)에 밝음과 평화를 가져다 준 사람은 그 친구이지 제가 아닙니다. 이것은 제가 만든 것이라기보다는 그 친구가 저의 영혼 속에다 불어넣어 준 것입니다."

"그렇다고도 할 수 있겠지. 어떻게 해서 이런 형상이 만들어진 것인가 하는 것은 하나의 비밀이야. 나는 겸손한 사람은 아니지만, 고백하자면 내 작품 중에는 자네의 작품에 미치지 못하는 것들이 적지 않네. 기교라든가 정성이 뒤지는 것이 아니라 진실성이 뒤진다는 얘기일세. 자네도 알겠지만, 이런 작품은 두 번 다시 만들지 못하는 법이지. 결국 이것은 신비로운 비밀이란 말일세."

"그렇습니다. 이 조상이 완성되었을 때, 저도 이것을 보면서 이런 작품을 다시는 만들지 못하리라고 생각했습니다. 그래서 선생님, 저는 며칠 후에 다시 길을 떠날 생각입니다."

니콜라우스는 깜짝 놀라면서 못마땅한 듯한 기색으로 그를 바라보았다. 그는 다시 엄한 모습으로 돌아가 있었다.

"그 이야기는 나중에 하기로 하세. 자네는 이제부터 본격적인 작업을 해야 하네. 지금은 떠날 때가 아니란 말이야. 아무튼 오늘은 좀 쉬게나. 점심은 내 집에서 함께하도록 하세."

점심때, 골드문트는 머리도 단정히 빗고 외출할 때의 차림으로 스승의 집을 찾아갔다. 그는 스승으로부터 식사 초대를 받는다는 것이 얼마나 뜻 깊은 일이며 또 얼마나 드문 호의인가를 잘 알고 있었다. 하지만 입상들이 들어차 있는 복도를 지나 계단을 올라가는 골드문트의 마음은 두근거리는 가슴을 안고 아름답고 조용한 방으로 들어갔었던 지난날만큼 경외심으로 가득 차 있지도 않았고 불안스러운 기쁨으로 가득 차 있지도 않았다.

리즈베트도 말쑥한 차림에 반짝거리는 목걸이를 하고 있었다. 식탁에는 잉어 요리와 포도주 이외에 또 하나 뜻하지 않은 것이 놓여 있었다. 스승이 그에게 선사하려고 가죽 지갑을 준비했던 것이다. 그리고 그 안에는 금화가 가득 들어 있었다. 완성시킨 인물상에 대한 보수였다.

부녀(父女)는 서로 이야기를 주고받다가 골드문트에게 이야기를 건네기도 하고 건배하자는 제의도 했다. 골드문트의 눈은 부지런히 움직였다. 그는 기회를 놓치지 않고, 품위 있는 태도에 다소 오만하게까지 보이는 이 아름다운 처녀를 자세히 관찰했다. 그의 두 눈은 그녀가 그의 마음을 얼마나 뜨겁게 사로잡고 있는가를 감추지 않았다. 그녀가 그에게 공손하게 대하기는 했지만 얼굴이 빨개지기는커녕 따스한 느낌조차 주지 않아 그는 크게 실망했다. 골드문트는 전혀 동요하지 않는 그녀가 뭔가를 말하고 그간 감추고 있던 자신의 비밀을 털어놓게 하고 싶다는 생각이 불현듯 들었다.

식사가 끝나자 골드문트는 인사를 한 다음 자리를 물러나서 잠시 복도에 진열된 입상들을 구경했다. 그러다가 오후에는 갈 곳 없는 부랑자처럼 걷잡을 수 없는 허전한 가슴을 안고 시내를 한바퀴 돌았다. 그는 스승으로부터 기대 이상의 칭찬을 받았다. 그런데도 어째서 그것이 기쁘지 않을까? 자신을 인정해 주고 존중해 주었는데도 왜 신이 나지 않는 것일까?

한동안 상념에 잠겨 있던 그는 문득 어떤 생각이 떠올라 말을 빌려 타고 수도원으로 향했다. 그는 그곳에서 스승의 작품을 처음 보았고, 그리고 그의 이름을 알게 되었다. 그것은 불과 몇 년 전의 일이었다. 하지만 지금 되돌아 생각해 보니 아주 오래된 일인 것처럼 여겨졌다. 수도원에 도착한 그는 성당 앞에 서 있는 성모상을 한참 동안 바라보았다. 그 작품은 처음 보았을 때와 마찬가지로 지금도 그의 마음을 빼앗았으며 무서운 힘으로 압도해 왔다. 그것은 그가 만든 요한 상보다 훨씬 아름다웠다. 무겁지 않게 자유로이 떠다니는 듯한 모습이 은근하고 신비로웠으며, 기교적인 면에서도 어디 한 군데 부자유스런 데가 없을 만큼 훌륭하고 섬세했다. 그는 지금 이 작품에서 예술가만이 볼 수 있는 깊은 면을 보았다. 부드러운 움직임이 느껴지는 옷의 질감, 갸름한 두 손과 손가락의 대담한 선, 나뭇결의 부드러운 굴곡들을 섬세한 감각으로 자연스럽게 살려낸 점 등……. 이 모든 것이 어우러져 단순하고 소박하면서도 온화하고 겸손한 내면의 아름다움이 풍겨왔다. 물론 이러한 것은 전체적인 조화와 균형이 주는 환상적인 아름다움에 비교하면 일부에 지나지 않지만 그럼에도 그 자체의 아름다움은 엄연히 존재했으며, 또한 그것은 은총을 받은 사람이라 할지라도 예술적 재능을 타고나야만 가능한 일이었다. 그런 작품을 만들어낼 수 있게 되기까지는 자신의 영혼 가운데 어떠한 형상을 품고 있을 뿐만 아니라 눈과 손의 기술 역시 이루 말할 수 없을 정도의 수련을 쌓아야만 가능한 경지가 아닐까 싶었다. 그리고 보면 평생을 예술에 바치는 것도 가치 있는 일일지 모른다. 하지만 그런 아름다움을 표현하려면 체험과 관찰의 단계를 거쳐 그 모든 것을 사랑으로 받아들일 뿐만 아니라 마지막 순간까지 확고한 장인정신으로 밀고 가야만 가능할 것이다. 그런데 그런 아름다움을 창조해 내기 위해 자유를 희생하고, 삶의 위대한 체험들을 단념하면서까지 일생을 바칠 가치가 있는 것일까? 그것은 하나의 커다란 의문이었다.

골드문트는 밤이 이슥해진 다음에야 지친 말을 끌고 시내로 돌아왔다. 목로주점 하나가 아직 문을 닫지 않아서 그는 그곳에 들어가 빵을 먹고 포도주를 마셨다. 그런 다음 그는 생선시장 근처에 있는 그의 방으로 올라갔다. 자신의 마음을 종잡을 수도 없었고, 모든 것이 의혹에 가득 차 혼란스럽기만 했다.

　다음 날, 골드문트는 작업장에 나갈 결심이 서지 않아 마음이 울적한 날이면 그랬던 것처럼 시내를 거닐려고 밖으로 나왔다. 그는 장을 보러 나온 아낙네와 하녀들을 구경하기도 하고, 생선시장의 분수대 주변에서 생선장수들과 선머슴처럼 억센 그의 아낙들을 바라보기도 했다. 그들은 은빛 나는 신선한 생선들을 통 속에서 끄집어내어 생선전에 펼쳐놓고 손님들에게 내보이며 흥정을 붙이고 있었다. 생선들은 괴로운 듯 아가리를 벌린 채 금빛 눈알을 불안스레 치뜨고서 소리 없이 죽어가거나 맥없이 버둥대며 죽음에 저항하고 있었다. 매번 느껴온 것이지만 이들 물고기에 대한 연민과 인간에 대한 씁쓸한 불쾌감이 그를 괴롭혔다.

　왜 인간들은 이다지도 무지막지하고 거칠며 어리석고 눈치가 없는 것일까? 어째서 인간들은 아무것도 보지 못하는 것일까? 생선장수들과 그들의 아낙들, 그리고 값을 깎는 손님들은 정말 아무것도 보이지 않는 걸까? 고통스럽게 벌어져 있는 물고기의 아가리를, 죽음의 공포에 떨고 있는 눈알을, 한없이 버둥대는 꼬리를 정말 보지 못하는 걸까? 아무 소용도 없는 그 절망적인 몸부림을, 아름답고 신비에 가득 찬 물고기의 참을 수 없는 고통을 어째서 보지 못하는 걸까? 물고기들의 죽어가는 살갗 위로 가냘픈 마지막 떨림이 스쳐가고, 숨이 끊어진 후에는 토막 난 고깃덩어리 신세가 되어 식도락가들의 욕구를 채워주는 것이 정말 아무렇지도 않단 말인가? 불쌍하고 어리석은 물고기가 그들 눈앞에서 죽어가도 아무것도

194

보거나 듣지 못하고, 아무것도 알아채지 못하는 것이다! 또한 물고기들에게 아무 말도 하지 않는 것이다! 뿐만 아니라 예술의 명인이 성인(聖人)의 얼굴에다 인간의 모든 희망과 고귀함, 고통과 가슴 죄는 듯한 어두운 불안을 전율이 느껴지도록 드러내 보여도, 인간들은 자신들과는 아무 상관도 없다는 듯 여전히 아무것도 보지 못하고 아무것도 이해하지 못하는 것이다! 그들은 조금도 감동받거나 동요되지 않는다! 인간들은 모두 자족감에 빠져 있거나 여러 가지로 일로 분주하게 움직이며, 점잔을 빼거나 잘난 척하면서 바쁘게 살아갈 뿐이다. 그런가 하면 울부짖거나 수군거리고, 무례하게 굴거나 소동을 일으키고, 호들갑을 떨거나 익살을 부리고, 한두 푼 때문에 으르렁거리기 일쑤다. 그러고도 사람들은 아무 불평도 하지 않은 채 기분 좋게 잘 지내고 있으며, 자신과 이 세상에 매우 만족하면서 순조롭게 살고 있다. 인간들은 돼지나 다름없다. 아니, 돼지보다도 못하다. 돼지보다 훨씬 더 흉측하고 막돼먹었다.

그런데 골드문트 자신도 그런 인간들 틈에서 자주 어울려 놀았으며, 인간이라는 점에 희열까지 느끼곤 했다. 그런가 하면 여자들 꽁무니를 쫓아다녔고, 인간들 틈에서 온갖 재미를 맛보면서 구운 생선요리를 태연히 먹어치웠다. 그러나 마치 마술에 걸린 것처럼 불현듯 기쁨과 평온이 자꾸만 달아났다. 자기만족이나 배부른 망상, 자족감과 자아도취는 언제나 그에게서 떨어져 나갔다. 그는 고독과 번민에 빠져들었고, 고통과 죽음의 세계를 기웃거렸으며, 삶의 덧없음을 느끼면서 심연을 응시했다. 그리고는 의미 없는 것이나 두려움의 대상을 바라보는 일에 몰두하다가 절망적인 체념 상태에 빠져 허우적거렸다. 그러다가도 갑자기 어떤 기쁨이 솟구쳐서 격렬한 사랑에 빠졌을 때처럼 아름다운 노래를 부르기도 했고, 스케치를 해보고 싶은 욕구에 사로잡히기도 했다. 혹은 꽃향기를 맡거나 고양이와 장난을 치면서 어린아이처럼 순진하게 인생을 이해하고 받아들이는 마음이 되살아나 흡족해하며 기뻐했다.

이제 또다시, 오늘이나 내일이 되면 그런 기분이 다시 살아날 것이다. 그렇게 되면 세계는 다시 살 만한 곳으로 느껴질 것이고 훌륭하게까지 보일 것이다. 하지만 그런 기분을 되찾게 될 때까지는 또다시 슬픔과 번민이 계속될 것이며, 죽어가는 물고기들과 시들어가는 꽃들에 대한 절망적이면서 가슴 답답한 사랑이 이어질 것이다. 그러면서 돼지처럼 멍청하게 아무것도 보지 못하고 하릴없이 먹어대기만 하는 인간에 대한 공포 등이 되살아나 끔찍한 기분에 사로잡힐 것이다.

그럴 때면 언제나 안타까운 호기심과 답답해하는 가슴을 끌어안고서 자신이 늑골 사이를 칼로 찔러 피투성이로 만든 떠돌이 빅토르가 떠오르곤 했다. 피가 흥건한 시체를 전나무 숲에 그대로 팽개쳐둔 채 도망쳤는데, 그 빅토르는 그 뒤 어떻게 되었을까? 산짐승들한테 송두리째 먹히고 말았을까, 흔적이라도 남아 있을까 하는 생각에 사로잡히면 마음이 산란해져서 견딜 수가 없었다. 어쩌면 뼈다귀와 머리카락은 남아 있을지도 모른다. 그렇다면 그것이 형체조차 사라져 흙이 되는 데는 얼마의 시간이 흘러야 할까? 수십 년? 아니면 불과 몇 년?

오늘도 동정의 눈길을 물고기한테 보내는 동안 목에서 욕지기가 치밀어 올랐다. 그는 그 역겨움을 간신히 참으면서 말없이 시장 상인들을 노려보았다. 견딜 수 없을 정도로 불안한 우울함이 밀려오면서 세계와 자기 자신에 대한 쓰디쓴 적개심으로 가슴이 꽉 차오를 때마다, 그는 빅토르를 생각하지 않을 수 없었다. 혹시 사람들에게 발견되어 매장되지 않았을까? 그렇게 되었다면 지금쯤은 모든 살이 뼈에서 떨어져 나와 썩지 않았을까? 벌레들이 다 먹어치우지는 않았을까? 두개골의 머리카락과 눈두덩 위의 눈썹은 남아 있을까? 그리고 모험과 사건, 뛰어난 익살과 특이한 농담으로 가득 찼던 빅토르의 생활 중에서 남은 것은 무엇일까? 그를 죽인 자가 가지고 있는 몇 가지 단편적인 기억 이외에 전혀 평범하다고 할 수 없었던 이 인간에게 무엇이 남아 있을까? 그가 여태 사랑했던 여자들의 꿈속에 빅토르 같은 인간이 있었을까? 아, 모든 것은 무상하게 지나가버렸다. 모든 것은 꽃처럼 순식간에 피어났다가 덧없이 사라지고, 그 위에 다시 눈이 덮일 것이다.

몇 년 전 예술에 대한 열망과 니콜라우스 명인에 대한 불안하면서도 깊은 존경심을 안고 이 도시에 처음 들어섰을 때, 그의 가슴속에서 세상의 모든 것이 얼마나 아름답게 피어났던가. 그중에서 아직까지 살아남아 있는 것은 무엇일까? 물건을 훔치려 하던 불쌍한 빅토르가 취한 닭처럼 뻗은 모습 이외에는 아무것도 남아 있지 않았다. 누군가가 당시에, 니콜라우스가 그를 자기와 동등한 사람이라고 인정해 주고 조합에 장인 증서를 발급하도록 요청하는 날이 오리라고 말해 주었더라면 그는 아마도 이 세상의 모든 행복을 손에 쥐었다고 믿었을 것이다. 하지만 이제 와서 보니 그 모든 것은 더 이상 기쁨이 되지 않는 한때의 갈망일 뿐이었고, 시들고 말라버린 꽃에 불과했다.

그런 생각을 하고 있을 때 골드문트의 뇌리에 순간적으로 하나의 얼굴이 떠올랐다. 그것은 단지 순간적인 번뜩임에 지나지 않았지만, 생명의 심연에서 웅크리고 앉아 있는 영원한 어머니의 얼굴이었다. 그 어머니가 희미한 미소를 띤 채 아름답고도 섬뜩한 눈초리를 보내고 있었다. 그녀는 탄생과 죽음을 향해, 꽃들과 속삭이는 가을 잎사귀들을 향해, 예술을 향해, 썩어 없어지는 것들을 향해 빙긋이 미소 짓고 있었다.

영원한 인류의 어머니인 그녀에겐 모든 게 다 마찬가지였다. 그녀의 신비로운 미소는 달처럼 만물을 비추었고, 그녀에겐 우울한 상념에 잠겨 있는 골드문트나 생선시장의 돌바닥 위에서 죽어가는 잉어나 마찬가지였다. 쌀쌀하고 콧대 높은 리즈베트나 그렇게도 골드문트의 금화를 훔치고 싶어 안달하다가 지금은 숲에 흩어진 빅토르의 유골 역시 그녀에게는 사랑스런 존재였다.

번뜩임은 이내 사라지고 신비에 가득 찬 어머니의 얼굴 또한 안개에 걷히듯 사라져버렸다. 하지만 그 창백한 빛은 골드문트의 영혼 한가운데서 사라지지 않고 생명의 고동과 숨 막히는 그리움의 큰 파도가 되어 그의 가슴을 도려내기라도 하듯 거침없이 밀려왔다. 그렇다. 그는 생선장수나 보통사람들, 부지런한 사람들이 누리는 그런 행복과 배부름 따위는 원하지 않았다. 그런 것들은 아무려면 어떤가. 아, 경련이라도 일으킬 듯이 창백한 이 얼굴, 익을 대로 익어 늦여름처럼 무르익어버린 입, 그 무거운 그 입술

위로 이런 이름 모를 죽음의 미소가 바람처럼 달빛처럼 스쳐가 버렸다.

골드문트는 스승이 사는 집 쪽으로 걸음을 옮겼다. 니콜라우스가 안에서 작업을 마치고 손을 씻는 소리가 들릴 때까지 기다리다가 곁으로 다가갔다.

"선생님, 드릴 말씀이 있습니다. 선생님께서 손을 씻으시고 웃옷을 입으실 때까지의 시간이면 충분합니다. 저는 진실을 애타게 갈구해 왔습니다. 하지만 이런 제 마음을 지금이 아니면 두 번 다시 말씀드릴 수 없을 것 같습니다. 저는 한 사람의 인간과 이야기하지 않고는 도무지 못 견딜 것 같습니다. 선생님은 그것을 이해해 주실 수 있는 유일한 분입니다. 선생님께서 유명한 작업장을 갖고 있고, 여러 도시와 수도원에서 명예로운 주문을 받고 있으며, 두 사람의 조수와 훌륭하고 안락한 가정을 가지고 있어서가 아닙니다. 제가 알고 있는 것 중 가장 아름다운 작품, 수도원에 있는 성모상을 만드신 바로 그 예술가를 향해 말씀드리는 것입니다. 저는 그분을 좋아하고 존경해 왔으며, 그분처럼 되는 것이야말로 제가 이 세상에서 가진 최대 목표였습니다. 이제 저는 하나의 조각품, 요한 상을 만들었습니다. 스승님의 성모상만큼 완전무결하지는 못하지만 눈에 보이는 그대로가 이 작품의 전부입니다. 저는 이제 다른 작품을 만들 수가 없습니다. 정말 마음이 내켜서 만들고 싶은 인물상은 저에게 더 이상 존재하지 않으니까요. 물론 제 마음속에 거룩한 형상 하나가 있지만 그것은 너무나 멀리 있습니다. 언젠가는 그것을 만들어내야겠지만 지금은 그럴 수가 없습니다. 그런 작품을 만들려면 저는 더 많은 경험과 체험을 쌓아올리지 않으면 안 될 것입니다. 어쩌면 삼사 년 안에 만들 수 있을지도 모르겠습니다. 아니면 십 년 후, 혹은 더 많은 시간이 걸릴지도 모르겠습니다. 어쩌면 영원히 만들지 못할지도 모릅니다. 하지만 선생님, 저는 조각상에 색을 입히거나 나무를 깎아서 장식품을 만들거나 제대를 만드는 등의 일을 하고 싶지 않습니다. 작업장에서 다른 직공들처럼 생활하면서 돈을 벌어 안전하게 지내기도 싫고요. 저는 또다시 떠돌아다니면서 여름과 겨울을 느끼고, 세상을 구경하고, 그 세상의 아름다움과 혐오스러움을 체험해 보려고 합니다. 배고픔과 갈증에 허덕이다 보면, 선생님 밑에서 생활하는 동안 몸에 배었던 그 모든 것도 털어내질 것이라고 생각합니다. 저도 언젠가는 선생님이 만드신 성모상처럼 아름답고 감동을 주는 작품을 만들고 싶지만, 선생님처럼 되거나 선생님처럼 살고 싶지는 않습니다."

니콜라우스는 손을 씻고 물기를 닦은 다음, 몸을 돌려 골드문트를 쳐다보았다. 그의 얼굴은 정색을 하고 있었으나 화가 나 있지는 않았다. 니콜라우스가 말했다.

"자네는 하고 싶은 말을 했고, 나는 그 이야기를 들었네. 하고 싶은 대로하게. 나는 자네가 일에 매달릴 거라고 기대하지 않았고, 당장 할 일이 많지만 자네한테 시키고 싶지도 않다네. 나는 자네를 조수로 생각하고 있는 것도 아니니까. 자네는 자유를 절실히 원하고 있어. 이봐, 골드문트. 나는 여러 가지 것에 대해 자네하고 의논하고 싶네. 그러나 지금은 아닌 것 같아. 한 이틀 정도 시간을 갖기로 하지. 그동안 자네는 자유롭게 시간을 보내게나. 나는 자네보다 나이도 많지만 이런저런 경험도 자네보다 많을 걸세. 내 생각은 자네와 다를지 몰라도 자네의 기분이나 말뜻은 이해한다네. 며칠 안에 자네를 부를 테니, 그때 자네의 장래에 대해 이야기해 보세. 나한테는 여러 가지 계획이 있다네. 그때까지만 참고 기다리게! 마음을 쏟았던 작품을 완성시켰을 때의 기분이 어떤지는 나도 알 만큼 알고 있으니까. 그 허탈하고 허전한 느낌말이야. 하지만 그 허전함도 결국 다 지나간다네. 아무것도 아니란 말이지."

골드문트는 어수선한 마음으로 그 자리에서 물러나왔다. 스승이 그에게 호의를 가지고 있다 해서, 그것이 그에게 무슨 도움이 될 수 있을까?

골드문트가 마음이 심란할 때면 자주 찾는 강 언덕이 있었다. 물은 그리 깊지 않았고, 온갖 잡동사니들이 바닥을 꽉 메우고 있는 그런 곳이었다. 변두리의 어부들 집에서 버린 온갖 쓰레기들이 그곳으로 흘러들었다. 그는 강둑에 자리를 잡고 앉아 물속을 내려다보았다. 그는 물을 무척 좋아했고, 어떤 물이든 그의 마음을 끌었다. 이곳에서 흘러가는 물속을 들여다보고 있으면, 어두침침한 밑바닥 여기저기에서 사람의 마음을 유혹하듯 어슴푸레하게 반짝이는 무언가가 눈에 띄곤 했다. 무엇인지 분명히 알아볼 수는 없었지만, 그것은 깨진 도자기 조각이거나 날이 휘어져서 내다버린 낫이거나 투명하고 미끌미끌한 돌멩이거나 유약을 입힌 기왓장일지도 모른다. 아니면 연꽃 줄기일 수도 있고, 모래무지 같은 녀석들이 물속에서 돌아누울 때 잠시 빛을 받아 반짝인 것인지도 모른다. 그것이 무엇인지 정확히 식별할 수는 없지만, 아무튼 검은 물밑에 가라앉아 어렴풋이 빛을 발하는 모습은 참으로 아름답고 매혹적이었다.

골드문트는 참된 비밀이나 영혼의 실제 형상도 이런 물밑의 신비와 같을지도 모른다는 생각이 들었다. 그러한 신비는 윤곽도 형태도 없었다. 다만 어떤 요원하고 아름다운 가능성을 잠시 비춰주면서 그 형태를 예감케 할 뿐이었다. 그 신비는 비밀의 베일에 싸인 채 다양한 의미를 함축하고 있었는데, 물 밑바닥의 어둠 속에서 표현키 어려운 금색 혹은 은색을 지닌 그 무엇이 잠깐 동안 빛을 발할 때면 그것은 아무것도 아닌 듯하면서도 더없이 거룩한 약속을 담고 있는 것처럼 가슴을 울렸다.

그와 마찬가지로 한 인간의 잃어버린 모습 역시 반쯤 뒤에서 보면 한없이 아름다우면서도 슬픈 무엇인가를 알려주는 것 같아 얼마나 두근거리고 안타까웠던가. 혹은 밤길을 가는 짐마차에 매달린 램프가 회전하는 수레바퀴의 거대한 그림자를 벽에 그릴 때와 마찬가지로, 그 그림자의 움직임은 베르길리우스의 작품처럼 일순간 수많은 정경이나 사건이나 이야기로 가득 차 올랐다. 그런가 하면 비현실적인 마법의 소재로 짜여진 꿈속에서는 완전한 무(無)이면서도 동시에 세상의 모든 형상을 내포하고 있는 느낌으로 떠올랐다. 또한 그 신비는 인간과 동물, 천사와 악마의 형태를 모두 지니고 있으면서 가늠할 수 없는 어떤 가능성을 간직한, 물처럼 늘 깨어 있는 존재였다.

그는 다시 그것에 몰두했다. 자신을 잊어버린 채 흐르는 강물을 가만히 들여다보았다. 형태도 없는 반짝이는 빛이 물 밑바닥에서 떨고 있는 것이 보였다. 그것은 화려한 왕관이나 발가벗은 여자의 눈부신 어깨를 연상시켰다. 언젠가 마리아브론 수도원 시절, 라틴어나 희랍어의 문자 속에서 이와 비슷한 형태의 꿈과 변신의 매혹을 체험했던 기억이 떠올랐다. 그때 그런 것을 가지고 나르치스하고 이야기하지 않았던가? 아, 그것은 언제쯤 이었던가? 몇 백 년이 지난 것처럼 아득한 옛일처럼 느껴졌다. 아, 나르치스! 그를 다시 만날 수 있다면, 그와 한 시간만이라도 이야기를 나눌 수 있다면, 그의 손을 잡을 수 있다면, 그의 나지막하면서도 엄숙한 목소리를 들을 수 있다면…… 골드문트는 그가 가지고 있는 금화를 모두 내주었을 것이다.

물속에서 비치는 금빛 반짝임과 그림자, 비현실적이면서 요정의 환상처럼 보이는 이 모든 것은 어째서 이토록 아름다운 것일까? 그런 것들은 예술가들이 심혈을 쏟아 만들어낸 모든 아름다움들과는 정반대의 것이다. 그런데도 어째서 이토록 아름답고 또한 영롱한 빛을 발하여 행복감을 안겨주는 것일까? 이름조차 붙일 수 없는 이 아름다움이 아무런 형태도 없이 완전한 신비에 싸여 있다면, 예술품의 경우는 그와 정반대로 형식이 중요했고 너무나 뚜렷한 언어를 발산하고 있지 않은가. 흙에 새겨졌거나 통나무에 새겨졌거나 간에 조각한 머리나 입의 선보다 더 명확한 것은 없었다. 골드문트는 마음만 먹으면 니콜라우스가 만든 마리아 상의 아랫입술이나 눈꺼풀을 한 치의 오차도 없이 그대로 묘사할 수 있었을 것이다. 니콜라우스가 만든 마리아 상에는 분명치 않은 것, 혼동된 것, 흐리멍덩한 것은 한 군데도 없었으니까.

골드문트의 머리는 오직 한 가지 일로 꽉 차 있었다. 인간이 생각할 수 있는 가장 확실하면서 명확한 형식을 가진 작품이 어떻게 가장 파악하기 힘들면서 애매모호한 형태를 가진 대상과 그토록 비슷한 효과를 발휘할 수 있는지 좀처럼 납득이 되지 않았다. 그렇지만 한 가지 명백한 것은 어디 하나 흠잡을 데 없이 잘 만들어진 예술 작품의 대부분이 그의 마음을 흡족하게 하지 못했고, 웬만한 아름다움을 지니고 있는데도 지루하게 느껴지고 혐오감을 일으킨다는 점이다. 일터나 성당이나 궁전에는 불쾌하기 그지없는 예술품으로 가득 차 있었다. 그 자신도 그중 몇 개를 만드는 데 일조했다. 그런 작품은 최고의 것에 대한 욕망을 일깨우면서도 정작 그것을 충족시키지는 못했고, 심한 환멸감까지 안겨주었다. 그리고 무엇보다도 거기에는 꿈과 최고의 예술 작품이 공통으로 지니고 있는 신비스러움이 결여되어 있었다.

골드문트는 계속 생각을 이어나갔다. 내가 사랑하고 추구하는 것은 신비라는 것이다. 나는 때때로 신비가 번뜩이는 것을 보았다. 언젠가 그것이 가능하다면 나는 그 신비를 그려내고 싶고, 그 신비가 말을 하도록 만들고 싶다. 그것은 위대한 산모(産母)의 모습, 태초의 어머니 모습으로 드러난다. 하지만 그 신비의 본질은 다른 형상과는 달라서 개별적인 모습으로 나타나지 않는다. 그 신비는 특별히 풍만하거나 수척하지도 않고, 투박하거나 세련된 모습도 아니다. 힘차거나 우아한 모습 따위로 그 본질이 드러나는 것이 아니라, 융합하기 어려운 이 세상의 가장 위대한 대립들이 이 신비의 형상 속에 평화롭게 공존하는 것이었다. 그 신비는 탄생과 죽음, 자비와 공포, 생명과 소멸을 동시에 포용하고 있었다. 만일 이러한 신비의 형상이 내 머릿속에서 생각해 낸 것이거나 단지 내 머릿속에서 벌어지는 유희에 불과하다면, 혹은 명예욕에 들뜬 일개 예술가의 소망에 지나지 않는 것이라 해도 그 신비가 훼손될 이유는 전혀 없다. 나는 신비로운 형상이 지닌 결함을 통찰할 것이고, 그러한 형상은 이내 잊어버릴 것이기 때문이다.

그런데 나는 태초의 어머니 모습을 생각해 낸 것이 아니라, 눈으로 보았다! 그렇기 때문에 그 형상은 이미 관념이 아니다. 그것은 내 자신 속에 살아 있으며, 나는 태초의 어머니와 자주 마주치곤 한다. 내가 처음으로 태초의 어머니를 마주한 것은 어느 겨울밤이었다. 한 마을에서 해산하는 농사꾼 아낙의 침상 곁을 지키면서 등잔을 들고 있을 때였다. 그때 마음속의 어떤 형상이 꿈틀거리기 시작했다. 아득히 오래된 일로 여겨지는 그 기억을 잊은 줄만 알았는데, 어느 틈에 또다시 눈부실 정도로 아름다운 모습으로 나타났다. 오늘도 그렇다. 한때 내가 누구보다도 사랑하던 내 어머니의 모습이 새로운 형상으로 완전히 바뀌어서 그 형상 속에 들어앉아 있는 것이었다. 그는 지난날을 떠올리며 생각을 더듬었다.

그는 지금 자신의 처지를 분명히 느끼고 있었다. 그리고 결단을 앞둔 순간의 불안감이 엄습해 왔다. 그는 지금 나르치스와 수도원에서 이별하던 그때에 못지않은 중대한 행로에 서 있는 것이다. 그것은 어머니를 찾아가는 길이었다. 아마 언젠가는 어머니가 모든 사람의 눈에 보이는 형상으로 그의 두 손에 의해 작품으로 탄생될지도 모른다. 어쩌면 거기에 그의 목표가 있고 삶의 의미가 숨어 있는지도 모를 일이었다. 그것은 그 자신도 알 수 없었지만, 단 한 가지만은 확신할 수 있었다. 즉 어머니를 따르고, 어머니를 향해 나아가고, 어머니에 의해 길러지고, 어머니에게 불려간다는 사실이었다. 그는 그것이 좋았고, 그것은 곧 그의 삶이기도 했다. 어쩌면 그는 어머니의 형상을 만들지 못할지도 모른다. 어머니는 언제까지고 꿈과 예감과 유혹으로만, 그리고 거룩한 비밀을 간직한 금빛 반짝임으로만 도사리고 있을지 모른다. 하지만 이제는 어머니를 따라야 했으며, 그의 운명을 어머니에게 맡기지 않으면 안 되었다. 어머니는 그의 별이기도 했으니까.

지금 이 순간이야말로 모든 것을 결정할 때다. 모든 것은 명백해졌다. 예술은 아름다운 것이지만 그의 삶을 이끌어줄 여신이나 목표가 될 수는 없었다. 적어도 그에게는 그랬다. 그가 따라가지 않으면 안 되는 것은 예술이 아니라 어머니의 부름이었다. 손재주를 더욱더 노련하게 갈고 닦는 것이 무슨 소용이 있단 말인가? 그것의 결과가 무엇인지는 니콜라우스 명인의 예로 보아서도 알 수 있지 않은가. 예쁘장한 각종 장식품과 사치스런 제대와 연단들을 만들고, 성(聖)세바스찬과 예쁘장한 고수머리의 천사상(像)을 만들면 명성과 돈과 안정된 생활을 얻을 수 있을 것이다. 그러나 그 신비를 터놓는 유일한 방법인 내적 감각을 고갈시키고 위축시켜, 잉어 눈알 속에 비치는 금빛과 나비의 날개 끝에 부드럽고 은은하게 어려 있는 은빛이 사치스런 예술 작품으로 가득 찬 화려한 응접실보다 훨씬 더 아름답고 생기 있고 값지다는 사실은 영원히 알 수 없게 될 것이다.

어떤 소년 하나가 노래를 부르면서 강둑을 따라 내려오고 있었다. 간간이 노래가 멎었다. 소년은 손에 들고 있던 커다란 흰 빵을 한 입씩 베어 물었다. 골드문트는 소년에게 빵 한 조각을 달라고 청한 후 두 손가락으로 부드러운 쪽을 좀 뜯어가지고는 그것을 조그맣고 동그랗게 만들었다. 그리고는 강가로 가서 빵을 하나씩 천천히 물속으로 집어던졌다. 그리고는 어두컴컴한 물속으로 하얀 공 모양의 빵이 가라앉는 모습을 지켜보았다. 빵 조각 주위로 물고기들이 잽싸게 몰려들었다. 그러다가 빵 조각은 결국 어느 한 마리의 입으로 삼켜지고 말았다. 그는 동그란 빵 조각이 차례차례로 가라앉아 사라지는 것을 바라보는 동안 기분이 매우 흡족해졌다. 그러고 나서 그는 배고픔이 느껴지자 그의 애인들 가운데 한 사람을 찾아갔다. 푸줏간의 하녀로 있는 여자인데 그는 그 여자를 '소시지와 햄의 여왕'이라고 부르고 있었다. 평소처럼 휘파람을 불어 그 여자를 부엌 창문으로 불러내서 먹을 것을 얻은 다음 강 저쪽의 포도밭에 올라가서 먹을 작정이었다. 포도밭의 기름지고 빨간 흙은 싱싱한 포도나무 잎새 밑에서 힘차게 빛나고 있었다. 봄이 되면 거기에는 포도 냄새를 은근히 풍겨주는 파랗고 조그만 히아신스가 활짝 피어 그윽한 향기가 물씬 풍겼던 것이다.

하지만 오늘은 결단의 날인 동시에 분별심이 생기는 날이기도 한 모양이었다. 카트리네트가 창가에 나타나서 야무지고 약간은 선머슴 같은 얼굴로 이쪽을 향해 빙긋 웃었다. 그래서 평상시처럼 신호를 보낼 필요가 없었다. 그는 전에 바로 이곳에 서서 그 여자를 기다렸던 때를 잠시 떠올렸다. 그리고 동시에 지루할 만큼 확실하게, 잠시 후에 일어날 모든 광경이 눈앞에 그려졌다. 그가 온 것을 알아차린 그녀는 금세 사라졌다가 불에 구운 것을 손에 들고 집 뒷문으로 나타날 것이고, 그러면 그는 그것을 받아들고 동시에 그녀의 손을 어루만져주면서 그녀가 원하는 대로 지그시 안아줄 것이다. 그런데 그런 일들이 별안간 너무나 어리석고 추잡한 일처럼 생각되었다. 그는 그녀의 선량하고 선머슴 같은 얼굴에서 넋 빠진 표정을 또다시 본다는 것이, 답례로 적당히 안아주는 자신의 기계적인 역할이, 신비가 조금도 깃들지 않은 그런 행동이 견딜 수 없을 만큼 역겨워졌다. 그런 생각이 들자 그는 평상시처럼 손을 들어 신호를 끝까지 보낼 수 없었고, 얼굴에 어려 있던 미소는 얼어붙어버렸다. 아직도 그 여자를 사랑하고 있는가? 아직도 진지하게 그녀를 원하고 있는가? 아니다. 그는 너무 자주 그녀를 찾아왔고, 타성에 젖어 있는 똑같은 웃음을 너무 자주 보아왔다. 또한 마음에서 우러나오는 어떤 충동도 없이 그 미소에 화답했었다. 어제까지만 해도 주저하지 않고 할 수 있었던 일들이 오늘은 갑자기 불가능한 일이 된 것이다. 그녀는 아직도 창가에 서서 눈길을 보내고 있었으나, 그는 벌써 돌아서서 이제 두 번 다시는 그곳에 가지 않겠다는 결심을 하고 골목길 안으로 모습을 감추고 말았다. 이제 그녀의 젖가슴은 어떤 다른 녀석이 어루만질 테지! 그 맛좋은 소시지는 어떤 다른 녀석이 먹어줄 테지! 아무튼 이렇게 흥청망청할 정도로 풍족한 도시에서 매일같이 먹어대고 즐기지 못할 게 뭐가 있겠는가! 돼지 같은 이곳 시민들은 얼마나 게으르고, 사치에 물들고, 막돼먹고 까다로운 성미를 갖고 있는지! 그들 때문에 얼마나 많은 돼지들과 송아지들이 날마다 도살되고, 얼마나 많은 물고기들이 강에서 낚여 오는지! 그리고 그 자신도 얼마나 막돼먹고 사치에 물들고 타락했는가! 그 역시 구역질 날 정도로 배부른 이곳 시민들과 흡사하지 않은가! 떠돌이 생활을 하던 당시에는 눈 덮인 하얀 들판에서 말라빠진 자두 하나나 오래된 빵껍질을 씹더라도 안락한 이곳 사람들 틈에 끼어 맞이하는 조합의 성찬보다 더 맛있었는데…… 오, 그리운 방랑 시절의 자유여! 달빛이 교교히 비치는 황야여! 이슬 맺힌 아침 풀밭에 희미하게 찍혀 있는 짐승의 발자국이여! 그런데 이 도시의 안락한 사람들에게는 모든 것이 너무나 값싸고 하찮다. 심지어는 사랑마저도…….

그는 이제 이런 생활에 싫증이 났고, 갑자기 모든 것이 역겨워지면서 굴욕감까지 느껴졌다. 이곳 생활은 이제 의미를 잃었고, 앙상한 뼈다귀나 다름없었다. 스승이 모범이 되어주고, 리즈베트가 공주가 되어주었을 동안에는 이런 생활이 아름답고 의미가 있었다. 그리고 요한 상을 만들고 있을 동안에는 그래도 견딜 만했다. 그런데 이제는 그런 생활도 끝났고, 향기도 사라졌으며, 꽃도 시들고 말았다. 한없이 그를 괴롭히고 도취시켰던 무상한 감정이 격렬한 파도처럼 덮치고 말았다. 모든 것은 너무나 빨리 시들었고, 어떤 욕망이라도 순식간에 고갈되고 말았다. 남은 것은 뼈다귀와 먼지밖에 없었다. 하지만 한 가지는 남아 있었다. 그것은 영원의 어머니, 슬픈 듯한 사랑의 미소와 두렵게까지 느껴지는 신비스런 미소를 머금은 태초의 어머니였다. 잠시 동안 그는 다시 어머니를 보았다. 머리 위에 별을 이고 있는 거대한 어머니 상(像)이 세상의 끝에서 꿈꾸듯 웅크리고 앉아 생명으로 피어난 꽃들을 하나하나 따서는 천천히 끝없는 나락으로 떨어뜨리고 있는 것이었다.

골드문트가 떨어진 꽃들이 퇴색해 가는 것을 뒤돌아보며 슬픈 작별의 정에 휩싸여 친숙했던 장소를 헤매던 지난 며칠 동안, 니콜라우스 명인은 안절부절못하는 이 불안한 길손을 한 곳에 정착시켜 놓기 위해 무진 애를 쓰고 있었다. 그는 골드문트의 장래를 위해 장인(匠人) 증서를 발부하도록 조합을 설득하는 것은 물론이고, 그가 제자로서가 아닌 동료로서 자기 곁에서 언제까지나 일을 하게 만들려고 여러 가지를 준비했다. 중요한 주문에 대해서는 일일이 그와 의논하여 일을 진행시키고, 거기에서 얻어지는 수익은 분배할 계획까지 세웠다. 그것은 리즈베트를 생각하더라도 하나의 모험일 수 있었다. 그렇게 되면 조만간 이 젊은이는 그의 사위가 될 것이기 때문이었다. 또한 니콜라우스가 이제껏 고용했던 그 어떤 뛰어난 조수도 요한 상과 같은 작품은 만들지 못했으며, 더욱이 그 자신도 나이를 먹어감에 따라 착상과 창의력에 부족을 느끼고 있었던 터였다. 니콜라우스는 명성을 얻고 있는 자신의 작업장이 그저 기술을 가진 도제들이 모여드는 너절한 공장으로 전락되는 것을 어떻게든 막고 싶었다. 골드문트를 다루는 것은 쉽지 않은 일이겠지만 모험을 감행하지 않을 수 없었던 것이다.

니콜라우스는 그런 식으로 세심하게 계산을 했다. 골드문트를 위해 뒤뜰에 있는 작업장을 개조하여 확장하고, 맨 위층에 있는 방을 꾸며 그에게 내주고, 조합에 입회하는 기념으로 훌륭한 새 옷을 장만해 줄 생각이었다. 그리고 조심스럽게 리즈베트의 생각도 들어보았는데, 리즈베트는 지난번에 점심식사를 같이한 이후 아버지와 비슷한 것을 기대하고 있던 터라 아무 반대도 하지 않았다. 그 젊은이가 정착하여 장인(匠人)이 된다면 리즈베트에게 손색없는 신랑감이 될 것이었다. 그리고 니콜라우스 자신이 이 떠돌이를 길들이지 못한다 하더라도 리즈베트라면 완벽하게 해낼 수 있으리라고 생각했다. 니콜라우스는 자신의 목표인 새를 잡기 위해 이처럼 모든 것을 치밀하게 계획했고, 올가미 뒤에 근사한 미끼까지 교묘하게 걸어놓았다. 그러던 어느 날 니콜라우스는 골드문트를 다시 식사에 초대했다. 골드문트는 이번에도 단정한 용모로 나타났다. 골드문트는 아름답게 새로 단장한 방에서 스승과 그의 딸과 마주 앉아 잔을 나누었다. 그러다가 리즈베트가 자리를 뜨자 니콜라우스는 자신의 거창한 계획과 제안을 끄집어냈다.

"자네는 내 말을 이해해 주겠지. 군이 설명할 필요도 없겠지만, 규정된 수업 연한을 마치지 않은 사람이 이렇게 빨리 장인의 지위에 오르고 안정된 기반을 마련한 경우는 여태껏 없었네. 골드문트, 자네는 행운을 잡은 거야."

골드문트는 어안이 벙벙한 듯한 표정으로 스승을 빤히 쳐다보며 아직도 반쯤 술이 남아 있는 잔을 옆으로 밀어놓았다. 하는 일 없이 빈둥거리는 나날을 보냈기 때문에 니콜라우스로부터 심한 소리를 들은 다음 조수로서 머물러 있어 달라는 제안을 받을 줄로만 알았다. 하지만 일이 이렇게 된 것이다. 스승과 이렇게 마주 앉아 있지 않으면 안 된다는 것이 슬프기도 했지만 한편으로는 당혹스러웠다. 그는 대답할 말을 바로 찾지 못했다.

니콜라우스는 자신의 호의에 찬 제안이 흔쾌하고도 겸손하게 즉각 받아들여지지 않자 다소 긴장되고 실망한 얼굴로 자리에서 일어서며 말했다.

"내 제안이 너무 뜻밖이어서 생각해 볼 시간이 필요하겠지. 그러나 그것이 내 마음을 언짢게 하는군. 자네가 무척 기뻐해 주리라 여겼거든. 하지만 상관없어. 그건 어디까지나 내 생각이니까. 그럼 생각해 볼 시간을 갖게나."

스승의 말에, 골드문트는 어렵게 입을 열었다.

"선생님, 노여워 마십시오! 선생님의 호의에 대해 진심으로 감사하게 생각합니다. 이 미숙하고 골치 아프기만 한 저를 인내심을 가지고 제자로 대해 주신 데 대해서도 감사드립니다. 선생님께 받은 은혜는 결코 잊지 못할 겁니다. 하지만 선생님의 제안에 대해서는 생각해 볼 필요가 없습니다. 저는 이미 오래전부터 결심한 바가 있으니까요."

"어떤 결심을 했단 말인가?"

"선생님이 부르시기 전에, 선생님의 극진한 제안을 받기 전에 저의 결심은 이미 서 있었습니다. 저는 더 이상 이곳에 머무르지 않을 겁니다. 저는 이곳을 떠나 방랑생활을 계속할 생각입니다."

니콜라우스의 얼굴이 순간 창백해지더니, 어둡고 침통한 눈길로 그를 바라보았다.

"선생님! 선생님께 심려를 끼쳐 드리고 싶지 않습니다. 저는 결심을 말씀드렸을 뿐이고, 이제 그것을 바꿀 수는 없습니다. 저는 떠나지 않으면 안 됩니다. 자유로워져야 합니다. 그리고 선생님의 은혜에 다시 한번 진심으로 감사드리면서, 그 마음을 안고 떠났으면 합니다."

골드문트는 호소하듯 간곡하게 말했다.

골드문트는 스승에게 손을 내밀었다. 눈물이 금방 쏟아질 것만 같았다. 니콜라우스는 그의 손을 잡지 않았다. 그는 창백한 얼굴로 방 안을 왔다 갔다 하기 시작하더니, 마침내 골드문트의 얼굴을 쳐다보지도 않은 채 가슴에 들끓는 분노를 토해내듯 소리를 질렀다.

"좋아, 그렇다면 당장 나가! 자네 얼굴을 두 번 다시 보고 싶지 않아. 내가 나중에 후회할 만한 이야기를 하지 않도록 지금 당장 떠나! 떠나라고!"

골드문트는 다시 한 번 스승에게 악수를 청했다. 스승은 내민 손에 침이라도 내뱉을 듯한 표정이었다. 골드문트 역시 핼쑥해진 얼굴빛으로 돌아서서 조용히 방을 나왔다. 방을 나와 모자를 쓰고는 계단의 장식들을 쓰다듬으며 조심스레 내려갔다. 그러고는 뒤쪽 작업장으로 들어가 잠시 요한 상 앞에 서서 작별을 고했다. 몇 년 전 가엾은 리디아를 두고 기사의 저택을 떠날 때보다 더 깊은 상처를 가슴에 안고 그 집을 나섰다.

모든 것은 빠르게 진행되었다. 불필요한 말은 하나도 주고받지 않았다.

그것이 마음을 위로해 주는 유일한 것이었다. 문을 열고 밖으로 나서자 골목길과 거리가 갑자기 서먹서먹하게 느껴졌다. 인간의 마음은 익숙해진 것들과 이별하게 되면 그런 기분에 사로잡히는 법이다. 그는 고개를 돌려 현관문을 쳐다보았다. 이제 그에게는 닫혀 있는, 그저 낯선 집으로 들어가는 문일 뿐이었다.

거처로 돌아온 골드문트는 떠날 채비를 했다. 물론 그다지 준비할 것도 없었다. 이제는 이별을 알리는 것 이외에 아무 할 일이 없었다. 벽에는 자신이 그린 그림 한 장이 걸려 있었다. 온유한 표정으로 바라보는 마리아의 초상이었다. 그의 소지품들은 여기저기 널려 있었다. 나들이용 모자, 댄스용 신발, 그림들을 묶어놓은 두루마리, 소형 류트, 그가 빚은 조그만 점토상 몇 개, 그리고 여인들로부터 선물 받은 조화(造花) 꽃다발, 루비같이 빨간 술잔, 하트형의 딱딱한 사탕과자와 그 밖의 이런저런 물건들이었다. 저마다의 사연과 의미를 지니고 있는 것들이었지만, 그중의 어느 하나도 가지고 갈 수 없었기에 이제는 성가신 잡동사니에 지나지 않았다. 집주인을 만나 루비같이 빨간 술잔을 튼튼한 사냥용 단검과 바꾼 다음 안마당의 숫돌로 날을 갈아두었다. 마리아의 초상은 안주인에게 주었고, 가죽으로 된 낡은 여행용 배낭과 간편한 먹거리를 그 답례로 받았다. 그는 속옷가지와 스케치했던 그림 몇 점과 식기류를 배낭에 챙겨 넣었다. 이것 외에 다른 자질구레한 것들은 그대로 남겨둘 수밖에 없었다.

작별 인사를 해야 마땅한 여자가 시내에 몇 있었다. 그중에서 한 여자와는 어제 저녁에도 같이 잤지만 자신의 계획에 관해서는 한마디도 비치지 않았다. 막상 떠나려 하자 마음에 걸리는 것이 한두 가지가 아니었다. 그러나 그런 것들을 마음에 두어서는 안 된다고 마음을 다잡았다. 그는 거처하던 집의 주인 내외하고만 작별 인사를 하고 다른 사람은 찾아보지도 않았다. 이른 새벽에 떠날 수 있도록 밤에 준비를 해두었다.

그런데 그가 새벽에 일어나 집을 떠나려고 할 때 누군가가 그를 부엌으로 불러들이더니 우유 수프를 대접하는 것이었다. 그는 이 집의 열다섯 살짜리 딸이었다. 잔잔하고 시원스런 눈매를 가지고 있었으나 관절에 이상이 생겨 다리를 저는, 마리라는 이름을 가진 소녀였다. 뜬눈으로 밤을 지새운 듯 얼굴이 핼쑥했으나 말쑥한 차림에 머리를 단정하게 빗은 그 소녀는 따뜻한 우유와 빵을 가져다주었고, 그가 떠나는 것을 매우 슬퍼하는 것 같았다. 그는 소녀에게 고맙다는 말을 하고는 작별 인사로 동정심이 가득 담긴 입맞춤을 해주었다. 소녀는 자세를 조금도 흐트러뜨리지 않고 두 눈을 지그시 감은 채 그의 입맞춤을 받아들였다.

/3

새로운 방랑을 시작한 골드문트는 얼마 동안 되찾은 자유를 만끽했다. 그러면서도 정처 없이 불규칙하게 살아가는 떠돌이 생활방식을 다시 익히지 않으면 안 되었다. 방랑자들은 누구의 명령도 듣지 않고, 아무런 목표나 계획도 없다. 오직 날씨와 계절에만 의존한 채 하늘을 지붕 삼아 살아간다. 또한 아무것도 소유하지 않으며, 그때그때 닥치는 온갖 우발적 상황에 아무 저항 없이 자신을 내맡긴다. 정처 없이 떠도는 나그네들은 어린애처럼 순진한 천성으로 그 생활은 초라하지만 용감하고 굳센 삶을 영위한다. 그들은 낙원에서 쫓겨난 아담의 후예들이며, 순진무구한 동물들의 형제인 것이다. 그들은 하늘이 시시각각 그들에게 주는 것을 받아들인다. 하지만 그들에게 주어지는 태양과 비, 안개와 눈, 더위와 추위, 안락과 곤경 따위는 때와 형편에 맞게 찾아오는 법이 없다. 거기엔 그 어떤 역사도 인위적인 노력도, 집을 가진 자들이 맹목적으로 믿고 있는 발전이라든지 진보라든지 하는 우상도 존재하지 않는다. 방랑자들 중에는 스스로 상처받기 쉬운 섬세한 감정을 가진 사람도 있고, 선머슴처럼 거친 마음을 가진 사람도 있다. 솜씨가 뛰어난 사람이 있는가 하면 우둔한 사람도 있고, 용감한 사람도 있고 겁쟁이도 있다. 그러나 어떤 경우든 그들은 하나같이 어린아이처럼 순진무구하다. 그들은 언제나 세상에 처음 태어난 날의 어린아이처럼, 태초의 인간처럼 최소한의 단순한 욕구와 필요에 따라 살아간다. 그들은 영리한 사람일 수도 있고 어리석은 사람일 수도 있지만, 일체의 삶이 얼마나 부서지기 쉽고 덧없는 것인가는 체험을 통해 분명히 알고 있다. 또한 살아 있는 모든 것이 얼음장처럼 차가운 우주공간에서 얼마나 보잘것없고 불안한 존재인가를 깊이 깨달으면서 참아간다. 혹은 배고픔을 알려주는 위장의 신호에 단지 어린애처럼 침을 흘리기도 한다. 그렇지만 어느 경우든 방랑자는 뭔가를 소유한 인간이나 정착해서 살고 있는 인간과는 반대편에 서 있다. 소유하고 정착한 인간은 모든 존재가 덧없고 일체의 생명이 쇠퇴해 간다는 사실을 인정하고 싶어 하지 않는다. 그들은 우주를 가득 채우고 있는, 가차 없이 냉혹한 죽음 같은 것을 인정하고 싶지 않기 때문에 방랑하는 자들을 미워하고 멸시하고 두려워하는 것이다.

방랑생활의 천진함과 모성적 근원으로의 회귀, 규율과 정신으로부터의 일탈, 늘 은밀하게 죽음을 향해 가려는 태도 등은 골드문트의 영혼을 오래 전부터 붙들었으며 그의 삶을 지배하고 있었다. 그럼에도 불구하고 정신과 의지가 그의 가슴속에 굳건하게 자리 잡고 있었고, 그가 예술가라는 사실은 그의 삶을 풍요롭게 해주는 한편 동시에 고통을 안겨주었다. 하지만 모든 생활은 분열과 모순에 의해 풍요로워지면서 꽃피는 법이어서, 도취 상태를 알지 못한다면 이성과 냉정함이 무슨 소용이 있으며 등 뒤에 죽음이 도사리고 있지 않다면 관능적 욕망이 무슨 의미를 주겠는가. 이성간의 대립이 없다면 사랑이란 것이 어떤 가치를 지니겠는가.

여름이 지나고 또 가을이 저물었다. 골드문트는 궁핍한 몇 개월을 간신히 넘겼으며, 감미롭고 향기로운 봄철을 황홀경에 빠져 정신없이 돌아다녔다. 계절은 빠르게 흘러갔다. 여름의 태양은 마치 쫓기는 사람처럼 너무나 빨리 서산으로 넘어갔다.

그렇게 한 해가 지나고 또 해가 바뀌었다. 골드문트는 이 지상에 굶주림과 사랑, 그리고 무섭도록 조용하고 은밀하게 바뀌는 계절의 빠른 변화 이외에는 어느 것도 존재하지 않는다고 믿는 사람 같았다. 그는 충동대로 살아가는 원초적 모성의 세계에 완전히 빠져버린 것 같았다. 그렇지만 가끔 꽃이 피고 지는 골짜기를 바라보며 생각에 잠기거나 휴식을 취할 때면 그는 관조의 세계에 시선을 둔 예술가로 되돌아오곤 했다. 그리고는 자신을 어딘가로 몰아붙이는 허무하고 무의미한 인생을 정신의 힘으로 몰아내고서 의미 있는 것으로 바꾸고 싶다는 고통스런 열망에 시달렸다.

빅토르와 피투성이 싸움을 벌인 이후, 언제나 혼자서만 헤매 다니던 그는 어느 날 한 남자를 만나게 되었다. 그 사나이는 눈에 띄지 않게 골드문트를 줄곧 따라다니며 좀처럼 떨어질 생각을 하지 않았다. 하지만 빅토르와 같은 부류는 아니었다. 모자를 깊숙이 눌러 쓴, 아직도 젊은 청년인 그는 로마 순례자였다. 이름은 로베르트였고, 보덴 호(湖) 부근이 고향이었다. 목수의 아들로 태어난 그는 한때 성(聖)갈로의 수도원 학교에 다닌 적이 있었으며, 어릴 때부터 로마 순례를 꿈꾸어 왔다. 이 청년이 그것을 실행에 옮길 최초의 기회를 얻은 것은 아버지의 죽음이었다. 그는 아버지의 공방(工房)에서 아버지를 도와 소목(小木)으로 일했었다. 그런 로베르트가 아버지의 장례를 치른 후, 자신의 용솟음치는 마음을 진정시키고 또 자신과 아버지의 죄를 참회하기 위해 로마로 순례를 떠나겠다는 결심을 어머니와 누나에게 이야기했다. 어머니와 누나가 울면서 달래기도 하고 때로는 노여워하며 윽박지르기도 했지만 아무 소용이 없었다. 그는 계속 고집을 부렸고, 결국 어머니의 축복도 받지 못한 채 분노에 찬 누나의 성난 욕을 들으며 순례길에 올랐던 것이다. 그를 몰아댄 것은 무엇보다도 그의 방랑적 기질이었지만, 피상적인 신앙심도 한 몫 했다. 그는 성당이나 종교적인 시설이 있는 곳에 머물기를 좋아했으며, 미사나 기도, 장례와 무덤, 성스러운 향과 촛불 등에서 편안함과 기쁨을 느끼곤 했다. 라틴어를 좀 하기는 했지만 천진한 그의 영혼이 지향하고 있는 것은 학문이 아니었다. 그는 단지 아치형 천장 그늘 아래에서 묵상을 하며 고요히 무아지경에 빠져드는 신앙생활의 분위기가 좋았던 것이다. 그는 어릴 때는 미사를 도와주는 복사 일을 하며 열성적으로 봉사도 했었다. 골드문트는 이 청년을 진지하게 대하지는 않았지만 그래도 싫지는 않았다. 또한 타향을 헤매 다니는 충동적인 기질에 친숙함을 느끼면서 다소 공감하기도 했다. 그때까지 로베르트는 아무 불만 없이 방랑을 계속하고 있었다. 로마까지 다녀왔고, 수많은 수도원과 사제관에서 신세를 지기도 했다. 산악지대와 남쪽

나라도 두루 구경했다. 로마에서는 성당이란 성당은 모조리 들어가 보았으며, 수백 번이나 미사에 참례했다. 또한 성스러운 장소나 이름난 곳에서는 기도를 하고 성사(聖事)의 기쁨을 맛보기도 했다. 그리하여 그가 지은 보잘것없는 청춘의 죄와 아버지의 죄를 참회하기 위해 필요한 것보다 훨씬 많은 신앙의 향기를 들이마셨다. 그렇게 일 년 이상을 바깥세상을 떠돌다가 마침내 고향집에 돌아갔으나, 어머니와 누나는 그를 성경에 나오는 탕아처럼 반갑게 맞이해 주지 않았다. 그가 집을 비우고 있을 동안 누나는 집안일의 책무와 권한을 마음대로 행사했고, 부지런한 목수를 조수로 고용했다가 그와 결혼까지 한 다음 집안 살림과 공방을 완전히 손에 넣어버렸다. 집에 돌아온 로베르트는 얼마 지나지 않아서 자신이 집안에 필요하지 않다는 것을 깨닫게 되었다. 그리하여 그는 다시 나그네 길에 오르고 싶다고 이야기를 끄집어냈는데, 그때 그를 말리거나 붙드는 사람은 아무도 없었다. 그는 그것을 서운하게 생각하지도 않았고, 어머니에게 약간의 푼돈을 얻은 다음 순례자의 차림으로 새로운 영지를 향해 다시 길을 떠났다. 그는 아무런 목표도 없이 어정쩡한 떠돌이가 되었으며, 그의 주머니에는 걸음을 옮길 때마다 짤랑거리며 소리를 내는 저명한 영지의 기념 메달과 묵주가 들어 있었다.

그런 중에 그는 골드문트를 만나게 되었고, 그들은 한나절을 같이 걸으면서 방랑의 경험담을 나누었다. 그리곤 바로 다음 소도시에서 두 사람은 헤어졌는데, 또다시 여기저기에서 마주치곤 하자 결국 그는 골드문트의 곁에 들러붙었다. 붙임성 있고 호의를 곧잘 베푸는 그는 이내 골드문트의 다정한 길동무가 되었다. 그는 골드문트에게 사소한 호의들을 베풀어서 골드문트에게 환심을 사려고 애를 썼다. 그는 골드문트가 가진 지식과 대담함과 정신 등에 감탄했으며, 또한 건강과 힘과 정직함을 좋아하면서 부러워했다. 골드문트 역시 붙임성 있는 성격이어서 두 사람은 금방 친해질 수 있었다. 그러나 슬픔이나 골똘한 생각에 빠져든 골드문트가 완강하게 입을 다물고서 길동무 같은 게 언제 있었냐는 듯 무시해 버릴 때면 로베르트는 어쩔 줄 몰라 했다. 그럴 때는 무슨 말을 물어보는 것도 용납되지 않았고, 위로의 말도 허용되지 않았기 때문이다. 그러나 로베르트는 그것을 견뎌내는 방법을 이내 터득했다. 그저 그가 하는 대로 내버려두고 잠자코 있으면 되는 것이었다. 또한 로베르트는 골드문트가 라틴어의 시구나 노래를 굉장히 잘 왼다는 것을 알아차렸고, 어느 성당에서는 석상들에 대해 설명해 주는 것을 듣기도 했다. 그런가 하면 둘이서 기대어 쉬고 있던 주인 없는 담장에다 골드문트가 빨간 물감으로 굵은 선을 슬슬 그어 실물 크기의 인물상들을 그리는 것을 보기도 했다. 그때부터 로베르트는 골드문트를 하느님의 은총을 받은 사람으로 간주했으며, 거의 마술사라고까지 생각하게 되었다. 또한 골드문트가 여자들에게 사랑을 받고, 한 번의 눈길과 미소로 여러 여자들을 차지하는 장면도 로베르트는 자주 목격했다. 그것은 좀 좋지 않은 일이라 생각되어 마음에 들지 않았지만 그래도 놀라지 않을 수 없었다.

그런데 두 사람의 동반은 뜻하지 않은 일로 중단되고 말았다. 어느 날 그들이 마을 어귀에 접어들었을 때 한 무리의 농부들이 몰려나와 그들의 접근을 저지했다. 어떤 이는 곤봉을 들고, 어떤 이는 막대기를 들고, 또 어떤 이는 도리깨를 들고 있었다. 그들을 이끄는 듯한 한 남자가 멀리서부터 빨리 돌아가라, 한 발짝도 다가오지 마라, 얼른 꺼져버려라, 그렇잖으면 때려죽인다 등의 고함을 질러댔지만, 골드문트는 도대체 무슨 일인지 알아보려고 다가갔던 것이다. 순간 날아온 돌이 그의 가슴을 때렸다. 뒤를 돌아보니 로베르트는 벌써 혼비백산해서 도망치고 있었다. 농부들은 계속 위협을 해댔고, 골드문트는 별 수 없이 도망치는 친구의 뒤를 어정어정 따라갈 수밖에 없었다. 로베르트는 들판 한가운데 서 있는 십자가 상 아래에서 오들오들 떨면서 그를 기다리고 있었다.

"너 용감하게 잘도 도망치더구나. 그나저나 저 망할 녀석들이 대관절 무슨 꿍꿍이 속일까? 전쟁이라도 났나? 무장한 보초들을 마을 어귀에 세워 놓고 아무도 안 들여보내다니, 무슨 일이지? 아무래도 이상한걸."

골드문트가 껄껄대고 웃으면서 말했다.

두 사람 다 영문을 알 수가 없었다. 이튿날 아침에 외딴 어느 농가에서 한 가지 일을 경험한 후에야 그 연유를 비로소 알아차릴 수 있었다. 오두막과 외양간과 헛간으로 이루어져 있는 그 농가는 풀이 무성한 뜰과 수많은 과일나무에 둘러싸여 있었다. 그런데 다들 잠이 들었는지 이상하게도 인기척 하나 들리지 않았다. 사람의 목소리, 발소리, 아이들의 울음소리, 낫을 가는 소리 등 어떤 소리도 들려오지 않았다. 뜰에서 암소 한 마리가 풀을 뜯어먹으면서 울고 있었는데, 자세히 살펴보니 젖을 짜야 할 시간 같았다. 두 사람은 집 앞으로 다가가서 문을 두드렸으나 안에서는 대답이 없었다. 외양간에 가봤으나 그곳은 문이 활짝 열린 채 텅 비어 있었고, 헛간의 지붕 위에서는 초록색 이끼가 햇빛에 반짝이고 있을 뿐이었다. 거기에도 사람의 그림자는 보이지 않았다. 허물어질 대로 허물어진 집을 보고 놀랍고 어이가 없어 하며 두 사람은 다시 안채로 돌아왔다. 다시 주먹으로 문을 두드려보았으나 역시 대답이 없었다. 골드문트는 문을 열려고 했는데, 뜻밖에도 문이 잠겨 있지 않았다. 그는 문을 밀고 어두침침한 실내로 들어갔다.

"실례합니다. 아무도 안 계십니까?"

이상하게도 집 안은 쥐 죽은 듯이 고요했다. 로베르트는 문 앞에 그대로 선 채 들어오지 않았고, 골드문트는 호기심에 끌려 안으로 들어갔다. 오두막집 안에서는 고약한 냄새가 풍겼다. 이상야릇하면서 가슴을 답답하게 하는 냄새였다. 난로에는 재가 잔뜩 쌓여 있었는데, 입김으로 호호 불어보니 밑바닥에서 숯불이 가물거리고 있었다. 그때 난로 뒤쪽 어슴푸레한 곳에 누군가가 앉아 있는 것이 보였다. 누군가 안락의자에 앉아 자고 있었다. 자세히 보니 노파였다. 불러도 아무 기척이 없었다. 앉아 있는 노파의 어깨를 가볍게 툭툭 쳤으나 꼼짝도 하지 않았다. 자세히 보니 그 노파는 거미줄 한가운데 앉아 있었다. 몇 오라기의 거미줄이 노파의 머리카락과 무릎에 단단히 엉켜 있었다. 죽었구나, 하는 생각이 머릿속을 스치자 갑자기 무서워졌다. 그는 확인을 하기 위해 난로의 불을 살리기 시작했다. 그는 불씨를 보듬어가면서 남겨진 기다란 장작개비에 불이 붙을 때까지 이리저리 휘저으며 바람을 불어넣었다. 이윽고 장작이 타오르자 그것을 집어

들고서 앉아 있는 여인의 얼굴을 비춰보았다. 흰 머리카락 아래로 푸르죽죽한 주검의 얼굴이 나타났다. 희멀겋게 치켜 뜬 한쪽 눈에서는 공허하고 흐린 빛이 감돌았다. 노파는 의자에 앉은 채 죽은 것이었다. 그러나 이젠 도와줄 수도 없게 되었다.

활활 타는 장작개비를 손에 들고 골드문트는 이곳저곳을 자세하게 살펴보았다. 같은 공간에서 뒷방으로 통하는 문지방 위에 또 한 구의 시체가 드러누워 있었다. 여덟 살쯤 되어 보이는 소년으로, 퉁퉁 부어오르고 찌푸린 얼굴에 속옷만 입은 채로 문지방 모서리 위에 엎어져 있었다. 소년은 고통을 못 이긴 듯 조그만 두 주먹을 단단히 움켜쥐고 있었다. '두 번째 시신이다.' 하고 골드문트는 생각했다. 마치 악몽을 꾸고 있는 듯했다. 그는 계속 걸음을 옮겨 뒷방으로 들어섰다. 거기에는 덧문이 열려 있었고, 밝은 빛이 새어들었다. 그는 점점 사위어 가는 장작불을 조심스레 마룻바닥에 문질러서 껐다.

뒷방에는 침대가 세 개 놓여 있었다. 하나는 비어 있고 남루한 회색 이불 밑에 깔린 짚이 그냥 드러나 있었다. 두 번째 침대에 또 한 사람이 쓰러져 있었다. 텁석부리 사나이로 반듯이 누운 채 뻣뻣하게 죽어 있었다. 머리를 뒤로 젖히고 턱과 수염을 곤추세우고 있었다. 이 집 주인임에 틀림없었다. 움푹 들어간 얼굴은 가까이할 수 없는 죽음의 빛깔을 띠고 희미하게 빛나고 있었다. 한쪽 팔은 바닥까지 축 늘어져 있었다. 거기에는 물통이 나뒹굴고 있었고, 쏟아진 물이 바닥에 완전히 배어들지 않아 움푹 들어간 쪽에 고여 있었다. 또 하나의 침대에는 리넨 홑이불에 묻히듯이 뚤뚤 감긴 튼튼하고 큰 키의 부인이 드러누워 있었다. 그 옆에는 아직 미성년으로 보이는 소녀가 그 부인을 부둥켜안은 채 리넨 이불에 목이 졸린 듯 누워 있었다. 소녀의 머리카락 역시 금발이었고, 얼굴에는 청회색 반점이 돋아 있었다.

골드문트의 시선은 죽은 사람들을 차례로 훑어갔다. 소녀의 얼굴은 벌써 상당히 변형되었으나 아직도 절망적인 죽음의 공포가 서려 있었다. 침대 속에 아무렇게나 푹 파묻혀 있는 부인의 목덜미와 머리에서는 분노와 불안, 그리고 필사적으로 도망치려고 했던 흔적이 읽혀졌다. 그녀의 머리 카락은 아무래도 이대로 죽을 수 없다는 듯 빳빳이 곤두서 있었다. 주인인 듯 보이는 농부의 얼굴에는 이를 악물고 참은 반항과 고통의 기색이 역력했다. 그는 힘들게, 그러나 사나이답게 죽음을 맞은 것 같았다. 수염투성이의 그의 얼굴은 전선에서 쓰러진 병사의 그것과 같이 허공을 찌르듯 빳빳이 치켜 올려져 있었다. 이렇게 죽음을 맞이한 사람이라면 비겁한 인간은 아니었으리라. 하지만 문지방에 엎어져 쓰러져 있는 소년의 조그만 주검은 무척 애처로웠다. 그 얼굴은 아무것도 말하고 있지 않았으나 문지방 위에 누워 있는 그 자세와 단단히 쥐고 있는 조그만 두 주먹은 고통에 대한 하염없는 저항 등 많은 사연을 전해주는 것 같았다. 소년의 머리 바로 옆에는 고양이가 드나드는 구멍이 뚫려 있었다.

골드문트는 모든 것을 주의 깊게 관찰했다. 정말이지 이 오두막집 속에서 전개되고 있는 광경은 너무나 끔찍했다. 송장 냄새가 지독했다. 그럼에도 불구하고 모든 것이 골드문트를 잡아당기는 크나큰 힘을 가지고 있었다. 이 모든 것에서 거대한 운명의 분위기가 감지되었던 것이다. 있는 그대로가 거짓 없는 진실이었으며, 이 모든 것에서 풍기는 알 수 없는 분위기는 연민을 불러일으키면서 그의 영혼 깊숙이 파고들었다.

그러는 동안 바깥에서는 로베르트가 겁이 났는지 고함을 지르기 시작했다. 골드문트는 로베르트를 좋아하기는 했지만, 불안과 호기심과 공포에 사로잡힌 채 살아 있는 인간을 죽은 자들과 비교해 본다면 얼마나 가엾고 보잘것없는 존재인가 하는 생각이 순간 스쳤다. 그는 로베르트에게 아무런 대답도 하지 않았다. 예술가만이 가질 수 있는 진심 어린 연민과 냉정한 관찰이 묘하게 뒤섞인 상태에서 시체를 살펴보는 데 정신을 팔고 있었던 것이다. 드러누워 있는 모습, 앉아 있는 모습, 머리며 손, 어떤 동작을 하다가 그대로 빳빳하게 굳어진 모습 등 어느 것 하나 자세하게 관찰하지 않은 것이 없었다. 무서운 공포에 휩싸인 이 집은 얼마나 고요한가! 이 얼마나 야릇하고 구역질나는 냄새인가! 난로의 불씨가 아직도 살아 있는 이 작은 보금자리는 얼마나 괴기스러운가! 게다가 슬프게도 주검들의 거처

가 되었으며, 완전히 죽음으로 뒤덮여 있지 않은가. 이제 움직이지 않는
이 고요한 형상들의 볼에서 살이 떨어져나갈 것이며, 굶주린 쥐들이 그
손가락을 뜯어먹을 것이다. 다른 인간들이 잘 갈무리된 채 관과 무덤 속에
서 사람들 눈에 띄지 않게 수행하는 최후의 처참한 작업, 즉 부패와 소멸을
여기 누워 있는 이 다섯 사람은 자기 집 방에서 수행하고 있지 않은가.
그것도 대낮에 문을 잠그지도 않은 채, 초조해하거나 부끄러워하는 기색도
없이, 아무것도 가리지 않고서……. 골드문트는 이미 몇 차례나 시체들을
본 적이 있지만, 죽음이 이토록 가차 없이 사람을 덮친 광경은 처음 목격했
다. 그는 이 광경을 마음속 깊이 새겨두었다.

문 앞에서 울부짖듯 외쳐대는 로베르트의 고함 소리가 골드문트의 생각
을 방해했다. 골드문트가 바깥으로 나오자, 로베르트가 벌벌 떨면서 멍하
니 쳐다보았다.

"왜 그래요? 안에 아무도 없어요? 그리고 당신은 왜 그런 눈을 하고
있어요? 이야기 좀 해줘요!"

잔뜩 공포에 질린 목소리로, 로베르트가 횡설수설하듯 소리까지 낮추며
물었다. 골드문트는 냉정한 눈으로 그를 쏘아보았다.

"들어가서 네 눈으로 확인해 봐. 이상한 집이야. 농가를 둘러본 다음
저기 있는 암소의 젖이나 짜자. 그럼 들어가 봐!"

로베르트는 한참을 망설이다가 집 안으로 들어가서는 난로가 있는 곳까
지 더듬어갔다. 거기서 의자에 앉아 있는 노파를 발견했다. 그것이 시체라
는 것을 알아채곤 그는 고함을 질러댔다. 그는 겁에 질린 채 눈이 휘둥그레
져서 재빨리 밖으로 뛰쳐나왔다.

"아이구! 죽은 노파가 난로 옆에 앉아 있어요. 도대체 어떻게 된 일이죠?
왜 아무도 옆에 없지요? 왜 묻어주지 않는 거예요? 아이구! 이 냄새……."

골드문트는 빙그레 웃었다.

"넌 말이야, 매우 용감해. 하지만 너무 빨리 서둘러 나왔어. 죽은 할머니
가 저렇게 의자에 앉아 있는 건 정말 야릇하지. 하지만 한두 발짝 더 가보면
훨씬 더 얄궂은 광경을 보게 될 거야. 다섯 명이야, 로베르트. 침대에 셋,

그리고 문지방에 어린애가 죽어 있단 말이야. 모두 죽었어. 이 집엔 시체밖에 없단 말이야. 그래서 아무도 저 암소의 젖을 짜지 못한 거야.”

로베르트는 어이없다는 표정으로 골드문트를 뚫어지게 쳐다보았다. 그러다가 별안간 숨이 넘어가는 듯한 목소리로 소리쳤다.

“옳아, 어제 그 농부들이 우리를 마을에 들여놓지 않으려 한 이유를 알았어요. 맞아, 맞아! 이제야 모든 게 확실해졌어요. 흑사병이야! 아무리 생각해도 이건 흑사병이에요. 골드문트, 당신은 오랫동안 그 안에 있으면서 시체를 만졌지요? 비켜요, 내게로 다가오지 말아요! 당신은 틀림없이 감염되었을 거예요. 골드문트, 섭섭하지만 난 떠나야겠어요. 당신 옆에 더 이상 있을 수가 없단 말이에요.”

그는 황급히 달아나려고 했지만 순례복의 깃을 단단히 붙들렸다. 골드문트가 로베르트를 무언의 비난 속에서 준엄하게 쳐다보며, 빠져나가려고 발버둥치는 그를 가차 없이 단단히 붙들었던 것이다. 그리고는 다정하면서도 경멸하는 어투로 말했다.

“이봐, 너는 사람들이 생각하는 것보다 영리하구나. 그래, 네가 말한 그대로일지도 몰라. 다음번 농가나 마을에 가면 확인할 수 있을 거야. 아마 이 일대에 흑사병이 퍼져 있을지도 몰라. 우리가 이곳을 무사히 빠져나갈 수 있을지 어떨지는 두고보자구. 하지만 널 그냥 보낼 수는 없어. 이봐, 나도 인정이 있는 놈이야. 내 마음은 너무나 약하거든. 그리고 너 역시 저 집 안에서 벌써 전염됐을지도 모르고. 만일 여기서 널 달아나도록 놓아준다면 너는 어느 이름 모를 들판에 쓰러져서 혼자 죽어갈 거야. 그렇게 되면 너의 눈을 감겨주는 사람도, 너의 무덤을 파주는 사람도, 흙을 덮어주는 사람도 없을 거야. 그래선 안 되지. 로베르트, 이봐 난 너무나 비통해서 숨이 막힐 지경이야. 난 두 번 다시 말하지 않을 테니까 정신 바짝 차리고 내 말을 잘 들어두라고. 알겠니? 우리 두 사람은 똑같은 위험 속에 놓여 있어. 네 가슴에 화살이 꽂힐지 내 가슴에 꽂힐지 그것은 아무도 몰라. 그러니 함께 움직여야지. 우리한테는 같이 죽거나, 아니면 이 저주받은 흑사병으로부터 같이 빠져나가든가 하는 두 가지 길밖에 없어. 네가 병에 걸려 죽게 되면 내가 묻어줄게. 꼭 그렇게 할 거야. 그리고 만일 내가 죽게 된다면 네 마음대로 해. 나를 묻어주든, 그냥 두고 도망쳐버리든 아무 상관 없으니까. 하지만 그전에 슬쩍 달아나지는 마. 명심해 둬! 우리는 서로를 필요로 하게 될 거야. 자, 지금은 아무 소리도 하지 마! 나는 네가 무슨 말을 하든 듣지 않을 테니까. 이쯤 해두고 외양간에서라도 통을 찾아봐. 이제 소젖을 짜야 하니까."

로베르트는 그의 말대로 했다. 이때부터 골드문트는 명령하는 사람이 되었고 로베르트는 복종하는 사람이 되었다. 그리고 그런 관계는 순조로웠다. 이제 로베르트도 더 이상 도망치려고 하지 않았다. 그는 다만 변명하듯 말했다.

"난 그때 당신이 약간 무서웠어요. 당신이 시체 있는 집에서 나왔을 때 얼굴이 참으로 이상했거든요. 그래서 흑사병을 묻혀가지고 왔구나 하고 생각했지요. 하지만 흑사병이 아니더라도 당신 얼굴은 무섭게 변해 있었어요. 그런데 그 집에서 본 광경이 그렇게 무서웠나요?"

"무섭긴……. 내가 거기서 본 것은…… 나한테도 너한테도, 아니 어떤 사람한테도 절박한 것이었어. 그것은 우리가 흑사병에 걸리지 않는다 하더라도, 만인 앞에 기다리고 있는 것이니까."

방랑을 계속하는 동안 두 사람은 도처에서 흑사병과 마주쳤다. 낯선 사람을 들여놓지 않는 마을도 많았지만, 어떤 마을에서는 아무 방해도 받지 않고 길거리를 활보할 수 있었다. 텅 비어 있는 집들도 많았고, 수많은 주검들이 묻히지도 못한 채 들판이나 방 안에서 썩어가고 있었다. 외양간에서는 암소가 울부짖었고, 어떤 가축들은 들판을 이리저리 헤매면서 사납게 뛰어다녔다. 두 사람은 몇 번이나 암소와 염소의 젖을 짜주고 먹이를 주었다. 또 숲 기슭에서 염소 새끼나 돼지 새끼를 잡아서 구워먹기도 했고, 주인이 죽은 지하실에서 포도주나 과일주를 꺼내서 마시기도 했다. 두 사람의 생활은 무척 풍족해졌다. 어딜 가도 먹을 것이 넘쳐났다. 하지만 얼마 안 가서 그런 재미도 반감되고 말았다. 날이 갈수록 로베르트가 흑사병을 겁냈기 때문이다. 그는 시체를 보면 구역질을 했고, 공포 때문에 실신한 적이 한두 번 아니었다. 그는 자신이 감염됐다고 생각하고는 머리와 손발을 모닥불 연기에다 늘어뜨리기도 했다. 그렇게 하면 효험이 있다고 여겼기 때문이다. 그뿐 아니라 자다가도 발이나 팔이나 어깨에 종기가 나 있지 않나 하고 불안에 떨며 온몸을 비벼댔다.

골드문트는 몇 번이나 로베르트를 나무라고 비웃어주었다. 그렇지만 공포와 구역질은 어쩔 수 없는 것 같았다. 골드문트는 광범위한 지역에서 죽음의 광경을 목도하면서 섬뜩하게 끌려들어갔고, 그의 영혼은 마치 깊은 가을날 장송곡 소리를 들을 때처럼 음산한 분위기에서 죽음의 나라를 지나쳤다. 간혹 영원한 어머니의 형상이 나타나기도 했다. 그 커다랗고 창백한 얼굴에는 마주치는 사람을 모두 돌로 만들어버리는 요괴 메두사의 눈이 달려 있는가 하면, 온갖 고뇌가 담긴 죽음의 표정과 무거운 미소가 떠오르기도 했다.

어느 날, 두 사람은 조그만 마을에 이르렀다. 집 높이만한 성벽이 마을을 빙 둘러싸고 있었고, 그 위에는 망보는 통로가 나 있었다. 그러나 성루 위나 열려 있는 성문 어디에서도 보초를 서는 사람의 그림자를 찾아볼 수 없었다. 로베르트는 마을로 들어가기를 꺼려하면서 제발 들어가지 말자고 골드문트한테 애원했다. 그때 종소리가 들렸다. 사제가 십자가를 손에 들고 성문 쪽으로 올라오고 있었다. 사제의 뒤에서 세 대의 짐마차가 따라나왔는데, 두 대는 말이 끌고 한 대는 황소가 끌고 있었다. 마차엔 꼭대기까지 차곡차곡 시체가 쌓여 있었다. 몇 사람의 인부가 이상한 망토를 걸치고 두건을 깊숙이 써서 얼굴을 감춘 채 마차 옆에서 말과 소를 채근하며 달리고 있었다.

로베르트는 얼굴빛이 하얗게 질리면서 정신을 잃었고, 골드문트는 약간의 거리를 두고 시체 실은 마차 뒤를 따랐다. 일행은 이삼백 발짝쯤 걸어갔다. 그곳은 공동묘지도 아니었고, 텅 빈 황무지 한가운데에 파여진 구덩이일 뿐이었다. 구덩이의 깊이는 삽으로 세 길 정도밖에 되지 않았지만, 넓이는 무척 넓었다. 골드문트는 그대로 서서, 막대기나 쇠갈퀴를 든 인부들이 시체를 마차에서 끄집어내려 거대한 구덩이 속에 그대로 처넣는 것을 보고 있었다. 사제는 그 위에서 몇 마디 중얼중얼하면서 십자가를 흔들고는 자리를 떴다. 인부들은 밋밋한 구덩이의 주변에 불을 질러놓고 서둘러 시내로 돌아갔다. 누구 하나 흙을 뿌리거나 덮어줄 생각을 하지 않았다. 내려다보니 쉰 구 이상의 시체들이 그 안에 마구 포개져 있었다. 대다수는 옷도 입지 못한 채 알몸뚱이였고, 뻣뻣하게 굳은 손이나 발이 무엇인가를 애원하듯 허공에 치솟아 있었다.

그가 성문 앞으로 돌아오니, 로베르트는 거의 무릎을 꿇다시피 하면서 한시 바삐 이곳을 떠나자고 통사정을 했다. 사실 그가 그렇게 애원하는 데는 그럴 만한 이유가 있었다. 로베르트는 골드문트의 초점 잃은 눈에서 그가 너무나도 잘 알고 있는, 넋 나간 듯한 표정을 읽어낸 것이었다. 그것은 무서운 것에 빨려들었다는 뜻이요, 끔찍한 호기심이 발동했다는 뜻이었다. 하지만 로베르트는 끝내 골드문트를 저지하지 못했고, 골드문트는 혼자서 시내로 들어갔다.

골드문트는 아무도 지키지 않는 성문을 지나갔다. 그는 돌바닥에서 울리는 자신의 발소리를 들으며, 이제까지 자신이 지나온 수많은 마을과 성문들에 대한 기억을 떠올렸다. 그 속에서 어린아이가 외치는 소리와 꼬마들이 장난치는 소리, 아녀자들의 다투는 소리, 모루에 부딪혀 맑게 울리는 대장간의 망치질 소리, 덜거덩거리며 굴러가는 마차 소리 등 무수한 소리가 되살아났다. 부드러운 소리와 딱딱한 소리들이 한데 뒤섞여 일상생활의 희로애락과 교류의 다양함이 마치 하나의 그물로 엮여진 것 같았다. 하지만 이 텅 빈 성문과 사람 하나 없는 거리에서는 아무 소리도 들리지 않았다. 모든 것이 죽음의 침묵 속에 가라앉은 가운데 어디선가 샘물이 흘러가는 소리가 들려왔다. 졸졸거리는 그 소리가 너무나 크게 들려서 거의 소음처럼 여겨질 지경이었다. 활짝 열어놓은 창문 뒤에는 주인이 진열되어 있는 온갖 빵들에 둘러싸여 있었다. 골드문트가 그중에서 제일 좋은 빵을 가리키자, 빵집 주인은 기다란 집게로 조심스레 빵을 내주며 돈을 내기를 기다렸다. 그러나 골드문트가 돈도 내지 않고 빵을 베어 물며 그냥 가버리자 빵집 주인은 창문을 쾅 닫기는 했어도 소리를 지르지는 않았다. 어느 아담한 집의 창문 앞에는 점토 화분이 줄 지어 놓여 있었다. 보통 때면 거기에는 꽃이 활짝 피어 있을 테지만, 지금은 시든 잎새들만 텅 빈 화분 위에 고개를 숙이고 있었다. 또 다른 집에서는 어린애들의 흐느낌과 통곡소리가 들려왔다. 하지만 골드문트가 다음 골목으로 접어들자 위층 창문 안쪽에서 예쁘게 생긴 처녀가 선 채로 빗질을 하고 있는 모습이 눈에 들어왔다. 그녀가 그의 시선을 느끼고 내려다볼 때까지 골드문트는 여자를 쳐다보고 있었다. 그가 그녀에게 미소를 던지자, 빨갛게 상기된 여자의 얼굴에서 서서히 그리고 희미하게 웃음이 배어나왔다.

"금방 다 빗을 거지요?"

골드문트가 위를 쳐다보며 소리쳤다. 처녀는 생글거리면서 얼굴을 창밖으로 내밀었다.

"병에 걸리진 않았소?"

그가 물었다. 그러자 여자는 고개를 저으며 그렇다고 말했다.

"그렇다면 나와 함께 이 죽음의 도시에서 도망칩시다. 숲속으로 들어가면 잘 살 수 있을 거요."

여자가 무슨 말인가를 하려다가 미심쩍다는 표정을 짓자, 골드문트가 다시 소리쳐 말했다.

"뭘 망설이는 거요? 부모님과 같이 살고 있는 거요, 아니면 남의 집에서 일을 해주는 거요? 아, 남의 집이로군. 그럼 어서 나와요, 귀여운 아가씨. 늙은 사람들은 그냥 내버려둡시다. 우리는 젊고 건강하니, 얼마 동안은 잘 지낼 수 있을 거요. 갈색 눈의 아름다운 아가씨, 이건 진심이오."

처녀는 놀라고 망설이는 기색으로 그를 빤히 바라보았다. 그는 슬금슬금 물러나 인적 없는 골목길을 한 바퀴 돌고 나서 다시 돌아왔다. 처녀는 여전히 창가에 고개를 내밀고 서 있었다. 그가 다시 나타난 것이 무척이나 반가운 모양이었다. 그 처녀는 그에게 눈짓을 보내고는 이내 따라나섰다. 그녀는 손에 조그만 보퉁이를 들고 목에는 빨간 목도리를 감고 있었다.

"이름이 뭐요?"

그가 물었다.

"레네라고 해요. 당신하고 같이 가겠어요. 이 도시는 정말이지 너무 끔찍해요. 모두 죽어가고 있어요. 어서 가요, 어서!"

성문 근처에서 로베르트가 얼굴을 찌푸린 채 땅바닥에 웅크리고 앉아 있었다. 그는 골드문트가 다가오자 벌떡 일어나더니 눈을 동그랗게 뜨고는 처녀를 바라보았다. 이번만큼은 로베르트도 고분고분하지 않았다. 불평을 토해내다가 급기야 말다툼이 벌어졌다. 저주받은 흑사병 소굴에서 사람을 데리고 나와 길동무가 되라고 해도 참아줄 거라고 생각하는 모양인데, 그건 정신 나간 짓이며 하느님이라도 참을 수 없을 거라고 울부짖었다. 그러면서 자기는 더 이상 같이 가지 않겠다며, 이제 인내심이 한계에 도달했다고 말했다.

골드문트는 그가 이성을 되찾을 때까지 온갖 욕설과 불만을 늘어놓도록 그냥 내버려두었다. 그러다가 그가 잠시 잠잠해지자 이렇게 말했다.

"로베르트, 잠꼬대는 실컷 한 것 같으니 이제는 그만 같이 가자. 아름다운 길동무가 생긴 걸 너도 기뻐하게 될 거야. 이름은 레네, 나와 함께 있을 거다. 그렇지만 이제 너한테도 기쁜 소식을 전해줄게. 로베르트, 이제 우리는 좀 쉬었다가 건강한 생활을 하면서 흑사병을 피하게 될 거야. 빈 집이 있는 멋진 장소를 찾든지 직접 집을 지어도 괜찮겠지. 거기서 나와 레네는 집주인과 안주인이 되고, 너는 친구로서 같이 사는 거란 말이다. 이제는 좀 산뜻하고 즐겁게 지내는 거야. 알겠어?"

로베르트는 기꺼이 동의했다. 다만 레네와 악수를 하라거나 그녀의 옷을 만지라고 하지 않는다는 조건을 달았다. 그러자 골드문트가 말했다.

"알았어. 그런 것은 요구하지 않겠어. 아니, 그뿐만이 아냐. 레네의 손가락 하나라도 건드리면 안 돼. 그런 건 꿈도 꾸지 마라!"

세 사람은 동행자가 되어 앞으로 걸어갔다. 처음에는 말이 없던 처녀가 차차 입을 열기 시작했다. 그녀는 다시 하늘과 나무와 풀밭을 보게 된 것이 너무나 좋다고도 했고, 흑사병의 도시에서 겪은 끔찍하고 두려운 공포에 대해 말할 수가 없어서 가슴이 터질 것 같았다고도 했다. 그녀는 이야기를 하기 시작하면서 자신이 목격했던 비참하고 몸서리치는 광경의 중압감에서 조금씩 벗어나는 것 같았다. 그녀는 자신이 보고 들은 여러 가지 이야기를 풀어놓았다. 모두 처참하고 좋지 않은 이야기들이었다. 그 작은 도시는 지옥임에 틀림없었다. 두 명의 의사 가운데 한 명은 죽고, 다른 의사는 부잣집에만 왕진을 간다고 했다. 그런가 하면 집집마다 시체가 뒹굴고 있는데도 실어내는 사람이 없기 때문에 시체 썩는 냄새가 진동한다고 했다. 또한 시체를 갖다 묻는 인부들이 도둑질을 하는 것은 물론이고 음탕한 짓과 간음을 일삼는다고도 했다. 또 그들은 아직 숨이 남아 있는 병자들까지도 침대에서 끌어내어 다른 시체들과 함께 구덩이 속에다 내동댕이쳤다는 이야기도 했다. 그 외에도 그녀는 흉흉하고 끔찍한 이야기를 많이 알고 있었다. 로베르트는 경악과 흥미를 동시에 느끼며 듣고 있었고, 골드문트는 아무렇지도 않은 듯 조용하고 덤덤한 표정이었다. 레네는 끔찍스런 일을 모두 토해내려는 듯이 이야기를 멈추지 않다가 결국 지치고 말았다. 눈물은 마르고, 차츰 흥분이 가라앉으면서 말수가 줄어들었다. 두 사람도 그녀의 이야기를 듣는 동안 아무 말을 하지 않았다. 그렇게 끔찍한 얘기를 들으면서 무슨 할 말이 있겠는가. 그러자 골드문트는 천천히 걸어가면서 나직하게 노래를 부르기 시작했다. 그 노래는 여러 소절로 이루어져 있는데, 한 소절씩 부를 때마다 그의 목소리가 점점 커져갔다. 레네는 방긋이 웃음을 띠었고, 로베르트는 매우 놀라워하면서 행복한 기분으로 그의 노래에 귀를 기울였다. 그는 이제껏 골드문트가 노래 부르는 것을 들은 적이 없었다. 골드문트는 어찌 된 인간인지 못하는 것이 없었다. 정말 이상한 인간이다! 골드문트는 미묘하고 곱게 노래를 불렀지만, 목소리는 다소 부드럽게 가라앉아 있었다. 둘째 절 노래에서는 레네가 흥얼거리듯 가만가만 따라 부르더니, 금방 온전한 목소리로 음을 맞추었다. 날이 저물고 있었다. 저 멀리 황야 너머에는 울창한 숲이 병풍을 치듯 가로막고 있었고, 그 건너에는 푸르고 낮은 산들이 이어져 있었다. 산들은 안쪽에서 더욱 푸른빛을 발하는 것 같았다. 박자에 맞춰 걸음을 옮기면서 부르는 두 사람의 노랫소리는 때로는 흥겹게, 때로는 장엄하게 어우러졌다.

"오늘은 기분이 썩 좋은 것 같아요."

226

로베르트가 골드문트를 바라보며 말했다.

"응, 오늘은 정말 즐거운 날이지. 이렇게 어여쁜 여인을 만났으니 말이야. 아, 레네. 시체 치우는 인부들이 당신을 남겨두었다니 정말 다행이요. 내일쯤은 우리의 보금자리를 찾게 될 거고, 우린 즐거운 시간을 보낼 수 있을 거요. 이렇게 건강한 몸으로 함께 지낼 수 있다니, 생각만 해도 기쁘지 않소? 레네, 가을날 숲에서 통통한 버섯을 본 적 있소? 그 버섯은 달팽이가 제일 좋아하고 사람도 먹을 수 있는 거요."

"그럼요. 그런 버섯은 여러 번 봤는걸요."

레네가 웃으며 말했다.

"레네, 당신 머리카락은 바로 그것하고 똑같은 갈색이구려. 냄새도 똑같이 좋소. 노랠 또 하나 불러볼까요? 아니, 혹시 배가 고프지 않소? 내 배낭에는 아직도 먹을 만한 게 있거든……."

이튿날, 그들은 좋은 곳을 발견했다. 조그만 자작나무 숲속에 있는 통나무로 지은 오두막이었다. 아마 예전에 나무꾼들이나 사냥꾼들이 지은 듯했다. 쇠를 비틀고 문을 열었다. 안은 텅 비어 있었다. 로베르트도 이 근사한 오두막이 마음에 들었다. 이곳은 감염되지 않았다는 생각이 들었기 때문이다. 그들은 오는 길에 주인도 없이 헤매고 있는 양떼를 만났다. 그중에서 통통하게 살찐 암놈 한 마리를 끌고 왔다.

골드문트가 말했다.

"자, 로베르트. 넌 목수는 아니었지만 한때 소목 일을 했었지. 일단 우리가 머무를 성 안에 칸막이벽을 만들어야겠어. 방이 두 개 되도록 말이야. 레네와 내가 쓸 방 하나, 너와 양이 쓸 방 하나. 먹을 것도 이젠 얼마 남아 있지 않으니 오늘 저녁은 양젖만 가지고 만족해야만 해. 많든 적든 간에 말이야. 자, 그럼 너는 지금부터 벽을 만들어. 우리 둘은 잠자리를 준비할 테니. 내일은 먹을 것을 찾으러 나갈 거야."

세 사람은 서둘러 일을 시작했다. 골드문트와 레네는 잠자리에 깔 것을 찾으러 나섰다. 로베르트는 벽을 만들 나무를 자르기 위해 들판 아무 데나 널려 있는 돌에 대고 칼날을 세웠다. 하지만 벽을 세우는 일을 그날 안에

끝마칠 수가 없었다. 그날 밤 로베르트는 잠을 자러 바깥으로 나갔다. 골드문트는 레네가 아직 남자를 모른다는 것을 알았다. 그녀는 부끄러움을 탔다. 하지만 애정이 풍부한 감미로운 놀이 상대임을 알았다. 그는 레네를 어린애 다루듯 부드럽게 가슴에 끌어안았다. 레네가 지쳐서 잠에 빠져든 뒤에도 오랫동안 잠을 이루지 못한 채 그녀의 가슴에서 들리는 고동을 듣고 있었다. 그는 그녀의 갈색머리 냄새를 맡으면서 그녀에게 바싹 몸을 밀착시키고 있었다. 그런데 그 순간 얼굴에 무엇인가를 둘러쓴 악마들이 몇 대의 마차에 가득 차 있던 시체를 구덩이에 처넣는 광경이 떠올랐다. 생명은 아름다운 것이고, 행복은 아름답지만 덧없는 것이며, 젊음 역시 아름답지만 이내 시들고 마는 것이었다.

　오두막의 칸막이벽은 매우 훌륭하게 완성되었다. 나중에는 세 사람이 함께 달라붙어서 일을 했다. 로베르트는 자신의 역량을 과시하고 싶은 듯, 대패질하는 받침과 연장과 자와 못만 있다면 무엇이든 만들 수 있다는 이야기를 몇 번이나 했다. 하지만 가지고 있는 것은 기껏 칼과 손뿐이었으므로 열두 개의 자작나무를 잘라서 그걸 오두막 마룻바닥에 세운 다음 칡덩굴로 얽어매서 잇는 것으로 만족해야만 했다. 그것은 시간이 좀 걸렸지만 즐겁고 재미있는 일이었기에 모두가 신이 나서 일을 했다. 레네는 틈틈이 딸기를 찾거나 양을 돌보러 갔고, 골드문트는 근처를 정찰하고 탐색하여 먹거리를 비롯하여 이것저것 가지고 돌아왔다. 그곳 주변에서는 사람의 그림자도 얼씬거리지 않았다. 로베르트는 특히 그 점에 만족했다. 감염될 위험이 없었고, 사람들의 적대행위도 피할 수 있었던 것이다. 하지만 먹을 것을 구하는 것이 쉽지 않다는 불리한 조건도 있었다. 근방에 비어 있는 농가가 하나 있었다. 골드문트는 그들의 통나무집 대신에 그곳을 숙소로 정하자고 제의했다. 그러나 로베르트는 온몸을 부들부들 떨면서 주저했고, 골드문트가 그 집에서 가지고 나온 것은 무엇이든 일일이 불에 그슬려서 소독하기 전에는 손도 대지 않았다. 골드문트가 거기서 발견한 것은 그리 많지 않았으나 그래도 두 개의 작은 의자, 양젖을 짜 넣는 통, 몇 개의 그릇, 도끼 등을 사용할 수 있게 되었다. 또 어느 날에는 들판에서 길 잃은 닭 두 마리를 잡아왔다. 레네는 골드문트를 사랑하며 행복해했다. 그리고 작은 보금자리를 짓고 날마다 조금씩 꾸미는 일은 세 사람 모두에게 큰 즐거움이었다. 빵은 없었다. 하지만 그 대신 또 한 마리의 염소를 키웠다. 순무를 갈아놓은 조그만 밭도 발견했다. 하루하루가 지나갔다. 칡덩굴로 엮은 벽도 완성되었다. 잠자리를 다시 고치고 난로도 만들었다. 개울은 멀지 않았으며, 물은 맑고 달콤했다. 그들은 일을 하면서도 종종 노래를 부르기도 했다.

어느 날 함께 양젖을 마시면서 가족적인 분위기에 잠겨 있을 때, 레네가 별안간 꿈꾸는 듯한 소리로 말했다.

"이러다가 겨울이 오면 어떻게 해요?"

아무도 대답을 하지 않았다. 로베르트는 깔깔거리며 웃어넘겼고, 골드문트는 야릇한 표정으로 아무 말 없이 앞만 쳐다보았다. 레네는 아무도 겨울 넘길 걱정을 하지 않는다는 것을, 아무도 같은 장소에서 오래도록 머물 생각을 하지 않는다는 것을 차츰 깨닫게 되었다. 집이 있어도 보금자리가 아니라는 것을, 그리고 자기가 떠돌이 방랑자들 사이에 끼어 있다는 사실을 알아차린 것이다. 그녀는 말없이 고개를 숙였다.

그러자 골드문트는 어린아이를 상대로 말하듯이 농담과 격려의 말을 섞어가며 활기찬 어조로 말했다.

"당신은 농부의 딸이라서 그런지 쓸데없는 걱정을 하는군. 레네, 먼 앞날까지 미리 걱정할 것 없어요. 흑사병이 만연한 시기가 지나면 다시 집에 갈 수 있을 거요. 흑사병도 언제까지나 퍼져 있진 않을 테니, 흑사병이 끝나고 나면 부모님께 가든지 딴 친척한테 가든지 해요. 안 그러면 마을로 다시 돌아가서 남의 일을 해주면 끼니 걱정은 하지 않아도 될 거고. 하지만 지금은 여름이고, 이 일대는 어디를 가도 죽음뿐이오. 하지만 이곳은 깨끗하고, 우리끼리 잘 지내고 있지 않소. 그래서 우리는 여기는 머무는 것이오. 당신은 마음이 내킬 때까지만 여기에서 같이 있으면 되지 않겠소?"

"그리고 그다음에는요? 그다음은 모든 것이 끝장인가요? 당신은 떠나가나요? 그러고 나면 난 어떡해요?"

레네가 격앙된 목소리로 소리쳤다.

골드문트는 그녀의 긴 머리를 가만히 잡아당겨 부드럽게 어루만지며 말했다.

"바보 같은 아가씨, 벌써 시체 치우는 인부를 잊은 거요? 집집마다 사람들이 죽어가고 문 앞의 커다란 구덩이가 불에 활활 타는 것을 모두 잊어버렸소? 그 구덩이에 엎어져 속옷이 비에 젖는 것을 면한 것만으로도 감사드려야 할 판이오. 당신은 간신히 빠져나왔고 팔다리에 아직 생명이 붙어 있지 않소. 그리고 이렇게 웃으면서 노래까지 부를 수 있는데, 당신은 이런 사실을 고맙게 받아들여야 한다고 생각하지 않는 거요?"

그래도 여자는 좀처럼 만족해하지 않으면서 힘없이 내뱉었다.

"하지만 난 이곳에서 떠나고 싶지 않아요. 당신을 떠나보내기 싫단 말이에요. 그럴 수는 없어요. 조만간 모든 것이 끝나버린다고 생각하면 하나도 즐겁지가 않다고요!"

골드문트는 정답지만 다소 위협하는 듯한 어조로 나지막하게 다시 한 번 대답했다.

"레네, 그것에 대해서는 벌써 세상의 많은 성현들이 머리를 싸매고 거듭 고민했다오. 하지만 영원히 지속되는 행복 같은 건 존재하지 않소. 만약 지금 우리가 누리고 있는 행복이 당신 마음에 들지 않거나 기쁨을 가져다주지 않는다면, 나는 서둘러서 이 오두막에다 불을 지를 거요. 그리고 우리는 각자가 원하는 곳으로 떠나면 되는 거요. 잘 생각해 봐, 레네. 이야기는 이것만으로도 충분할 테니까."

이야기는 거기서 멈췄고, 그녀는 고분고분 말을 들었다. 그러나 그녀의 행복 위에 정체가 불분명한 검은 그림자가 드리워지게 되었다.

14

여름이 완전히 다 물러가기도 전에 오두막집 생활은 그들이 생각지도 않았던 형태로 끝이 났다. 어느 날 골드문트는 새를 잡는 돌화살을 가지고 소쩍새나 그 밖의 다른 짐승을 잡으려고 그 근방을 어슬렁거렸다. 먹을 것이 별로 남아 있지 않았던 것이다. 레네는 가까이에서 딸기를 따고 있었다. 그는 때때로 레네 곁을 지나치면서, 레네의 속옷 밑으로 드러난 갈색 살결의 목덜미와 그녀의 빨개진 얼굴을 보기도 하고 그녀가 부르는 노랫소리를 듣기도 했다. 때로는 레네의 옆에서 딸기를 슬쩍 딴 다음, 그녀를 쳐다보지 않고 그냥 앞으로 가기도 했다. 그는 레네를 생각하면서 정겨움과 권태의 감정을 번갈아 느끼곤 했다. 레네가 다시 한번 다가올 가을철과 장래에 대해 이야기를 끄집어냈다. 임신한 것 같다고도 했고, 그를 절대로 떠나보내지 않겠다고도 했다. '이제 모든 것은 끝났어. 금방 싫증이 날 테고, 그러면 그때는 로베르트도 남겨두고 혼자 떠나겠어. 겨울쯤에는 니콜라우스 명인이 사는 큰 도시로 돌아가서 겨울을 보내고, 이듬해 봄이 되면 좋은 새 신발을 사 신고서 또다시 길을 떠날 거야. 그리곤 어떤 고생을 하더라도 마리아브론 수도원을 찾아갈 것이며, 나르치스한테 인사를 하고 싶어. 아마 그를 보지 못한 것이 10년쯤 되었을까? 하루만이라도 좋아. 그를 만나야겠어.' 그는 그런 생각을 했다.

갑자기 찢어지는 듯한 소리가 들려 상념에 빠져 있던 그를 깨웠다. 그는 자신이 온갖 생각과 희망을 가지고 이미 이곳에서 떠나 있음을 알았다.

이곳은 더 이상 자신이 있을 곳이 아니라는 사실을 불현듯 깨닫게 된 것이다. 그는 귀를 곤두세우고 방금 들려온 그 소리에 귀를 기울였다. 불안에 가득 찬 소리가 되풀이되었고, 분명 레네의 목소리였다. 레네가 크나큰 곤경에 빠져 있는 것처럼 그의 이름을 불렀던 것이다. 그는 여전히 얼마간 짜증을 내며 다급하게 발걸음을 옮겼다. 레네의 울부짖는 소리가 반복되자 그의 마음속에서 동정과 연민이 우러나왔다. 겨우 레네를 발견했을 때, 그녀는 갈기갈기 찢어진 속옷 바람으로 그녀에게 달려들려는 낯선 사내와 실랑이를 벌이고 있었다. 골드문트는 단숨에 달려갔다. 그의 마음속에 있는 짜증과 불안과 슬픔이 알지 못하는 이 불한당에 대한 미칠 듯한 분노로 변하여 폭발하고 말았다. 낯선 사내가 레네를 완전히 땅바닥에 눌러 덮치려는 순간 골드문트는 놈을 불시에 덮쳤다. 레네의 드러난 맨가슴에서 피가 흐르고 있었는데, 욕정을 참을 길 없는 사내가 레네를 끌어안았던 모양이었다. 골드문트는 분노에 찬 두 손으로 사내의 목을 졸랐다. 그의 목은 말라빠졌고 양털 같은 턱수염이 텁수룩했다. 놈이 여자를 놓아주고 축 늘어져서 자기 손에 매달릴 때까지 골드문트는 알 수 없는 쾌감을 느끼며 계속 졸라댔다. 골드문트는 힘없이 널브러진 사내를 회색빛 바위 모서리까지 끌고 갔다. 사내의 몸은 몹시 무거웠다. 거기서 그는 사내를 두세 번 일으켜 세운 다음, 그 사내의 머리를 칼날 같은 바위에다 패대기치듯 내려쳤다. 그리고는 목이 부러진 몸뚱이를 들어서 바닥으로 내던졌지만 아직도 그의 분노는 가라앉지 않았다.

레네는 그런 그를 쳐다보고 있었다. 젖가슴에서는 계속 피가 흐르고 있었다. 아직도 몸을 부들부들 떨며 괴로운 듯 할딱거리고 있었으나 이내 일어나서 기쁨과 경탄에 찬 황홀한 눈빛으로 믿음직한 애인의 행동을 바라보았다. 죽은 사내의 회색빛 얼굴에는 텁수룩한 수염이 가득했고 머리카락이 듬성듬성한 머리는 뒤로 젖혀진 채 비참하게 쓰러져 있었다. 레네는 환호성을 지르며 일어서서 골드문트의 가슴에 쓰러지듯 안겼다. 그런데 별안간 그녀의 얼굴빛이 창백해졌다. 아직도 공포가 레네의 가슴에 남아 있었고, 속이 메스꺼웠던 것이다. 그러더니 레네는 탈진한 듯 풀밭으로 쓰러지고 말았다. 하지만 레네는 이내 정신을 차리고 골드문트와 함께 오두막으로 갔다. 골드문트는 상처투성이가 된 레네의 젖가슴을 씻어주었다. 한쪽 젖가슴에는 긁힌 자국과 괴한의 이빨에 물린 상처가 나 있었다.

매우 흥분한 로베르트는 열을 올리면서 싸움의 자초지종에 관해 이것저 것 열심히 물어댔다.

"목덜미를 부러뜨렸다고요? 굉장하군요! 골드문트, 모두 당신을 두려워할 거예요."

하지만 골드문트는 더 이상 그 이야기를 계속하고 싶지 않았다. 그리고 어느 정도 냉정을 찾은 상태로 돌아와 있었다. 죽은 사내를 떠올리면서 그는 가엾은 빅토르를 생각하지 않을 수 없었다. 이것으로 자기가 죽인 사람이 벌써 둘이나 된 것이다. 로베르트한테서 벗어날 요량으로 그는 이렇게 말했다.

"이젠 너도 뭔가를 할 수 있을 거야. 바위 쪽에 있는 시체를 치워줘. 구덩이를 파는 것이 힘들거든 갈대 늪 속에 밀어 넣거나 돌이나 흙으로 잘 덮어두어도 괜찮아."

하지만 그런 부당한 주문은 거절당했다. 로베르트는 시체 근처에는 얼씬도 하지 않으려 했다. 어떤 시체든지 흑사병 균이 묻어 있을지도 모른다는 것이 그 이유였다.

레네는 방 안에 누워 있었다. 젖가슴에 물린 상처가 욱신거렸으나 이내 가뿐해졌다. 다시 일어나서 불을 피우고 저녁 식사로 우유를 끓였다. 레네는 몹시 기분이 좋았으나 일찍 잠자리에 들어야 했다. 레네는 골드문트한테 탄복하고 있었기 때문에 어린 양처럼 시키는 대로 고분고분 말을 들었다. 골드문트는 말도 하지 않고 음울한 얼굴빛을 하고 있었다. 로베르트는 이러한 골드문트의 증상을 잘 알고 있었으므로 가만히 내버려두었다. 골드문트는 밤이 깊어진 다음 잠자리에 들려다가 레네 쪽으로 허리를 굽히고 귀를 기울였다. 레네는 잠들어 있었다. 그의 마음이 편치 않았다. 그는 빅토르가 생각났고, 불안과 방랑의 충동에 휩싸였다. 그는 이제 이 보금자리 놀이도 끝났다는 것을 직감했다. 그렇지만 한 가지 사실이 자꾸만 마음에 걸렸다. 그가 죽은 사내를 내던졌을 때 그를 바라보고 있던 레네의 시선이 그를 붙들고 놓지 않았다. 그것은 기묘했다. 그 시선을 결코 잊을 수 없으리라는 것을 그는 잘 알고 있었다. 경악과 황홀감이 뒤섞여 치켜뜬 눈에서는 자부심과 승리감이 빛났고, 복수와 살인에 공감하는 깊은 눈빛에서는 열정적 쾌감이 반짝였다. 여자의 얼굴에서 그런 표정을 지금까지 본 적이 없었고, 여자가 그런 표정을 지을 수 있으리라고는 상상조차 하지 못했던 것이다. 그 시선이 아니었더라면, 나중에 세월이 흐르고 난 뒤 레네의 얼굴을 잊어버리고 말지도 모를 일이었다. 농부의 딸인 그녀의 표정에는 아름다우면서도 두렵게 느껴지는 어떤 단호함이 어려 있었다. 수개월째 골드문트는 '이걸 그려야지!' 하는 소망을 잊고 있었는데, 그녀의 얼굴에 떠올랐던 기묘한 시선을 본 이후로 그는 일종의 공포와 함께 그 소망이 다시 솟구치는 것을 느꼈다.

골드문트는 좀처럼 잠을 이룰 수가 없었기 때문에 결국 몸을 일으켜 오두막에서 나왔다. 바깥 공기는 서늘했다. 자작나무 사이로 바람이 솔솔 불어왔다. 어둠 속을 이리저리 거닐다가 그는 바위 위에 걸터앉았다. 하염없는 상념과 깊은 비탄 속으로 젖어 들어갔다. 빅토르가 가엾게 여겨졌고, 오늘 때려죽인 그 사내도 불쌍하다는 생각이 들었다. 자신의 영혼이 순수함과 동정심을 잃었다는 사실이 더없이 슬펐다. 이렇게 황무지에서 잠을 자고, 길 잃은 가축을 호시탐탐 노리고, 불쌍한 작자를 때려죽여 돌더미 속에 파묻는 따위의 짓거리를 하기 위해 수도원에서 도망치고, 나르치스를 떠나오고, 니콜라우스 스승을 화나게 하고, 아름다운 리즈베트를 단념했단 말인가? 이런 짓거리들이 무슨 의미가 있단 말인가? 이런 생활이 무슨 가치가 있단 말인가? 골드문트는 무의미와 자기혐오감 때문에 가슴이 미어지는 것만 같았다. 그는 다리를 길게 뻗고 반듯이 누워 희뿌연 하늘을 바라보았다. 그렇게 한동안을 있다 보니 이런저런 상념이 사라졌다. 나중에는 자신이 하늘의 구름을 쳐다보고 있는 건지, 아니면 자신의 마음속에 낀 구름을 보고 있는 건지 구별이 되지 않았다. 그러다가 바위 위에서 살짝 잠이 들었는데, 그 순간 흘러가는 구름 속에서 커다랗고 희뿌연 얼굴이 갑자기 번갯불처럼 스치고 지나갔다. 그것은 이브의 얼굴이었다. 그 얼굴은 깊숙하게 베일을 뒤집어쓰고 무거운 눈길을 보내는가 싶더니 갑자기 눈을 치켜떴다. 커다란 눈에는 육욕과 살인의 쾌감이 가득했다. 골드문트는 이슬이 내릴 때까지 잠이 들어 있었다.

이튿날, 레네는 다시 아프기 시작했다. 두 사람은 레네를 가만히 누워 있게 했다. 할 일이 많았다. 로베르트는 아침에 숲에서 두 마리의 염소와 마주쳤으나 곧 놓치고 말았다. 그는 골드문트를 데리고 갔다. 두 사람은 반나절이나 쫓아가서 몰이를 한 끝에 그중 한 마리를 붙잡았다. 저녁 무렵에 염소를 끌고 왔을 때 그들은 지칠 대로 지쳐 있었다. 레네의 상태는 몹시 좋지 않았다. 골드문트가 자세히 살펴보니 흑사병의 종양이 나타나 있었다. 그는 그 사실을 숨겼으나, 로베르트는 레네가 아직까지도 앓고 있다는 소리를 듣자 미심쩍었는지 더 이상 오두막 안으로 들어오지 않았다. 그는 밖에서 잠자리를 찾겠다고 하면서, 염소라고 옮지 말라는 법이 있겠느냐며 염소도 데리고 가겠다고 법석을 떨었다.

"그렇다면 나가버려. 이제 두 번 다시 네놈을 보고 싶지 않으니까."
골드문트는 화가 나서 소리를 질렀다.

로베르트는 염소를 칸막이벽 뒤로 끌고 갔다. 그리고는 염소는 그대로 둔 채 온데간데없이 사라졌다. 겁을 먹은 로베르트는 상태가 좋지 않았다. 흑사병에 대한 공포와 골드문트에 대한 두려움, 그리고 외로움과 밤에 대한 공포 때문에 참을 수 없는 기분이었다. 그는 오두막에서 멀지 않은 곳에 자리를 잡고 드러누웠다.

골드문트가 레네에게 말했다.

"난 당신 옆에 있을 거요. 걱정하지 마. 그리고 금방 나을 거요."
레네가 천천히 고개를 저으며 입을 열었다.

"당신도 병에 걸리지 않도록 조심하세요! 이제 내 옆에 와서는 안 돼요. 날 위로해 주려고도 애쓰지 말아요. 나는 죽을 거예요. 언젠가 당신이 저를 버리고 떠나는 것보다는 차라리 죽는 편이 나아요. 아침마다 당신이 떠나지 않았나 하고 애를 태웠어요. 그래요, 저는 죽는 편이 차라리 좋아요."

이튿날 아침, 레네의 상태는 더욱 나빠졌다. 골드문트가 간혹 레네한테 물을 먹여주면서 틈틈이 눈을 붙인 것은 겨우 한 시간 정도였다. 날이 훤히 밝았을 때, 그는 레네의 얼굴에 죽음의 그림자가 확실히 드리워졌다는 것을 알 수 있었다. 그녀의 얼굴은 완전히 시들고 짓물러 있었다. 그는 바깥으로 나와 잠시 동안 공기를 들이마신 다음 하늘을 쳐다보았다. 구부정한 몇 그루의 소나무 줄기가 벌써 햇빛을 받아 반짝였다. 공기는 맑고 감미로운 향기를 실어다 주었다. 멀리 보이는 언덕은 아직도 아침 구름에 뒤덮여 제대로 보이지 않았다. 그는 몇 발자국 앞으로 걸어가 지친 팔다리를 뻗으며 심호흡을 했다. 이 슬픈 아침에도 세계는 여전히 아름다웠다. 이제 또 다른 방랑생활이 다시 시작되리라. 작별을 할 때가 된 것이다.

숲속에서 로베르트가 나타나 소리쳐 그를 불렀다.

"좀 나았어요? 흑사병이 아니라면 나도 그냥 있을게요. 골드문트, 화내지 마세요. 나는 그동안 염소를 지킬게요."

"염소와 함께 지옥이나 가버려! 레네는 다 죽어가고 있다. 그리고 나도 전염되었어."

골드문트가 그에게 소리쳤다. 마지막 말은 물론 거짓이었다. 로베르트를 멀리 떨쳐버리기 위해 일부러 그렇게 말한 것이었다. 설령 이 로베르트가 선량한 녀석이라 하더라도 골드문트는 이제 진절머리가 났다. 이 친구는 너무나 겁이 많고 소심했다. 이렇게 운명이 엇갈리고 충격이 줄을 잇는 격심한 시기에는 너무 부적합한 사나이였다. 로베르트는 이제 보이지 않았다. 그리고 두 번 다시 나타나지 않았다. 해가 붉게 타오르고 있었다.

다시 레네한테 돌아와서 보니 그녀는 잠을 자고 있었다. 그도 다시 그녀 옆에 누웠다가 잠이 들었다. 꿈속에서 한때 그가 데리고 있던 점박이 말 블레스와 수도원의 아름다운 밤나무가 나타났다. 그는 끝도 없는 먼 나라의 황무지에서 잃어버린 고향을 되돌아보고 있는 듯한 기분이 들었다. 꿈에서 깨어나 눈을 떠보니 갈색의 수염이 나 있는 뺨 위로 눈물이 흘러내리고 있었다. 그때 희미한 소리로 레네가 중얼거리는 소리가 들리는 듯했다. 그는 레네가 자기를 부르는 소리라고 믿고 자리에서 벌떡 일어났으나,

레네는 누구에게도 말하고 있지 않았다. 그녀는 단지 혼잣말을 하고 있을 따름이었다. 애교스런 말을 하다가 욕을 하거나 저주하는 말을 하기도 했고, 혼자서 실실 웃다가는 하늘이 꺼질 것처럼 한숨을 쉬기도 했다. 그러다가 숨을 꿀꺽 삼키고 나서 흐느껴 울다가는 다시 잠잠해졌다. 골드문트는 몸을 움직여 이미 흉하게 일그러진 레네의 얼굴 위로 허리를 굽혔다. 그는 비통한 가운데서도 타는 듯한 죽음의 숨결 아래 어지럽게 뒤틀려 있는 선(線)을 씁쓸한 호기심을 억제하지 못한 채 지켜보았다. 사랑하는 레네여! 귀엽고 착한 아가씨여! 당신마저도 나를 떠나려는 거요? 벌써 내가 싫어진 거요? 그의 가슴은 그렇게 소리치고 있었다.

골드문트는 도망치고 싶은 생각이 간절했다. 방랑에 방랑을 계속하면서 자꾸만 가다 보면 바람도 쏘이고 피로도 몰려올 것이다. 그런 중에 새로운 형상을 보게 되면 마음이 한결 가벼워질 테고 깊은 우울증도 가라앉을 것이다. 하지만 그럴 수는 없었다. 레네를 이곳에서 혼자 죽어가게 둘 수는 없었다. 그건 있을 수 없는 일이었다. 그는 맑은 공기를 마시기 위해 두세 시간마다 잠시 동안 바깥에 나가 신선한 바람을 쐬었다. 레네가 아무것도 마시지 못했기 때문에 염소젖은 실컷 마실 수 있었지만 그밖에 달리 먹을 것은 없었다. 염소를 몇 번 밖으로 데리고 나가 풀을 뜯게 하고, 물을 먹이고, 운동을 하게 했다. 그리고는 다시 레네의 잠자리 곁으로 돌아왔다. 정답게 이야기도 해주고, 피하지 않고 그녀의 얼굴을 들여다보기도 했다. 절망적인 심정으로, 그는 죽어가는 그녀의 모습을 지켜보았다. 레네의 의식은 쉽게 사그라지지 않았다. 간혹 잠들었다가 어렴풋이 눈을 뜨곤 했다. 눈꺼풀이 지쳐서 맥이 없어 보였다. 시간이 흐를수록 야들야들하던 그녀의 싱싱했던 피부가 빛을 잃으며 시들어갔다. 눈과 코의 주변이 차츰 어둡게 변해갔고, 물이 방울져 떨어져 내릴 것처럼 윤이 나던 목덜미 위에 주름이 드러났다. 레네는 어쩌다가 '골드문트', 혹은 '사랑하는 당신'이라고 부르면서 창백해진 입술을 혓바닥으로 축이려고 애를 썼다. 골드문트는 그럴 때마다 레네의 입술에다 한두 방울의 물을 떨어뜨려 적셔주었다.

그날 밤, 레네는 숨을 거두었다. 그녀는 슬퍼하는 기색도 없이 떠났다.

약간 몸을 움찔하더니 숨이 멎었고, 살갗 위로 한 가닥 숨결 같은 파동이 지나갔다. 그 모습을 지켜보는 골드문트는 왠지 마음이 가라앉으면서 죽어 가던 물고기의 모습이 떠올랐다. 그는 생선시장에서 죽어가는 물고기들을 보면서 곧잘 슬퍼하곤 했었다. 그때 보았던 물고기처럼 그녀도 그렇게 숨이 꺼졌다. 한번 움찔했다가는 파닥거리는 고통의 소름이 살갗 위를 스쳐가면서 목숨을 거두어갔던 것이다. 골드문트는 한참 동안 레네의 옆에 무릎을 꿇고 있었다. 그러다가 밖으로 나가 갈대 덤불에 주저앉았다. 갑자기 혼자 있는 염소가 걱정되어 다시 한 번 안으로 들어가 데리고 나왔다. 염소는 잠시 주변을 두리번거리더니 바닥에 드러누웠다. 골드문트는 염소의 옆구리에 몸을 기대어 멍하니 누워 있다가 그대로 잠이 들었다. 잠에서 깨었을 때는 날이 밝아 있었다. 그는 마지막으로 오두막에 들어가 엮어놓은 칸막이벽 뒤로 가서 불쌍한 레네의 얼굴을 바라보았다. 이 죽은 여인을 그곳에 그대로 둘 수는 없었다. 그는 다시 바깥으로 나가 한 아름의 마른 장작과 시든 잔가지를 긁어모아 그것을 오두막에 던져 넣고는 불을 붙였다. 그는 불붙일 도구 이외에는 오두막 안에서 아무것도 꺼내지 않았다. 바싹 마른 자작나무 벽은 순식간에 빨갛게 타올랐다. 그는 멍하니 서서 서까래가 타기 시작하는 광경을 지켜보았다. 염소는 겁을 집어먹었는지 불안한 몸짓으로 마구 날뛰었다. 그 염소를 잡아서 구워 먹으면 힘이 솟구칠 것 같았다. 하지만 그렇게 할 수는 없었다. 그는 염소를 들판으로 쫓아 보내고는 그 자리를 떴다. 죽음을 삼킨 연기가 숲속까지 계속 따라왔다. 이렇게 비참하고 삭막한 마음으로 방랑길에 오르기는 처음이었다.

그리고 그를 기다리고 있는 상황은 생각보다 훨씬 험악했다. 맨 처음에 당도한 농가와 마을을 시작으로 갈수록 사태가 처참했다. 그 지방 전체가 죽음의 구름으로 뒤덮여 있었고, 공포와 불안과 침통함에 싸여 있었다. 죽음으로 폐허가 된 집들, 사슬에 매인 채 굶어죽은 개들, 묻히지도 못하고 나뒹굴고 있는 송장들, 구걸하는 아이들, 성문 밖의 교외에 있는 수많은 시체 구덩이들……. 그러나 이런 광경들이 최악의 경우는 아니었다. 더욱 지독한 최악의 상태는 살아 있는 사람들이었다. 그들은 죽음의 공포와 불안을 안고 눈에 초점을 잃은 채 넋이 나가 있었다. 어디를 가도 기이하고 소름끼치는 사건을 목격하거나 듣게 되었다. 아이들이 병들면 부모가 자식을 버렸고, 아내가 병들면 남편이 아내를 버렸다. 시체 치우는 인부들이나 병원지기들은 사형 집행인처럼 날뛰었다. 그들은 사람이 죽어 텅 빈 집에서 노략질을 하고, 시체를 묻지도 않고 제멋대로 내버리거나 빈사 상태에 빠진 병자를 숨도 거두기 전에 침대에서 끌어내려 마차에 싣기도 했다. 공포에 질린 도망자들은 겁을 집어먹고 이리저리 떠돌아다녔다. 그들은 폐인이 되어 인간과의 접촉을 피했으며, 죽음의 공포에 내쫓기며 헤매고 있었다. 그런가 하면 어떤 사람들은 한데 휩쓸려서 어이없게도 방탕한 생활에 탐닉했으며, 술잔치와 춤판을 벌여 죽음의 귀신이 연주하는 바이올린을 반주로 애욕의 향연에 빠져들었다. 또는 가족들이 모두 죽어버린 빈 집에서 눈에 초점을 잃은 채 웅크리고 앉아 거들떠보는 이 하나 없이 통곡을 하다가 마구 호통을 쳐대듯이 악을 쓰는 사람도 있었다. 그러나 이 모든 참상보다도 더 혐오스럽고 지독한 것은 어쩔 수 없는 이 불행에 대해 책임질 속죄양을 찾고 있다는 사실이었다. 많은 사람들이 흑사병을 퍼뜨린 사악한 원흉을 알고 있다고 우겨댔다. 그들의 주장에 따르면, 악마와 결탁한 자들이 흑사병으로 죽은 시체에서 병균을 뽑아내어 문고리와 담벼락에 바르고, 우물에 그 균을 넣거나 가축들에게 먹여 죽음이 확산되도록 조장하고 있으며, 그런 식으로 많은 사람을 불행에 빠뜨린 다음 그것을 즐기고 있다는 것이었다. 그리고 이런 잔인한 짓을 했다고 의심받는 사람은 도망치지 못했을 경우 목숨을 잃었다. 재판소나 폭도들에 의해 죽음의 형벌이 가해진 것이다. 그 밖에는 부자는 가난한 사람들한테 죄를 뒤집어씌웠고, 그 반대의 경우도 있었다. 또 유대인이나 남쪽 나라의 이방인, 혹은 의사들이 죄인으로 지목되기도 했다.

어느 도시에서 골드문트는 집들이 다닥다닥 붙어 있는 유대인 거리 전체가 불에 타는 것을 보고 말할 수 없는 분노를 느꼈다. 그 주위에는 고함을 질러대는 무리들이 빙 둘러서 있었고, 울부짖으며 달아나는 사람이 있으면 무력에 의해 불구덩이 속으로 밀어 넣었다. 불안과 분노에 눈이 뒤집힌 사람들에 의해 도처에서 죄 없는 사람들이 맞아죽고, 화형에 처해졌으며, 추방되거나 고문을 당했다. 골드문트는 그런 광경을 지켜보면서 뭐라 말할 수 없는 분노와 역겨움을 느꼈다. 온 세계가 파괴되고, 악에 물들고 있었다. 이 세상에는 이제 어떤 기쁨이나 순수함, 사랑 따위는 전혀 존재하지 않는 것 같았다. 이따금 그는 쾌락에 탐닉하는 무리들의 격렬한 잔치로 도피하곤 했다. 어디서나 저승사자의 바이올린 소리가 울려 퍼졌는데, 그는 이내 그러한 소리에 익숙해졌다. 그는 절망적인 술판에도 곧잘 끼어들었고, 류트를 연주하거나 춤을 추고 노래하면서 횃불의 불빛 아래서 열에 들뜬 밤을 보내기도 했다.

골드문트는 두려움을 느끼지 않았다. 그는 한때 죽음의 공포를 맛본 적이 있었다. 언제였던가. 겨울 밤 전나무 아래에서 빅토르의 손가락이 그의 목을 죄어왔을 때 그러했고, 모진 유랑생활을 하는 중에 눈사태나 굶주림 속에서 그러했다. 하지만 그것은 싸워볼 만도 하고 막아낼 수도 있는 죽음이었다. 실제로 그는 손발을 부들부들 떨면서 안간힘을 다해 위기에서 벗어났고, 쪼르륵 소리가 나는 배를 움켜쥐고서 버텨냈었다. 하지만 이 흑사병으로 인한 죽음과는 싸울 방도가 없었다. 미친 듯이 날뛰도록 내버려두고 처분을 기다리는 수밖에 없었다. 골드문트는 진작부터 몸을 맡기고 있었다. 그는 두려움을 느끼지 않았다. 타오르는 오두막집에 레네를 남겨두고 온 이후, 죽음으로 온통 짓밟힌 도시와 이곳저곳을 매일 헤매다니고부터는 삶에 아무런 미련이 없었다. 이제 생명 같은 것은 문제도 안 되는 것처럼 생각되었다. 하지만 누를 수 없는 호기심이 그를 충동질하여 정신을 바짝 차리게 만들었다. 그는 지칠 줄 모르고 무수한 죽음을 보면서도 그것들을 피하려 하지 않았다. 두 눈을 번쩍 뜨고 이 지옥을 통과하고 싶은 은밀한 격정에 사로잡혔다. 그는 시체 치우는 인부들을 구경하면서 허무의 노래를 들었고, 죽음으로 폐가가 되어버린 집에서 곰팡이가 핀 빵을 먹었다. 미치광이들의 집합소 같은 술자리에서는 노래도 부르고 술도 마셨다. 쾌락으로 시들어지기 쉬운 꽃들을 땄으며, 멍하게 취한 듯한 여인들의 눈길과 주정뱅이들의 퀭한 눈길을 바라보기도 했다.

240

그런가 하면 숨이 끊어져가는 사람들의 가물거리는 눈길도 보았고, 절망의 나락에서 열에 들뜬 여인들을 사랑하기도 했다. 한 접시의 수프를 얻어먹기 위해 시체를 나르기도 했고, 한두 푼의 돈을 받고 시체 위에 흙을 덮어주는 일도 거들었다. 세상은 암흑과 공포의 세계로 변했다. 저승사자가 울부짖으며 죽음의 노래를 불렀다. 골드문트는 격정에 휩싸여 그 노래에 귀기울였다.

그의 목적지는 니콜라우스 명인이 사는 도시였다. 마음의 소리에 이끌려서 그는 그곳으로 향했다. 길은 멀었다. 어디를 가도 온통 죽음뿐이었고, 모든 것이 시들어가고 있었다. 골드문트는 슬픔을 가누면서 간신히 발길을 옮겼다. 죽음의 노래에 취한 채 세상의 울부짖는 고뇌에 자신을 내맡겼다. 슬프면서 가슴속이 이글거렸지만, 감각은 활짝 열려 있었다.

그는 어느 수도원에서 새로 그려진 벽화를 구경했다. 이 그림에서 한참 동안 눈을 떼지 못했다. 죽음의 춤이 벽에 그려져 있었다. 그림에서는 희멀겋고 피골이 상접한 저승사자가 덩실덩실 춤을 추면서 왕과 주교, 수도원장, 백작, 기사, 의사, 농사꾼, 용병 등 온갖 인간 군상을 이승 밖으로 끌고 나갔다. 뼈다귀만 남아 있는 악사들이 뼈다귀를 악기 삼아 장단을 맞추고 있었다. 호기심에 찬 골드문트의 눈길은 그 그림을 깊숙이 빨아들였다. 이름 모를 예술가는 흑사병을 목격한 체험에서 교훈을 이끌어내고 있었으며, 죽음은 피할 수 없는 것이라고 가차 없이 외치고 있었다. 훌륭한 그림이었고, 좋은 설교였다. 이 낯선 동료는 사태를 제대로 보고 그림으로 옮겨놓았다. 그 과격한 그림에서는 섬뜩하고 오싹한 느낌이 전해져 왔다. 하지만 그것은 골드문트 자신이 겪고 체험한 것과는 달랐다. 그 벽에 그려져 있는 내용은 누구나 피하지 못하고 죽을 수밖에 없다는 준엄하고 용서의 여지가 없는 교훈이었다. 하지만 골드문트라면 다른 그림을 그렸으리라. 저승사자의 광포한 노래는 그의 가슴속에서는 완전히 다른 가락을 연주하고 있었다. 그것은 스산하지도 살벌하지도 않았으며, 오히려 달콤하고 유혹적인 울림으로 고향을 생각나게 하고 어머니를 떠올리게 했다. 죽음의 손아귀가 생명을 향해 뻗쳐올 때 반드시 살벌한 분위기만 있는 것은 아니다. 그윽하고 사랑스러운, 가을날처럼 풍성한 분위기도 있을 수 있는 것이다. 죽음이 임박하면 삶의 작은 등불은 그만큼 절실하고 밝게 타오르기 때문이다. 다른 사람에게는 죽음이 전사(戰士)나 재판관, 형리(刑吏)나 엄격한 아버지를 연상케 하는지 몰라도 그에게 있어 죽음은 어머니이자 애인이었다. 또한 죽음의 부름은 사랑의 유혹이었고, 죽음의 손길은 달콤한 사랑의 전율이었다. 벽화에 그려진 죽음의 무도를 보고 나서 걸음을 옮기기 시작한 골드문트는 무언가 새로운 힘이 솟아나는 것 같았다. 빨리 스승 곁으로 가서 창작을 해야겠다는 생각을 하며 그곳으로 자신을 몰고 갔다. 하지만 곳곳에서 새로운 광경과 체험이 잇따라서 자꾸만 늦어졌다. 그는 열린 콧구멍으로 죽음의 공기를 들이마셨다. 도처에서 동정과 호기심이 한 시간 혹은 한나절씩 길을 멈추게 했다. 울어대는 농사꾼의 조그만 사내아이를 사흘씩이나 돌봐주기도 했고, 굶주림에 허덕이는 대여섯 살 되는 아이 때문에 진땀을 흘리기도 했다. 결국에는 그 아이를 숯 굽는 여인에게 맡겼는데, 그 여자는 남편이 죽었기 때문에 어린애를 가까이 두고 싶어 했던 것이다. 또 며칠 동안 주인 없는 개 한 마리가 그를 따라와서 그에게서 뭔가를 얻어먹었다. 잠잘 때는 그의 몸을 따스하게 해주었으나 어느 날 아침에 눈을 떠보니 사라지고 없었다. 그는 몹시 서운했다. 그는 개와 이야기하는 버릇이 들었던 것이다. 그는 곧잘 그 개한테 불평을 늘어놓기도 했다. 인간들의 사악함에 대해서, 신의 존재에 대해서, 예술에 대해서 이야기했다. 또 젊은 시절 언젠가 알게 된 율리에라는 기사의 딸이 얼마나 아름다운가를 이야기했고, 그녀의 유방과 엉덩이가 어땠는지도 이야기했다. 흑사병이 창궐하는 지방의 인간들은 대부분 제정신이 아니었다. 물론 골드문트도 죽음의 방랑을 계속하고 있는 동안에 마음이 약해졌고, 어딘가 이상해졌다. 완전히 미친 사람도 많았다. 그 가운데 유대인인 젊은 처녀 레베카도 머리가 좀 이상해진 것 같았다. 이글이글 타오르는 듯한 눈을 갖고 있는 까만 머리의 아름다운 이 처녀와 이틀 동안이나 함께 지내면서 그는 아까운 시간을 허비하고 말았다.

레베카를 발견한 곳은 어느 작은 도시의 교외 들판이었다. 그녀는 까맣게 숯이 된 불탄 자리에 웅크리고 앉아 구슬프게 통곡하고 있었다. 가슴을 치면서 머리를 마구 쥐어뜯고 있었다. 쥐어뜯긴 머리카락을 보고, 골드문트는 그녀가 불쌍하단 생각이 들었다. 그만큼 아름다운 머리카락이었다. 그는 부들부들 떨고 있는 여자의 어깨를 꽉 잡으며 부드럽게 말을 건넸다. 이야기를 건네고 나서야 그녀의 얼굴과 몸매가 대단히 아름답다는 것을 알았다. 그녀는 아버지의 죽음을 슬퍼하면서 통곡하고 있었다. 그녀의 아버지는 다른 열네 명의 유대인들과 함께 당국의 명령에 의해 화형을 당했던 것이다. 그녀는 간신히 도망쳤다가, 자포자기 상태에 빠져 되돌아와 자기도 함께 타죽지 못한 것을 애통하게 여기고 있는 것이었다. 그는 심하게 떨리는 그녀의 어깨를 잡고서 위로와 격려의 말을 한 다음 마지막엔 무엇이든 도와주겠다는 제의를 했다. 그녀는 아버지를 묻는 일을 도와달라고 했다. 두 사람은 아직 후끈후끈한 잿더미 속에서 뼈를 모두 주워 모아 들판 저쪽, 사람의 눈에 띄지 않는 외진 곳으로 운반해서 흙을 덮어주었다. 그러는 사이에 밤이 되었다. 골드문트는 잠자리를 찾았다. 처녀를 위해 어느 참나무 우거진 숲속에다 잠자리를 마련해 주고는 보초를 서주겠다는 약속까지 했다. 그래서 그는 귀를 곤두세우고 있었는데, 그 여자는 누워서도 한참을 흐느끼다가 나중에야 잠이 들었다. 그도 잠시 눈을 붙였다. 그리고 아침이 되자 그는 그녀를 달래기 시작했다. 그녀에게 혼자 다니면 안 된다고 일러주었다. 유대인이라는 것이 발각되면 맞아죽을지도 모르고, 거칠고 사나운 유랑자들한테 못된 짓을 당할 수도 있으며, 숲속에는 집시나 늑대가 득실거린다고 타일렀다. 그러기에 자기는 그녀를 늑대나 인간으로부터 지켜줄 것이라고 했다. 그녀를 돕고 싶은 이유는 마음이 아프기 때문이라고 하면서, 그녀에게 잘해 줄 것이라고 말했다. 자기는 사람을 제대로 볼 줄 알며, 아름다움이 무엇인지 안다는 말도 했다. 그러면서 이어여쁘고 영리한 눈동자나 사랑스런 어깨가 짐승한테 잡아먹히거나 차곡차곡 쌓인 장작개비 위에서 태워지는 것을 그대로 보고 있을 수 없다고 했다. 그러자 그녀는 음울한 얼굴로 그의 말을 듣고 있다가 벌떡 일어나더니 내쳐 달아나기 시작했다. 그는 쫓아가서 그녀를 잡았다. 그러기 전에는 이곳을 떠날 수 없을 것 같았기 때문이다.

"레베카, 내가 너한테 나쁜 마음을 품고 있지 않은 것은 알지? 너는 슬퍼하고 있어. 머릿속엔 온통 아버지 생각으로 가득 차서, 사랑 같은 건 안중에도 없겠지. 하지만 나는 내일이나 모레, 아니면 훨씬 나중에 너한테 다시 물어볼 거야. 그때까지 나는 널 지켜주고 먹을 것도 갖다 주겠지만 네 손가락 하나도 건드리지 않을 테니 그런 걱정은 하지 마. 마음이 가라앉을 때까지 실컷 울어. 내 옆에 있을 때는 슬퍼하든 기뻐하든 상관없어. 네 마음 내키는 대로 하면 돼."

하지만 아무리 달래면서 되풀이해 말해도 도무지 들으려 하지 않았다. 그녀는 이를 악물고서 이런 상황에 기쁠 일이 뭐가 있겠느냐며 미친 사람처럼 울부짖었다. 그러면서 자기는 앞으로 즐거움 같은 것은 절대 생각도 하지 않고 고통을 감내하는 일만 할 것이라고 말했다. 또한 늑대한테 잡아먹히면 그 이상 고마운 일이 어디 있겠느냐면서 아무 도움도 필요 없으니 이제는 제발 가달라고 애원하듯 말했다. 그리고는 이제 그런 이야기는 신물이 난다는 것이었다. 그녀의 말을 듣고 골드문트가 말했다.

"온 사방이 죽음에 휩싸여 있다는 것을 모르지는 않지? 어디를 가도 사람이 죽어가고 있고, 온통 비탄에 빠져 있어. 네 아버지를 태워 죽인 어리석은 자들의 분노도 궁지에 몰린 자들의 발악일 뿐이야. 단지 고통이 너무 크니까 그런 거지. 우리도 다르지 않아. 머잖아서 저승사자에게 붙잡혀 들판에서 썩어갈 운명에 놓여 있다고. 그다음에는 우리들 뼈다귀를 가지고 두더지가 장난을 칠거란 말이야. 그렇게 되기 전에, 살아 있는 동안 서로를 사랑하며 지내자는 건데 못 알아듣겠어? 아, 하얀 네 목덜미와 예쁘장한 발을 보면 애처로워 못 견디겠다! 귀엽고 사랑스런 레베카, 나하고 같이 가자. 난 네 얼굴이나 바라보면서 너를 보살펴주기만 할게."

그는 오랫동안 애원을 했으나 말로써 설득하는 것이 무슨 소용이 있을까 싶었다. 그는 입을 다물고서 슬픈 눈으로 레베카를 바라보았다. 그녀의 여왕처럼 당당한 표정은 거부감을 여과 없이 드러내며 딱딱하게 굳어 있었다. 그녀는 굳게 닫혔던 입을 열며 증오와 멸시에 가득 찬 목소리로 말했다.

"당신네 기독교인들은 모두가 그런 사람이라구요! 아버지를 장사지내도록 도와주었다고는 하지만 그 아버지도 결국 당신들 족속이 살해한 거예요. 그리고 장례를 치른 지 몇 분도 채 되지 않아 그 딸을 차지하려고 하지요. 그 딸한테 창녀 노릇을 하라고 덤비는 거예요. 당신 같은 사람은 우리 아버지 손톱 밑의 때만도 못해요. 처음에는 당신이 좋은 사람이라고 생각했어요. 하지만 당신 같은 사람을 어떻게 선량하다고 생각할 수 있겠어요! 아, 당신네들은 짐승만도 못한 족속들이에요."

그녀가 정신없이 지껄이고 있는 동안, 골드문트는 그녀의 눈 속을 들여다보았다. 증오심의 한쪽 구석에 그를 감동시키면서도 부끄럽게 하는, 가슴속 깊이 파고들어오는 무엇인가가 이글거리고 있었다. 그녀의 눈에서도 죽음이 보였다. 그것은 어쩔 수 없이 죽어야 한다는 체념이 아니었다. 결연하게 죽겠다는 의지였다. 또한 그것은 어머니인 대지의 부름에 조용히 따르고 응하겠다는 참다운 순종이었다.

"레베카, 네 말이 맞을지도 몰라. 나는 너에 대해 선의를 가지고 있지만 결코 좋은 인간은 아니야. 용서해 줘. 나는 지금 그것을 깨달았어. 네 마음을 이해할 수 있을 것 같아."

그는 나지막하게 말했다. 그리고는 모자를 벗고 여왕에게 절을 하듯 깊게 고개 숙여 작별 인사를 한 다음 무거운 가슴을 안고 그 자리를 떠났다. 그 여자는 스스로 파멸하도록 둘 수밖에 도리가 없었다. 한동안 실의에 빠져 어느 누구하고도 말을 하고 싶지 않았다. 서로 닮은 점은 조금도 없었으나, 기질이 강하고 불쌍한 유대인 처녀는 어딘지 모르게 기사의 딸 리디아를 생각나게 했다. 이런 여성들을 사랑하면 괴로움만 동반될 뿐이었다. 하지만 얼마 동안은 이 두 여성, 리디아와 이 유대인 처녀 이외에는 여자를 사랑해 본 적이 전혀 없는 것 같은 심정이 되었다.

그는 그 후로도 여러 날 동안 까만 머리에 뜨겁게 타는 듯한 눈길을 가진 그 처녀가 생각났고, 밤이면 날씬한 몸매와 아름다운 모습이 꿈에 나타나곤 했다. 행복하게 피어나도록 운명 지워져 있던 그녀의 아름다움이 벌써 죽음에 손이 닿아 있다는 사실이 가슴 아팠다. 아, 아름다운 입술과 풍성한 젖가슴이 돼지 같은 인간들의 제물이 되어 들판에서 썩어가야 하다니! 이 소중한 꽃을 구해줄 어떤 힘이나 마법이 없단 말인가? 물론 그런 마법이 없는 것은 아니다. 그녀가 그의 영혼 속에 계속 존재하고, 그의 예술에 의해 형상화된다면 오래도록 간직될 수 있을 것이다. 그런 생각을 하는 동안 그는 자신의 영혼에 참으로 많은 형상들이 들어앉아 있다는 느낌이 들었다. 죽음의 언덕을 오래도록 떠다니는 동안 자신의 마음속에 수많은 형상들이 새겨졌음을 깨닫게 되자 그는 놀라움과 환희를 감출 길이 없었다. 가슴속에 가득한 이 충만함은 얼마나 긴장된 것인가! 흘러가는 생각들 속에서 그 모습들을 차분히 떠올려서 변치 않는 형상으로 옮길 수 있기를 얼마나 애타게 갈망했던가! 골드문트는 더욱 뜨겁게 타오르는 열정과 의욕을 가지고 계속 나아갔다. 그는 호기심에 가득 찬 감각으로 더욱더 눈을 크게 뜨고 사방을 둘러봤다. 그러면서 종이와 붓, 물감과 목재, 작업장과 창작에 대한 열정을 되찾게 되기를 간절히 바랐다.

여름이 지나갔다. 가을이나 적어도 초겨울쯤에는 흑사병도 가라앉으리라고 많은 사람들은 예측했다. 즐거움이 사라진 가을이었다. 골드문트는 과일을 수확하는 사람들이 전혀 눈에 띄지 않는 지방을 지나갔다. 과일은 나무에서 떨어져 풀밭에서 썩고 있었다. 어떤 지방에서는 다른 도시에서 몰려온 사나운 도적 떼들이 과일들을 마구잡이로 노략질하거나 못쓰게 만들어놓았다.

골드문트는 서서히 그의 목적지를 향해 다가갔다. 최근 들어서는 간혹 목적지에 도착도 하기 전에 흑사병에 걸려 낯선 외양간에서 죽을지도 모른다는 공포에 싸이기도 했다. 이제는 죽고 싶지 않았다. 다시 한 번 작업장에 서서 작품을 만드는 일에 온 마음과 몸을 바치는 행복을 맛보기 전에는 결코 죽고 싶지 않았다. 이제야 비로소 이 세상이 너무나 광활해 보이고 그가 발 디디고 있는 이 나라의 땅이 너무나 넓다는 생각이 들기도 했다. 아무리 마음이 끌리는 아름다운 도시라고 해도 유혹에 넘어가지 않았고, 쉬었다 가지도 않았다. 아무리 어여쁜 농사꾼의 딸이라도 하룻밤 이상 그를 붙잡아두지 못했다.

그러던 어느 날, 그는 낯선 성당 앞을 지나갔다. 그 현관 옆, 조그맣게 장식한 기둥으로 떠받쳐진 벽감 속에 아주 오래된 석상들이 여럿 서 있었다. 천사, 사도, 순교자 등을 조각한 상들이었는데, 그간 자주 보아왔던 성상들과 비슷한 형상을 하고 있었다. 마리아브론의 수도원에도 이런 종류의 석상들이 여럿 있었다. 젊은 시절, 특별한 관심을 갖고 있지는 않았지만 그래도 즐겨 본 것들이었다. 이런 성상들은 언뜻 보기에 품위 있어 보였지만, 지나치다 싶을 만큼 정중하고 구태의연하다는 느낌을 받곤 했었다. 그 후 첫 번째 기나긴 방랑생활이 끝나가던 무렵, 그 감미롭고 슬픔에 찬 니콜라우스 명인의 마리아 상에 큰 충격을 받고 매혹된 이후에는 이 석상들이 지나치게 엄숙하고 무겁고 딱딱하고 낯설게 생각되어 하찮게 여기거나 경멸하는 시선을 보내기도 했었다. 스승의 새로운 수법으로 만들어진 작품들이 훨씬 더 생기 있고 내면적이며 영감에 차 있다고 생각했기 때문이다.

그런데 마음속에 갖가지 형상들이 들어앉고 격렬한 모험과 체험의 상흔이 영혼에 아로새겨진 상태에서 새롭게 작품을 만들고 싶다는 갈망을 안고 돌아와 보니, 아득히 오래된 엄격한 석상들이 불현듯 과격한 힘으로 그의 가슴을 휘저었다. 그는 경건한 마음으로 장엄한 석상들 앞에 섰다. 그 석상들 속에는 아득한 옛적에 세상을 떠난 사람들의 마음이 여전히 살아 있었으며, 까마득한 옛날에 사라진 종족들의 불안과 열광이 돌 안에 새겨진 채 수백 년이 지난 오늘날까지 그 옛날의 삶을 지속시키고 있는 것이었다. 황폐해지고 메말라버린 그의 가슴속에 불현듯 삶에 대한 외경심과 함께 인생을 낭비하며 허송세월한 데 대한 불안과 두려움이 끓어올랐다. 그는 아주 오랫동안 잊고 있었던 의식을 위해 고해소를 찾아갔다.

이 성당 안에 고해소가 있기는 했으나 신부의 모습은 어디에서도 찾을 수가 없었다. 신부들은 죽었거나, 병원에 드러누웠거나, 전염병을 겁내어 아예 모습을 드러내지 않고 있을 것이다. 성당은 텅 비어 있었고, 골드문트의 발소리만 돌로 만든 아치형 천장에 부딪쳐서 메아리쳤다. 그는 텅 빈 고해소에 꿇어 엎드려 눈을 감은 채 창살에다 대고 속삭이듯 마음속 이야기를 털어놓았다.

"거룩하신 하느님, 제가 지금 어떤 모습인가를 보십시오. 저는 사악하고 쓸모없는 인간이 되어 속세에서 돌아왔습니다. 저는 젊은 시절을 방탕하게 살면서 허비했고, 이제 남아 있는 것이라곤 아무것도 없습니다. 저는 살인을 하고, 도둑질을 하고, 간음을 했습니다. 무위도식하면서 되는 대로 막 살았으며, 다른 사람의 빵도 빼앗았습니다. 전지전능하신 하느님, 당신은 왜 저희 인간을 이렇게 만들었으며, 이와 같은 행로를 걷게 하시는 겁니까? 저희가 당신의 자식이 아니란 말씀입니까? 당신의 아들은 저희 인간을 위해 죽지 않았습니까? 저희를 인도해 줄 성인이나 천사는 없는 겁니까? 아니면 그런 것은 모두 적당히 꿰어 맞춘 그럴싸한 거짓말이고 어린아이들한테 들려주는 얘깃거리이며, 신부들 자신도 웃음거리로 여기는 장난이란 말입니까? 사랑하는 주님, 저는 당신으로 인해 길을 잃었습니다. 하느님 아버지, 당신은 세상을 악하게 만드시고 광포한 질서 속에 두고 계십니다. 집집마다 골목길마다 시체가 널려 있는 것을 제 눈으로 직접 보았습니다. 부자들은 자기 집에 숨어 있거나 달아나고, 가난한 사람들은 형제들을 묻지도 않고 팽개쳐뒀으며, 서로를 의심하면서 유대인들을 짐승처럼 때려죽이는 것을 목격했습니다. 아무 죄도 없는 수많은 사람들이 고통을 당하고 파멸해 가는 반면, 수많은 악인들이 안락에 젖어 있는 것을 제 눈으로 똑똑히 목격했습니다. 당신은 저희들을 모두 잊으시고 버리셨습니까? 당신께서 만드신 피조물에 더 이상 관심이 없단 말씀입니까? 저희 모두를 멸망의 구렁텅이로 빠뜨릴 작정이십니까?"

가라앉을 듯이 깊은 한숨을 쉬며 그는 높다란 정문 입구 쪽으로 걸어나갔다. 그리고 석상들을 바라보았다. 뻣뻣한 옷을 걸친 채 꼼짝하지 않고 우뚝 서 있는 천사나 성인들은 인간의 손과 정신에 의해 만들어진 존재였지만, 그럼에도 불구하고 그들은 도달하기 어려운 초인적인 존재로 보였다. 또한 그들은 어떤 애원이나 질문도 들리지 않는 듯 입구 위쪽의 좁디좁은 공간에 꼼짝하지 않고 서 있었지만, 그들의 초연한 모습은 품위와 아름다움을 지키며 차례로 죽어가는 인간에게 끝없는 위로가 될 것이 분명했다.

골드문트 역시 죽음과 절망을 이겨낸 당당한 승리자의 모습을 보며 크나큰 위안을 받았다.

아, 여기에 불쌍하고 아름다운 유대인 처녀 레베카, 오두막집과 함께 불타버린 불쌍한 레네, 사랑스런 리디아, 그리고 니콜라우스 스승을 나란히 세울 수 있다면! 언젠가는 이들이 이곳에 나란히 서게 될 것이며, 언제까지고 살아남을 것이다. 기필코 이들을 이곳에 세울 것이다! 오늘은 이들이 사랑과 고통, 불안과 걱정만 안겨주지만 언젠가는 이들이 후세 사람들 앞에 모습을 드러낼 것이다. 비록 이름이나 내력은 전해지지 않는다 하더라도 인간의 삶이 무엇인가를 보여주는 말없는 상징으로 여기에 서 있게 되리라.

15

　드디어 목적지에 다다랐다. 꿈에 그리던 도시에 발을 들여놓은 것이다. 골드문트는 지난날 스승을 만나기 위해 처음으로 통과했던 바로 그 성문을 지나갔다. 그는 도중에 주교(主敎)가 상주하는 이 도시에서 떠돌고 있는 소문의 상당수를 접했다. 그래서 이곳도 흑사병이 휩쓸었다는 것을 알게 되었으며, 어쩌면 아직도 지속되고 있을지도 모를 일이었다. 또한 백성들의 소요로 도시가 황폐해졌고, 그 때문에 황제가 임명한 총독이 질서를 바로잡고 시민의 생명과 재산을 보호한다는 명분으로 비상 법령을 선포했다는 얘기도 들었다. 흑사병이 발생하자 주교가 먼 지방의 어느 성으로 떠나 은거하는 바람에 사태가 더욱 복잡해졌다는 것이다. 골드문트는 그런 소식을 전혀 염두에 두지 않았다. 다만 이 도시와 함께 그가 작업할 수 있는 작업장만 남아 있다면, 다른 것은 어느 것도 그에게 중요하지 않았다. 그가 당도했을 때는 흑사병도 고개를 숙였고, 사람들은 주교의 귀환을 기다리면서 하루 빨리 총독이 물러나 평화로운 일상생활을 되찾기를 바라고 있었다.

　이 도시를 다시 보게 되자, 고향에 다시 온 것만 같은 감회가 밀려와 가슴이 격렬하게 파도쳤다. 그는 흥분을 가라앉히기 위해 평소와 다르게 다소 엄숙한 표정을 지었다. 아, 하나도 변한 것이 없구나! 성문도, 그리웠던 우물도, 대사원의 오래된 둥근 탑도, 새로 지어진 마리아 성당과 성(聖) 로렌츠 교회의 맑은 종소리도, 햇볕이 내리쬐는 거대한 시장도! 이 모든 것이 그대로 남아 있었다. 이 모든 것이 여전히 그를 기다리고 있었다니, 얼마나 기쁜 일인가! 이곳으로 오는 도중에는 모든 것이 낯설게 변했으리라고 상상하지 않았던가. 더러는 파괴되어 잔해만 널브러져 있고, 새로 지어진 건물이나 반갑지도 않은 묘한 표지 때문에 모든 것을 분간할 수 없을지도 모른다고 상상했었다. 한 집 한 집을 추억 속에서 끄집어내며 골목길을 돌아가니 저절로 눈물이 글썽글썽해졌다. 그러고 보면 여기저기 떠돌지 않고 한 곳에 뿌리내리고 사는 사람들을 부러워했는지도 모른다. 안락한 집과 소시민의 일상생활과 고향을 가진 사람의 안정감을 부러워한 것은 아니었을까. 가정과 일터에서, 아내와 아이들과 함께 이웃들 틈새에서 어울려 사는 것을 꿈꾸었던 것은 아닐까.

늦은 오후였다. 볕이 잘 드는 골목길 남쪽으로 집들이 늘어서 있었다. 상점과 공방의 간판들이 걸려 있었고, 나무를 깎아 만든 대문과 화분들이 햇볕을 받아 따스하게 느껴졌다. 이 도시의 어디에서도 죽음의 공포가 휩쓸었다거나 제정신을 잃은 인간들의 광란으로 뒤덮였었다는 흔적은 보이지 않았다. 메아리가 울리는 아치형의 다리 밑으로 맑은 강물이 푸른빛을 띠며 흘러가고 있었다. 골드문트는 잠시 강둑 위에 앉았다. 초록빛으로 반짝이는 강물 속에서는 여전히 환상적인 검은 물고기들이 미끄러져 헤엄쳐 다니거나 물살을 거슬러서 반대쪽으로 주둥이를 돌린 채 꼼짝 않고 있었다. 또 어두침침한 밑바닥 여기저기에서는 여전히 무엇인가가 빛을 발했다. 너무나 많은 기약이 담겨 있고 꿈에 부풀게 했던 바로 그 빛이었다. 물론 다른 강들에서도 그러한 광경을 보았고 다른 도시나 마을들도 아름다웠다. 하지만 이 강물에서 보는 것과 같은 아름다움은 이전에 본 적도 없고 비슷한 느낌을 가져본 적도 없다는 생각이 들었다.

푸줏간의 인부 둘이서 연방 킬킬대며 송아지 한 마리를 몰고 갔다. 그들은 건물 난간에서 빨래를 걷고 있는 하녀와 눈짓을 주고받으며 농지거리를 하기도 했다. 모든 것은 왜 이리도 빨리 지나가는지! 바로 얼마 전까지만 해도 흑사병이 기승을 부려 비열한 장의사들의 위세가 등등했었는데, 지금은 일상생활의 생기를 되찾은 사람들이 농담을 하며 킬킬대고 있지 않은

가. 골드문트 자신도 여기 이렇게 앉아서 다시 돌아온 기쁨에 기꺼워하면서, 이곳에 뿌리내리고 사는 사람들에게 마음을 열고 있지 않은가. 그 어떤 불행이나 참상 그리고 죽음, 오두막집에 불타버린 레네와 아리따운 유대인 처녀도 없었던 것처럼. 그는 슬며시 미소를 지으며 일어서서 곧장 걸어갔다. 니콜라우스 스승이 사는 골목길로 접어들자, 몇 년간 매일같이 일하러 다니던 그 길을 다시 걷는다는 감회가 밀려들어 가슴이 몹시 두근거리면서도 불안해지기 시작했다. 그는 당장 스승을 찾아뵙고 인사를 드리고 싶어서 걸음을 재촉했다. 마치 다음 날까지 기다리면 큰일이라도 날 것처럼, 한시도 지체할 수 없었던 것이다. 스승은 아직도 화가 나 있을까? 이미 많은 세월이 흘러, 이렇게 찾아가봤자 아무 소용이 없을지도 모르는 일이었다. 하지만 스승이 화를 낸다손 치더라도 그것을 참을 수 있을 것 같았다. 스승만 계시고 그리고 작업장만 무사하다면 다른 것은 상관없었다. 갑자기 뭔가를 놓쳐버릴지도 모른다는 조바심이 밀려와서 그는 눈에 익은 집을 향해 서둘러서 걸음을 옮겼다. 문은 잠겨 있었다. 잠긴 문 앞에 서자, 그의 가슴이 덜컹 내려앉는 것만 같았다. 무슨 좋지 않은 일이라도 있었던 건가? 예전에는 이런 대낮에 문이 잠겨 있는 일은 없었다. 세차게 문을 두드린 다음 문이 열리기를 기다리는데, 갑자기 불안이 엄습했다.

나이 먹은 하녀가 나왔다. 그 옛날, 그가 처음 이 집에 들어섰을 때 맞이해 준 하녀였다. 노파는 볼썽사납지는 않았지만 나이도 더 들었고 더 무뚝뚝해 보였다. 그녀는 골드문트를 잘 알아보지 못했다. 그는 떨리는 목소리로 스승의 안부를 물었다. 노파는 미심쩍은 듯이 그를 쳐다보았다.

"선생님이라뇨? 여긴 그런 사람 없어요. 어서 가요, 이 집에는 아무도 들여놓지 않으니까."

노파는 그를 문 앞에서 밀어내려고 했다. 그는 노파의 팔을 잡고 귀에다 대고 고함을 지르듯이 말했다.

"마그리트, 무슨 말이오? 나 골드문트요! 모르겠어요? 니콜라우스 선생님을 만나러 왔단 말이오."

노파의 흐릿하게 꺼져가는 눈에서는 여전히 반가운 기색 같은 것은 드러

252

나지 않았다. 대신 노파가 내뱉듯이 말했다.

"이 집에는 니콜라우스 선생이 살지 않아요. 그분은 이미 세상을 떠났으니, 돌아가세요. 여기 서서 당신하고 입씨름하고 있을 시간 없으니까."

골드문트는 억장이 무너지는 심정을 가누지 못한 채 노파를 밀쳐내고 안으로 들어갔다. 그리고는 어두운 복도를 지나서 작업장이 있는 곳으로 달려갔다. 노파가 고래고래 소리치며 덤빌 듯이 뒤따라왔다. 작업장은 잠겨 있었다. 욕을 퍼붓고 있는 노파에게 쫓기면서도 그는 계단을 뛰어올라갔다. 좀 어두컴컴하기는 했지만 그래도 눈에 익은 장소에 니콜라우스가 모아 놓은 목상들이 서 있었다. 그는 큰 소리로 니콜라우스의 딸 리즈베트를 불렀다.

방문이 조용히 열리며 리즈베트가 나타났다. 자세히 들여다본 뒤에야 그녀라는 것을 겨우 알아볼 수 있었다. 애처로운 그녀의 모습에 그는 가슴이 미어졌다. 대문이 잠긴 것을 보고 가슴이 덜컥 내려앉은 순간부터 이 집안에 있는 모든 것이 마술에라도 걸린 것처럼 심상치 않았고, 마치 악몽을 꾸는 것처럼 답답했다. 게다가 눈앞에 있는 리즈베트의 모습을 보니 온몸이 오싹해졌다. 그토록 아름답고 기품 있던 그녀는 온데간데없이 사라지고 공포에 질려 있는 듯한 모습으로 변해 있었던 것이다. 그녀는 아무 장식도 없는 검은색 옷을 걸치고 있었으며, 누렇게 뜬 얼굴은 병색이 완연해 보였다. 불안정해 보이는 눈동자를 이리저리 굴리면서 구부정한 자세로 안절부절못하는 태도를 보자 가슴이 아프면서도 믿어지지가 않았다. 그는 잠시 동안 그녀를 멍하니 바라보다가 말했다.

"실례합니다. 마그리트가 들여보내주질 않으려 하더군요. 리즈베트, 날 알아보지 못하겠소? 골드문트입니다. 아, 말 좀 해봐요. 선생님께서 돌아가셨다니 사실인가요?"

그녀의 시선으로 보아 골드문트를 간신히 기억해 낸 듯했고, 또한 자신이 이 집에서 결코 좋은 인상으로 남아 있지 않다는 것도 알 수 있었다.

"어렵게 오셨을 텐데, 안됐군요. 아버지는 돌아가셨어요."

그녀의 목소리에는 예전의 그 오만한 티가 여전히 배어 있었다.

"그럼 작업장은 어떻게 되었습니까?"

그는 안타까운 마음에 머뭇거림 없이 물었다.

"작업장이라뇨? 폐쇄했지요. 일자리가 필요하면 딴 데 가서 알아봐요."

골드문트는 마음을 추스르려고 애를 쓰면서 다정한 목소리로 말했다.

"리즈베트, 난 일자리를 찾고 있는 게 아닙니다. 선생님과 당신의 안부를 묻고 싶었을 뿐이오. 이런 소식을 들어야 하다니 뭐라 말할 수 없이 참담하군요. 고생이 많으셨겠네요. 당신 아버님께 은혜를 입은 제자로서 당신을 도울 일이 있다면 무엇이든 말해 주세요. 그러면 제 마음도 조금 편해질 것 같습니다. 아, 리즈베트! 당신이 이렇게 힘든 상황에 처한 걸 보니 제 가슴이 미어질 것 같아요."

그녀는 방으로 들어가며 머뭇거리듯이 말했다.

"고마워요. 하지만 당신이 도와줄 일은 이제 아무것도 없어요. 마그리트가 문간까지 배웅해 드릴 겁니다."

목소리로 보아 그녀는 정상이 아닌 것 같았다. 노여움과 불안이 섞여 있었다. 만약 그녀에게 용기가 있었더라면 그에게 욕설을 퍼부어대면서 쫓아냈을 거라는 생각까지 들 정도였다.

그는 벌써 아래층에 내려가 있었다. 노파는 그가 밖으로 나가자마자 문을 소리 나게 닫고 빗장을 질렀다. 빗장 두 개가 닫히는 거센 소리가 아직도 그의 귓전에 울렸다. 마치 관 뚜껑에 못을 박는 소리처럼.

그는 어슬렁어슬렁 강둑 있는 쪽으로 발길을 돌려 강물이 내려다보이는 추억의 장소에 자리를 잡고 주저앉았다. 물결을 타고 찬바람이 불어왔다. 그가 앉아 있는 돌도 무척 차가웠다. 인적이 끊어져서 강가는 무척 조용했고, 교각에 부딪치는 물소리만 들려왔다. '아, 차라리 강둑 아래로 뛰어내려 저 물속으로 사라질 수 있다면!' 하고 그는 생각했다. 세상은 다시 죽음으로 가득 차 있었다. 한 시간쯤 지나자 저녁놀은 사라지고 깜깜한 밤이 되었다. 그제야 눈물이 복받쳤다. 그는 주저앉은 채 소리 내어 울었다. 그의 손과 무릎 위에 따스한 눈물방울이 떨어졌다. 그는 고인이 된 스승과 아름다움을 잃고 만 리즈베트를 생각하며 울었다. 그리고 가여운 레네와 철없는 방랑자 로베르트를 떠올리며 울었고, 아리따운 유대인 처녀와 공연히 낭비하고 시들어버린 자신의 청춘을 위해 눈물을 흘렸다.

늦은 시간에야 그는 이전에 자주 술을 마셨던 목로주점으로 들어갔다. 그 집 주인여자는 골드문트의 얼굴을 기억하고 있었다. 그가 한 덩이의 빵을 주문하자, 그녀는 친절하게 한 잔의 포도주까지 곁들여서 접시를 내왔다. 하지만 그는 빵도 포도주도 입에 대지 않은 채 술집 안에 있는 긴 의자에 드러누웠다가 그대로 잠이 들었다. 이튿날 아침에 주인 여자가 그를 깨웠다. 그는 일어나서 고맙다는 인사를 한 다음 그제야 빵 조각을 씹어 먹었다.

그는 생선시장으로 발걸음을 옮겼다. 그전에 머물렀던 집은 그대로 있었고, 분수대 옆에서는 몇 명의 아낙네들이 아직도 살아 있는 물고기를 팔려고 거리에 내놓고 있었다. 그는 통 속에서 아름답게 반짝이는 싱싱한 물고기들을 가만히 들여다보았다. 이런 광경은 예전에도 가끔 본 일이 있었다. 물고기들이 불쌍해 보여서 생선 파는 아낙네들이나 그것을 사는 사람에게 종종 화를 내기도 했었다. 그런가 하면 어느 날 아침에는 이 근방을 이렇게 돌아다니다가 넋을 잃고 물고기를 바라보던 중에 갑자기 불쌍하다면서 서러워했던 기억도 떠올랐다. 그 후 많은 세월이 흘렀고, 저 강으로 많은 물이 흘러 내려갔다. 그때 서러워했던 것은 분명히 기억났지만 무엇 때문에 그렇게 서러워했던가는 기억나지 않았다. 슬픔도 지나가 버렸고, 고통과 절망도 지나가 버렸다. 환희와 함께 그런 감정들은 지나가고 퇴색했으며 깊이와 가치도 잃고 말았다. 당시에는 그토록 아픈 기억이었건만, 고통도 꽃잎처럼 떨어져 시들고 말았다. 오늘 느끼고 있는 이 고통도 언젠가는 보잘것없이 시들고 말 것이 분명하다. 스승은 고인이 되었다. 그에 대한 원망을 품은 채 이 세상을 떠났고, 이제는 그를 맞아줄 작업장도 없는 것이다. 더 이상 창작의 기쁨도 맛볼 수 없고, 가슴 가득 들어앉은 형상들을 드러내 보일 수 없게 되었다는 이 절망감 또한 언젠가는 낡고 시들고 말 것이다. 그리고 그것들 역시 잊혀질 것이다. 이 세상에 영원히 남아 있는 것은 아무것도 없다. 고통까지도.

물고기를 바라보며 그런 생각에 골몰하고 있을 때 누군가가 나지막하게 그의 이름을 부르는 소리가 들렸다.

"골드문트."

수줍어하는 듯한 목소리였다. 소리 나는 곳을 쳐다보니 다소 병약해 보이는 가냘픈 소녀가 서 있었다. 까맣고 고운 눈은 그에게 뭔가를 말하려는 것 같았다. 하지만 그는 누구인지 알아보지 못했다.

"골드문트 맞죠? 언제 이곳에 온 거예요? 절 모르겠어요? 마리예요."

그녀가 새침한 소리로 말했다. 하지만 그는 기억이 전혀 나지 않았다. 소녀는 골드문트를 물끄러미 바라보면서 자신은 그가 전에 머물던 집의 딸이라고 일러주었다. 그러면서 그가 이 도시를 떠나던 날 아침에 부엌에서 우유 수프를 끓여주었다는 것까지 이야기했다. 그 이야기를 하는 동안 그녀의 얼굴은 붉게 물들어 있었다.

그래, 마리였다. 다리를 약간 저는 연약한 아이였는데 그때는 정말 따뜻하게 그를 돌봐주었다. 그는 그녀의 말을 듣고서야 그때 일이 떠올랐다. 그녀는 어느 추운 날 아침, 그가 떠나는 것을 몹시 서운해 하며 우유 수프를 끓여주었던 것이다. 그가 입맞춤을 해주자, 마치 종교의식을 거행하듯이 조용히 그리고 정중하게 입맞춤을 받아들였다. 그 후 그는 그녀를 생각한 일이 없었다. 그때만 해도 그녀는 어린애였으나 지금은 시원한 눈매를 지닌 아가씨로 성장해 있었다. 하지만 여전히 구부정한 자세로 다리를 절며 걸어 다니는 모습이 가엾게 느껴졌다. 그는 그녀에게 반갑다며 손을 내밀었다.

'이 도시에 아직도 나를 기억하고 사랑해 주는 사람이 있다니……'

마리는 그를 데리고 앞장섰다. 그는 못 이기는 척 따라갔다. 예전에 그가 머물던 집의 거실에는 그의 그림이 아직도 걸려 있었고 루비같이 빨간 술잔도 난로 위 선반에 얹혀져 있었다. 그는 그 집에서 점심을 먹었고, 며칠 동안 묵어가라는 권유까지 받았다. 식구들이 그를 다시 만나게 되어 너무나 기쁘다는 것이었다. 이곳에서 그는 스승의 집에서 일어난 이야기를 들을 수 있었다. 니콜라우스는 흑사병에 걸려 죽은 것이 아니었다. 흑사병에 걸린 것은 리즈베트였다. 그녀가 빈사 상태에 빠지자, 아버지인 니콜라우스는 죽음을 각오하고 딸을 간호했다. 그러나 딸이 다 낫기도 전에 먼저 세상을 떠났으며, 그 후 리즈베트는 목숨은 건졌지만 아름다움은 잃고 말았다는 것이다.

"작업장은 비어 있어요. 손을 조금만 보면 솜씨 있는 조각가한테는 좋은 보금자리가 될 수 있을 테고, 아마 돈도 제법 벌릴 거예요. 잘 생각해 보세요, 골드문트! 리즈베트도 아마 싫다고는 하지 않을 겁니다. 이것저것 가릴 처지가 못 되니까요."

집 주인은 이렇게 말한 다음, 골드문트가 흑사병이 유행했던 무렵의 일을 궁금해 하자 당시의 일에 대해 전해주었다. 폭도들이 처음에는 병원에 불을 지르더니 다음에는 부잣집 몇 채를 습격하고 약탈했다는 것, 주교님이 멀리 떠나는 바람에 이 지역은 한동안 질서와 치안 상태가 엉망이었다는 것 등을……. 그때 마침 인근에 와 있던 황제가 하인리히 백작을 총독으로 파견했다. 이 사람은 매우 과감한 사람이어서 몇 사람의 기사와 군인만으로도 도시의 질서를 회복했다. 하지만 이제는 하루 속히 총독이 물러가길 기다리고 있다는 것이었다. 총독은 시민들에게 가혹하다 싶을 정도로 부담을 강요했고, 아그네스라는 그의 애첩에 대한 악평도 이만저만하지 않았다. 그 계집은 정말 요부(妖婦)라는 것이었다. 시의회는 온정 많은 주교님 대신에 궁정 출신의 군인을 떠받들어야 하는 일에 진절머리를 내고 있다고도 했다. 아무튼 황제의 총애를 받고 있는 총독은 군주 행세를 하며 거의 매일같이 황제의 사절들을 극진히 맞이하면서 칙령을 접수하고 있다는 것이었다. 대충 이런 내용이었다.

그들은 이번에는 골드문트에게도 그의 체험담을 들려달라고 부탁했다. 그는 서글픈 어조로 말했다.

"이야기할 게 별로 없어요. 저는 너무도 많은 길을 걸으면서 떠돌아다녔지요. 하지만 어느 곳엘 가도 흑사병뿐이었고, 시체가 아무 데나 뒹굴고 있었습니다. 어디를 가나 사람들은 공포에 질려서 제정신을 잃고 흉악한 마음을 품고 있었어요. 저는 요행히 살아남았지만, 언젠가는 이 모든 일들이 잊혀지고 말겠지요. 돌아와 보니 스승님도 이미 돌아가셨군요! 이삼 일만 묵게 해주십시오. 허락해 주시다면 푹 쉬고 나서 다시 길을 떠날 생각입니다."

그는 쉬기 위해 머물려고 한 것은 아니었다. 너무나 낙담하여 마음을 가라앉힐 수 없었는데, 행복했던 시절의 추억과 가련한 마리의 사랑이 그의 마음을 풀어주었기 때문이다. 하지만 그는 마리의 사랑에 보답해 줄 수가 없었다. 그녀에게 줄 수 있는 것은 기껏해야 우정과 동정뿐이었다. 그러나 조용하게 묵묵히 바라보면서 그녀가 보여주는 정성과 겸손함은 딱딱하게 굳어가는 그의 마음을 따스하게 녹여주었다. 마리의 따뜻함 덕분이기도 했지만, 그를 이곳에 머물도록 한 것은 언젠가는 다시 예술가가 되겠다는 타는 듯한 욕구가 내재되어 있었기 때문임을 어떻게 부인하겠는가. 작업장이 없어도 상관없었고, 궁여지책이라고 해도 그만이었다. 며칠 동안은 스케치하는 것 말고는 아무것도 하지 않았다. 마리가 종이와 붓을 구해 주었고, 그는 방 안에 틀어박혀 스케치만 했다. 큼지막한 종이가 아무렇게나 휘갈긴 형상이나 때로는 정성을 기울여 섬세하게 그린 형상 등으로 가득 채워졌다. 그렇게 해서 마음속에 들어앉은 온갖 형상들이 종이 위에 하나하나 펼쳐졌다. 그는 특히 레네의 얼굴을 여러 번 스케치했다. 그 부랑자가 맞아 죽은 후, 경악과 황홀감이 뒤섞인 미소를 짓던 레네의 얼굴을. 숨을 거두던 날 밤, 이미 형체도 없이 녹아버리며 다시 흙으로 돌아가던 레네의 얼굴. 그는 또 부모가 있는 데로 가까이 가려다가 문턱 위에 쓰러져 주먹을 불끈 쥔 채 숨이 끊어진 농부의 아들을 스케치했다. 그리고 시체가 차곡차곡 쌓여 있는 마차, 그것을 무거운 듯 끌고 가는 세 마리의 비쩍 마른 말, 까만 방역 마스크의 틈새로 음울한 눈알을 굴리면서 기다란 막대기로 시체를 처리하던 인부들도 스케치했다. 또한 유대인 처녀 레베카도 여러 번 스케치했다. 까만 눈을 가진 늘씬한 유대인 처녀, 그 뾰족하고 고집 센 입을, 고통과 분노에 찬 얼굴을, 사랑스럽고 귀여운 자태를, 쓰라린 표정이 어려 있는 오만하고 신랄한 입을. 그는 또한 자기 자신의 모습을 스케치했다. 방랑자의 모습, 사랑에 빠진 모습, 생명을 앗아가려는 저승사

258

자로부터 도망치던 모습, 흑사병의 와중에 생명의 기갈에 허덕이는 자들의
술자리에서 춤추는 모습. 그리고 리즈베트의 오만하고 단단한 예전의 모습
과 늙은 하녀 마그리트의 찌푸린 얼굴, 사랑과 두려움의 대상이었던 니콜
라우스 스승의 엄격한 얼굴을 온 정신을 다해서 백지 위에 그려 나갔다.
그리고 또 간혹 가느다랗고 어렴풋한 선으로 대지의 어머니를 암시하는
여인의 형상을 커다랗게 스케치했다. 두 손을 가슴에다 모으고 우수에
잠긴 눈길 아래로 살며시 미소 짓고 있는 여인의 모습을 그는 윤곽만 그렸
다. 스케치를 하는 동안 그의 마음은 물결을 타는 듯했고, 손에는 감정이
넘쳐흘렀으며, 그 얼굴들의 주인이 되었다는 충만한 느낌이 그를 생기
있게 만들어줬다. 불과 며칠 사이에 그는 마리가 마련해 준 종이를 한
장도 남기지 않고 모두 그림으로 가득 채웠다. 마지막 종이의 한 조각을
잘라서 그는 거기에다 간략하고 가벼운 선으로, 고운 눈매와 체념한 입을
가진 마리의 얼굴을 스케치하여 그녀에게 선물했다.

이런 작업을 하는 동안 그의 마음을 짓누르던 우울함과 정체감 그리고
복잡한 마음속 심사가 점차 풀어지면서 누그러져 갔다. 스케치를 하고
있는 동안에는 자신이 어디에 있는지조차 잊고 있었다. 그의 세계는 오직
책상과 하얀 종이뿐이었으며, 밤에는 촛불이 더해졌다. 하지만 그러한 도
취 상태에서 깨어나자 최근에 겪은 일들이 기억 속에서 또다시 떠오르더
니, 재회와 이별이 반반씩 뒤섞여 분열을 일으킨 듯 마음을 걷잡을 수
없이 흔들어댔다. 그는 다시 방랑의 길을 떠나야 한다는 생각을 하며 밖으
로 나와 발길 닿는 대로 도시 이곳저곳을 거닐기 시작했다.

한참을 돌아다니다가 그는 우연히 한 여자를 만났다. 그런데 그녀를
보는 순간 혼란스런 그의 감정에 새로운 중심이 잡히는 것 같은 느낌이
들었다. 그 여자는 말을 타고 있었다. 밝은 금발에 어디 하나 나무랄 데
없는 늘씬한 몸매, 호기심이 잔뜩 어려 있는 푸른 눈, 그러면서 오만하고
건방져 보이는 여자였다. 그녀는 갈색 말을 타고 거만한 모습으로 남을
부리는데 익숙한 쌀쌀한 눈빛으로 자신이 가진 권력을 과시하면서 관능적
쾌락을 즐기고 싶어 하는 욕망을 여과 없이 드러내며 코를 벌름거리는

것 같았다. 웬만한 남자보다도 더 당당하게 느껴지는 그녀는 갈색 말 위에 걸터앉아 있었다. 명령을 내리는 일에 익숙한 듯했지만, 그렇다고 뭔가를 거부하거나 마음을 닫아둔 것처럼 보이지는 않았다. 쌀쌀맞고 오만해 보이는 눈가에는 이 세상의 향기를 모두 맡아보겠다는 욕구가 꿈틀거리는 듯했고, 큼직한 입은 감정을 주고받는 일에 아주 능숙할 것처럼 보였다. 그녀를 보는 순간 골드문트는 눈이 번쩍 뜨이는 것 같았다. 그러면서 이 여자를 가까이해 보고 싶다는 욕망에 사로잡혔다. 이 여자를 정복하는 일이야말로 고상한 목표인 것처럼 여겨졌다. 이 여자한테 돌진하다가 목이 부러져 죽는다 해도 결코 욕되다는 생각이 들지 않을 것 같았다. 골드문트는 여왕처럼 당당해 보이는 금발의 이 여자가 자기와 같은 기질의 사람이라고 생각했다. 감성과 영혼이 풍요롭고, 거친 듯하면서도 섬세한 데가 있고, 마음이 불타면 어떤 위험이 따르더라도 몸을 사리지 않는 종류의 인간이라는 것을 금방 알아차릴 수 있었다.

그녀는 말을 타고 지나갔고, 골드문트는 그녀의 뒷모습을 지켜보았다. 구불구불 물결치는 금발과 푸른빛의 비단 옷깃 사이로 탄탄한 보이는 목덜미가 드러나 있었다. 그 목덜미는 강인하고 당당해 보이면서도 어린아이 살결처럼 부드럽게 느껴졌다. 골드문트는 그 목덜미를 만져보고, 그녀의 눈에서 신비한 비밀을 캐내고 싶다는 충동에 사로잡혔다. 그녀가 누구인지는 어렵지 않게 알아낼 수 있었다. 그녀가 바로 궁정에 살고 있는 총독의 애첩 아그네스였던 것이다. 하지만 골드문트는 그런 사실에 전혀 놀라지 않았다. 황제의 비(妃)가 되고도 남을 만한 여자로 보였기 때문이다. 골드문트는 우물가를 지나치다 걸음을 멈추고 거울을 들여다보았다. 거울에 비친 자신의 모습은 머리가 제멋대로 자라서 엉망이고 수염을 깎지 않아 몹시 거칠어졌다는 것 말고는 금발의 여자와 너무나 잘 어울린다는 생각이 들었다. 그는 지체하지 않고 아는 이발사를 찾아가서 그럴싸한 말로 설득하여 머리와 수염을 짧게 깎고 말쑥한 용모를 되찾았다.

골드문트는 이틀 동안 아그네스의 뒤를 밟았다. 그는 성문 옆에 서서 기다리고 있다가 아그네스가 궁성에서 나오면 감탄하는 듯한 눈초리로 그녀를 바라보았다. 또 아그네스가 성벽의 모퉁이를 돌아가면 오리나무 숲에서 기다리고 있다가 튀어나가 그녀를 바라보았다. 아그네스는 대장간에 들렀다 나오다가 금발의 청년인 골드문트와 또 마주치자, 당당하고 오만한 눈길로 그를 힐끗 쳐다보았다. 그때 그녀의 콧날이 가볍게 떨리는 것을 골드문트는 놓치지 않았다. 다음 날 아침에도 골드문트는 성문 옆에서 또 기다렸다. 그러다가 첫 외출을 하는 아그네스를 바라보고 있었는데, 그때 그녀가 골드문트를 발견하곤 도발적인 미소를 지어 보였다. 총독인 백작이 옆에 있는데도 아랑곳하지 않는 것 같았다. 백작은 우람한 체격에 결코 만만해 보이지 않는 인상이었다. 그렇지만 백작은 머리가 희끗희끗했고 얼굴에 수심이 잔뜩 어려 있었다. 골드문트는 백작을 보면서 뭔가 모를 우월감을 느꼈다.

이틀 동안 아그네스의 뒤를 밟는 동안 골드문트는 행복했다. 그는 청춘의 광채를 다시 찾은 듯한 기분에 사로잡혔다. 그 오만하면서도 당당해 보이는 여자에게 자기 모습을 보이고 도전 의사를 내비친 것이 그렇게 뿌듯할 수 없었다. 자신의 거침없는 자유를 이 아름다운 여자에게 바칠 수 있다는 것이 참으로 행복했다. 다시는 기회가 없을지도 모르는 이 모험에 목숨을 걸 수 있다는 느낌이 들자 온몸에 짜릿한 전율이 일었다.

사흘째 되는 날 아침, 아그네스가 말을 탄 시종을 데리고 성문에서 나왔다. 그녀는 도전적이면서도 얼마간 흥분을 감추지 못하고 있는 눈을 번뜩이며 이틀 동안 자신의 뒤를 밟고 있는 사내를 찾는 듯했다. 금발의 사내가 이미 와 있다는 것을 알아채고, 그녀는 시종에게 심부름을 시켜 보내버린 다음 혼자서 터벅터벅 말을 몰아 천천히 다리를 건넜다. 그러는 동안 뒤를 한 번 돌아보았다. 금발의 사내가 따라오는 것이 보였다. 성지 순례 사원인 성(聖)바이트로 가는 길 위에서 그녀는 그 사내를 기다렸다. 그 근방은 이 무렵이면 매우 한적했다. 그녀는 반시간가량을 기다리지 않으면 안 되었다. 낯선 금발의 사내가 천천히 걸어오고 있는 것이 보였다. 골드문트는 숨을 헐떡거리며 가는 것이 싫었던 것이다. 이윽고 얼굴에 싱싱한 미소를 머금고서 골드문트는 그녀 앞으로 다가갔다. 그는 진홍색 들장미의 열매가 달린 작은 가지를 입에 물고 있었다. 그녀는 말에서 내려 말을 붙들어 매고는 가파른 돌담에 달라붙은 담쟁이덩굴에 기대서서 앞에 서 있는 사내를 쳐다보았다. 골드문트는 모자를 벗어 예를 갖추었다.

"왜 내 뒤를 밟는 거죠? 나한테 원하는 것이 있나요?"

그녀의 물음에 그가 말했다.

"아, 나는 당신에게 무엇을 받기보다는 오히려 당신에게 무엇인가를 줄 생각입니다. 나는 당신에게 저를 선물로 드리고 싶습니다. 아름다운 부인이여, 당신 뜻대로 날 처분해 주십시오."

"좋아요. 당신을 어떻게 해야 할지 생각해 볼게요. 하지만 이런 바깥에서 아무런 위험도 없이 꽃을 꺾을 수 있을 거라고 생각했다면 그건 큰 오산이에요. 나는 위험이 닥쳤을 때 목숨까지도 걸 수 있는 남자만 좋아하거든요."

"명령만 내리면 당신은 날 지배할 수 있습니다."

그녀는 천천히 자신의 목에서 황금 목걸이를 풀어 그에게 내밀며 말했다.

"그런데 당신 이름은?"

"골드문트."

"멋진 이름이군요. '황금의 입술!' 당신의 입술이 정말 황금처럼 황홀한지 맛볼 거예요. 내 말을 잘 들어요. 당신은 저녁때 이 목걸이를 가져와서 주웠다고 말하세요. 그리고 그 목걸이를 그냥 넘겨주지 말고 나에게 직접 전해주겠다고 하세요. 궁정 사람들이 당신을 거지라고 생각하도록 지금 입고 있는 차림 그대로 와야 해요. 시종들 가운데 누가 당신에게 호통을 치더라도 그대로 있어야 하구요. 궁정 안에서 내가 믿을 수 있는 사람은 단지 둘밖에 없다는 것을 명심하세요. 시종 막스와 몸종 베르타뿐이에요. 둘 중 하나를 만나야만 내가 있는 데로 올 수 있을 거예요. 궁성 안에 있는 사람들은 백작을 포함해서 모두 경계해야 해요. 모두 적이니까 말이에요. 이 경고를 절대 잊지 마세요. 당신의 목이 달아날 수도 있어요."

그녀는 그에게 악수를 청했다. 그는 미소를 지으며 그녀의 손을 잡고 가볍게 입을 맞춘 다음 자신의 뺨을 살짝 문질렀다. 그러고는 그녀가 건넨 목걸이를 챙겨 넣고서 시가지를 향해 걸음을 옮겼다. 포도밭은 벌써 수확이 끝나 있었고, 잎의 색깔이 변해가고 있었다. 누렇게 마른 잎사귀들이 바람에 스쳐 바스락거리는 소리가 들려왔다. 골드문트는 시가지 쪽을 내려다보다 돌아가는 그녀의 모습이 시야에 들어오자 빙긋 웃으며 고개를 가로저었다. 불과 며칠 전만 해도 그는 모든 것이 허망하게만 느껴져 삶의 의욕을 잃고 깊은 슬픔에 잠겨 있었다. 고통과 번민마저도 덧없이 흘러가고 만다는 사실이 너무나 서러웠던 것이다. 그런데 지금은 마치 황금빛 잎사귀가 가지에서 떨어져 가라앉은 것처럼 그때의 감정이 다 사라져버렸다. 그리고 이 여자처럼 강하게 다가온 사랑은 지금껏 한 번도 없었다는 생각이 들었다. 그 고귀한 자태와 생기 넘치는 웃음소리, 그리고 화려한 금발은 소년 시절 마리아브론 수도원에서 가슴에 품었던 그의 어머니 모습과 닮아 있었다. 불과 사흘 전만 해도 이 세상이 이토록 그를 기쁘게 맞이해주리라고는 상상도 못했다. 세상이 다시 한 번 환하게 빛나면서 생명과 기쁨과 청춘의 물결이 넘쳐흐를 듯이 밀어닥쳐 핏속을 흐르는 것 같았다. 그 끔찍한 몇 달 동안 죽음이 그를 비켜가 이렇게 살아 있다는 것이 이렇게 행복할 줄 몰랐다.

저녁때가 되자 골드문트는 궁성으로 들어갔다. 궁성 안마당은 갖가지 일들로 몹시 분주했다. 말에서 안장을 내리기도 하고 전령들이 바쁘게 오가기도 했다. 한쪽에서 신부들과 고위 성직자들이 하인들의 안내를 받으며 내궁 문을 통과하여 계단을 올라가고 있는 모습이 보여, 골드문트는 그 뒤를 따라가려고 했다. 그러나 곧 문지기에게 붙들리고 말았다. 그는 황금 목걸이를 꺼내 보이며 주인 되시는 분이나 그분의 몸종에게 이 목걸이를 건네주어야 한다고 말했다. 문지기는 시종 한 명을 붙여서 그를 들여보냈지만, 그러고 나서도 한참을 기다려야 했다. 잠시 후 하녀 한 명이 나타나 그의 옆을 지나치면서 나지막한 목소리로 "당신이 골드문트인가요?" 하고 묻고는 그에게 따라오라는 눈짓을 보냈다. 그리고는 소리 없이 어느 문 안으로 들어가 모습을 감추는가 싶더니 잠시 후 다시 나타나서 안으로 들어오라고 손짓을 했다.

그는 조그만 방으로 안내되었다. 향수 냄새가 코를 찔렀고, 외투를 비롯한 온갖 옷가지들이 잔뜩 널려 있는 의상실이었다. 활짝 열어놓은 장롱 속에는 여성용 모자들과 머플러 등이 걸려 있었고, 신발장에는 갖가지 구두가 줄을 지어 있었다. 그는 그곳에서 기다리는 동안 향수를 뿌린 옷의 냄새를 맡기도 하고, 손으로 털가죽을 만져보기도 했다.

이윽고 한쪽 문이 열렸다. 아그네스였다. 그녀는 흰 모피 깃을 단 엷은 하늘색 옷을 입고 골드문트에게로 한 발짝 한 발짝 천천히 걸어와서는 차디찬 눈매로 그를 바라보았다.

"기다리게 했군요. 하지만 이제 안심해도 돼요. 백작은 성직자들과 식사를 하면서 한참 동안 협상해야 하거든요. 성직자들을 만나면 늘 시간이 오래 걸리지요. 그동안은 당신과 나의 시간이에요. 자, 이리 오세요. 반가워요, 골드문트."

아그네스가 나지막하게 말하면서 그에게 다가왔다. 그리고는 그에게 몸을 기울였고, 애틋하게 목말라하는 그녀의 입술이 그의 입술 가까이에 왔다. 두 사람은 아무 말 없이 첫 키스를 나누었다. 잠깐 동안 주저하다가 그는 아그네스의 목덜미에 손을 휘감았다. 그러자 그녀는 문을 지나서 자신의 침실로 그를 이끌었다. 침실은 촛불로 환하게 밝혀져 있었고, 식탁에는 식사가 준비되어 있었다. 두 사람은 자리에 앉았다. 그녀는 익숙하게 빵과 버터와 약간의 고기를 그의 앞에다 갖다놓고 푸른빛이 감도는 아름다운 술잔에다 백포도주를 따랐다. 그들은 똑같이 푸른 잔으로 포도주를 마시고 고기를 먹었다. 두 사람의 손길은 뭔가를 탐색하듯 서로의 몸을 부드럽게 더듬었다.

"당신은 도대체 어디서 날아온 거죠? 아름다운 나의 새여, 당신은 군인인가요? 그렇지 않으면 떠돌이 악사? 아니면 그냥 불쌍한 떠돌이인가요?"

그녀의 물음에 그가 웃으면서 말했다.

"나는 당신이 원하는 모든 것이지요. 나는 완전히 당신 것입니다. 원하신다면 나는 악사가 되겠소. 당신은 나의 달콤한 기타예요. 내가 손가락을 당신 목덜미에 얹고 당신을 연주하면 천사의 노랫소리가 들릴 겁니다. 자, 이리 와요. 나는 맛있는 음식을 먹거나 향기로운 포도주를 마시기 위해 온 것이 아닙니다. 나는 오로지 당신 때문에 온 거예요."

그는 그녀의 목에서 모피 깃을 풀고 옷을 천천히 벗겨 내리기 시작했다. 바깥에서는 백작과 성직자들이 이미 협상을 마쳤으며, 하인들은 발소리를 죽이며 기웃거리고 있었다. 가느다란 초승달은 이미 숲 그늘로 숨어버렸지만 사랑을 나누는 두 사람은 그 사실을 알지 못했다. 두 사람 앞에 펼쳐진 낙원에서는 그들을 위해 꽃이 피어났으며, 그들은 서로 끌어당기고 서로 부둥켜안으며 향내 나는 동산의 어둠 속으로 깊이 빠져 들어갔다. 향기에 취한 두 사람은 피어나는 꽃들을 홀린 듯이 바라보며 애정과 감사의 정이 얽힌 손길로 애타게 그리던 낙원 동산의 열매를 땄다. 악사는 여태껏 이렇게 아름답고 멋진 악기를 연주해 본 적이 없었고, 악기 또한 이렇게 강렬하면서도 황홀한 손놀림을 느끼며 울려본 적이 없었다.

아그네스는 뜨거운 숨을 몰아쉬며 타오르는 듯한 목소리로 그의 귀에 대고 소곤댔다.

"아, 골드문트. 당신을 무엇이라고 부르면 좋을까요? 마치 황홀한 마술사 같아요! 귀여운 금붕어, 난 당신의 아이를 갖고 싶어요. 아니, 그보다도 차라리 당신을 위해 죽고 싶어요. 날 삼켜버리세요. 그리고 저를 녹여주세요! 아니, 차라리 날 죽여줘요!"

차디찬 그녀의 눈동자가 뜨거움으로 불타는 것을 보자 그의 목구멍 깊숙한 곳에서 행복의 탄성이 울려나왔다. 애욕을 이기지 못하는 몸부림은 저 깊고 어두운 강물 속에서 반짝이던 금빛 광채보다 더 찬란했고, 은빛 떨림은 숨이 끊어져 가는 물고기의 비늘 위에서 꺼져가는 것과 다르지 않았다. 무릇 인간이 체험할 수 있는 모든 행복이 이 한순간에 응결되고만 것 같았다.

아그네스가 아직도 눈을 감은 채 몸을 사시나무 떨듯 누워 있을 동안, 그는 살짝 일어나서 옷을 주섬주섬 주워 입었다. 그리고는 한숨을 내쉬며 속삭이듯이 말했다.

"아름다운 내 사랑, 나는 이제 가야만 합니다. 난 여기서 죽고 싶지는 않습니다. 백작에게 맞아 죽을 수는 없지요. 그보다도 나는 오늘 우리가

맛본 것과 같은 행복한 시간을 다시 한번 갖고 싶어요. 한 번만 더, 아니
수도 없이!"

그가 옷을 다 입을 때까지 아그네스는 아무 말도 없이 그대로 누워 있었
다. 그는 그녀 위에 이불을 살짝 덮어준 다음 그녀의 눈에 키스를 했다.

"골드문트, 당신은 꼭 떠나야만 하나요? 내일 또 와요! 위험하면 미리
내가 알려줄게요. 또 와요! 내일 또 와야 해요!"

그녀는 이렇게 말하며 방울 끈을 잡아당겼다. 의상실로 통하는 문에서
아까 그 몸종이 그를 맞더니 궁성 밖으로 나가도록 안내해 주었다. 몸종에
게 금화 한 닢을 건네주고 싶었으나, 궁색한 그는 그럴 수가 없었다.

자정이 될 무렵에야 그는 생선시장 부근으로 왔다. 시간이 너무 늦어서
어쩌면 노숙을 해야 될지도 모른다고 생각하며 주인집을 올려다보았다.
모두들 자고 있겠지 하고 생각했는데 뜻밖에도 바깥문이 열려 있었다.
조심스레 들어가서 문을 잠갔다. 그의 방은 부엌을 통해야만 들어갈 수
있었다. 거기에 불이 켜져 있었다. 희미하게 석유 등잔불을 켜놓고 마리가
식탁 위에 머리를 대고 엎드려 있었다. 오랫동안 기다리다가 깜빡 잠이
든 모양이었다. 그녀는 그가 들어서는 소리에 깜짝 놀라 벌떡 일어섰다.

"아. 마리. 아직 안 잤니?"

그가 말했다.

"자지 않았어요. 제가 깨어 있지 않았다면 당신이 돌아왔을 때 문이 잠겨
져 있었을 테니까요."

"기다리게 해서 미안한걸, 마리. 너무 늦었어. 화내지 마, 응?"

"골드문트, 난 당신한테 화내지 않아요. 좀 서운할 뿐이죠."

"서운할 것 없어."

"아, 골드문트. 내가 몸도 튼튼하고 아름답고 다리를 절지 않는다면,
하고 생각할 때가 있어요. 그렇다면 당신은 밤에 다른 집에 가서 다른
여자를 만나지 않아도 되잖아요. 그리고 당신이 내 곁에서 저를 조금은
좋아해 줄 수도 있지 않을까 해서요."

그녀의 부드러운 목소리에는 어떤 희망도 담겨 있지 않은 것 같았다.

266

원망하지도 않았고, 단지 슬퍼할 뿐이었다. 그는 어찌 할 바를 몰라 하며 그녀 옆에 서 있었다. 그는 그녀의 마음을 아프게 했다는 생각이 들어 너무나 미안했지만 달리 할 말이 없었다. 그는 조심스럽게 그녀의 머리를 쓰다듬어주었다. 꼼짝 않고 서 있던 그녀는 그의 손길이 자기 머리카락에 와 닿는 느낌이 들자 몸을 바르르 떨더니 소리 죽여 눈물을 흘렸다. 그리고 다시 몸을 돌리면서 수줍은 듯 말했다.

"자리로 들어가요, 골드문트. 내가 괜히 바보 같은 소리를 했네요. 너무 졸렸거든요. 안녕히 주무세요."

16

골드문트는 행복하면서도 조바심에 애를 태우며 언덕 위에서 한나절을
보냈다. 이럴 때 말을 가지고 있다면 스승이 만든 아름다운 마리아 상이
있는 수도원으로 당장이라도 달려갔을 텐데. 그 작품을 다시 한번 보고
싶어서 견딜 수가 없었다. 지난밤에는 니콜라우스 스승을 꿈속에서 본
것도 같았다. 그 꿈을 재현시킬 수는 없을까? 언젠가는 반드시 가볼 작정이
었다. 어쩌면 아그네스와의 사랑은 금방 끝나버리거나 나쁜 결과를 가져올
지도 모른다. 그러나 아무리 그렇더라도, 오늘만은 행복의 절정에 있었고
그 행복의 어느 것 하나도 놓치고 싶지 않았다.

그는 오늘은 아무하고도 만나고 싶지 않았다. 마음을 산란하게 하기
싫었기 때문이다. 그는 따스한 가을날을 나무와 구름 밑에서 보낼 생각으
로, 들판에 나가 산책을 하다 보면 늦게 돌아올 것 같다면서 마리에게
빵 한 덩이를 싸달라고 부탁했다. 그러면서 날이 저물어도 괜히 자기를
기다리거나 하지 말라고 일러두었다. 마리는 아무 말도 하지 않은 채 빵과
과일을 챙겨서 그의 가방에다 넣어준 다음, 낡은 그의 조끼를 솔로 문질러
손질해 주고는 그를 내보냈다. 그가 돌아온 첫날, 마리는 그 조끼의 터진
곳을 꿰매주었었다.

그는 강을 건너고 빈 포도밭을 지나 가파른 계단식 길을 따라 언덕으로
올라갔다. 그리고는 정신없이 언덕 위의 숲길을 따라 올라가서 마침내
산머리에 다다랐다. 산머리에 올라서서 보니 앙상하게 서 있는 나뭇가지들

268

사이에서 햇빛이 희미하게 새어 들었다. 그의 발소리에 놀란 듯한 티티새가 덤불 속으로 날아가더니 겁을 먹은 듯 웅크리고 앉아 눈을 반짝이며 바깥쪽을 기웃거렸다. 발아래 쪽으로는 푸른 활 모양으로 강이 흘러가고 있었고, 차곡차곡 쌓아올린 장난감처럼 보이는 집들이 저 멀리에 펼쳐져 있었다. 그곳에서는 기도 시간을 알리는 종소리 이외에는 아무 소리도 들려오지 않았다. 이곳 산머리에는 이교도들이 살던 옛날부터 성벽과 언덕들이 잡초에 뒤덮여 있었다. 그것은 요새가 있던 자리 같기도 하고 무덤이 있던 자리 같기도 했다. 그는 언덕에 걸터앉았다. 바스락거리는 소리를 내는 가을 풀들을 깔고 앉아 한눈에 들어오는 널찍한 골짜기와 강 건너편의 언덕과 산들을 바라보았다. 커다란 산과 하늘이 맞닿아 푸른색을 띠며 어우러져서 산인지 하늘인지 분간이 되지 않았다.

한때 그는 지금 시야에 펼쳐진 곳보다 훨씬 더 광활한 땅을 밟으며 돌아다녔었다. 이제는 멀리 떨어져 아득한 추억으로 남아 있는 그 땅과 산과 강들이 한때는 눈앞에 있는 생생한 현실이었던 것이다. 그는 숲속에서 수없이 많은 낮과 밤을 보내며 때로는 추위와 굶주림에 떨었고, 때로는 고독과 슬픔에 잠겨 잠도 이루지 못한 채 애를 태웠었다. 그러다가 새로운 힘을 얻어 다시 길을 떠나고, 또다시 너무나 지쳐 기진맥진하기도 했었다. 머나먼 저곳 어딘가에, 착한 레네의 불에 탄 뼈다귀가 흩어져 있을 것이다. 또 흑사병에 걸리지 않았다면 저쪽 어딘가에서 그의 길동무였던 로베르트가 여전히 배낭을 둘러메고 떠돌아다니고 있을 것이며, 다른 어딘가에는 죽은 빅토르가 누워 있을 것이다. 또 저쪽 어딘가 머나먼 곳에는 그가 소년 시절을 보냈던 수도원이 요술의 나라처럼 자리 잡고 있을 것이다. 그리고 저쪽 또 다른 어딘가에 아름다운 딸들이 있던 기사의 저택이 있을 것이고, 불쌍한 레베카는 박해자들을 피해 애처롭게 쫓겨 다니고 있거나 어쩌면 죽었을지도 모른다. 온 사방에 흩어져 있는 수많은 장소들 — 황무지가 펼쳐진 들판과 우거진 숲들, 도시들과 여러 촌락들, 산성과 수도원 — 과 그의 마음속에 살아 있는 수많은 사람들……. 그 모든 것들이 그의 추억 속에, 그의 사랑 속에, 그의 회한 속에, 그의 동경 속에 존재하면서 어떤 식으로든 서로 결합되어 있다는 것을 그는 알고 있었다. 그리고 당장이라도 그에게 죽음이 찾아온다면, 이 모든 관계들은 다시 해체되어 아무 상관없는 처음으로 돌아가고 말 것이다. 여자들과의 사랑이 가득 차 있고 여름날의 아침과 겨울밤의 추억들이 가득 담겨 있는 그림책 전체가 뿔뿔이 흩어져서 마침내는 소실되고 말 것이다. 그런 생각을 하다 보니, 지금 무엇인가를 하지 않으면 안 될 것 같다는 조바심이 생겼다. 나 자신보다도 더 오래 남을 수 있는 무엇인가를 만들어두지 않으면 안 될 시기에 와 있다는 절박함이라고나 할까…….

지나간 삶과 방랑생활을 돌이켜봤지만 이 세상을 두루 떠돌아다닌 긴 세월 동안 그에게는 남아 있는 결실이 없었다. 그가 한때 작업장에서 만들었던 한두 점의 인물상, 특히 요한 상 정도만 남아 있을 뿐이고, 그리고는 추억의 형상들이 전부였다. 그의 머릿속에 있는 비현실적인 세계, 아름다우면서도 고통스런 추억만 아로새겨진 형상들이 전부일 뿐이었다. 이 마음속의 형상들 가운데 몇 개를 건져 올려 밖으로 표현해 낼 수 있을까? 지금까지 그랬던 것처럼 새로운 도시, 새로운 경치, 새로운 여자, 새로운 체험들이 새로운 형상으로 새겨지기만 한다면, 결국에는 어느 하나도 표현해 내지 못할 것이 분명했다. 그렇게 되면 불안정하면서 동시에 가슴 터질 것 같은, 아름다우면서도 고통스런 추억만 남게 되는 것은 아닐까?

인생에 조롱당하고 있다는 느낌은 정말이지 모멸 그 자체였다. 그는 우습기도 했고, 슬프기도 했다. 삶을 즐기거나 감각을 만족시키는 것만 탐한다면 관능의 유희에 빠져들면 그만일 것이다. 영원한 어머니인 이브의 품에 안겨 젖을 빨며 살아갈 수도 있을 것이다. 하지만 그렇게 한다면 더할 나위 없는 쾌감은 맛볼 수 있을지 몰라도 덧없이 사라지고 마는 인생의 무상함에 함몰되어 헤어 나오지 못할 것이 너무나 분명하다. 그리하여 결국에는 숲속의 버섯처럼 오늘 아름다운 빛깔을 뿜내다가도 내일은 속절없이 썩어버리고 말지 않겠는가.

그렇다면 세속으로 나와 작업장에 틀어박혀 덧없는 인생에 기념비를 세워볼 수도 있을 것이다. 그러려면 자신의 인생은 단념하고 단순한 도구

노릇을 해야 할 것이다. 또한 그럴 경우 불멸의 것에 봉사할 수는 있어도 감각은 메말라버릴 것이고, 삶의 자유와 충만함과 즐거움을 잃고 말 것이다. 니콜라우스 스승의 일생이 바로 그러하지 않았는가. 생활을 그 대가로 지불하지 않는 창작! 인생을 즐기면서도 고귀한 정신을 단념하지 않는 예술! 도대체 그것은 왜 불가능하단 말인가.

그러고 보면 인간의 삶은 이 두 가지가 서로 뒤섞일 때에만 양자택일에 의해 분열되지 않고 그 의미를 지니게 되는 것이 분명하다. 그렇다면 그것이 가능한 인간은 이 세상에 없단 말인가? 정조를 지키면서도 관능의 쾌감을 잃어버리지 않는 남편은 없는 것일까? 가정을 지키고 안정된 삶을 사느라 자유와 아슬아슬한 모험 따위는 경험하지 못했지만 가슴이 메마르지 않은 그런 가장은 정말 없는 것일까? 어쩌면 있을지도 모르지만, 나는 아직 그런 사람을 보지 못했다.

무릇 살아 있는 모든 것은 그러한 이원성과 대립에 바탕을 두고 있는 것처럼 보였다. 이를테면 여자 아니면 남자로 태어나고, 떠돌이가 아니면 평범한 시민이 되어야 하며, 이성적이지 않으면 감정적으로 되는 것이다. 들숨과 날숨을 동시에 쉰다거나, 남자인 동시에 여자이거나, 자유를 누리면서 질서를 지키거나, 충동적으로 살면서 이성을 지킨다는 것은 어디서도 불가능한 것이었다. 어느 한쪽 못지않게 다른 한쪽도 소중하고 갖고 싶은 가치가 있는데도, 어느 한쪽을 택하면 반드시 다른 한쪽을 버려야 하는 것이다. 이런 면에서는 여성 쪽이 좀 더 유리한지도 모를 일이다. 여성들은 태어날 때부터 쾌락의 열매를 저절로 얻을 수 있도록 운명 지워졌다. 이를테면 사랑의 결실로 아이를 얻지 않는가. 반면 남성의 경우에는 이처럼 단순하게 결실을 거두는 것이 아니라 영원히 충족되지 않는 것에 대한 동경을 갖고 태어난다. 만물을 그렇게 창조하신 하느님은 어떤 노여움이나 적개심에 불타고 있는 것일까? 혹시 스스로 창조한 피조물의 고통을 즐기시는 것은 아닐까? 아니다. 노루와 사슴, 물고기와 새, 숲과 꽃, 사계절 등을 만드신 하느님께서 노여워하실 리가 없다. 하지만 하느님의 창조에는 균열이 있다. 그것이 실패한 작품이든 불완전한 작품이든, 인간이라는 존재의 이 같은 균열과 동경에 특별한 의도가 있든 없든, 혹은 이것이 하느님의 적인 악마가 뿌린 원죄의 씨앗 때문이든 아니든 간에. 그런데 도대체 이런 동경과 불완전함을 왜 원죄라고 하는 것일까? 인간이 만들어서 하느님께 감사의 제물로 바치는 모든 아름다운 것과 신성한 것은 바로 그러한 동경과 불완전함에서 생겨나지 않았는가?

그런 생각에 빠져 있던 골드문트는 눈길을 시내 방향으로 돌려 생선시장과 다리, 성당, 시청 등을 차례로 살펴보았다. 거기에는 주교(主敎)가 거주하는 위풍당당한 궁성도 보였다. 하지만 지금은 하인리히 백작이 통치하고 있고, 궁성의 성탑과 길쭉한 지붕 밑에는 아름다운 여왕 같은 백작의 애첩 아그네스가 있다. 그녀는 몹시 오만해 보였지만 사랑에 있어서는 자신을 송두리째 바칠 줄 아는 그런 여자였다. 골드문트는 그 여자 생각이 떠오르자 갑자기 기쁨이 샘솟는 것 같았다. 그는 기쁨과 감사의 마음으로 지난밤의 일을 머릿속에 그려보았다. 그 밤에 맛보았던 행복을 다시 맛보려면, 그 굉장한 여자를 그날 밤처럼 행복하게 해주려면 그의 삶 전부가 필요했다. 여러 여자들을 거치면서 얻은 모든 단련과 유랑생활의 위태로운 고비들, 한밤중에 눈 덮인 허허벌판을 헤매던 기억, 동물과 꽃과 나무와 물과 물고기와 나비들과 맺은 친밀한 우정 등 그 모든 것이 필요했다. 거기다가 그에게는 쾌감과 위험 속에서 예민해진 감각과 타고난 방랑벽이 있었으며, 여러 해 동안 그의 내면에 쌓아올린 그림의 세계가 있었다. 아그네스와 같은 마법의 꽃이 그의 인생의 정원에 만발해 있는 동안에는 탄식할 필요도 없었다.

그는 가을이 짙게 깔린 언덕 위에서 하루 종일 시간을 보냈다. 돌아다니다가 휴식을 취하기도 하고, 빵을 먹기도 하고, 아그네스와 보낸 간밤의 일 등을 생각하다가 혼자 중얼거리면서 땅거미가 질 무렵에 다시 시내로 내려와 궁성 가까이로 갔다. 날씨는 서늘해졌고, 집집마다 고요한 불빛이 조용히 새어나왔다. 골드문트는 노래를 부르며 가는 한 무리의 소년들과 마주쳤다. 그들은 막대기에 홍당무를 끼워서 메고 갔는데, 홍당무에는 가지각색의 얼굴들이 새겨져 있었고 불이 켜진 양초가 꽂혀 있었다. 그 작은 가장행렬을 보니 어느새 겨울이 가까워졌다는 느낌이 들었다. 골드문트는 눈가에 웃음을 띠면서 행렬의 뒷모습을 바라보았다.

성문 앞에 당도해서는 한참을 서성거렸다. 여기저기 보이는 창문 중 하나에 성직자들 중 누군가가 서 있는 모습이 보였다. 성직자 일행은 아직도 궁성에 머물고 있는 듯했다. 결국 골드문트는 성안으로 들어가 몸종 베르타를 찾는 데 성공했다. 그는 이번에도 아그네스가 나타나 그녀의 방으로 안내할 때까지 의상실에 몸을 숨기고 있었다. 그녀는 애정 어린 눈으로 그를 다정하게 맞이했다. 그녀는 다정하긴 했지만 왠지 슬픈 기색이었고, 수심에 싸여 초조해 하는 것처럼 보였다. 골드문트는 그녀의 마음을 가라앉히느라 한참 동안 진땀을 빼야만 했다. 그의 키스와 사랑의 속삭임을 듣고 난 후에야 그녀는 마음이 가라앉고 자신감까지 되찾은 듯했다.

"당신은 진심으로 날 사랑하는군요. 나의 아름다운 새여, 당신의 목소리는 너무나 부드럽고 그윽해요. 골드문트, 당신을 사랑해요. 여기서 멀리 도망칠 수 있다면 얼마나 좋을까! 난 이곳에 있는 것이 견딜 수 없이 싫어요. 그렇잖아도 이 생활은 조만간 끝날 거예요. 백작은 곧 물러날 거고, 이제 주교님이 돌아오거든요. 백작은 오늘 성직자들한테 시달렸기 때문에 몹시 화가 나 있어요. 아, 당신이 백작에게 발각되지 않아야 할 텐데. 만약 발각된다면 결코 살아남지 못할 거예요. 난 무엇보다도 당신이 걱정이에요."

그녀는 감사와 사랑을 담아 말했다. 그녀의 말을 듣는 동안 그의 기억 속에서 거의 잊혀졌던 어떤 목소리가 불현듯 떠올랐다. 언젠가도 들은 적이 있던 타령 아닌가? 리디아도 그렇게 말한 적이 있었다. 너무나 사랑하지만 너무나 불안하다고. 너무나 달콤하지만 너무나 슬프다고. 사랑과 불안과 근심에 휩싸여 안절부절못하면서도, 끔찍한 광경을 머리에 떠올리며 두려움에 떨면서도 리디아는 밤이면 그의 방을 찾아오지 않았던가. 골드문트는 그런 말을, 애정과 불안에 들뜬 말을 듣는 것이 좋았다. 비밀이 없는 사랑이 무슨 의미가 있단 말인가? 위험이 없는 사랑이 무슨 의미가 있을까?

골드문트는 아그네스를 그의 가슴에 부드럽게 끌어당겼다. 머리를 어루만지며 그녀의 손을 잡았다. 그녀의 귀에 대고 사랑을 속삭였다. 그리고 그녀의 눈에다 가벼운 키스를 해주었다. 그녀가 자신을 그렇게 걱정해주는 것을 보니 마음이 울렁거리고 가슴이 뛰었다. 그녀는 그의 애무를 받아들이면서 사랑에 몸부림치듯 그에게 바싹 안겼다. 하지만 그녀의 얼굴은 좀처럼 밝아지지 않았다.

그런데 아그네스가 갑자기 화들짝 놀라며 온몸을 와들와들 떨었다. 가까이에서 문이 닫히는 소리가 들렸다. 그리고 다급한 발자국 소리가 방 쪽으로 다가오고 있었다.

"아, 어쩌면 좋아요. 그 사람이에요. 백작이 온 거예요. 빨리 나가세요. 의상실을 통해 빠져나갈 수 있을 거예요. 어서요! 그리고 절대로 들키면 안 돼요."

아그네스는 나직하지만 절망적인 목소리로 외치듯이 말했다. 그리고는 골드문트를 다급하게 의상실로 밀어 넣었다. 그는 잠시 머뭇거리다가 깜깜한 어둠 속을 더듬어 나갔다. 백작이 아그네스와 큰 소리로 이야기하는 소리가 들렸다. 그는 옷 사이를 더듬어서 출입문을 향해 소리를 죽여 걸음을 옮겼다. 간신히 복도로 통하는 문 옆에 다다라 문을 살짝 열려고 했다. 그런데 문이 꼼짝을 하지 않았다. 그 순간 바깥쪽에서 문이 잠긴 것을 알고는 그 역시 소스라치게 놀랐다. 그가 여기에 들어오고 나서 누군가가 문에 자물쇠를 채워버렸다는 것은 불운을 암시하는 우연인지도 모른다. 하지만 그는 그렇게 생각하지 않았다. 그는 함정에 빠진 것이다. 이대로 당할 수밖에 도리가 없었다. 그가 이곳으로 남몰래 들어오는 것을 누군가가 본 것이 틀림없었다. 이제 목이 달아날 판이었다. 전신을 부들부들 떨며 그는 어둠 속에 서 있었다. 그러면서도 '절대로 들키면 안 돼요!'라고 한 아그네스의 작별 인사가 생각났다. 그렇다! 그녀가 봉변을 당해서는 안 된다. 그의 심장이 방망이질 치는 것 같았지만 그의 결심은 단호했다.

모든 일은 한순간에 일어났다. 아그네스의 방 쪽에서 갑자기 문이 열렸다. 그리고 백작이 들어왔다. 왼손에는 촛대를, 오른손에는 칼을 빼어 들고 있었다. 바로 그 순간 골드문트는 가까이에 걸려 있는 옷가지와 외투 따위를 재빨리 걷어내려 팔에 걸었다. 자기를 도둑으로 오인하기를 바랐다. 어쩌면 그것이 빠져나갈 수 있는 유일한 방책일지도 모를 일이었다.

백작은 즉각 그를 발견하고는 그가 있는 쪽으로 천천히 다가왔다.

"누구냐? 여기서 대체 뭘 하는 거냐? 대답을 해! 안 그러면 찌르겠다."

"용서해 주십시오. 저는 가난뱅이입니다. 나리께서는 이렇게 부자가 아니십니까? 제가 훔친 물건은 몽땅 돌려드리겠습니다. 자, 여기 있습니다."

골드문트는 기어들어가는 목소리로 말하고는 외투와 옷가지들을 바닥에 내려놓았다.

"그래? 도둑질을 했단 말이지? 낡은 외투 따위에 목숨을 내걸다니 참으로 멍청한 놈이로구나. 네 이놈, 너는 이 도시에 사는 놈이냐?"

"아닙니다. 저는 집도 갈 곳도 없는 떠돌이입니다. 제발 한 번만 용서해 주신다면……."

"닥쳐라! 네놈이 감히 귀부인을 욕보이려고 할 만큼 발칙한 놈인지 어떤지를 알고 싶긴 하지만, 아무튼 네놈은 죽을 몸이니 그런 건 조사할 필요도 없다. 도둑질한 것만으로도 교수형은 충분해."

백작은 잠겨 있는 문을 세게 두들기며 문을 열라고 소릴 질렀다. 밖에서 칼을 빼들고 대기하고 있던 세 명의 병졸이 문을 열었다. 백작은 머뭇거림 없이 거만에 섞인 거친 소리로 조롱을 담아 호령했다.

"이놈을 단단히 묶어라! 이놈은 여기서 도둑질을 한 부랑배다. 이놈을 옥에 가두었다가 내일 아침에 교수형에 처할 것이다."

골드문트는 아무 저항도 하지 못한 채 오랏줄에 두 손이 묶이고 말았다. 그는 그렇게 묶인 채 긴 복도를 지나서 계단을 내려가 내궁으로 호송됐다. 시종 하나가 등불을 들고 앞서갔다. 그들은 쇠창살을 두른 지하실의 둥그런 문 앞에서 멈췄다. 잠시 여러 가지 말이 오가더니 야단치는 소리가 들렸다. 옥문을 여는 열쇠가 없었던 것이다. 병졸 하나가 등불을 받아들고, 시종이 열쇠를 가지러 달려갔다. 결박당한 골드문트는 세 명의 무장한 병졸과 함께 문 앞에 서서 기다려야만 했다. 기다리는 동안 등불을 들고 있는 병졸이 짓궂은 호기심이 발동했는지 결박당한 도둑의 얼굴에 등불을 바짝 들이댔다. 그리고 바로 그때 이 성에 손님으로 와 있던 성직자들 중 두 사람이 그 옆을 지나갔다. 그들은 궁성 안의 성당 쪽에서 돌아오는 길이었는데, 한밤중에 벌어진 이 광경이 의아하단 듯 일행 앞에서 발걸음을 멈추었다. 그리고는 세 명의 병졸과 결박당한 사내를 주의 깊게 바라보았다.

골드문트는 성직자들이 다가온 것도 알아채지 못했고, 감시하고 있는 병졸들의 얼굴도 보지 못했다. 그의 눈에는 오직 얼굴 바로 앞에 갖다대어진 불빛밖에 보이지 않았고, 타오르는 불빛에 눈이 부셨던 것이다. 그리고 등불 뒤편으로 뭔가 형체를 알 수 없는 거대한 유령 같은 것이 보이는 듯해 두려움에 사로잡혀 와들와들 떨고 있을 뿐이었다. 그것은 나락이요, 종말이요, 죽음이었다. 그의 두 눈은 겁에 질려 굳어 있었고, 아무것도 보이지 않았으며 아무 소리도 들리지 않았다. 그때 성직자 가운데 한 사람이 병졸들과 뭔가를 이야기했다.

"이놈은 죽이지 않으면 안 됩니다. 도둑놈입니다."

병졸이 이렇게 대답하자, 성직자는 죄인이 고해 신부한테 고해를 했느냐고 물었다.

"아뇨. 현장에서 조금 전에 잡혀 와서 그럴 겨를이 없었습니다."

그러자 성직자가 말했다.

"그렇다면 내가 내일 아침 미사 전에 이 사람한테 와서 성사를 베풀고 고해를 듣도록 하겠네. 그전에 이 사람을 형장으로 끌려가지 않도록 하게나. 백작님한테는 오늘 중으로 이야기를 해두겠네. 이 사람이 도둑질을 했다 해도, 기독교인이라면 누구나 고해 신부에게 고해를 하고 성사를 받을 권리가 있지 않은가."

병졸들은 감히 항변할 엄두를 내지 못했다. 그들은 이 성직자가 누구인지 알고 있었다. 그는 황실에서 파견된 사절단의 한 사람으로, 백작과 함께 식사하는 것을 자주 보았던 것이다. 그리고 도둑질을 한 부랑자라고 해서 고해를 받지 못할 이유도 없었던 것이다.

성직자들은 자리를 떠났다. 골드문트는 여전히 멍하게 서서 두 눈을 한 곳에 모으고 있었다. 이윽고 시종이 열쇠를 가지고 와서 문을 열었다. 그는 아치형 천장의 지하 감옥으로 끌려갔다. 그는 비틀거리면서 몇 개의 계단을 내려가다 발을 헛딛는 바람에 미끄러져서 내동댕이쳐질 뻔했다. 등받이 없는 의자 몇 개와 탁자가 놓여 있었다. 그곳은 포도주 저장창고 앞에 있는 방이었다. 그들은 조그만 의자를 탁자 옆으로 가지고 오더니 거기에 앉으라고 그에게 명령했다.

"내일 아침 일찌감치 신부님 한 분이 오실 거다. 그러면 고해성사는 받을 수 있을 거야."

병졸 중 한 사람이 그에게 말했다. 그런 뒤 그들은 문 밖으로 나가서 육중한 문에 조심스레 자물쇠를 채웠다.

"이봐요, 그 등불은 놓고 가시지요."

골드문트가 부탁했다.

"안 돼! 이런 게 있으면 무슨 일을 저지를지도 모르잖아. 얌전하게 처박혀서 마음이나 단단히 먹고 있어. 그리고 이 등불을 준다고 해도 얼마나 견디겠나? 한 시간도 채 못 돼서 다 타버리고 말 텐데. 자, 그러니 잠이나 푹 자도록 해."

그는 어둠 속에 혼자 남겨졌다. 조그만 의자에 앉아서 탁자 위에 머리를 대고 엎드렸다. 이런 식으로 앉아 있는 것이 처량하기도 했지만, 오랏줄에 꽉 졸라매진 손목이 아파서 견딜 수가 없었다. 처음에는 그렇게 앉아서 탁자에 머리를 괴고 있으니 마치 단두대에 머리를 올려놓은 듯한 기분이 들어 오싹했다. 그러면서 그가 마음속으로 다짐했던 일을 육신과 감각으로도 받아들일 수밖에 도리가 없다는 생각이 들었다. 빠져나갈 수 없는 이러한 상황이 운명이라면 이제는 기꺼이 받아들여야 하는 것이었다.

그는 그렇게 앉은 채로 영원처럼 기나긴 시간 동안 비통에 빠져 있었다. 그리고 자신에게 주어진 운명을 숨을 들이마시듯 받아들이고 직시하며 온전히 순응하려고 애를 썼다. 날이 완전히 어두워지자 밤이 시작되었다. 이 밤의 종말은 곧 그 자신의 종말이기도 했다. 그는 내일이면 살아 있는 목숨이 아닐 것이다. 그는 교수형에 처해져서 새들이 와서 주둥이로 쪼아 먹는 시체가 되고 말 것이다. 니콜라우스 스승처럼, 불 지른 오두막집에 내버려진 레네처럼, 그리고 온 식구가 죽은 빈 집과 시체로 가득 찬 수레 위에 드러누워 있던 수많은 인간들처럼 되어버리고 말 것이다. 그런 자신의 운명을 직시하고 그것에 익숙해진다는 것은 결코 쉽지 않았다. 그것을 직시하는 것 자체가 불가능에 가까운 일이었다. 그에게는 아직 떨쳐내지 못했거나 작별하지 못한 것들이 너무나 많았다. 오늘 밤에 주어진 이 몇 시간은 그들과의 작별을 위해 그에게 주어진 것이었다.

골드문트는 아름다운 아그네스와 작별해야만 했다. 그녀의 늘씬한 몸매와 눈부신 금발, 차갑고 푸른 두 눈, 향기로운 살갗에서 발산하는 달콤하고도 황홀한 사랑의 불꽃을 이제 다시는 보지 못할 것이다. 푸른 눈을 가진 사랑스런 그대여, 잘 있거라. 천 번이라도 키스하고 싶은, 촉촉하게 젖어 떨고 있는 입술이여! 아, 오늘도 언덕 위에서 늦가을의 햇살을 받으며 얼마나 그대를 보고 싶어 했던가.

그러나 그는 언덕과도, 나무와 숲과도, 흰 구름이 떠도는 푸른 하늘과 사계절과도 작별해야만 했다. 마리는 지금도 자지 않고 있을까? 사랑스럽고 선량한 눈길을 가진 마리, 다리를 절뚝거리며 걷는 불쌍한 마리. 그녀는 식탁에 앉아서 기다리다 새우잠을 자거나 이따금 눈을 뜰 것이다. 이제는 돌아오지 않을 골드문트를 기다리며…….

아, 종이와 연필이 있다면……. 아직도 그에게는 형상으로 표현해 내고 싶은 인물들에 대한 미련이 남아 있는 듯했다. 하지만 그가 가졌던 그 모든 소망은 이제 저 멀리로 사라지고 말 것이다! 나르치스도 보고 싶었고, 요한 사도 상도 다시 보고 싶었지만 그것 또한 포기해야만 했다.

그는 자신의 두 손과 자신의 두 눈, 그리고 배고픔과 목마름, 먹는 것과 마시는 것, 사랑과 슬픔, 놀이와 유희, 취침과 기상 등 모든 것들과 작별하지 않으면 안 되었다. 날이 밝아오자 새 한 마리가 허공으로 날아갔지만 골드문트는 새가 나는 것을 보지 못했다. 한 소녀가 창가에 기대어 노래를 불렀지만 그는 노랫소리를 듣지 못했다. 강물은 유유히 흐르고 물고기는 묵묵히 헤엄쳐 갔다. 바람이 불어 땅바닥에는 노란 잎사귀가 뒹굴었지만 하늘에는 구름 한 점 없다. 태양은 빛났고, 젊은 사람들은 무리 지어 무도장으로 향했다. 그리고 먼 산에는 첫눈이 쌓였다. 모든 것이 그렇게 제 갈 길을 가고 있었다. 나무들은 모두 그림자를 드리우고, 사람들은 기뻐하거나 슬퍼하면서 모두 생기에 가득 찬 눈을 반짝였다. 개들은 짖어대고, 암소들은 이 마을 저 마을의 외양간에서 음매 하고 울어댔다. 하지만 이제는 그 모든 것이 그와는 무관한 것이 되고 말았다. 그는 모든 것으로부터 떨어져 나오고 만 것이다.

골드문트는 황야에서 밀려오는 아침 냄새를 맡았다. 달콤하고 신선한 포도주와 단단한 껍질 속에 들어 있는 고소한 호두 맛도 보았다. 그 모든 다채로운 기억이 환하게 떠오르면서 가위눌린 그의 가슴을 뚫고 지나갔다. 혼돈 상태의 아름다운 삶 전체가 가라앉으면서 다시 한번 그의 모든 감각을 훑으면서 빛을 발했다. 골드문트는 참을 수 없는 고통에 몸이 오그라드는 것만 같았다. 그러면서 두 눈에서는 굵은 눈물이 하염없이 흘러내렸다. 그는 흐느껴 울면서 격한 감정의 물결에 자신을 내맡겼다. 아, 골짜기와 울창한 수풀에 뒤덮인 산이여! 푸른 오리나무 숲속을 흘러내리는 개울들이여! 달밤에 다리 위를 거닐던 소녀들이여! 아, 아름답게 빛나는 모든 형상들이여! 내 어찌 그대들을 떠나야 한단 말인가! 그는 울음을 그치지 않은 채 어린아이처럼 탁자 위에 쓰러졌다. 그리고는 비통한 가슴 밑바닥에서 애원하는 비명과 탄식이 터져 나왔다.

"아아, 어머니! 어머니!"

그가 이 마법의 이름을 부르자 그의 기억 밑바닥에서 하나의 형상, 즉 어머니의 형상이 떠올랐다. 그것은 이제껏 그의 사변이나 예술가의 몽상으로 만들어낸 어머니의 모습이 아니라, 그를 낳아준 어머니의 형상이었다. 수도원 생활 이후로 한 번도 본 적이 없는 모습이었지만 너무나 생생하게 떠올랐다. 골드문트는 그 어머니한테 매달렸다. 자신의 애달픔과, 죽지 않으면 안 되는 운명과, 참을 수 없는 괴로움을 눈물로 호소했다. 그는 그 어머니한테 모든 것을 맡겼다. 숲과 태양을, 두 눈과 양손을, 그의 모든 존재와 삶을 그 어머니의 두 손에 모두 돌려줬다.

골드문트는 그렇게 흐느끼다가 어느덧 잠이 들었다. 극도의 피로와 졸음이 그를 어머니의 품으로 이끌었다. 어머니는 그를 두 팔로 안아주었고, 잠이 든 한두 시간 동안 그는 비참한 상태에서 벗어날 수 있었다.

다시 눈을 떴을 때 그는 심한 고통을 느꼈다. 오랏줄에 묶인 손목이 너무나 쓰리면서 마비가 된 것처럼 얼얼했다. 등과 목덜미도 욱신거렸다. 그는 간신히 일어나서 정신을 차리고 자신의 처지를 새삼 확인했다. 그의 주변은 칠흑처럼 깜깜했다. 얼마나 잠을 잤는지, 얼마나 더 이러고 있어야 할지도 알 수 없었다. 어쩌면 바로 이 순간에 백작의 부하들이 달려와서 그를 형장으로 끌고 갈지도 모를 일이었다. 그때 그는 문득 신부 한 분이 성사를 주러 오기로 되어 있다는 말을 들은 것이 생각났다. 하지만 성사가 그에게 무슨 도움이 되겠는가. 대속(代贖)과 사죄(謝罪)의 말씀이 아무리 완벽해도 그는 자신이 천국에 갈 수 있다고는 생각하지 않았다. 사실 천국이 과연 있기나 한 것인지, 하느님 아버지와 최후의 심판과 영원한 삶이 과연 존재하는 것인지도 알 수 없었다. 그는 이미 오래전부터 이런 문제에 관해서는 확신을 잃은 터였다.

하지만 영원이라는 것이 있든 없든, 그와는 상관없는 일이었다. 골드문트는 그러한 것을 원하지도 않았다. 불확실하고 덧없는 삶 속에서 숨을 쉬고, 살아 있음을 피부로 느끼는 것 이외에는 아무것도 바라지 않았다. 오직 살아 있기만을 바랄 뿐이었다.

그는 갑자기 벌떡 일어나 어둠 속에서 비틀거리며 담장 쪽으로 걸어갔다. 벽에 몸을 똑바로 기댄 채 생각에 잠겼다. 구원의 길이 있을지도 모른다! 어쩌면 신부가 구원의 손길이 되어줄지도 모르지 않는가. 그렇다면 어떻게 해야 신부가 자신의 결백함을 믿어줄까? 그를 위해 한 말씀 해주거나, 아니면 형 집행을 연기시켜 주거나, 도망칠 수 있도록 작은 도움을 줄지도 모를 일이다. 그는 갑자기 어떤 희망의 끈이라도 잡은 듯이 생각에 골몰했다. 설령 이런 생각이 무위로 돌아갈지라도 그는 단념하고 싶지 않았다. 승부에서 졌다고도 단정하기 싫었다. 우선 신부가 자신을 이해하도록 애를 써본 후 수단과 방법을 가리지 않고 상황을 납득시켜서 자신의 편을 들어줄 수 있도록 설득할 작정이었다. 이 승부에서는 오직 신부만이 자기한테 유리한 카드였다. 다른 가능성은 모두가 헛된 꿈에 불과했다. 그렇지 않으면 어떤 요행을 바라는 수밖에 없을 것이다. 형리가 심한 복통을 일으킨다든지, 교수대가 망가진다든지, 또는 전혀 생각지 못했던 방법으로 도망칠 수 있기를 바라는 수밖에 방법이 없는 것이다. 이 모든 경우를 떠올리다 보니 이대로 죽을 수 없다는 생각이 점점 강해졌다. 운명에 순응하여 죽음을 받아들이려고 했으나 솟구쳐 오르는 삶의 욕망이 그것을 자꾸 방해하는 것이었다. 그는 자신 앞에 놓인 운명에 저항하며 수단과 방법을 가리지 않고 끝까지 싸울 결심을 했다. 문지기의 발을 걷어차거나, 형리한테 달려들어 넘어뜨리거나 간에 최후의 순간까지 자신이 가진 모든 것을 다 끄집어내어 살아날 방법을 찾을 것이다. 아, 과연 신부의 마음을 움직여서 두 손에 묶여 있는 오랏줄을 풀 수 있을까? 그렇게만 된다면 그 어떤 일도 두려움 없이 할 수 있을 텐데.

그러는 동안 골드문트는 고통을 참아가며 이빨로 오랏줄을 잡아당겨 보았다. 사나운 개처럼 필사적으로 잡아당기다 보니 꽁꽁 묶인 오랏줄이 약간은 느슨해진 것 같았다. 그는 가쁜 숨을 몰아쉰 다음 습기 찬 지하실의 벽을 더듬으며 한 발 두 발 옮겼다. 그리고는 튀어나온 모서리는 없는가 하고 자세히 찾아보았다. 그때 이 지하실 감옥으로 들어올 때 헛디뎌서 미끄러졌던 계단이 문득 머리에 떠올랐다. 그것은 쉽게 발견되었다. 그는 무릎을 꿇고 앉아 돌계단의 모서리에다 온힘을 다해 오랏줄을 문지르기 시작했다. 그러나 그것은 생각처럼 되지 않았다. 오랏줄 대신에 손목뼈가 돌에 닿았고, 그럴 때마다 불덩이에 닿은 것처럼 상처가 부어올랐다. 그는 끔찍한 고통 속에서 피가 흘러내리는 것을 느꼈다. 흘러내리는 피는 좀처럼 멈출 기색이 없었지만, 그는 하던 일을 그만두지 않았다. 문틈으로 아침 햇살이 희미하게 비칠 때쯤 드디어 그는 목적을 달성했다. 돌에 문질러댄 오랏줄이 닳아서 끊어진 것이다. 그는 오랏줄을 풀어버렸다. 이제 손이 자유로워진 것이다. 그러나 두 손을 마음대로 움직일 수 있게 됐지만 손가락을 제대로 놀릴 수가 없었다. 퉁퉁 부어오른 두 손은 마비가 되어 감각이 전혀 없었고, 팔은 어깨까지 뻣뻣이 굳어 꼼짝할 수가 없었다. 그는 고통을 참아가며 억지로 손과 팔을 움직여서 피가 다시 제대로 흐르도록 해야만 했다. 방금 그는 썩 괜찮게 생각되는 계획이 떠올랐다.

자신을 도와주도록 신부를 설득하지 못할 수도 있었다. 또한 신부와 단둘이 있을 기회도 아주 잠깐밖에 허용되지 않을지도 모른다. 만약 그렇게 되면 신부를 죽이는 수밖에 없다. 의자를 무기로 사용하면 가능할 것이다. 목을 졸라 죽일 수는 없을 것이다. 그러기에는 손과 팔이 말을 듣지 않고 힘이 없었다. 어쨌든 신부를 죽인 다음 얼른 신부복으로 바꾸어 입고 탈출하는 것이다. 병졸들이 죽은 사람을 발견하기 전에 궁성에서 빠져나가 쉬지 않고 무조건 달아나는 것이다. 마리가 그를 맞아들여 집 안에 숨겨줄 것이다. 그러려면 모험을 감행해야만 했다. 그것은 가능한 일이었다.

골드문트는 지금까지 살아오면서 지금 몇 시간처럼 날이 새는 것을 애타게 기다린 적이 없었고, 지금 이 시간만큼 두려워하며 전신을 떤 적이 없었다. 그는 긴장 속에서 온몸을 달달 떨면서 마음을 다져먹었다. 그는 사냥꾼 같은 눈초리로 가냘픈 빛줄기가 문의 틈새로 새어 들어와 차츰 밝아오는 광경을 주시했다. 그러고는 탁자 있는 데로 돌아갔다. 두 손을 무릎 사이에 끼우고, 조그만 의자에 웅크리고 앉아 있는 연습을 했다. 오랏줄이 풀어져 있는 것을 눈치채게 해서는 안 되었기 때문이다. 두 손을 마음대로 놀릴 수 있게 되고부터 그는 죽는다는 생각을 하지 않았다. 이 상황을 뚫고 나가겠다는 그의 각오는 단호했다. 세상이 두 쪽 난다고 해도 반드시 해내고 말 것이다. 그 어떤 희생을 치르는 한이 있더라도 살아서 나가겠다고 결심을 한 것이다. 그의 몸은 자유와 생명을 되찾겠다는 욕망으로 떨고 있었다. 바깥에서 도와주러 오는 사람이 있는지 없는지는 상관할 바가 아니다.

아그네스는 여자이고, 그 여자가 가진 권세 또한 별것 아닐 것이다. 설령 그녀가 아무리 용기 있는 여자라 해도 포기할 수밖에 없는 상황에 처했을지도 모를 일이다. 하지만 그녀는 그를 사랑하고 있었으니까 뭔가를 시도할 수도 있을 것이다. 어쩌면 바깥에 몸종 베르타가 살며시 찾아와 있을지도 모른다. 또한 아그네스가 심복같이 부린다던 시종도 있지 않은가. 아무도 나타나지 않고 아무 신호도 없을 때에는 그의 계획을 실행에 옮기면 된다. 실패한다면 의자를 사용해서 문지기 놈들을 쓰러뜨릴 작정이었다. 둘, 셋, 아니, 몇이라도 오는 대로 쓰러뜨릴 것이다. 그에겐 유리한 점이 한 가지 있었다. 그의 눈은 이미 어둠에 익숙해져 깜깜한 속에서도 어떤 형태나 크기를 대충 짐작할 수 있지만 다른 자들은 이곳에 들어오면 얼마간 더듬거릴 것이다.

골드문트는 열에 들떠서 탁자 앞에 웅크리고 앉았다. 그는 신부를 어떻게 설득할까를 곰곰이 생각했다. 처음에는 도와달라고 애원할 것이다. 우선은 그렇게 시작해야만 한다. 동시에 그는 문틈으로 새어 들어오는 빛을 열심히 관찰했다. 몇 시간 전만 해도 그토록 두렵게 여겨졌던 순간이 지금은 초조할 만큼 애타게 기다려졌다. 이 무시무시한 긴장을 더는 참을 수 없을 것 같았다. 그러면서 체력도 주의력도 결단력도 경계심도 모두 빠져나가버린 것처럼 느껴졌다. 이 긴장된 준비 태세와 살아보겠다는 단호한 결의가 최고조에 달했을 때 문지기가 신부와 함께 나타나야 할 텐데…….

드디어 바깥세상이 잠에서 깨어났고, 기다리던 순간이 눈앞에 와 있었다. 궁정 안마당을 걷는 발소리가 울리더니, 열쇠를 꽂아 돌리는 소리가 들렸다. 죽음 같은 정적 속에서 들려오는 소리 하나하나가 천둥소리처럼 느껴질 정도였다.

이윽고 육중한 문이 서서히 열리면서 돌쩌귀가 삐거덕거리는 소리가 들렸다. 신부 한 분이 들어왔다. 옆에는 아무도 없었다. 문지기조차 앞세우지 않고 혼자 들어온 것이다. 신부는 불이 켜진 두 개의 촛대를 들고 있었다. 그가 상상하면서 계획했던 것과는 아주 딴판이었다.

그리고는 이상하면서 가슴 두근거리는 장면이 눈앞에 펼쳐졌다. 안으로 들어온 신부는 다시 뒤로 돌아서서 문을 닫았다. 그런데 그가 입고 있는 옷은 놀랍게도 마리아브론 수도원의 복장이었다. 옛날 다니엘 원장님이나 안젤름 신부님, 마르틴 신부님이 입고 있었던 눈에 익은 그리운 차림이었던 것이다.

그 신부의 옷차림은 골드문트의 가슴속에 뭐라 말할 수 없는 충격을 안겨주었다. 그는 시선을 옆으로 돌리지 않을 수 없었다. 이 눈에 익은 수도복의 출현은 뜻밖에도 일이 순조로이 된다는 조짐처럼 여겨졌다. 좋은 징조인지도 모른다. 하지만 그래도 신부를 죽이는 방법 이외엔 도망칠 길이 전혀 없을지도 모른다. 그는 입술을 꽉 깨물었다. 같은 종단(宗團)의 형제를, 그것도 신부를 죽이는 것은 몹시 힘든 일일 것이다.

17

"찬미 예수님!"

신부는 이렇게 말하며 촛대를 탁자 위에 올려놓았다. 골드문트는 눈을 내리깐 채 입안에서 중얼거리듯 대답했다.

"찬미 예수님."

신부는 말이 없었다. 신부는 뭔가를 기다리듯 그 자리에 아무 말 없이 서 있었다. 마침내 불안해진 골드문트가 뭔가를 알아내려는 듯이 두 눈을 치켜 올렸다. 그리고는 자기 앞에 서 있는 신부 쪽으로 눈길을 돌렸다.

그런데 어찌 된 영문인지 이 신부는 마리아브론 수도원 복장을 하고 있을 뿐만 아니라 원장이라는 패찰도 달고 있었다. 골드문트는 더욱 어리둥절해졌다.

골드문트는 원장의 얼굴을 똑바로 쳐다보았다. 윤곽이 뚜렷하고 수척한 얼굴에 가느다란 입술이 눈에 들어왔다. 그가 아는 얼굴이었다. 골드문트는 마치 홀린 듯이 자기도 모르게 지성과 의지로 뭉쳐진 그 얼굴을 쳐다보았다. 그리고는 더듬거리면서 촛불을 집어 들어 신부의 얼굴 가까이에 갖다 댔다. 그리고 그의 두 눈을 보았다. 골드문트는 떨리는 손으로 촛불을 다시 내려놓았다.

"나르치스……"

그는 거의 들릴락 말락 한 소리로 그의 이름을 입에 올렸다. 주위에 있는 모든 것들이 어지럽게 빙빙 돌기 시작했다.

"그래, 골드문트. 나는 한때 나르치스였었지. 하지만 그 이름은 벌써 오래전부터 쓰지 않는다네. 자네는 아마 기억 못할지도 몰라. 나는 서품을 받은 이후 요한이라는 이름을 쓰기 시작했네."

골드문트는 간신히 자신을 지탱하고 있는 그 모든 것이 흔들리는 충격에 휩싸였다. 갑자기 천지라도 개벽하듯 온 세상이 변한 것이다. 그가 초인적으로 버티고 있던 긴장이 별안간 무너져 내리면서 숨이 막힐 지경이었다. 그의 온몸은 부들부들 떨렸고, 마치 풍선에서 바람이 빠진 것처럼 머릿속은 텅 빈 것 같았다. 그리고 가슴은 오그라든 것 같았고, 열에 들뜬 듯한 눈에서는 금방이라도 흐느낌이 터져 나올 것 같았다. 그가 그토록 기다리던 이 순간, 그는 실컷 흐느껴 울다 정신을 잃고 실신하는 수밖에 달리 방법이 없었다.

하지만 나르치스를 다시 봄으로써 불러일으켜진 소년 시절의 깊은 추억에서 하나의 경고음이 들려왔다. 소년 시절의 한때 그는 이 아름답고도 엄숙한 눈앞에서, 무엇이든지 다 알고 있는 이 까만 눈앞에서 소리치며 크게 운 적이 있었다. 그는 그것을 다시 되풀이하고 싶지 않았다. 그런데 지금 그의 일생을 통해서 가장 절박한 순간에 나르치스가 홀연히 유령처럼 나타난 것이다. 그런데 목숨을 구걸하기 위해 다시 나르치스 앞에서 울거나 실신 상태에 빠져버리는 것이 옳단 말인가? 아니, 안 된다! 그는 억지로 버텼다. 간신히 마음을 억제하고, 가슴을 움켜잡으며 현기증을 쫓아버렸다. 이제 약한 모습을 보여서는 안 된다!

골드문트는 억지로 자제한 목소리로 입을 열었다.

"당신을 여전히 나르치스라고 부르는 것을 용서해 주시겠습니까?"

"그렇게 부르게. 그런데 악수도 청하지 않을 셈인가?"

골드문트는 다시 자제심을 발휘해야 했다. 그는 고집 센 학생 시절에 자주 그랬던 것처럼 싸늘하면서도 다소 조롱하는 투로 대답했다.

"나르치스, 용서해 주십시오. 그런데 보아하니 원장이 되셨군요. 하지만 저는 여전히 떠돌이랍니다. 게다가 제가 아무리 바랐던 일이라 하더라도, 애석하게도 우리의 대화는 오래 끌 수가 없을 것 같군요. 아무튼 저는

286

교수대에 목을 매달 처지가 되었으니 말입니다. 한 시간 뒤에, 혹은 그보다 전에 목이 매달릴 겁니다. 이런 말을 하는 것은 다만 상황을 명백히 해두기 위해서지 다른 뜻은 없습니다."

나르치스는 얼굴빛 하나 변하지 않고 그의 말을 듣고 있었다. 소년 티가 가시지 않은 건방진 말투와 허풍이 우습기도 했지만 동시에 가슴이 찡했다. 자신의 가슴에 안기면서 울음조차 터뜨리지 못하는 자존심이 그의 우스운 태도 이면에서 느껴졌다. 나르치스는 이 친구의 그런 자존심을 누구보다 진심으로 이해하고 인정했다. 사실 그 역시 다른 방식으로 재회하는 것을 상상해 보지 않은 것은 아니지만, 그가 벌이는 이러한 작은 희극을 이해할 수는 있었다. 그것은 골드문트가 가장 빨리 그의 마음속에 파고들 수 있는 방편이기도 했다. 나르치스는 무덤덤한 태도를 가장하며 침착하게 말했다.

"그렇군. 그런데 교수형 문제는 걱정하지 않아도 좋아. 자네는 특사를 받았네. 나는 그 사실을 알리고 자네를 데리고 갈 책임을 맡았지. 자네가 이 도시에 머무르지 못할 형편이 됐으니 말일세. 지난 이야기를 나누면서 이것저것 의논할 시간은 충분히 있을 거야. 그러니 악수해 주겠나?"

두 사람은 손을 맞잡고 한동안 감회에 젖어 서로를 바라보았다. 그리고 둘 다 깊은 감동을 느꼈으나 그들의 대화에는 아직도 어색함과 거북스러움이 남아 있었다.

"좋아요, 나르치스! 그럼 한시라도 빨리 이 기분 나쁜 도시에서 떠나요. 저는 당신 일행을 따라갈게요. 마리아브론 수도원으로 돌아가는 거지요? 그것은 정말 기쁜 일이에요. 그런데 어떻게 가죠? 말을 타고 가는 건가요? 그것 참 신나겠는걸요. 그렇다면 제가 타고 갈 말을 어떻게 구하느냐가 문제네요."

"그것도 걱정하지 말게. 우리는 두 시간 안에 출발할걸세. 아, 그런데 자네 두 손은 왜 그런가? 온통 벗겨지고 부르트고 피투성이잖아! 아, 그자들이 자네한테 심한 짓을 했군 그래."

"아닙니다. 제 스스로 이렇게 만든 거예요. 오랏줄에 묶인 것을 풀다

보니 이렇게 됐어요. 그 정도로 알고, 그 얘긴 그만 하세요. 그건 그렇고, 어떻게 동행자도 없이 이곳에 들어온 거죠? 그건 정말 대단한 용기예요!"

"용기라니, 무슨 뜻이야? 위험할 게 뭐가 있나?"

"하긴 당신은 저한테 맞아 죽는 것쯤이야 대단한 위험이라고 여기지도 않겠지요? 하지만 저는 그럴 작정을 했었거든요. 신부님께서 성사를 주러 온다는 이야기를 들었기 때문에, 신부님을 죽인 후 옷을 바꿔 입고 도망치려는 계획을 세웠어요. 썩 괜찮은 계획 아닌가요?"

"그럼 자네는 죽고 싶지 않았군. 죽음에 맞설 작정이었나?"

"확실히 그렇게 할 작정이었어요. 그런데 오신다는 신부님이 당신일 줄이야. 정말 이런 일이 있을 거라고는 상상도 못했어요."

그의 말을 들은 나르치스는 다소 머뭇거리며 말했다.

"아무튼 정말 몹쓸 계획을 세웠군. 그래, 고해성사를 주러 찾아온 신부를 자네는 정말 죽일 생각이었나?"

"나르치스, 당신이라면 물론 죽일 수가 없지요. 그리고 마리아브론의 복장을 한 신부님이라면, 당신의 동료인데 어떻게 죽일 수 있겠어요? 그렇지만 다른 성직자라면 그랬을지도 몰라요. 아마 그렇게 했을 거예요."

골드문트의 목소리에 갑자기 슬픔이 어렸다.

"그랬다 해도 그것이 제가 저지른 최초의 살인은 아니에요."

두 사람 사이에 한동안 침묵이 흘렀다. 두 사람은 말할 수 없이 처참한 심정이 되었다.

잠시 후 나르치스가 비교적 차분한 목소리로 말했다.

"그 일에 대해서는 나중에 이야기하도록 하지. 원한다면, 언제든지 나한테 고해를 하도록 하게. 혹은 그동안 자네가 살아온 일에 대해 이야기해도 좋아. 나도 자네한테 이것저것 이야기할 것이 있다네. 이야기를 나눌 수 있는 시간이 빨리 오길 기다리겠네. 자, 그럼 이제 나가볼까?"

"잠깐만, 나르치스! 지금 떠오른 건데, 언젠가 제가 당신한테 요한이라는 이름을 붙여준 적이 있었습니다."

"무슨 말인지 모르겠군."

"물론 그럴 거예요. 당신은 아직 아무것도 모르고 있으니까. 벌써 몇 년 전에 저는 당신한테 요한이라는 이름을 붙인 적이 있어요. 아마 그 이름은 영원할 거예요. 한때 저는 인물상 등을 조각하는 일을 했어요. 당시에 제가 만든 형상 중 가장 마음에 드는 것은 나무로 깎아 만든 젊은이의 형상이었어요. 실제 인물의 크기와 똑같은 그 인물상의 모델은 바로 당신이었지요. 저는 그 조각상에 나르치스라는 이름이 아닌, 요한이라는 이름을 붙였고요. 십자가 아래의 요한 사도 말이에요."

나르치스는 일어서서 문 있는 쪽으로 가며 나지막한 목소리로 물었다.

"그럼 자네는 아직도 나를 생각하고 있었단 말인가?"

골드문트도 똑같이 나지막한 소리로 대답했다.

"그렇습니다, 나르치스. 저는 당신을 한시도 잊은 적이 없어요. 늘 생각했지요."

나르치스는 육중한 문을 밀고 나갔다. 희뿌연 아침 햇살이 쏟아지고 있었다. 두 사람은 더 이상 아무 말도 하지 않았다. 나르치스는 골드문트를 자신이 묵었던 객실로 데리고 갔다. 그를 수행하는 젊은 수도사가 거기서 길 떠날 채비를 하고 있었다. 골드문트는 요기를 한 다음 두 손을 닦고 붕대를 얻어서 상처 부위를 감았다. 어느새 타고 갈 말이 대기 중이었다.

그들이 말에 올랐을 때, 골드문트가 말했다.

"부탁할 것이 있어요. 생선시장 쪽을 지나서 가면 안 될까요? 거기에서 볼일이 있어서요."

그들은 출발했다. 골드문트는 궁성의 창문들을 일일이 훑어보았다. 혹시나 아그네스의 모습이 어딘가에서 보일지도 모른다는 기대 때문이었다. 하지만 그녀의 모습은 보이지 않았다. 그들은 말을 타고 생선시장 쪽으로 갔다. 마리는 골드문트의 걱정을 무척 많이 하고 있었다. 그는 마리와 그녀의 가족들에게 작별을 고하면서 고맙다는 말을 수없이 했다. 그리고 다시 만날 것을 기약하며 말에 올라탔다. 골드문트 일행이 보이지 않게 될 때까지 마리는 문 앞에 서 있다가 절룩거리면서 천천히 집 안으로 들어갔다.

일행은 모두 넷이었다. 나르치스와 골드문트, 그리고 젊은 수도사와 무장한 말 시종이 동행했다.

"제가 타고 다니던 점박이 말 블레스를 혹시 기억하나요? 수도원의 마구간에 있었는데……."

골드문트가 물었다.

"기억하지. 하지만 그 말은 이제 없어. 자네도 기대하고 있지 않았겠지만, 블레스가 죽은 지 아마 칠팔 년은 됐을걸."

"당신이 블레스를 기억하고 있었다니!"

"어떻게 기억하지 않을 수가 있겠나."

골드문트는 블레스의 죽음을 슬퍼하지 않았다. 원래 동물 같은 것에 관심이 없는 나르치스가 블레스에 대해 그렇게 소상히 알고 있다는 사실만으로도 너무나 기뻤기 때문이다.

골드문트가 이야기를 계속했다.

"제가 수도원에 대해서 가장 먼저 물어본 것이 기껏 말 이야기라니, 당신은 비웃을지도 몰라요. 실은 다른 것을 물어보고 싶었어요. 특히 다니엘 원장님 안부가 궁금했거든요. 하지만 그분이 돌아가셨을 거라고 생각했어요. 그래서 당신이 그분의 후계자가 되었을 테니까요. 그리고 온통 죽은 사람 이야기만 하는 것 같아서 처음에는 일부러 피했어요. 저는 사실 죽음을 빼놓곤 할 말이 별로 없지만요. 간밤의 사건 때문이기도 하지만 흑사병 때문이기도 해요. 하지만 한 번은 꺼낼 이야기니까, 언제 어떻게 다니엘 원장님이 돌아가셨는지 들려주세요. 저는 그분을 무척 존경했었지요. 안젤름 신부님과 마르틴 신부님은 아직 생존해 계신가요? 어떤 끔찍한 말이라도 들을 각오가 되어 있어요. 하지만 무엇보다도 당신이 흑사병을 피할 수 있었다는 것이 너무나 다행스럽고 그것만으로도 감사하고 만족해요. 물론 당신이 죽었으리라는 생각을 한 적도 없었고, 언젠가는 다시 만날 것이라고 굳게 믿고 있었지만요. 그렇지만 믿음은 사람을 실망시킬 수도 있다는 것을 체험을 통해 알게 되었지요. 저에게 조각을 가르쳐준 스승인 니콜라우스가 죽었으리라고는 상상도 하지 못했어요. 하지만 제가 스승 곁을 떠났다가 다시 찾아가보니 그 사람은 이미 이 세상 사람이 아니었지요."

골드문트가 궁금해 하는 것에 대해 나르치스가 답을 했다.

"다니엘 원장님은 이미 8년 전에 병도 괴로움도 없이 돌아가셨다네. 나는 그의 후계자가 아냐. 내가 원장이 된 것은 겨우 일 년 남짓 되었다네. 다니엘 원장님의 후계자는 마르틴 신부님이었어. 자네가 수도원 학교에 다닐 때 교장으로 있던 분 말이야. 그분은 작년에 일흔을 채우지 못하고 돌아가셨어. 안젤름 신부님도 이제는 안 계시네. 그분은 자네를 무척 좋아하셨지. 자네 이야기를 자주 했다네. 결국에는 전혀 걸을 수도 없게 되었고, 누워 있는 것조차 매우 괴로워했었지. 그는 수종(水腫)으로 돌아가셨어. 그리고 흑사병이 우리 수도원에도 번져 와서 많이들 죽었지. 거기에 대해서는 더 이야기하고 싶지 않네. 아직도 궁금한 게 남아 있나?"

"물론 잔뜩 있지요. 그중에서도 당신이 어떻게 총독이 다스리는 그 도시에 오게 됐는지 궁금해요. 물론 주교님이 계시지만……."

"그 얘길 하자면 긴 설명이 필요하네. 자네는 싫증만 날 거야. 정치에 관한 것이니 말이야. 백작은 황제가 무척 신임하고 있는 사람이라 여러 가지 문제에 관해 전권을 맡기고 있지. 현재 황제와 우리 교단 사이에 조정해야 할 여러 가지 일들이 많아. 교단에서 백작과 교섭할 사신의 역할을 나한테 맡긴 거야. 그러나 성과는 없었지."

그는 입을 다물었다. 골드문트는 더 이상 묻지 않았다. 어젯밤 나르치스가 골드문트를 구해 내기 위해 백작과 협상하면서 뻗대는 백작한테 얼마나 많은 것을 양보했을지는 묻지 않아도 알 수 있을 것 같았다.

그들은 계속 말을 달렸다. 골드문트는 이내 피로가 몰려와서 안장에 앉아 있는 것도 힘들 지경이었다.

한참 후에 나르치스가 물었다.

"자네가 도둑질을 하다가 잡혔다는 것이 사실인가? 백작은 자네가 궁성의 내실에 잠입해서 도둑질을 했다고 주장하던데."

골드문트는 말 위에서 웃음을 터뜨렸다.

"그러니까 정말로 도둑이 된 기분인데요. 실은 백작의 애첩과 같이 있었어요. 백작도 틀림없이 그것을 알고 있었을 텐데 나를 풀어준 것이 정말

이상해요."

"그야, 그도 얘기는 통하는 사람이니까. 이제 그 사람 얘기는 하지 말게."

그들은 계획한 하루의 여정을 끝낼 수가 없었다. 골드문트가 너무나 지쳐 있는 상태여서 두 손으로 고삐조차 잡을 수 없었던 것이다. 그들은 어느 마을에 숙소를 정했다. 골드문트는 잠자리에 눕자 고열에 시달렸다. 그래서 이튿날도 그대로 드러누워 있었다. 마침내 하루가 지나 열도 가라앉고 두 손이 회복되자 그는 말을 타고 하는 여행을 즐기기 시작했다. 얼마나 오랫동안 말을 타보지 못했던가. 그는 차츰 생기가 도는가 싶더니 이내 젊음의 활력을 되찾았다. 간혹 말 시종과 앞서거니 뒤서거니 달리기도 했고, 궁금한 것이 있으면 나르치스에게 여러 가지 질문을 연달아 퍼붓기도 했다. 나르치스는 차근차근히, 그러나 흐뭇한 마음으로 질문에 응해 주었다. 그는 또다시 골드문트한테 빠져들면서 그 순진하고 거침없는 질문들을 좋아했다. 골드문트의 질문에는 선생이자 친구인 나르치스의 지성과 지혜에 대한 무한한 신뢰심이 가득 차 있었다.

"나르치스, 한 가지 궁금한 것이 있어요. 당신들도 유대인을 불에 태워 죽인 일이 있나요?"

"유대인을 불에 태워 죽인다고? 어떻게 그럴 수가 있겠나? 그리고 우리 수도원에는 유대인이 한 명도 없다네."

"하지만 만약 그래야만 하는 상황이라면 그때는요? 그런 일이 가능하다고 생각하느냐구요?"

"아니, 왜 우리가 그런 짓을 해야 하나! 자네는 나를 광신자라고 생각하고 있는 건가?"

"나르치스, 제가 하는 말을 이해해 줘요. 제 말 뜻은 혹시 어떤 상황에서 유대인을 죽이라고 명령하거나 동의하는 입장에 설 수도 있다고 생각하느냔 말이에요. 사실 수많은 영주와 시장들, 주교님이나 많은 관헌들이 그런 명령을 내렸으니까요."

"나는 어떤 경우에도 그런 종류의 명령을 내리지도 않을 뿐 아니라 동의하지도 않을 걸세. 하지만 그런 끔찍한 일을 옆에서 지켜보거나 참고 견디는 경우는 있을지도 모르겠네."

"그럼 당신은 그것을 참고 견딜 수도 있단 말인가요?"

"물론이네. 만약 그것을 막을 권리가 내게 없다면 어쩔 수 없지 않은가. 자네는 유대인이 화형 당하는 것을 본 적이 있군 그래?"

"네, 본 적이 있어요."

"그래서 자네는 그것을 막았는가?"

골드문트는 레베카의 이야기를 상세하게 들려줬다. 이야기를 하는 도중에 그는 너무나 흥분한 나머지 과격한 어조로 이렇게 덧붙였다.

"우리가 사는 세상이 왜 이 모양일까요? 이것이 지옥이 아니고 뭐란 말예요? 화도 나고 혐오스러워서 미칠 것만 같아요."

"물론 그렇지. 세상은 변해 버리고 말았으니까."

나르치스의 말에 골드문트가 퉁명스럽게 소리쳤다.

"변했다고요? 당신은 예전에 이 세상이 신성하다고 귀가 따갑도록 주장하지 않았었나요? 이 세상 만물은 서로가 거대한 조화를 이루고 있고 그 중심에 창조자의 영광이 자리 잡고 있다고 하셨잖아요! 그러면서 이 세상에 존재하는 것은 모두 선하다고 하셨잖아요? 아리스토텔레스에 그렇게 씌어 있다느니, 성(聖)토마스 아퀴나스의 책 속에 그렇게 씌어 있다느니 하면서. 저는 당신이 그 모순을 어떻게 해명할지 무척 궁금해요."

나르치스는 크게 웃었다.

"자네의 기억력은 정말 놀랍군. 하지만 자네는 좀 오해를 했네. 나는 조물주를 완전한 존재로 떠받들었으나 피조물을 완벽하다고 한 적은 결코 없네. 나는 세상의 악을 부정한 적이 없어. 진정한 사상가라면 이 세상의 삶이 조화롭고 정의롭다거나 인간이 본래 선한 존재라는 주장 따위는 하지 않을 걸세. 성경 말씀에도 인간의 마음속에서 꾸며내고 지어내는 것이 악하다는 것은 뚜렷하게 씌어 있으니까. 우리는 그 말씀이 옳다는 것을 날마다 경험하고 있지 않은가."

"대단히 좋은 말이군요. 이제야 당신 같은 학자들의 생각이 어떤지를 알았네요. 말하자면 인간은 사악하고 이 세상의 삶은 온통 비천함으로 가득 차 있다는 사실을 당신들은 인정하는 거잖아요. 그런데 당신들의 생각이나 교훈서의 이면에는 어딘지 모르게 정의라든가 완전무결함 같은 것이 감춰져 있다고 말하는 것처럼 느껴져요. 그러니까 정의와 완전무결함은 존재할 뿐만 아니라 증명될 수도 있는 것이라고 얘기하는 것 같단 말이에요. 하지만 단지 활용될 수 없는 그 무엇이라면서."

"자네는 우리 같은 신학자들에 대해 불만이 대단히 많군. 하지만 자네는 여전히 사상가가 되지 못했어. 자네는 모든 것을 뒤죽박죽 섞어놓고 혼동하고 있네. 자네는 좀 더 배워야겠어. 그런데 어째서 우리가 정의의 이념을 활용될 수 없는 거라고 말했다는 건가? 매일 매시간 우리는 그것을 활용하고 있는데 말이야. 이를테면 나는 수도원장으로서 수도원을 이끌고 있지만, 수도원 역시 바깥세상과 마찬가지로 완전하지도 않고 죄가 없는 것도 아니네. 그런데도 우리는 끊임없이 원죄와 맞서 싸우면서 정의의 이념을 세우려고 노력하네. 우리의 불완전한 삶을 그런 이념에 의해 가늠하고 악을 바로잡으면서 늘 하느님과 올바른 관계를 맺고 살아가기 위해 애를 쓴다네."

"그야 그렇지요. 나르치스, 하지만 저는 당신 말을 꼬투리 잡으려는 것도 아니고 당신이 훌륭한 수도원장이 아니라고 말하는 것도 아니에요. 하지만 레베카라든가 불에 타죽은 유대인들, 공동묘지라든가 무수한 주검들이 던져진 구덩이들, 흑사병의 시체가 너저분하게 깔려 지독한 냄새를 풍기고 있던 골목이라든가 수많은 빈 집들, 허물어진 집이라든가 오갈 데 없는 아이들, 사슬에 매인 채 굶어죽은 개 등 온갖 것들을 떠올리며 그 광경을 눈앞에 그려보면 가슴이 미어지는 것 같아요. 그리고 우리들의 어머니들은 우리를 아무런 희망도 없이 절망과 공포가 가득 찬 세계 속에 풀어놓았다는 생각이 든단 말이에요. 어머니들이 우리를 낳지 말고, 하느님께서 이 혐오스럽고 끔찍한 세상을 창조하지도 말고, 그리스도께서 이 세상을 위해 무익하게 십자가에서 피를 흘리지 않았더라면 더 낫지 않았을까 하는 생각까지 든단 말이에요."

나르치스는 골드문트를 향해 다정하게 웃어 보이며 고개를 끄덕였다.

294

그리고는 부드러운 어조로 말했다.

"자네 말이 모두 옳아. 이제는 제발 나한테 모든 걸 털어놓게. 하지만 자네는 한 가지를 크게 착각하고 있다는 것을 지적해 주고 싶네. 자네는 지금 이야기하고 있는 것을 어떤 사상이라고 생각하고 있는데, 그것은 사상이 아니라 감정일 뿐이야. 인생의 두려움을 맛본 한 인간의 느낌일 뿐이란 말일세. 그렇지만 그 슬픔과 절망에 찬 감정의 반대편에 완전히 다른 감정이 대립하고 있다는 것을 잊지 말게나. 자네가 말을 타고 기분 좋게 아름다운 지방을 돌아다닐 때라든가, 혹은 경솔하게 백작의 애첩과 사랑을 나누기 위해 땅거미가 질 무렵 성 안에 숨어들어 갔을 때는 세상이 전혀 다르게 보였을 것 아닌가. 그런 때는 자네에게 완전히 다른 형상을 제시해 주었을 걸세. 흑사병이 뒤덮은 집이나 불에 타죽은 유대인이 있다 해도 자네가 쾌락을 얻는 데는 아무런 방해가 되지 않았을 거야. 그렇지 않은가?"

"물론 그랬어요. 세상이 죽음과 공포로 뒤덮여 있었기 때문에 저는 저 자신을 위로하고 달래주기 위해 이 지옥의 한가운데 피어 있는 아름다운 꽃을 꺾었던 거예요. 저는 쾌락에 빠지게 되면 잠시 동안은 두려움이나 공포를 잊어버릴 수 있었으니까요. 그렇다고 해서 공포가 줄어들거나 사라지는 것은 아니었지만 말이에요."

"계속 그럴듯한 말을 하는군. 말하자면 자네는 이 세상이 죽음과 공포로 뒤덮여 있다고 생각하는 모양이군. 그리고 거기서 도망치기 위해 쾌락 속에 뛰어들지만 그 쾌락은 오래 지속되지 못하고 세상 사람들은 자네를 다시 황무지로 몰아냈단 말 아닌가?"

"그렇지요. 그리고 그건 사실이에요."

"대부분의 사람들도 그럴 거야. 단지 자네만큼 그것을 지나칠 만큼 예민하고 강하게 느끼지 않는 것뿐이야. 그런 감정을 자각할 필요성을 느끼는 사람은 적단 말일세. 하지만 이봐, 자네는 쾌락과 공포 사이의 절망적인 방황이나 삶의 쾌락과 죽음의 감정 사이에서 동요하는 것 말고 또 다른 길을 모색해 본 일은 없나? 한번 말해 보게."

"물론 있습니다. 저는 그것을 예술로써 드러내 보이려고 했습니다. 아까도 말했지만 저는 조각을 했었어요. 바깥세상에 발을 들여놓은 지 3년쯤 됐을 때부터였어요. 그전에는 줄곧 세상을 떠돌아다니며 방랑생활을 했었지요. 그러던 어느 날 저는 한 수도원의 성당에서 나무로 새겨진 마리아 상을 보았어요. 어찌나 아름다웠는지 첫눈에 마음을 온통 빼앗겨버렸지요. 그래서 그것을 만든 사람을 수소문해서 찾아갔는데, 그분은 유명한 조각가였어요. 저는 그분의 제자가 되어 몇 년을 그분 밑에서 일했지요."

"그 이야기는 나중에 좀 더 자세히 들려주게나. 그런데 예술이 자네에게 무엇을 가져다주었나? 다시 말해 자네에게 어떤 의미를 주었는지를 말해 보게."

"그것은 삶의 무상함을 극복하게 해주었어요. 사람들이 벌이는 바보짓과 죽음이 날뛰는 가운데서도 뭔가 오래도록 남는 것이 있다는 것을 깨닫게 된 거예요. 그것은 말하자면 예술 작품이었어요. 물론 그것도 타서 없어지거나 망가지거나 부서지거나 하여 언젠가는 사라진다는 것을 모르지 않았어요. 하지만 그래도 예술 작품은 인간의 일생보다 훨씬 오래 남고 덧없는 순간을 넘어 피안에 이르는 형상과 거룩하고 고요한 세계를 만든다는 생각이 들었거든요. 그리고 그런 작업에 일조하는 것이 저한테는 더없이 귀하게 여겨졌고 위안이 되었던 것 같아요. 왜냐하면 그것은 덧없이 사라지는 무상한 것에 영원한 생명을 부여하는 것이나 다름없으니까요."

"그것 참 마음에 드는군. 골드문트, 자네가 앞으로 아름다운 작품을 더욱더 많이 만들기를 바라네. 나는 자네 역량에 대해 깊은 신뢰심을 가지고 있고, 마리아브론 수도원에 오래도록 내 손님으로 머물기를 바라네. 그리고 자네를 위해 일터를 마련해 주려 하는데, 동의해 주게나. 우리 수도원에는 예술가를 두지 않은지가 퍽 오래됐네. 그리고 내 생각에는 예술이 주는 의미에 대한 자네의 정의는 아직 부족하다는 느낌이 드는군. 예술의 본질이 돌이나 나무나 색채를 사용해서 언젠가는 사라지고 말 것을 죽어 없어지지 않게 만들거나 좀 더 오래 존속시킨다는 데만 있지는 않은 것 같아. 나도 여러 가지 예술품, 즉 성인(聖人) 상이나 마리아 상 등을 많이 접해

보았는데 그것들이 단순히 어떤 한 인간의 삶을 그대로 옮겨놓은 초상화 같은 것이라고는 생각되지 않았네. 한때 이 세상을 살다 간 그런 사람들을 예술가가 단지 형체나 색채로 보존해 둔 것은 아니란 말이지."

나르치스의 말을 듣고 골드문트가 흥분하여 소리쳤다.

"당신 말이 옳아요. 당신이 예술에 대해서 그토록 조예가 깊은 줄은 미처 몰랐어요. 훌륭한 예술 작품의 원형은 예술 작품의 단서는 될 수 있을지 모르지만 실제로 살아 있는 형체는 아니지요. 예술 작품의 원형은 살과 피가 아니고 정신적인 어떤 것이니까요. 그것은 예술가의 영혼 속에 깃들어 있는 형상이라고 생각합니다. 나르치스, 제 영혼 속에서도 그와 같은 형상들이 살아 움직이고 있어요. 언젠가는 그런 형상들을 표현해서 당신에게 보여주고 싶었어요."

"훌륭해, 골드문트! 자네는 방금 자신도 모르게 철학의 영역에 들어와 있고, 철학의 한가운데를 뚫고 들어가 비밀의 하나를 이야기한 셈이야."

"당신은 저를 놀리시는군요."

"아니, 진심이네. 자네는 '원형'이라는 말을 언급했어. 말하자면 창조적 정신 말고는 그 어디에도 존재하지 않으면서 질료와 결합되어 구체적인 형상을 드러내는 바로 그 '원형' 말일세. 예술적 형상은 구체적으로 모습을 드러내기 훨씬 전부터 이미 예술가들의 영혼 속에 존재하고 있지! 그러니까 그 '원형'이라는 것은 고대의 철학자들이 '이데아'라고 일컬었던 바로 그것과 일치한다네."

"아주 그럴듯하네요. 완전히 믿을 수 있을 것처럼 들리니 말이에요."

"이제 자네가 이데아와 원형이 존재한다는 걸 믿게 되었으니 자네는 이미 정신적인 세계, 즉 우리네와 같은 철학자와 신학자의 세계에 발을 들여놓은 셈이야. 또한 그것은 혼란스럽고 고통스러운 전쟁의 한복판 같은 인생 안에서도, 육신적 존재가 끝없이 무의미한 죽음의 춤판을 벌이는 이 와중에서도 창조적인 정신이 존재한다는 것을 실토한 것과 다름없네. 골드문트, 나는 줄곧 자네 마음속에 있는 그러한 정신에 관심을 기울여 왔다네. 자네가 처음 나한테 왔던 소년 시절부터 그랬었지. 자네 같은 경우를 두고 생각해 보면 그러한 정신은 사상가의 정신이 아니라 예술가의 정신이야. 하지만 그것도 정신이니만큼 이 감각 세계의 미묘한 뒤얽힘, 즉 쾌락과 절망 사이에 있는 영원한 딜레마에서 탈출하는 길을 자네에게 제시해 줄 걸세. 이보게, 골드문트. 자네한테서 그런 고백을 들으니 참으로 기쁘군. 자네가 선생이었던 나르치스를 떠나 자네 자신을 찾겠다는 용기를 보여주었을 때부터 나는 이 순간을 기다려 왔다네. 이제 우리는 새롭게 친구가 될 수 있을 것 같지 않나?"

　이야기를 나누는 동안 골드문트는 인생의 의미가 새로워졌다는 느낌이 들었다. 마치 인생을 저 높은 곳에서 내려다보는 느낌이라고나 할까. 그리고 지나온 인생이 커다란 세 개의 세계로 분명히 구분되어 보이는 것 같았다. 즉 나르치스에게 의존하고 또 거기에서 벗어났던 시절, 자유를 찾아 방황하던 방랑생활 시절, 그리고 다시 자신의 내면으로 돌아와 수확을 시작할 만큼 보다 성숙해진 시절.

　아름다운 환상은 다시 사라졌다. 그렇지만 그는 나르치스와의 관계를 회복했다. 또한 일방적으로 나르치스에게 의존해 왔던 관계에서 벗어나 이제는 자유로우면서도 대등한 관계로 발전하게 되었다. 이제 그는 모욕감을 느끼지 않고도 나르치스의 우월한 지성에 어울리는 월등한 정신을 지닌 짝이 될 수 있게 됐다. 나르치스가 그의 내면에 깃들인 대등한 가치를, 창조성을 인정해 주었기 때문이다. 골드문트는 이번 여행 중에 자신이 창조한 형상으로 자신의 내면세계를 보여줄 수 있게 되기를 간절히 소망하고 있었다. 하지만 가슴이 설레면서도 이따금 근심이 생기기도 했다.

　"나르치스, 당신이 어떤 인간을 수도원으로 데려가고 있는지 잘 모르는 것 같아 걱정이 돼요. 저는 수도자도 아니고, 그렇다고 수도자가 되고 싶은 생각도 없어요. 저는 수도자가 지켜야 할 세 가지 맹세가 무엇인지 알기 때문에 하는 말이에요. 청빈하게 생활하는 데는 기꺼이 동의할 수 있어요. 하지만 정숙하게 생활하는 것과 순종하는 생활만큼은 곤란할지도 몰라요. 이 두 가지 덕은 정말 사나이답다고 생각되지 않거든요. 게다가 저에게는 신앙심이라는 것도 전혀 없어요. 벌써 몇 년 전부터 고해성사도 못 했고,

298

기도를 드리거나 성체를 모신 적도 없으니까요."

나르치스는 잠자코 듣고 있다가 말했다.

"보아하니 자네는 이도교가 된 것 같군. 하지만 그 문제는 조금도 염려할 것 없어. 이젠 자네가 저지른 수많은 죄악을 더 이상 뽐낼 필요가 없네. 자네는 보통 사람들과 다름없이 세속생활을 해왔을 뿐이고, 집을 나간 탕아처럼 시간을 허비한 것뿐일세. 자네는 율법과 질서가 무엇인지도 전혀 모르고 생활했을 테니까. 자네가 수도자가 된다면 보나마나 형편없는 수도자가 될 거야. 하지만 자네를 초대하는 것은 교단에 들어오라는 뜻이 아니라네. 단지 자네를 손님으로 초대하여 우리 수도원에 자네를 위한 일터를 만들어주는 영광을 갖고 싶어서일 뿐이야. 그리고 또 한 가지는 우리들이 아직 어렸던 그 시절에 자네를 세상에 눈뜨게 하고 세속적인 생활을 하도록 내보낸 장본인이 바로 나였다는 사실일세. 자네가 좋은 사람이 됐든 나쁜 사람이 됐든, 우선은 나한테 그 책임이 있네. 나는 자네가 어떤 사람이 될지 정말 보고 싶네. 자네는 그것을 나한테 말과 생활과 작품 등으로 보여줄 거 아닌가. 만약 자네가 그것을 보여주고 나서도 이 수도원이 자네가 있을 만한 곳이 아니라는 것을 깨닫게 되면 그때는 내가 먼저 자네에게 다시 수도원을 떠나달라고 부탁할 걸세."

골드문트는 나르치스가 그런 식으로 말할 때마다 경탄하는 마음이 가득했다. 그는 언제나 수도원장의 입장에서 확신을 가지고 차분하게 말했고, 세속의 사람들과 세속의 생활을 대하는 태도에 모종의 경멸이 나타났기 때문이다. 그럴 때면 나르치스가 어떤 사람이 되어 있는가를 분명히 알 수 있었는데, 그 역시 한 사람의 남자였다. 그런가 하면 부드러운 두 손과 학자의 얼굴, 정신세계에 대한 확신과 용기에 가득 찬 인간, 스스로 책임질 줄 아는 지도자였다. 나르치스는 이제 그 옛날 학문적 열정에 사로잡힌 냉철한 청년도, 부드럽지만 내성적인 요한 사도도 아니었다. 이 새로운 나르치스, 사나이답고 늠름한 이 새로운 면모의 나르치스를 골드문트는 자신의 손으로 조각하고 싶었다. 수많은 형상들이 그의 손길을 기다리고 있었다. 나르치스, 다니엘 수도원장, 안젤름 신부, 니콜라우스 스승, 아름다운 모습의 레베카와 아그네스, 그밖에도 많은 인물들 — 그들이 친구든 적이든, 살아 있는 사람이든 이미 죽은 사람이든 — 이 그를 기다리고 있었던 것이다. 그는 물론 교단의 한 형제가 될 생각은 없었다. 그것이 신앙의 형제든 학문의 형제든 간에 그럴 생각은 없었다. 그는 다만 작품을 만들고 싶었다. 그리고 한때 소년 시절의 고향이었던 곳이 새롭게 탄생될 작품들의 고향이 될 수 있다는 예감이 그를 행복하게 해주었다.

　그들은 서늘한 늦가을의 대기를 가르며 말을 몰았다. 잎들이 다 떨어져 버린 나무들 위에 하얀 된서리가 내려앉은 어느 날 아침, 그들은 인적이라곤 없는 늪지대의 굽이진 넓은 벌판을 지나가게 되었다. 기나단 구릉의 능선이 이상하게 눈에 익은 모습으로 나타나 뭔가를 경고하는 것 같았다. 높다란 물푸레나무 수풀과 개천이 나오고 낡은 곡식 창고가 눈앞에 보였다. 그것을 보는 순간 골드문트의 가슴이 즐거운 조바심으로 두근거리기 시작했다. 낯익은 언덕이었다. 그 언덕 위에서 한때 그는 기사의 딸 리디아와 말을 탄 적이 있었다. 그리고 이 벌판은 그때 기사에게 쫓겨 나와 하염없는 슬픔 속에서 떠돌던 그곳이었다. 오리나무 숲에 이어, 물방앗간과 저택이 눈앞에 나타났다. 형언키 어려운 슬픔으로 서재의 창문을 바라보았다. 그는 그 서재에서 기사의 성지 순례 이야기를 들으며 그가 써놓은 라틴어 문장을 고쳐주는 일을 했었다. 일행은 그 저택의 안마당으로 들어갔다. 이 저택은 여행 도중에 묵기로 예약된 장소의 하나였던 것이다. 골드문트는 나르치스에게 이 집에서 자신의 이름을 부르지 말아 달라고 부탁하고, 말 시종 옆에서 하인들과 함께 식사하게 해달라고 부탁했다. 나르치스는 그의 부탁을 들어주었다. 이제는 나이 든 기사도 리디아도 보이지 않았지만 사냥꾼들과 하인들 가운데 몇은 그대로 남아 있었다. 안주인은 대단한 미모를 자랑하는 기품 있고 화려한 귀부인이었다. 그녀는 율리에였다. 그녀는 남편과 함께 생활하며 집안을 다스리고 있었다. 그녀는 여전히 놀라울 만큼 아름다웠다. 그러나 그녀의 미모에는 어딘지 모르게 심술이 엿보였다. 그녀는 물론이고 하인들도 골드문트를 알아보지 못했다. 날이 저물 무렵 간단하게 요기를 한 다음 그는 혼자 몰래 정원으로 나가보았다. 울타리 너머로 벌써 겨울 빛이 완연한 화단을 구경하고는 마구간으로 가만히 들어가 말들을 들여다보았다. 그는 말 시종과 함께 짚단 위에서 잤다. 무거운 추억이 그의 가슴을 짓눌러서인지 자다가 몇 번이나 눈을 떴다. 아, 지나온 그의 삶이 이토록 지리멸렬하고 황폐할 수 있단 말인가. 잔상은 그토록 화려하고 풍부한데, 그 모든 추억은 수많은 조각으로 산산이 부서지고 쪼개져 있으며 아무 가치도 없는 보잘것없는 사랑만 남아 있을 뿐이었다. 아침에 출발할 때 그는 행여나 율리에를 한 번 더 볼 수 있을까 하고 두근거리는 가슴으로 창문을 쳐다보았다. 얼마 전 주교님의 궁성을 떠나오면서 아그네스의 모습을 볼 수 있기를 기대하던 때와 같은 심정으로 두리번거렸던 것이다. 아그네스는 나오지 않았다. 율리에도 모습을 드러내지 않았다. 지나온 삶이 모두 이런 식이었다는 생각이 들었다. 이별하고, 달아나고, 잊혀지고, 두근거리는 가슴을 안은 채 그 자리에 가만히 서 있는 것. 그것뿐이었다. 이날은 하루 종일 기분이 우울했다. 그는 한마디 말도 하지 않은 채 침울하게 말안장에 앉아 있었다. 나르치스는 그런 그를 그대로 내버려두었다.

일행은 며칠 후에 목적지에 도착했다. 마리아브론 수도원의 탑과 지붕이 보이기 바로 전에, 일행은 자갈투성이의 황폐하고 오래된 밭을 지나갔다. 아, 얼마나 오래전의 일이었던가! 그는 그곳에서 한때 안젤름 신부를 위해 고추나물을 찾고 있었고, 집시 여인 리제에 의해 비로소 남자가 되었던 것이다.

이윽고 일행은 두 개의 둥근 기둥이 떠받치는 아치형 정문을 지나 밤나무 아래에 이르렀다. 말에서 내린 골드문트는 추억을 떠올리며 밤나무를 바라보다 그 나무줄기를 부드럽게 어루만졌다. 그러고 나서 허리를 굽혀 땅바닥에 떨어져 있는 갈색의 밤송이를 주워들었다.

18

골드문트는 처음 며칠 동안은 수도원 안에 있는 객실에서 지냈다. 그다음에 그의 간청대로 널찍한 마당을 빙 둘러싸고 있는 농사용 별채 가운데 자리한 한 곳을 숙소로 정해서 옮겼다. 새로운 숙소는 대장간 건너편에 자리 잡고 있었다.

재회의 감회는 그 자신도 놀랄 만큼 야릇한 감정으로 그의 마음을 끌어당겼다. 수도원장인 나르치스 말고는 그를 알아보는 사람이 아무도 없었다. 그가 누구인지 아는 사람도 없었다. 여기 있는 사람들은 수도자건 일반인이건 간에 엄격한 질서 속에서 분주하게 생활했으므로 어느 누구도 방해하는 일 없이 그를 내버려두었다. 하지만 정원의 나무들과 현관의 기둥과 창문, 물방앗간과 복도 바닥에 깔린 돌, 십자가의 길에 있는 메마른 장미꽃 덤불, 곡물 창고와 식당 위에 있는 황새 둥지는 그를 알고 있었다. 어느 구석에서든 그의 과거와 소년 시절의 꿈과 추억이 감동의 향기를 싣고 풍겨 와서 그의 가슴을 뭉클하게 했다.

그는 이 모든 것에 말할 수 없는 애정을 느꼈다. 저녁기도 시간을 알리는 종소리와 주일날의 종소리, 비좁고 이끼가 잔뜩 긴 좁은 둑 사이로 물방아를 돌리는 컴컴한 개울물 소리, 돌바닥에 슬리퍼 끌리는 소리, 저녁마다 문지기 동료가 문을 채우러 갈 때면 철렁대는 열쇠꾸러미 소리 등 이 모든 소리에 귀 기울였다. 일반인 식당이 있는 건물의 지붕에서 떨어지는 낙숫물이 흘러 들어가는 돌로 만들어진 하수 구멍 옆에는 제라늄이나 질경이처럼 키 작은 잡초들이 여전히 무성했다. 대장간 뜰의 오래된 사과나무는 길게 늘어뜨린 가지를 여전히 뒤틀고 있었다.

그리고 수업시간이 끝났다는 종이 울리면 쉬는 시간에 수도원의 학생들이 계단을 내려서며 안마당으로 떼 지어 나오는데, 그 광경을 볼 때마다 골드문트는 큰 감동을 받았다. 소년들의 얼굴은 왜 그리 한결같이 앳되고 순진하고 귀여워 보이는 걸까. 그도 한때는 저들처럼 순진하고 귀여운 어린애 같았던 적이 있었을까.

하지만 그는 익히 알고 있는 수도원의 여러 공간 말고도 전혀 몰랐던 것들을 새로 알게 되었다. 그것들은 처음 며칠 동안에 벌써 그의 시선을 끌었는데, 시간이 지날수록 더 소중하게 다가오면서 이미 알고 있었던 것들과 서서히 결합되어 갔다. 사실 수도원에는 무엇 하나 새로운 것이 더해진 것은 없었다. 모든 것이 그의 학창시절과 마찬가지의 모습으로서 있었다. 물론 그것은 그때보다도 훨씬 이전부터 존재하던 그대로였지만 그의 눈은 이미 그 시절의 눈이 아니었다. 그는 이 모든 것을 그때와는 다른 안목으로 보게 된 것이었다.

그는 수도원의 건축물들과 성당의 아치형 천장, 오래된 그림들, 제대나 현관에 세워져 있는 석조 또는 목조의 인물상 등을 새로운 눈으로 보고 다시 느낄 수 있게 된 것이다. 그는 성전 위층에 있는 낡은 석조 마리아 상을 바라보았다. 그는 소년 시절에 벌써 그것을 즐겨 바라보고 스케치를 하기도 했지만, 이제야 비로소 그것을 올바른 두 눈으로 볼 수 있게 된 것이었다. 그리고 그 자신이 아무리 최고도의 솜씨를 발휘하여 잘 만들어도 그것을 능가할 수 없을 정도로 훌륭한 작품임을 알게 되었다. 그런 놀라운 작품들은 얼마든지 있었으며, 그 각각의 작품들은 아무렇게나 따로 존재하는 것이 아니었다. 각각의 작품들은 하나의 정신에 의해 만들어져 자연스럽게 조화를 이루면서 오래된 벽과 둥근 기둥 그리고 아치형 천장 사이에 자리를 잡고 있는 것이었다. 여기서 수백 년에 걸쳐 지어지고, 새겨지고, 그려지고, 보존되고, 고안되고, 가르쳐온 것들은 하나의 줄기, 하나의 정신에서 탄생되었으며 전체가 유기적인 조화를 이루고 있었다. 마치

한 나무의 가지들이 얽혀 있는 것처럼.

이토록 조용한 가운데 강력한 통일성을 이루고 있는 세계의 한가운데서 골드문트는 자신이 너무나 왜소한 존재라는 사실을 깨달았다. 그리고 요한 수도원장, 즉 그의 선생이자 친구인 나르치스가 이처럼 조용하고 안정된 질서 속에서 수도원 전체를 꾸려가고 다스리는 압도적인 힘을 볼 때면 더욱 그러했다. 입술이 얇은 학자풍의 요한 원장과 단순하고 따뜻하고 소박한 다니엘 원장이 아무리 다른 성품의 소유자라 할지라도 두 사람 모두 동일한 통일성과 동일한 사상과 동일한 질서를 위해 봉사하고, 그러한 공동의 목표를 통해 두 사람 모두 품위를 얻고 또 그 품위를 지키는 데 자신의 전부를 던지고 있었던 것이다. 그 두 사람은 수도원의 복장처럼 서로 닮아갔다.

나르치스가 이 수도원의 한복판에 서 있다는 것을 새삼 자각하자, 골드문트의 눈에는 그가 엄청나게 큰 존재로 보였다. 물론 나르치스는 여전히 그의 다정한 친구요, 선생이었다. 또한 그가 주인으로서의 태도를 바꾸지도 않았지만, 지나칠 정도로 허물없이 '나르치스'라고 부르는 것이 왠지 거북하게 느껴졌다.

하루는 그가 나르치스에게 이렇게 말했다.

"요한 원장님, 이제는 서서히 당신의 새 이름에 익숙해지지 않으면 안 될 것 같아요. 그리고 모든 것을 참회하고 고해성사를 받으면 다시 수도자가 될 수 있게 받아달라고 간청하고 싶을 정도로 여기서 지내는 것이 마음에 들어요. 하지만 그렇게 되면 우리의 우정도 끝나고 말 거예요. 당신은 원장이고, 저는 세속에 속한 수도자일 테니까 말이에요. 그렇지만 제가 당신의 일을 지켜보기만 하면서 계속 이렇게 아무것도 아닌 존재로서 무위도식해야 한다면 그것 또한 견디기 힘들 거예요. 무언가 일을 하고 싶고, 제가 할 수 있는 일이 있다는 것을 당신에게 보여주고 싶어요. 그럼으로써 교수형에 처해질 뻔한 저를 위해 당신이 사면을 청했던 일이 과연 보람 있는 일이었는지를 당신이 확인할 수 있도록 말이에요."

골드문트가 잠시 말을 멈추자, 나르치스는 어느 때보다도 조리 있고 명확한 어조로 말했다.

"매우 반가운 말이군. 자네는 언제든지 작업을 시작해도 되네. 곧 대장장이와 목수에게 자네 일을 돕도록 이르지. 이곳에 있는 재료 중에서 쓸만한 것이 보이거든 무엇이든지 갖다 쓰게나. 외부에서 구입해 와야 할것은 목록을 만들어주고. 그리고 내가 자네에 대해, 그리고 자네의 의향에 대해 어떤 생각을 가지고 있는지 들어보겠나? 그런데 내가 생각하고 있는 것을 제대로 표현할 수 있도록 시간을 좀 주게나. 알다시피 나는 학자라서 그런지 내가 사고하는 세계 속에 들어 있는 것을 표현하려고 하면 결국에는 학문 세계의 언어를 사용하게 되어서 말이야. 하지만 전에도 곧잘 참아준 것처럼 이번에도 내 생각을 따라와 주게."

"당신을 따라가도록 노력해 볼게요. 어서 말씀해 주세요."

"내가 자네를 예술가로 생각하고 있다는 것을, 학생 시절에도 이따금 자네에게 이야기하곤 했는데 기억하겠나? 그때 나는 자네가 어쩌면 시인이 될지도 모를 거라고 생각했었네. 자네는 공부를 할 때 개념적인 것이나 추상적인 것에 대해 일종의 거부감을 보이곤 했었지. 자네는 감각적이며 시적인 특성이 갖추어져 있는 말이나 소리, 말하자면 그것에 의해 뭔가를 구체적으로 머릿속에 떠올릴 수 있는 것을 자네는 좋아했었지."

골드문트가 중간에 끼어들었다.

"죄송한 말이지만, 당신이 선호하는 개념이나 추상도 따지고 보면 결국 상상이나 형상이 아닐까요? 혹시 당신은 사고를 할 때 아무런 상상력도 떠오르지 않는 어휘만을 사용하나요? 그런데 어떤 것을 머릿속에 떠올리지 않고 어떻게 사고가 가능한지 이해가 되지 않아요."

"자네가 그걸 물어주다니 고맙군. 하지만 상상을 하지 않고서도 생각할 수는 있다네. 사고는 상상과는 아무 관계가 없단 말일세. 사고는 형상을 통해 이뤄지는 것이 아니라 개념과 정의(定意)를 통해 이루어지니까. 즉 형상이 작용하지 않는 바로 그곳에서부터 철학이 시작되는 거야. 이것은 우리가 예전에도 간혹 논쟁했었던 걸세. 다시 말해 자네한테는 세상이 형상으로 이루어져 있고, 나한테는 개념으로 이루어져 있는 거지. 나는 늘상 자네는 사상가로는 아무런 쓸모가 없다고 말했었네. 그리고 그것은 결점이 아니라고도 말했었지. 그 대신 자네는 형상의 영역에는 아주 뛰어났으니까. 알아듣겠나? 그 문제에 대해 자네한테 명백하게 밝혀줄 테니 잘 들어보게. 그 당시에 자네가 세속의 세계로 뛰쳐나가는 대신 학자가 되었더라면 불행을 초래했을지도 몰라. 간단히 말해서 자네는 신비주의자가 됐을 거야. 하지만 신비주의자는 상상의 세계로부터 벗어날 수 없는 사상가이기 때문에 엄밀한 의미에서 사상가라고 할 수 없다네. 신비주의자는 표면으로 나타내지 않는 불행한 예술가일 뿐이야. 이를테면 시를 쓰지 않는 시인, 그림을 그리지 않는 화가, 소리에 대해 터득하지 못한 음악가인 셈이지. 그네들 가운데는 더할 수 없는 천성을 타고난 고귀한 정신의 소유자도 있지만 그들은 예외 없이 모두가 불행한 인간들이라네. 자네도 그런 사람이 될 가능성이 농후했지만, 다행히도 자네는 예술가가 되어 형상의 세계를 터득한 거지. 그래서 사상가가 되었다면 불완전한 수준에서 벗어나지 못했겠지만, 형상의 세계에서는 창조자가 되고 주인이 될 수 있는 거라네."

"상상력의 작용 없이 사고하는 당신의 세계를 이해한다는 것은 저한테는 너무 어려운 문제예요."

"그렇지 않네. 곧 될 수 있을 거야. 들어보게. 사상가는 세계의 본질을 논리에 의해서 인식하고 표현하려고 하는 사람들이네. 현명한 예술가가 붓이나 조각칼로 천사나 성인의 빛나는 본질을 결코 완전하게 표현해 내지 못하리라는 것을 알고 있는 것처럼, 사상가는 인간이 가진 이성과 그 도구인 논리가 불완전한 도구라는 것을 알고 있다네. 그럼에도 불구하고 사상가든 예술가든 모두 나름의 방법으로 그런 시도를 하고 있지. 양쪽 다 그렇게 하는 수밖에 별 도리가 없을 테니까. 왜냐하면 인간은 자연으로부터 받은 자신의 재능을 실현하려고 노력함으로써 자신이 할 수 있는 최고의 것을, 유일하게 의미 있는 것을 행하면서 사는 존재이거든. 나는 전에도 자네한테 이런 말을 자주 했었지. 사상가나 혹은 금욕주의자를 모방하려고 애쓰지 말고, 본연의 자네 모습을 찾아 자아를 실현시키도록 노력하라고 말이야."

"어느 정도는 알 것 같지만, 자아실현이 뭘 말하는 건지 잘 모르겠어요."

"그것은 철학적인 개념이므로 달리 표현할 수가 없는 거야. 우리처럼 아리스토텔레스와 토마스 아퀴나스를 배운 사람들한테 모든 개념들 중에서 가장 중요한 것은 완전한 존재가 되는 거라네. 완전한 존재는 신(神)을 말하는 거야. 그 밖에 존재하는 모든 사물은 미완의 것이거나 부분적인 존재에 불과할 뿐이고, 그것은 변화 과정에 있으며, 많은 것이 혼재되어 있는 가운데 여러 가능성을 가지고 있을 뿐이지. 그러나 신은 혼재되어 있는 것이 아니라 단일한 존재이고, 가능성을 가지고 있는 존재가 아니라 순전한 현실성 그 자체라네. 그러나 덧없는 존재요 변화 과정에 있는 존재인 인간에게는 완전이라든가 완전한 존재라든가 하는 것은 있을 수가 없지. 그러나 우리가 갖고 있는 잠재적인 것이 실현되고 가능성이 현실성으로 바뀔 때 우리 인간은 완전한 것, 신성한 것에 한 단계쯤 가까워지게 되는 거지. 그리고 그것을 자아실현이라고 하는 것 아니겠나. 자네가 그간 예술가로서 여러 가지 형상을 만들었듯이, 그 과정을 자신의 경험을 통해 터득한 다음 마음에 떠오른 형상을 작품으로 표현하는 데 성공한다면, 한 인간의 형상을 우연적인 것으로부터 자유롭게 하여 순수한 형상으로 표현해 낼 수 있었다면, 자네는 예술가로서 그러한 인간상을 실현하는 셈이지."

"무슨 말인지 알 것 같아요."

"골드문트, 보다시피 나는 내 천성에 맞게 자아를 실현시키는 데 있어 다소 용이한 장소와 직위에 놓여 있네. 나는 나에게 적합하면서도 나를 도와줄 수 있는 공동체적 전통 속에서 살고 있지. 하지만 수도원이 천국은 아니야. 이곳은 불완전으로 가득 차 있지. 하지만 수도원 생활은 나 같은 종류의 인간에게는 세속적인 생활보다 훨씬 유익하다네. 나는 도덕적인 설교를 하고 싶지는 않지만, 사실 내가 수행하고 가르쳐야 하는 순수한 사고는 실제로도 세속 생활을 차단시켜주는 일정한 보호 장치를 필요로 한다는 거야. 그런 점에서 수도원에 머물고 있는 내가 자네보다 자아를 실현하는 것이 훨씬 수월한 거지. 그런데 그렇지 못한 형편에 있었던 자네가 길을 찾아 예술가가 되었으니 얼마나 놀라운가. 또한 자네가 그렇게 되기까지 어려운 일이 얼마나 많았을는지도 짐작되고."

골드문트는 칭찬을 받자 당황해서인지 얼굴이 새빨개졌다. 그러면서 한편으로는 기쁘기도 했다.

골드문트는 화제를 돌리기 위해 나르치스의 말을 가로막았다.

"저한테 말하려는 것이 무엇인지 대강은 알 것 같아요. 하지만 단 한 가지는 이해되지 않아요. '순수한 사고'라는 말인데, 그것이 무얼 말하는지 모르겠어요. 말하자면 형상도 없고, 말을 가지고 만들어내는 것도 아니고, 아무런 상상도 하지 않는 사고라는 뜻일 텐데 말이에요."

"예를 하나 들어 설명하면 분명해지지 않을까 싶네. 수학을 생각해 봐! 숫자에 상상이 작용할 여지가 있다고 생각하나? 플러스와 마이너스의 부호는? 방정식에 어떤 형상이 담겨 있을까? 전혀 아무것도 없다네. 수학 문제를 풀 때는 상상력이 아무런 도움이 되지 않잖은가. 단지 배워서 익힌 사고방식에 따라 형식적인 문제를 푸는 것뿐이라는 거야."

"맞아요! 당신이 한 줄의 숫자와 부호를 써준다면 저는 아무런 상상력을 발휘하지 않고도 문제를 풀 수 있을 거예요. 플러스와 마이너스, 곱하기, 나누기, 괄호 넣기 등에 의해서 문제를 풀어가겠지요. 하지만 한때는 제가 그럴 수 있었지만 이미 오래전부터 그럴 수 없게 되었어요. 그런 형식적인 문제를 푼다는 것은 학생들에게 사고의 훈련을 시키는 것 외에 다른 가치가 있다고 생각되지 않으니까요. 물론 계산을 배우는 것은 유익한 일이기도 해요. 하지만 한 사람의 인간이 일생 동안 그런 계산 문제에만 파고들면서 언제까지고 종이에 숫자만 가득 써 내려가야 한다면 그건 무의미하고 어린애 같은 짓이라고 생각되거든요."

"골드문트, 그것은 자네가 잘못 생각한 거야. 자네는 문제를 푸는 그 부지런한 학생이 늘 선생이 내주는 과제만 풀고 있을 거라고 생각하는 것 같은데, 그 학생이 스스로 어떤 과제를 만들어낼 수도 있는 것 아니겠나. 그리고 그렇게 스스로 제기한 문제는 그 사람의 마음속에서 뭔가를 계속 추구하도록 채찍질하는 힘이 될 수도 있을 거야. 사람들은 사상가로서 공간의 문제에 부딪혀 나갈 수 있는 힘이 생기기 전에는 실제의 공간과 가상의 공간을 자주 수학적으로 계산하고 측정해 보지 않으면 안될 테니까."

"그럴지도 모르지요. 하지만 순수한 사고를 갖고 공간의 문제에 매달린다는 것이 한 남자가 일생을 바쳐서 노력해야 할 만큼 중요한 문제라고는 생각되지 않아요. '공간'이라고 하는 말도 실제 공간을 머릿속에 그리지 않는 한 제 입장에서는 아무것도 아닐 뿐만 아니라 사고할 가치도 없는 것이니까요. 물론 우주 공간을 관찰하고 측량하는 일을 보람 없는 일이라고 할 수는 없겠지만 말이에요."

나르치스가 빙그레 웃으며 말했다.

"자네는 사고 자체는 중요하게 여기지 않지만, 눈에 보이는 실제적인 세계에 사고를 구체적으로 적용하는 것은 중요하다고 말하고 싶은 것 아닌가? 그렇다면 나는 우리의 사고를 적용할 기회나 그럴 용기가 우리한테도 없지는 않다고 자네에게 말할 수 있을 거야. 이를테면 사상가 나르치스는 자신이 사고해 온 결과를 골드문트라는 친구한테 적용하기도 하고, 다른 수도자들에게도 수없이 적용해 왔네. 거의 늘상 그렇게 하고 있는 셈이지. 하지만 미리 배우고 연마하지 않는다면 어떻게 뭔가를 적용할 수 있겠는가. 예술가 역시도 시각과 상상력을 부단히 연마할 걸세. 가령 그러한 결과가 실제의 작품에 충분히 드러나지 않는다 해도 우리는 예술가가 부단히 연마한 과정을 인정하고 높이 평가하네. '적용'은 인정하면서 사고 자체를 배척한다는 것은 명백한 모순이기 때문이지. 그러면 곰곰이 생각해 보게. 그리고 나의 사고를 그 결과에 비추어 판단해 보게나. 내가 자네의 예술정신을 자네의 작품에 비추어서 판단하듯이 말이야. 자네의 마음이 편치 못하고 곤두서 있는 것은 아직도 자네와 자네의 작품 사이에 장애가 있기 때문일 거야. 공간은 많으니까 작업실로 쓸 만한 곳을 찾든지 새로 짓든지 해서 작품에 몰두해 보게나. 그러다 보면 많은 문제가 자연스럽게 해결될 걸세."

골드문트도 그것이 최상의 방책이라고 생각되었다.

그는 일터를 만들기에 적합한 장소를 안마당 문 옆에서 발견했다. 그곳은 지금 비어 있어서 작업실로 쓰기에 적합해 보였다. 그는 이젤이며 그 밖의 도구를 세밀하게 제도해서 목수한테 주문했다. 또한 인접한 도시에서 차차 구입해야 될 물품들의 목록을 작성했다. 상당한 물량이었다. 그는 목수들이 숲속에서 잘라다가 저장하고 있는 목재를 그의 일터 뒤 잔디밭으로 운반하여 거기서 건조시켰다. 그는 비가 올 때에 대비해서 목재 위에 덮어씌울 지붕을 손수 만들었고, 대장간에서도 해야 할 일이 많았다. 몽상가 기질이 엿보이는 대장간 집 아들은 단번에 그의 마음을 사로잡았다. 그 청년과 함께 대장간의 모루나 물통, 숫돌 옆에서 목재를 다듬는 데 필요한 둥근 조각칼이며 구부러진 조각칼, 끌, 송곳, 깎아내는 칼 등을 반나절 동안 만들었다.

대장장이 아들 에리히는 스무 살쯤 돼 보이는 청년이었는데 금방 골드문트의 친구가 되었다. 그는 무엇이든 도와주었고, 끓어오르는 흥미와 호기심을 주체하지 못하는 젊은이였다. 골드문트는 그에게 류트 연주와 조각하는 방법을 가르쳐 주겠다고 약속했다. 골드문트는 수도원 구내에 있거나 나르치스와 함께 있을 때면 그 자신이 아무런 쓸모도 없고 답답한 사람이라는 느낌이 가끔 들곤 했는데, 수줍어하면서도 그를 사랑하고 한없이 존경하는 에리히와 함께 있으면 어느새 원기가 회복되었다.

에리히는 간혹 니콜라우스 명인이나 주교님이 계시는 도시 이야기를 들려달라고 골드문트를 졸랐다. 골드문트는 그가 궁금해 하는 이야기를 몇 차례 들려주었는데, 그럴 때면 언뜻 자기가 이젠 이곳 사람이 되었다는 생각이 들면서 과거의 여행이나 추억에 대해 이야기를 하는 자신이 야릇하게 느껴지기도 했다. 이제야 비로소 제대로 된 새 출발을 하는 시점이 되었는데 말이다.

최근 들어 골드문트가 부쩍 허약하고 나이에 비해 겉늙어 보였지만, 그러한 사실을 눈치챈 사람은 아무도 없었다. 예전의 그의 모습을 아는 사람이 없기 때문이다. 유랑과 불안정한 생활의 고초가 그를 나이보다

늙어 보이게 했을지도 모른다. 흑사병이 창궐하여 두렵고 끔찍한 일을 수도 없이 겪었고, 백작의 성에 감금되어 지하실에서 더할 수 없는 공포의 밤을 지새우는 동안 그의 마음속을 밑바닥까지 뒤흔들어놓았으니 무리도 아닐 것이다. 그 고통의 여파가 여러 곳에 그대로 남아 있었다. 수염은 아직 금발이었지만 머리털은 희끗희끗해졌고, 얼굴 여기저기에 가는 주름이 잡혔다. 잠을 제대로 이루지 못하는가 하면, 극심한 피로가 몰려와 의욕과 호기심을 잃고 나른함에 빠져 있을 때가 적지 않았다. 그러나 일을 준비하면서 에리히와 대화를 나누기도 하고 철물과 목공 일을 직접 하는 동안 어느새 마음도 가라앉고 생기와 젊음이 다시 돌아온 듯 느껴지기도 했다. 모두들 그를 흠모하고 좋아했다. 하지만 일을 하는 사이사이에 피곤할 때마다 반시간 혹은 한 시간가량씩 쉬면서 몽롱한 상태에서 일종의 무감각 혹은 무관심 상태에 빠져들 때가 많았다.

작업을 어디서부터 시작해야 할 것인가 하는 문제는 그에게 매우 중요했다. 그는 여기서 만들게 될 첫 작품은 단지 막연한 호기심을 자극하는 그런 우발적인 작품이 되어선 안 되고, 이 수도원의 유서 깊은 작품들과 마찬가지로 수도원의 구조나 생활과 완전히 부합되어 수도원의 일부가 되어야만 한다고 생각했다. 마음 같아서는 수도원에 신세도 갚을 겸해서 제대나 연단을 만들고도 싶었지만 그것들은 다시 만들 필요도 없고 공간도 충분하지 않았다. 그 대신 그는 다른 것을 물색했다. 신부들이 이용하는 식당에는 벽의 좀 높은 곳에 움푹 들어간 부분이 있는데, 식사 시간이면 어린 학생들이 그 자리에 서서 성인전(聖人傳)을 낭독했다. 그런데 그 자리에는 아무런 장식이 없었다. 그래서 골드문트는 낭독대로 이어지는 계단과 낭독대 자체를 목재 조각으로 장식하기로 마음먹었다. 연단(演壇)에 있는 인물상과 비슷하게 조각하되, 숭고하면서도 동시에 자유분방한 느낌을 곁들일 생각이었다. 그가 그 계획을 수도원장에게 말하자, 원장은 그의 생각을 칭찬하면서 환영했다.

일에 착수하려고 할 때는 크리스마스가 이미 지나고 눈이 제법 쌓여 있었다. 골드문트의 생활은 새로운 전기를 맞이하게 된 것이다. 그리고 그의 존재가 수도원에서 연기처럼 사라진 것처럼 그는 모습을 거의 드러내지 않았다. 이제 그는 수업을 끝난 후에 몰려나오는 학생들의 무리를 기다리지도 않았고, 숲속을 산책하거나 회랑을 배회하지도 않았다. 식사는 방앗간에서 했다. 방앗간 주인은 그가 학생 시절에 드나들던 때의 그 사람이 아니었다. 그는 일터에 에리히 외에는 아무도 들어오지 못하게 했다. 에리히도 하루 종일 골드문트에게서 한 마디 말도 듣지 못할 때가 많았다.

첫 작품인 낭독대에 대해서는 오랫동안 구상한 끝에 다음과 같은 계획을 세웠다. 즉 작품을 두 부분으로 나누어 한쪽은 세상을, 또 다른 한쪽은 신성한 하느님의 말씀을 표현할 계획이었다. 아랫부분의 계단에는 두툼한 참나무 둥치를 사용하여 둥그렇게 앞으로 튀어나오게 한 다음 교부(敎父)들의 소박한 생활을 묘사하여 피조물의 세계를 형상화하고, 윗부분의 둥근 벽에는 네 분의 복음서 저자의 형상을 묘사할 생각이었다. 복음서 저자 가운데 한 사람은 작고한 다니엘 원장의 모습으로, 다른 한 사람은 그 후임으로 역시 작고한 마르틴 신부의 모습으로, 성(聖)루카의 형상은 스승 니콜라우스의 모습으로 형상화하여 영원히 기리도록 할 생각이었다.

일을 시작하자, 그가 생각한 것 이상의 난관들이 앞을 가로막았다. 하지만 그는 여인에게 사랑을 구하듯 때로는 열정적으로, 때로는 절망적인 감정에 휩싸인 채 작품을 위해 온 정성을 쏟았다. 마치 거대한 물고기와 씨름하는 낚시꾼처럼 그는 사력을 다해 작품과 싸웠다. 그는 난관에 부딪힐 때마다 오히려 뭔가를 깨우쳤으며, 그럴수록 그의 감각은 더욱 예민해져서 섬세함이 살아났다. 그는 다른 것은 모두 잊어버렸다. 수도원도, 나르치스도. 나르치스는 몇 번 이곳에 들렀으나 스케치한 것 이외에는 아무것도 보지 못했다.

그러던 어느 날, 골드문트가 느닷없이 고해성사를 하게 해달라고 청해서 나르치스는 내심 놀랐다.

"그간 여러 번 결심했었으나 그렇게 하지 못했어요. 제 자신이 너무나 초라하고 하잘것없는 인간이라고 느껴졌거든요. 지금은 좀 나아졌지만, 저는 당신 앞에서 고개를 똑바로 들 수 없는 심정이었어요. 이젠 일거리를

312

찾았으니 무위도식하는 것도 아니고, 이렇게 수도원에서 함께 생활할 거라면 수도원의 규율을 따르고 싶기도 해요."

골드문트는 이제야 고해를 할 시기가 됐다고 느끼면서 더 이상 미뤄서는 안 된다고 생각했다. 처음 몇 주 동안은 조용하게 생활하면서 재회의 감회에 젖어 있었다. 그리고 에리히에게 이야기를 해주느라 지난날을 떠올려보는 동안 불분명했던 많은 일들이 어느 정도 명료해지고 조금씩 정돈되어 갔다.

나르치스는 거추장스런 절차를 거치지 않고 골드문트의 고해성사를 받아주었다. 고해는 두 시간가량 계속되었다. 그는 동요하는 기색 없이 친구의 모험과 고생과 숱한 죄상을 들으면서 여러 가지 질문을 했다. 그는 고해를 한번도 중단시키지 않으면서, 하느님의 정의와 자비에 대한 믿음이 골드문트에게서 사라지게 된 계기가 무엇인지에 주의를 기울였다. 그는 간간이 고해하는 친구의 고백 중에서 몇 군데 대목에 깊게 빠져들기도 했고, 또 고해자가 얼마나 큰 충격과 공포를 경험했으며 때로는 파멸 가까이에 이르렀었던가를 알게 되었다. 그러다가 그는 친구의 여전한 순진성에 가슴이 뭉클하면서도 슬며시 웃음이 나왔다. 그가 보기에 고해자는 의혹과 불경에 가득 찬 생각으로 어처구니없는 일을 수없이 저질러 온 것에 대해 진심으로 뉘우치는 것 같았다. 그리고 그것은 나르치스 자신의 회의와 끝을 알 수 없는 사고에 비하면 너무나 순진한 상태라는 생각이 들었던 것이다.

골드문트는 고해 신부가 그의 죄상 자체에 대해서는 그다지 심각하게 받아들이지 않으면서 오히려 그가 기도와 고해와 미사 참례를 게을리 한 것에 대해서는 가차 없이 경고하고 꾸짖는 것이 놀랍기도 하고 실망스럽기도 했다. 고해 신부는 그에게 영성체를 하기 전에 한 달 동안 절제와 금욕의 생활을 할 것과, 매일 새벽 미사를 드리고 또 저녁마다 세 번씩 주모경(주님의 기도와 성모송과 영광송)을 바칠 것을 보속으로 주었다. 그런 다음 골드문트에게 이렇게 말했다.

"이 보속을 소홀히 여기지 말 것을 자네에게 엄중히 경고하면서 당부하네. 난 자네가 미사 때의 기도문을 제대로 기억이나 하고 있는지도 모르겠네. 자네는 미사 기도문을 한 마디 한 마디 짚어가면서 그 뜻을 새기도록 하게. 주님의 기도와 성모송은 어떤 말과 의미에 특히 주의를 기울여야 하는지를 오늘 당장 내가 같이 읽어가면서 일러주겠네. 성스러운 말씀을 사람의 말처럼 이야기하고 들어서는 안 되네. 자네는 하느님 말씀을 건성으로 중얼거리다가 그냥 흘려버리는 일이 많을 걸세. 아마 그런 경우가 자네가 생각하는 것보다 훨씬 잦았을 거야. 하지만 그러한 사실을 깨닫게 되면, 오늘 내가 자네한테 보여주는 그대로 처음부터 다시 시작하는 심정으로 말씀을 따라하고 가슴에 새겨두어야 하네."

이날의 고해와 속죄 덕분인지 골드문트는 한동안 충만되고 평화로운 마음을 유지하는 가운데 행복감까지 맛보았다. 긴장과 근심과 만족감이 수시로 오가는 바쁜 작업의 와중에도, 그는 매일 가볍기는 하지만 그래도 양심적으로 행하는 신앙의 수련을 통해 일상의 번잡으로부터 벗어날 수 있었고 그의 삶 전체가 보다 높은 질서를 향해 끌어올려지는 듯한 느낌을 경험하게 됐다. 그 질서는 그를 예술가가 빠져들기 십상인 위험한 고독으로부터 벗어날 수 있게 해주었으며, 어린아이와 같은 순진성을 부여해주어 하느님의 나라로 들어갈 수 있도록 이끌어주었다. 작품을 위한 싸움은 감각과 영혼의 모든 열정을 거기에 쏟아 부으며 혼자 감당하지 않으면 안 되었지만, 기도하고 미사에 참례하는 시간만큼은 어린아이와 같은 순진성으로 되돌아갈 수 있어서 참으로 기쁘고 감사했다. 일을 하는 동안 간혹 격정과 초조로 가슴을 졸이기도 하고 아찔한 쾌감에 빠지기도 했지만, 경건한 묵상 시간에는 깊고 차디찬 물속에 잠긴 것처럼 마음이 가라앉아 열망이나 절망에서 비롯된 오기나 반항심 등을 말끔히 씻어낼 수 있었다.

그러나 모든 일이 늘 뜻한 대로 되는 것은 아니었다. 정신없이 작업에 몰두하여 일을 끝마친 다음 어스름이 밀려오면 때로 마음이 산란해져서 안절부절못하기도 했고, 묵상이나 기도하는 것을 잊기도 했다. 그리고 또 때로는 마음을 가라앉히려고 아무리 애를 써도, 기도의 말이 결국 존재하지도 않고 또 자기에게 도움도 되지 않는 하느님을 찾는 부질없는 짓이라는 생각이 파고들어 그를 괴롭혔다. 그가 이런 어려움을 하소연하자, 나르치스가 말했다.

"계속해야 해. 자네는 약속했으니 지켜야만 하네. 하느님이 자네 기도를 들어줄지 어떨지, 자네가 상상하는 하느님이 존재하는지 어떤지 그런 것을 생각해서는 안 되네. 자네의 노력이 헛된 것은 아닐까 하고 의구심을 갖거나, 이런 행동 자체가 유치하다는 등의 생각도 할 필요가 없어. 우리가 기도를 바치는 그분에 비하면 우리의 모든 행위는 유치하기 그지없으니까. 자네가 묵상하고 기도하는 동안에는 그런 어리석고 허황된 생각을 완전히 없애버리지 않으면 안 되네. 주님의 기도와 성모송을 외면서, 그 말씀의 뜻을 새겨 스스로 충만해지지 않으면 안 된단 말일세. 노래를 부르거나 류트를 연주할 때 딴 생각이나 사변을 쫓지 않고 최대한 순수하고 자연스럽게 소리를 낼 수 있도록 음 하나하나와 손가락 놀림 하나하나에 집중하는 것처럼 말일세. 노래를 부르는 동안에 이 노래가 유익한지 아닌지 등을 생각하는 사람은 없지 않은가. 기도도 그런 마음으로 드려야 하네."

다시 모든 것이 뜻대로 잘 되었다. 욕망에 사로잡혀 긴장해 있던 그의 자아는 다시 원만한 질서 속으로 모습을 감췄으며, 신성하고 존귀한 말씀만 그 자신을 넘어서서 다시 하늘의 별처럼 반짝이며 그의 내면을 속속들이 비춰주는 것이었다.

골드문트는 참회의 기간이 지나 영성체를 할 수 있게 된 후에도 그간 해오던 기도와 묵상과 미사 참례를 멈추지 않았다. 나르치스는 그런 그의 모습을 매우 흐뭇하게 지켜보았다. 그렇게 몇 주일이 지나고, 또 몇 달이 흘러갔다.

그동안 그의 작품은 잘 진척되었다. 두꺼운 나선형의 계단 축에 동식물과 인간들의 갖가지 형상이 모습을 드러내 하나의 세계를 이루고 있었고, 그 중앙에는 여러 민족의 조상인 노아가 포도 잎사귀와 포도송이 사이에 서 있었다. 피조물과 그 아름다움을 형상으로 보여주고 찬미하는 그 그림은 자유로운 즐거움을 따라 살아온 그의 삶의 족적이 배어 있는 듯하면서도 눈에 보이지 않는 숨은 질서와 규율에 의해 인도되고 있었다. 지난 몇 달 동안 에리히 이외에는 아무도 그 작품을 보지 못했다. 에리히는 작업 과정에서 일을 거들어도 좋다는 허락을 받은 이후, 오로지 예술가가 되겠다는 생각 외에 다른 생각은 갖지 않았다. 어떤 때는 그도 작업실 안에 들어서지 못했지만, 또 다른 날에는 골드문트가 그를 옆에 두고서 작업을 지시하며 시험 삼아 직접 해보게 하기도 했다. 골드문트는 자신을 믿고 따르는 제자가 생겼다는 것이 무척 기뻤다. 이 작품이 성공적으로 마무리되면, 에리히를 그의 아버지께 부탁드려 자신의 곁에 머물게 해서 조수로 키워보고 싶다는 생각도 했다.

복음을 전하는 인물들을 형상화하는 며칠 동안이 작업의 하이라이트였다. 이제 모든 것이 조화를 이루고 있었고 의혹의 그림자도 드리우지 않았다. 그는 다니엘 원장의 모습을 새긴 형상이 가장 마음에 들었다. 그는 그것에 대단한 애착을 가졌다. 그 얼굴에는 순수함과 선의와 자비의 광채가 어려 있었다. 그러나 니콜라우스 스승의 형상에는 그리 만족하지 못했다. 에리히는 그것을 보고 무척 탄복했으나 그 형상에서는 분열과 비애의 느낌이 뿜어져 나왔다. 그 형상에는 창조자의 계획이 충만하게 담겨 있는 것처럼 보이면서도 예술 작업의 허무감과 절망감이 스며 있었으며, 순진무구함으로 인한 비애가 여지없이 드러나 통일성이 실종된 것처럼 보였다.

다니엘 원장의 목상이 완성되자, 그는 에리히에게 작업실을 깨끗하게 청소하라고 했다. 그런 다음 다른 작품에는 천을 둘러씌웠으나 그 목상만은 밝은 빛에 내놓았다. 그러고는 나르치스를 찾아갔으나 그가 일로 바빴기 때문에 참을성 있게 그 이튿날까지 기다렸다. 그리고 다음 날 점심때 나르치스를 작업실로 데리고 와서 그 목상 앞으로 안내했다.

나르치스는 가만히 선 채 학자답게 꼼꼼하게 그 형상을 관찰했다. 골드문트는 나르치스 뒤에 서서 마구 뛰는 가슴을 가라앉히려고 무진 애를 썼다. 골드문트는 '오!' 하고 속으로 탄식하며 '만약 우리 두 사람 중 어느 한쪽이라도 이 작품에 공감하지 못한다면 큰일인데……. 작품의 완성도가 높지 못해 나르치스가 이해하지 못한다면 이곳에서 이루어지는 모든 작업은 아무런 가치가 없는 것이 되고 말 것이고, 만약 그렇게 되면 나는 아직도

316

더 기다려야만 할 것이다.'라는 생각을 했다.

골드문트는 이 몇 분간이 몇 시간이나 되는 것처럼 길게 느껴졌다. 그는 니콜라우스 스승이 그의 최초의 스케치를 손에 들고 보던 때가 떠오르기도 하면서 너무나 긴장한 나머지 땀에 촉촉이 젖은 두 손을 힘주어 눌렀다.

나르치스가 골드문트 쪽을 돌아보았다. 그 순간 골드문트는 맥이 탁 풀리는 것만 같았다. 그는 소년 시절 이래 나르치스의 수척한 얼굴 속에서 이토록 상기된 표정을 한번도 본 적이 없었다. 오직 지성과 의지로만 채워져 있는 그의 얼굴에 거의 수줍다고 해도 과언이 아닐 듯한 미소가 떠오르지 않는가. 그 미소에는 사랑과 헌신의 마음이 배어 있었다. 그가 가진 고독과 단단한 의지가 한순간 깨어져 흩어지고 사랑만이 오롯이 피어오르는 듯한 그런 미소였다. 보는 이의 마음을 따뜻하게 녹여주는……

"골드문트, 자네는 내가 단번에 예술에 정통한 사람이 될 것을 기대하고 있는 것은 아니지? 내가 예술에 안목이 없다는 걸 자네도 잘 알고 있잖은가. 나는 이 작품에 대해 자네가 우습다고 여길 정도로밖에는 이야기할 수가 없어. 하지만 한 가지만 말해 보겠네. 나는 이 사도 상이 다니엘 원장님이라는 걸 단번에 알았지. 아니, 단지 그분의 모습뿐만 아니라 그가 생전에 우리에게 보여주셨던 모든 것이 여기에 담겨 있다는 걸 알았네. 기품과 선의와 소박함, 그리고 천진한 단순성까지. 우리의 청년 시절에 존경의 대상이었던 그 다니엘 원장님이 다시 내 앞에 서 계시는군. 그리고 그분과 함께했던 시간과 신성한 존재로서 그 시절을 잊지 못하게 하는 모든 것들이 지금 내 앞에 펼쳐져 있군 그래. 자네는 이것을 내 눈앞에 보여줌으로써 엄청난 선물을 해주었네. 자네는 다니엘 원장님을 재현했을 뿐만 아니라, 생전 처음으로 마음속 깊은 곳에 있는 자네의 모습을 모두 끄집어내어 나에게 펼쳐 보인 걸세. 나는 이제야 비로소 자네가 어떤 사람인지를 분명히 알았네. 이제 그것에 대한 이야기를 하도록 하지. 아니, 그럴 필요가 없을 것 같네. 나는 그럴 자격이 없어. 아, 골드문트! 우리에게 이런 순간이 찾아오다니!"

나르치스가 나지막하지만 감격에 찬 목소리로 말했다.

넓은 작업실 안에 잠시 정적이 감돌았다. 골드문트는 그의 친구이자 선생인 나르치스가 진심으로 감동하고 있다는 것을 알 수 있었다. 골드문트는 당황도 되고 어딘가 모르게 쑥스럽기도 해서 도망치고 싶을 지경이었다.

"그래요? 그렇다니 저도 무척 기쁩니다. 그런데 식사하러 갈 시간이 된 것 같은데요?"

골드문트가 짤막하게 말했다.

19

골드문트는 꼬박 두 해 동안 이 작품을 제작하는 데 매달렸다. 두 번째 해부터는 에리히를 완전히 제자로 삼았다. 그는 계단의 조각품에다 조그만 낙원을 만들었다. 아늑한 분위기 속에서 나무라든가 무성한 잎사귀라든가 잡초 같은 것이 자라고, 나뭇가지에는 갖가지 새들이 날아들었으며, 수풀 사이로는 여러 짐승의 몸통과 머리가 도처에서 튀어나왔다. 평화롭게 움트는 이 낙원의 한복판에 그는 성인들의 생애 중 몇 장면을 묘사했다.

그는 잠시도 딴생각하지 않고 작업에 몰두했지만, 드물게는 초조감으로 괜히 안절부절못하거나 작업에 염증을 느낄 때도 있었다. 그런 날이면 그는 제자에게 일을 맡기고서 들판을 걷는다든지 말을 타고 숲속으로 달려가서 자유롭게 방랑생활을 하던 시절의 향기로운 공기를 들이마시곤 했다. 또한 이곳저곳 돌아다니다 농사꾼의 딸을 만나기도 하고 사냥도 했다. 그런가 하면 푸른 풀밭에 몇 시간이고 드러누워 아치형 천장처럼 솟아 있는 숲의 꼭대기를 쳐다보기도 했으며, 양치식물이나 금잔화들로 뒤덮인 들판을 바라보기도 했다. 그렇지만 하루나 이틀 이상 작업실을 비운 적은 없었다. 그렇게 바람을 쏘이고 나면 그는 새로운 정열을 가지고 다시 일에 매달렸다. 잡초처럼 무성하게 뒤덮인 식물을 황홀한 감정으로 새기는 것은 물론이요, 인물의 굳게 다문 입과 눈과 곱슬곱슬한 머리카락과 엉킨 수염 등을 애정을 담아 섬세하게 새겨 나갔다.

이 작품에 대해 알고 있는 사람은 에리히와 나르치스뿐이었다. 나르치스는 자주 찾아왔는데, 어느새 골드문트의 작업실이 수도원 안에서 가장 좋아하는 공간이 되었다. 그는 작품을 관찰하면서 기쁨과 놀라움을 금치 못했다. 거기에서는 그의 친구가 불안과 긍지와 순진성으로 피워내는 온갖 꽃이 자라고 있었다. 그것은 하나의 창조였다. 그곳은 아늑했고, 온갖 생명이 어우러져 작은 우주를 이루었다. 이것 또한 즐거움을 구하는 유희라고 한다면, 논리학이나 문법이나 신학을 가지고 노는 유희 못지않았다.

나르치스는 어느 날 생각에 잠겨 이렇게 말했다.

"골드문트, 나는 자네한테 많은 것을 배우고 있네. 예술이 무엇인가 하는 것을 확실히 이해하기 시작했네. 전에는 예술이라는 것은 사상이나 학문에 비해 진지하지 못한 영역이라고 생각했었거든. 인간이란 정신과 물질로 구성되어 있는 불안정한 혼합물이며, 정신은 인간에게 영원한 것에 대한 인식을 열어주는 데 반해 물질은 인간을 끌어내려 무상한 것에 속박시킨다고 생각했던 거지. 따라서 자신의 삶을 숭고하게 하고 의미 있게 만들려면 감각적인 것에서 벗어나 정신적인 것을 향해 나아가지 않으면 안 되는 거라고 생각했었네. 내가 예술을 존중한다고 했었지만 그것은 의례적인 얘기였을 뿐, 속으로는 교만한 마음으로 예술을 경시하고 있었다네. 지금에야 비로소 나는 인식에 도달하는 길이 얼마나 다양한지를 깨달은 것 같아. 또한 정신의 길만이 유일한 길이 아니며 또한 최상의 길이 아닐지도 모른다는 것을 확실히 알게 됐네. 물론 나는 정신의 길에 남게 될 걸세. 하지만 자네는 그 반대의 길, 즉 감각의 길을 통해 대다수의 사상가들 못지않게 존재의 비밀을 깊이 파악하고 있다고 생각하네. 아니, 오히려 훨씬 더 생생하게 표현해 내고 있단 말이네."

"그렇다면 제가 상상력이 작용하지 않는 사고가 무엇인지 도무지 이해할 수 없다는 것을 납득했다는 말인가요?"

골드문트가 말했다.

"나는 그건 진즉에 깨우쳤네. 우리의 사고라는 것은 끊임없는 추상의 과정이지. 감각적인 것을 제거하고 순수하게 정신적인 세계를 구축하려는 시도라네. 하지만 자네는 그 반대로 언제 사라져버릴지 모르는 무상한 것들을 소중히 여기고 그것들을 가슴으로 받아들이면서 그 속에 세상의 의미가 들어 있다고 당당하게 주장하고 있지 않은가. 자네는 무상한 것들도 그냥 지나쳐버리지 않고 거기다 자신을 송두리째 바친단 말일세. 그렇게 스스로를 기꺼이 바침으로써 덧없는 것이 최고의 존재가 되고, 더불어서 영원히 살아 있는 숭고한 존재로 다시 태어나고 있지 않은가. 우리 같은 사상가들은 하느님의 존재에서 세속적 요소를 제거해 냄으로써 하느님에게 가까워지려고 노력하고 있는데, 자네는 하느님의 피조물을 사랑하고 재창조함으로써 하느님께 가까이 다가간다는 말일세. 물론 사상이나 예술이나 모두 인간이 만든 것으로서 불완전하다는 면에서는 마찬가지이지만, 예술 쪽이 더 사심 없이 순수하단 사실은 그 누구도 부인하지 못할 걸세."

"잘 모르겠습니다. 하지만 인생의 문제에 대범하게 대처하거나 절망을 물리치는 일은 사상가나 신학자들이 더 잘 해낼 것 같아요. 제가 오래전부터 당신을 부러워한 것도 풍부한 학식이 아니라 침착성과 평정을 유지하는 그 마음이었거든요. 지금도 당신의 초연함과 평화가 부러워요."

"골드문트, 나를 부러워할 것까지는 없네. 자네가 생각하고 있는 것 같은 그런 평화는 존재하지 않으니까. 평화라는 것이 확실히 있기는 하지만, 우리 내부에 지속적으로 존재하면서 언제까지고 우리 곁을 떠나지 않는 그런 평화는 존재하지 않아. 이 세상에 존재하는 유일한 평화는 잠시도 마음을 늦추지 않고 끊임없이 싸워서 새롭게 쟁취해내야만 유지되는 그런 것일 뿐이야. 그런데 자네는 내가 싸우고 있는 것을 본 적이 없을 거야. 공부하면서 싸우는 모습이나 기도하면서 싸우는 모습을 보지 못했을 테니까. 자네가 그런 모습을 보지 못한 것은 그리 나쁘지 않아. 아마 자네는 내가 자네보다 기분에 덜 좌우되는 것만 보고서 평화롭다고 생각하는 걸 거야. 하지만 그렇게 보이는 모습도 실은 싸움과 희생을 통해 얻은 결과일 뿐이지. 인생을 제대로 사는 사람이라면 다 마찬가지이겠지만."

"이 문제를 가지고 논쟁하려는 것이 아니에요. 당신도 제가 하고 있는 싸움을 모두 아는 것은 아닐 거고요. 지금처럼 곧 완성될 작품을 바라볼 때의 제 마음이 어떨지 짐작할 수 있겠어요? 작품이 완성되면 어딘가에 놓여지겠지요. 그러면 사람들이 얼마간 칭찬하는 말을 해줄 테고, 저는 텅 빈 작업실로 돌아올 거예요. 다른 사람들은 보지 못할지도 모르지만, 저는 그 작품 속에 제대로 표현하지 못한 점이 마음에 걸려 실망하고 슬퍼질 거예요. 그리고 텅 빈 작업실처럼 제 마음도 무엇을 빼앗긴 듯이 그렇게 공허해질 거고요."

"그럴지도 모르지. 그 점에선 상대방을 완전히 이해하는 것이 불가능할지도 몰라. 하지만 선의를 가지고 있는 인간이라면 누구나 똑같이 느끼는 것이 있지. 그것은 결국 우리의 작품이 우리 자신을 부끄럽게 만들 거란 사실이야. 그러니까 우리는 처음부터 다시 시작하지 않으면 안 되는 거고, 늘 새로운 희생을 바치지 않으면 안 된다는 거지."

그로부터 몇 주일 후 골드문트의 대작이 완성되어 작품이 공개되었다. 벌써 몇 해 전에 경험한 적이 있었던 일들이 반복되었다. 그의 작품은 다른 사람의 소유가 되어 관찰되고 비평받고 칭찬받았다. 사람들은 그를 칭찬하고 그에게 경의를 표했다. 하지만 그의 마음과 작업실은 텅 비어 있었다. 이 작품이 그런 희생을 치를 만한 가치가 있는지조차도 그는 알 수 없었다. 작품이 공개되던 날, 그는 신부들의 식탁에 초대를 받았다. 여러 가지 음식과 이 수도원에서 가장 오래 묵은 포도주가 나왔다. 골드문트는 훌륭한 생선 요리와 고기 요리를 맛보았다. 나르치스가 각별한 애정과 기쁨을 고스란히 드러내며 그의 작품을 치하하고 의미를 부여해주자, 오래 묵은 포도주 이상으로 골드문트의 마음이 달아오르며 푸근해졌다.

수도원장의 희망과 주문에 의해 새로운 작업이 벌써 구상되고 있었다. 수도원에 딸린 노이첼 마리아 성당의 제대(祭臺)를 만드는 것이었는데, 마리아브론 수도원 소속 사제 한 사람이 주임신부로 일하고 있는 곳이었다. 골드문트는 이 제대를 위해 성모 마리아의 이미지를 만들어내고 싶었고, 잊을 수 없는 그의 젊은 시절의 인물들 가운데 한 사람을 빌려올 생각이었다. 그는 아름답고 겁 많은 기사의 딸 리디아를 떠올렸다. 다른 측면에서는 이 작업이 그리 중요하게 생각되지 않았지만, 에리히에게 도제 수련을 쌓도록 하는 데는 좋은 기회가 될 터였다. 이 일을 통해 에리히의 재능이 입증되면 그는 에리히를 좋은 협력자로 삼아 평생을 곁에 두어야겠다고 마음먹었다. 그러면 에리히는 그를 보좌해 주면서 그의 역할을 대신하게 될 것이고, 그 자신은 특별히 관심이 끌리는 작업에 몰두할 수 있을 거라 생각했다. 이제 그는 자신이 염원하고 있는 제대를 만들기 위해 에리히와 함께 통나무들을 골라놓고 그것을 에리히한테 재단하도록 했다.

골드문트는 자주 에리히 혼자 일을 하도록 내버려둔 채 다시 숲과 벌판으로 떠돌아다니기 시작했다. 어느 날 골드문트가 며칠 동안이나 돌아오지 않자, 에리히는 그 사실을 원장한테 알렸다. 수도원장도 골드문트가 영영 돌아오지 않을까 하고 염려했다. 그러나 골드문트는 돌아왔고, 일주일 동안 리디아 상(像)을 만드는 일에 매달렸다. 하지만 리디아 상을 어느 정도 만든 다음 그는 다시 떠돌기 시작했다.

골드문트의 얼굴에 수심이 가득했다. 대작을 완성시키고 나서 그의 생활이 다시 무질서해진 것이다. 그는 아침 미사에 참례하지 않는 일이 많았고, 심한 초조와 불안 속에 빠져드는 일도 잦아졌다. 지금 그의 머릿속엔 니콜라우스 스승에 대한 생각으로 가득 찼고, 조만간 자기 자신도 니콜라우스처럼 되지 않을까 하는 두려움에 빠져 있었다. 하루하루 성실하고 충실하게 생활하다 보면 보다 세련된 작품이야 만들겠지만 자유와 젊음을 잃어버리지나 않을까 하는 걱정이 그를 괴롭혔던 것이다.

그는 얼마 전에 겪은 사소한 일이 자꾸만 마음에 걸렸다. 수도원을 나서서 잠깐 동안 떠돌아다니는 도중에 농사꾼의 딸인 프란치스카라는 귀염성 있는 처녀를 만났다. 그녀가 무척 마음에 들어서 그 여자를 가까이하려고 애를 썼다. 물론 사랑을 구하는 지난날의 구애의 기술을 모두 발휘했다. 처녀는 그의 잡담을 즐겨 듣는 것은 물론이고 그의 익살에도 싫지 않은 듯 깔깔대며 웃었으나 구애는 거절했다. 그는 자신이 젊은 여인들한테 늙은이로 보인다는 사실을 처음으로 알게 된 것이었다. 그 후로는 그곳에 가지 않았지만, 그 일은 오래도록 잊혀지지 않았다.

프란치스카가 옳았다. 그는 변해 있었던 것이다. 스스로도 그것을 느낄 수 있었다. 그것은 머리에 드문드문 생긴 흰머리나 눈가에 잡힌 몇 줄의 주름살 때문이라기보다는 오히려 태도나 심정 속에 있는 그 무엇 때문이었다. 그는 자신이 나이를 먹었다는 것을 마음속으로 받아들였다.

그런데 자기도 모르게 니콜라우스 스승과 닮아가고 있다는 사실이 느껴져서 그는 달갑지 않은 기분으로 자기 자신을 관찰해 보았다. 자신이 더 이상 젊지 않다는 것을 확인하게 되자 몹시 허탈했다. 그는 더 이상 자유스러운 몸이 아니었고, 한 곳에 발을 붙이고 사는 붙박이가 되고 만 것이었다. 이제는 독수리처럼 자유롭게 날아다닐 수도 없고, 들판의 토끼처럼 마음대로 뛰어다닐 수도 없게 되었다. 이제는 집에서 기르는 가축과 같은 신세가 된 것이다.

그는 충동을 못 이겨 밖으로 떠도는 날에도 새로운 방랑이나 자유를 갈구하기보다는 지난날을 떠올리며 회상에 잠기는 때가 많았다. 그는 마치 사냥개가 사라진 먹이의 냄새를 더듬는 것처럼 그리움과 슬픔에 젖어 과거를 떠올리곤 했다. 하루나 이틀씩 떠돌아다니다가 무엇엔가 이끌려 다시 돌아오긴 하지만 일이 영 손에 잡히지 않아 빈둥거릴 때도 적지 않았다. 그러다가는 양심의 가책 때문인지 마음이 웅크려들어 의기소침해지곤 했다. 작업실의 많은 것들이 그의 손길을 기다리고 있는 것 같았고, 이제 막 시작된 제단 작업을 진척시켜야만 했다. 또한 에리히에 대해서도 책임을 느꼈다. 그는 이제 더 이상 자유로운 몸이 아니었고, 더 이상 젊지도 않았다.

마리아 상 또는 리디아 상이 완성되면, 다시 한 번 길을 떠나 방랑생활을 해봐야겠다는 결심도 했다. 이렇게 오랫동안 수도원 같은 곳에 눌러 있거나, 남자들끼리만 모여서 생활하는 것은 좋지 않았다. 수도자들에게는 그것이 좋을지 모르지만 그에겐 그렇지 않았다. 남자들끼리는 마음을 터놓기도 하고 멋진 말이나 농담도 할 수 있어서 마음이 편했다. 또 그들은 예술가의 작업에 대한 이해심도 나름 깊어서 든든하고 믿음직했다. 하지만 그 밖의 모든 것, 가령 수다를 떤다거나 애교를 부린다거나 유희를 즐기기도 하면서 사랑을 나누는 일 등을 그들과 같이할 수는 없는 노릇이었다. 무거운 생각 같은 하지 않은 채 기분 좋게 즐기는 것은 남자들끼리는 제대로 되지 않았다. 기분이 좋아지려면 여인이 옆에 있든가 방랑 등을 통해 새로운 형상이 떠올라야만 했다. 그런데 지금 이곳에서 그를 둘러싸고 있는 것들은 어딘지 모르게 늙어 있었고, 진지하고 무겁고 남성적인 것뿐이었다. 그런데 어느새 그는 그런 분위기에 감염되어 있었다. 자기도 모르는 사이에 그것이 핏속으로 흘러들어온 것이다.

하지만 작품이 완성되면 다시 한번 길을 떠나 방랑생활을 한다는 계획이 그를 위로했다. 하루바삐 자유롭게 길을 떠나고 싶다는 생각이 들 때마다 그는 일에 더욱 열심히 매달렸다. 나무를 깎아감에 따라 리디아의 형상이 서서히 모습을 드러내기 시작했으며, 무릎 아래로 엄격한 느낌을 주는 옷주름이 새겨지자 기품 있고 고귀해 보이는 그녀의 인상이 한층 두드려졌다. 골드문트는 그 모습을 보면서 솟구치는 희열감에 어쩔 줄 몰라 했다. 당당하면서도 수줍어하는 기색이 역력한 처녀의 모습에서 첫사랑의 기억과 첫 여행을 떠났던 기억, 그리고 고통스러웠지만 아름다웠던 청춘의 기억이 되살아났다.

그는 경건한 마음으로 일에 몰두하면서 섬세하게 차근차근 조각해 나갔다. 그러는 동안 그녀의 모습은 그의 마음속에 품고 있는 최고의 가치와 하나가 되고, 무모한 열정으로 가득 찼던 그의 청춘과 하나가 되었으며, 아련하면서도 그리운 기억들과 하나가 되었다. 다소곳이 수그린 그녀의 목덜미, 다정다감하면서도 슬픔이 느껴지는 입, 가늘고 긴 손가락과 반달 모양으로 볼록한 장밋빛 손톱 등을 형상화하는 동안 그는 추억 속의 리디아가 눈앞에 있는 듯 행복해했다. 에리히도 차츰 드러나는 목상을 보고 찬탄을 금치 못했으며, 틈만 나면 경외심을 갖고 스승이 작업하는 모습을 지켜보았다.

작품이 거의 다 되어갈 때 골드문트는 그것을 수도원장한테 보였다. 작품을 보고 나서 나르치스가 말했다.

"골드문트, 이 작품이야말로 자네의 작품 가운데 가장 아름답군. 온 수도원 안에 이것과 비교할 만한 것은 없을 것 같아. 나는 지난 몇 달 동안 자네 때문에 걱정이 많았네. 자네는 불안해하고 괴로워하는 듯했어. 자네가 일손을 놓고 하루 이상 바깥에 나가 있으면 때로는 자네가 영영 돌아오지 않을지도 모른다는 생각이 들기도 했지. 하지만 자네는 지금 이렇게 놀라운 작품을 만들었네! 정말 기쁘고, 자네가 자랑스럽네!"

"그랬었군요. 이 마리아 상은 제 마음에도 들어요. 하지만 나르치스, 이 작품을 만들기까지 저는 제 모든 청춘을 바쳐야만 했어요. 청춘의 방황과 사랑, 수많은 여인들에 대한 구애 등이 필요했지요. 이 작품은 그러한 추억이 고여 있는 우물에서 퍼 올린 거예요. 하지만 이제 우물은 메말라 가고, 제 마음속은 허물어진 성터같이 황폐해질 게 분명해요. 저는 이 작품을 완성시키고 나면 한동안 휴가를 떠날 생각이에요. 얼마나 걸릴지는 저도 몰라요. 저는 제 청춘과 한때 저에게 너무나 소중했던 모든 것을 다시 한번 찾아보고 싶어요. 당신은 이해해 줄 거죠? 아니, 저는 당신의 손님으로 여기에 묵고 있고 여기서 한 일에 대한 보수도 받지 않았으니까……"

"자네한테 보수를 받으라고 여러 번 제의하지 않았나?"

나르치스가 골드문트의 말을 가로막았다.

"그랬지요. 이제는 그 제의를 받아들일게요. 작품이 완성되면 새 옷과 타고 갈 말이 필요해요. 그리고 노자도 좀 있어야 하고요. 그것을 당신한테 부탁할게요. 말을 타고 넓은 세상을 돌아다니고 싶어요. 나르치스, 슬퍼하지 말아요. 이곳이 마음에 들지 않아서 떠나는 것이 아니에요. 저한테 여기보다 더 편하고 좋은 곳이 어디 있겠어요? 다른 사정 때문에 그러는 것이니, 제 부탁을 들어주세요."

두 사람은 그 문제에 관해서는 더 이상 언급하지 않았다. 골드문트는 소박한 승마복과 장화를 만들게 했고, 여름이 가까워오기 전에 마리아 상을 마무리 지었다. 그는 자신의 마지막 작품이라도 한 듯이 온 정성을 기울여 두 손과 얼굴, 머리카락 등을 세심하게 손질했다. 어쩌면 그는 길을 떠나는 것을 미루고 있는 것처럼 보일 정도로, 마리아 상의 마무리 손질에서 손을 떼지 못하고 작업을 반복했다. 그렇게 하루하루가 지났고, 여전히 이것저것 챙길 일들이 계속 생겼다. 나르치스는 다가온 작별에 마음이 몹시 무거웠지만, 골드문트가 마리아 상에서 떠날 줄을 모르고 작업에 몰두하는 것을 보고는 어느 정도 안도하는 듯 희미하게 미소를 지었다.

그러던 어느 날 골드문트가 느닷없이 나르치스를 찾아왔다. 새 옷과 새 모자를 쓰고 작별 인사를 하러 온 것이었다. 골드문트는 이미 며칠 전에 고해성사를 했다. 그리고 간밤에 떠나기로 결심을 굳힌 다음 새벽 미사에도 참례했다. 그리고 길을 떠나기 전에 강복을 받고, 잘 있으라는 인사말을 하기 위해 온 것이었다. 두 사람 다 마음이 무거웠지만, 골드문트는 실제 마음과는 달리 무뚝뚝하면서도 무심한 듯이 행동했다.

"자네를 다시 만날 수 있겠지?"

나르치스가 물었다.

"당신의 멋진 말이 제 목을 비틀지 않는다면 다시 돌아와 만나게 되지 않을까요? 이곳에서는 당신을 나르치스라고 부르는 사람도 없고 걱정을 끼치는 사람도 없는데, 저라도 다시 와야지요. 안심하세요. 그리고 에리히를 잘 돌보아주고, 마리아 상에는 아무도 손을 대지 못하게 해주세요. 그것은 전에도 말했듯이 제 방에 그냥 둘 테니까, 열쇠를 다른 사람한테 넘겨주면 안 돼요. 부탁해요."

"여행이 기대되나?"

나르치스의 질문에 골드문트는 두 눈을 깜박거리며 잠시 생각에 잠긴 듯하다가 대답했다.

"그래요, 기다려 왔지요. 하지만 막상 떠나려고 하니 생각했던 것보다 즐겁지 않네요. 바보 같다고 비웃을 테지만, 저는 아직도 누군가와 헤어지는 것이 쉽지 않아요. 저의 이런 집착이 싫지만 잘 고쳐지지 않네요. 그것은 일종의 병일 거예요. 젊고 건강한 사람들은 이런 집착을 모르잖아요. 니콜라우스 스승도 그랬었지요. 아, 쓸데없는 말을 지껄여서 죄송해요. 나르치스, 저에게 강복을 주세요. 그럼 갈게요."

골드문트는 인사를 마친 다음 말을 타고 길을 떠났다. 그가 떠난 이후 나르치스는 친구를 떠올리는 시간이 점점 많아졌다. 그가 걱정되기도 했지만 그에 대한 그리움이 커졌다. 골드문트는 다시 돌아올까? 새처럼 둥지를 떠났던 그가 다시 돌아올까? 그 기묘하면서도 사랑스런 친구는 다시 정처 없는 여정에 올랐다. 그는 다시 욕망과 호기심에 이끌려 세상 여기저기를 떠돌아다닐 것이다. 어둡고 강한 충동을 이기지 못하고 마음을 걷잡지 못해 다 큰 아이처럼 돌아다닐 것이다. 하느님이 늘 그와 함께하시기를! 그가 무사히 돌아올 수 있기를! 지금 그는 불나비처럼 날아다니며 여자들을 유혹할 것이고, 자신의 욕망대로 움직일 것이다. 어쩌면 위험한 지경에 처해서 사람을 죽여 감옥 속에 갇혔다가 그곳에서 죽게 될지도 모른다. 나이 먹는 것을 한탄하고 슬퍼하면서도 어린아이 같은 눈으로 세상을 바라보는 그 친구가 왜 이렇게 걱정이 되는 걸까? 영원히 금발의 소년에서 벗어나지 못할 이 친구는 어쩌자고 이렇게 남의 애를 태우는 것일까? 왜 그 친구 때문에 걱정하지 않으면 안 되는 걸까?

하지만 나르치스는 그를 떠올릴 때마다 마음속에서 솟아오르는 기쁨을 감추지 못했다. 이 짓궂은 반항아를 제어해서 길들이는 것은 정말 쉽지 않지만, 외곬이었던 그가 또다시 굴레에서 벗어나 세상으로 뛰쳐나가 모험을 감수한다는 사실은 도리어 '골드문트답다.'는 생각이 들어 유쾌하게 받아들였다.

수도원장 나르치스는 저녁기도를 마치고 나면 거의 매일 친구 생각이 떠올랐다. 사랑과 그리움 속에서 그에 대한 고마운 마음과 함께 걱정이 떠나지 않았다. 때로는 자신을 돌아보며 미심쩍은 생각이 들어 자책을 하기도 했다. 자신이 그를 얼마나 사랑하고 있으며 그가 변하지 않길 얼마나 간절하게 바랐는가를, 그와 그의 예술을 통해 자신이 얼마나 풍요로워졌는가를 그에게 좀 더 많이 털어놓아야 하지 않았을까? 그는 친구에게 자신의 마음을 잘 드러내지도 않았고, 자신의 변화에 대해서도 별 이야기를 하지 않았다. 지나치다 싶을 정도로 이야기를 하지 않은 것 같았다. 그러지 않았다면 그 친구를 붙잡아둘 수 있었을지도 모를 일이었다.

하지만 나르치스가 골드문트에 의해 풍부해진 것만은 아니었다. 그는 골드문트로 인해 오히려 더 마음이 가난하고 약해졌다. 하지만 다행스럽게도 그런 모습을 친구에게는 드러내지 않았다. 그가 고향으로 여기며 살고 있는 세계, 수도원 생활과 그의 직책, 그의 학식과 훌륭하게 짜여진 사상 등이 그 친구로 인해 이따금 충격을 받고 크게 동요하기도 했었다. 수도원의 관점이나 이성과 도덕의 기준으로 본다면 그 자신의 생활은 의심할 여지가 없을 정도로 올바르고 안정되고 정돈되어 있으며 모범적이었다. 그것은 잘 짜여진 질서 속에서 준엄하게 봉사하고 부단하게 희생하며, 밝음과 선한 것을 향해 끊임없이 노력하는 삶이었다. 예술가나 방랑자나 바람둥이들의 생활보다 훨씬 깨끗하고 올바른 삶이었다.

그런데 하느님의 관점이나 하늘나라의 기준으로 본다면, 과연 어떨까? 모범적인 삶의 질서와 규율에 대한 순종, 세속적 욕망과 감각적 쾌락의 단념, 더러움과 피 묻히는 일을 멀리하고 철학과 기도에만 몰입하면서 일관되게 신에 대한 공경으로 가득 찬 자신의 삶을 골드문트의 삶보다 더 낫다고 할 수 있는 걸까? 인간이란 존재는 미사나 기도 시간을 알려주는 종소리처럼 그렇게 규칙적으로 살아가도록 만들어진 것일까? 아리스토텔레스와 토마스 아퀴나스를 연구하고, 희랍어에 정통하고, 관능을 억제하며 세속에서 벗어나는 것만이 인간의 소임일까? 인간은 하느님에 의해 만들어질 때부터 관능의 충동, 피 끓는 욕망, 죄 짓기 쉬운 성향, 쾌락을 즐기고 절망에 빠질 수도 있는 성향을 갖고 태어나는 것은 아닐까? 나르치스는 생각이 친구에게로 달려갈 때마다 이런 의문점들을 떨쳐내지 못했다.

그렇다! 골드문트처럼 사는 인생을 그저 호기나 부리는 경박함이라거나 어쩔 수 없는 인간의 한계라고 단정 지을 수는 없는 일이다. 그것은 오히려 세상에 등을 돌리고서 깨끗한 생활을 하거나 사상의 정원을 조화롭게 꾸며놓고서 몸에 티끌 하나 묻히지 않은 채 잘 가꾸어진 화단 사이를 거니는 것보다 훨씬 인간적일는지 모른다. 또한 삶의 끔찍한 흐름과 혼돈에 자신을 내맡긴 채 죄를 짓기도 하고 죄의 쓰디쓴 결과를 받아들이며 사는 편이 훨씬 더 당당하고 위대한 일인지도 모른다. 혹은 다 닳아 빠진 신발을 신고 숲속이나 시골길을 헤매기도 하고 감각의 쾌락을 즐기다가 고통의 대가를 치르면서 살아가는 편이 더 힘들고 용감하며 고귀한 삶인지도 모른다.

아무튼 나르치스는 골드문트를 통해 다음과 같은 사실을 깨달았다. 아무리 고귀한 천성을 갖고 태어난 사람이라도 걷잡을 수 없는 삶의 아수라장에 깊숙이 빠져들면 피투성이가 되거나 수많은 오물로 더럽혀질 수 있다는 사실이었다. 그런데 신기하게도 골드문트는 천박하거나 비겁하지 않았고, 그의 영혼 안에 깃들여 있는 거룩함도 사라지지 않았다. 어두운 욕망에 깊숙이 빠져들어 방황하는 중에도 그의 영혼 속에서는 성스러운 빛과 창조력이 반짝이고 있었던 것이다. 나르치스는 친구의 혼란스런 삶을 깊이 들여다보았다. 그렇다고 해서 친구에 대한 사랑이나 존경하는 마음이 조금이라도 줄어든 것은 아니었다. 도리어 내면의 형식과 질서에 의해 빛을 발하는 놀랍도록 평온한 형상이 골드문트의 더럽혀진 두 손에서 만들어지는 것을 지켜보며 놀라지 않을 수 없었다. 영혼의 빛이 넘쳐흐르는 내밀한 표정들과 정갈한 식물과 꽃들, 애원하며 매달리는 것 같기도 하고 축복을 청하는 것 같기도 한 기도 손, 대담하면서도 섬세하고 당당하고 성스러운 몸짓들이 어우러져 자애롭고 거룩한 마리아의 형상이 완성되는 것을 보며 크나큰 감동에 사로잡혔다. 그때부터 나르치스는 이 불안정한 예술가이자 유혹자인 이 친구의 가슴속에 충만된 빛과 신의 은총이 잠재되어 있음을 알게 되었다.

나르치스는 골드문트와 대화를 나눌 때마다 자신의 우월성을 드러내면서, 친구의 정열을 자신의 규율과 정돈된 생각으로 견제하곤 했다. 그렇게 하는 것은 그에게 그다지 어려운 일이 아니었다. 그러나 골드문트가 만든 마리아 상은 한 사람의 사상가가 해낼 수 있는 모든 것보다 더 현실감 있고 생기 넘치며 그 무엇으로도 대체할 수 없는 유일무이한 것이었다. 몸짓 하나하나, 눈빛이나 입 모양, 머리카락 한 올이나 옷에 잡힌 주름 하나까지도…… 엄청난 고통과 갈등에 시달렸던 이 예술가는 현재와 미래의 무수한 인간들을 위해 그들이 겪을 고난과 슬픔을 형상으로 보여준 것이 아닐까. 그리하여 사람들은 경건함과 경외심, 고뇌와 그리움을 끌어 안고서 그가 만든 형상들을 찾아오지 않을까? 어떤 사람은 외경의 대상인 그 형상 앞에서 무릎 꿇고 기도할 것이고, 어떤 사람은 그녀의 미소 속에서 한없는 위로를, 또 다른 사람은 무한한 신뢰를, 그리고 또 다른 사람은 보다 강한 격려를 받게 되지 않을까.

감회에 젖은 나르치스는 그를 처음 만났던 소년 시절의 어느 날부터 시작하여 그 친구를 가르치고 이끌어준 나날들을 떠올리며 슬픈 미소를 지었다. 골드문트는 나르치스의 우월함과 스승 역할을 인정했으며, 늘 감사하는 마음으로 가르침을 받아들였다. 그리고 세월이 흘렀고, 그 친구는 자신의 상처받은 인생의 격정과 고뇌 속에서 태어난 작품을 소리 없이 높이 쳐들어 보였다. 거기엔 의도된 말이나 어떤 가르침, 교훈이나 경고 따위는 들어 있지 않았으며 오직 진리를 향해 나아가는 참된 생활만 있을 뿐이었다. 거기에 비한다면 지식과 수도원의 규율과 변증으로 똘똘 뭉쳐진 자신의 삶은 얼마나 협소하고 초라한 것인지!

곰곰 생각에 잠겨 있던 나르치스의 뇌리에 이런 의문들이 맴돌았다. 지난날 자신은 골드문트의 마음을 뒤흔들어놓았고 경고를 주었으며, 그의 청춘에 개입하여 그의 삶이 새로운 세계로 옮아가는데 적지 않은 역할을 한 것이 사실이다. 그런데 골드문트가 돌아온 후부터는 달라졌다. 오히려 골드문트가 자신에게 생각거리를 주고 충격을 주었으며, 자신이 믿고 있는 것에 대해 회의하게 하고 자신을 되돌아보지 않을 수 없게 만들었다. 이제 골드문트는 나르치스와 대등한 존재가 된 것이다. 나르치스가 친구인 골드문트에게 무엇을 주었든 간에 나르치스는 그 모든 것을 다시 골드문트로부터 되돌려 받은 것 같았다.

골드문트가 길을 떠나자 나르치스는 혼자 생각에 잠길 때가 많았다. 그렇게 여러 주일이 지나갔고, 진즉에 핀 밤나무 꽃이 까맣고 딱딱하게 굳은 지도 제법 오래되었다. 황새가 정문의 탑 위에 둥지를 틀어 새끼를 낳은 다음 날갯짓을 가르친 지도 제법 오래되었다. 골드문트가 떠나 있는 시간이 길면 길수록 나르치스는 그 친구가 자기에게 얼마나 소중한 존재인지를 새삼 깨달았다. 수도원 안에는 몇 분의 학자 신부들이 계셨다. 플라톤에 정통한 분도 있었고, 훌륭한 언어학자도 있었으며, 세련된 생각을 가진 한두 분의 신학자도 있었다. 수도자들 가운데도 진실되고 언제나 변치 않는 성실한 사람이 몇 있었다. 하지만 자기와 비슷한 사람, 진지하게 자신과 견줄 만한 사람은 아무도 없었다. 그렇게 할 수 있는 사람은 오직 골드문트뿐이었다. 그런데 그 친구가 떠나고 나자 그의 마음이 몹시 가라앉았다. 그는 멀리 떠난 골드문트를 떠올리며 그리워했다.

그는 종종 작업실에 들러 조수 에리히를 살펴보며 격려해 줬다. 에리히는 제대 만드는 일을 계속하면서 스승이 돌아올 날만 고대하고 있었다. 나르치스는 때때로 골드문트의 방문을 열어보기도 했다. 그 방에는 마리아 상이 보관되어 있었다. 나르치스는 조각상을 덮은 천을 조심조심 걷어낸 다음 그 옆에 웅크리고 앉아 시간을 보내기도 했다. 그는 이 조각상의 내력에 대해서는 전혀 아는 것이 없었다. 골드문트가 리디아에 관한 이야기를 그에게 해준 적이 없었던 것이다. 하지만 나르치스는 모든 것을 느낌으로 짐작하고 있었다. 그녀의 자태가 오랫동안 친구의 가슴속을 차지하고 있었다는 것을 알 수 있었다. 친구는 그녀를 유혹하고, 기만하고 버렸을지도 모른다. 하지만 골드문트는 세상의 그 어떤 훌륭한 남편보다도 더 진실되게 그녀를 자신의 영혼 속에 간직하고 있었을 것이다. 아마 오랜 세월 동안 그녀를 만나지 못하고 가슴에 품고 있다가 드디어 이 아름답고 감동적인 처녀의 인물상을 만들어냈고, 사랑하는 사람만이 표현할 수 있는 경탄과 그리움을 그녀의 얼굴과 자태에 섬세하게 담아냈을 것이다.

식당의 낭독대에 새겨진 인물들을 통해서도 그는 자신의 친구가 살아온 내력을 읽어낼 수 있었다. 그것은 충동을 이기지 못하고 정처 없이 떠돌아다니는 유랑자의 내력이었으며, 고향도 없고 의지할 곳도 없는 한 인간의 생애였다. 하지만 그 작품 속에는 훌륭하고 진실된 생명과 사랑이 가득 담겨 넘쳐흘렀다. 넘치는 사랑처럼 신비로 가득 찬 그 친구의 삶은 얼마나 아름다웠을까! 넘실대는 물결처럼 아름다운 그 친구의 삶은 얼마나 신비로운 것이었을까! 그리고 그러한 그의 삶이 남긴 이 작품들은 얼마나 고귀하고 명징한가!

나르치스는 마음속의 갈등과 수도 없이 싸웠다. 그리고 마침내 그 갈등을 이겨냈다. 그는 자신이 가야 하는 정해진 길에서 벗어나지 않았으며, 자신이 해야만 하는 책무나 봉사도 소홀하게 여기지 않았다. 하지만 오직 하느님과 자신의 직분에만 충실해야 할 자신의 마음이 지나칠 정도로 친구에게 쏠려 있다는 것을 깨닫고 괴로웠으며, 또한 그를 잃었다는 상실감으로 슬퍼했다.

20

여름이 지나갔다 양귀비와 도깨비부채꽃, 과꽃 등이 시들어 사라졌고, 연못의 개구리도 조용해졌다. 황새는 높이 날아 떠나갈 준비를 하고 있었다. 그 무렵 골드문트가 돌아왔다.

보슬비가 내리는 어느 날 오후, 그는 수도원 쪽으로 들어가지 않고 정문에서 곧장 작업실로 향했다. 말이 보이지 않는 것으로 보아 걸어서 온 모양이었다.

골드문트가 들어오는 것을 보고 에리히는 깜짝 놀랐다. 단번에 그가 스승인 골드문트라는 것을 알아보고 반가운 마음에 가슴이 마구 요동쳤으나 선뜻 다가가지는 못했다. 다시 돌아온 사람이 진짜 골드문트일까 하는 생각이 들만큼 전혀 딴 사람처럼 보였기 때문이다. 그는 예전에 비해 훨씬 나이 들어 보였고, 잿빛 얼굴은 윤기가 사라져 부석부석했다. 움푹 팬 눈에 수척해진 모습이 병에 시달리고 있는 것 같았다. 그렇다고 괴로워하는 흔적도 보이지 않았으며, 오히려 흐뭇해하는 것 같은 미소가 잔잔히 떠올라 인자한 인상을 주었다. 그는 두 다리를 끌다시피 하며 간신히 걸음을 옮겼는데, 병이 들었거나 몹시 지친 것 같았다.

이처럼 딴 사람이 되어 낯설게 느껴지는 골드문트는 기묘한 시선으로 젊은 조수를 바라보았다. 그는 먼 길에서 돌아왔다고 법석을 떨지도 않았고, 마치 조금 전까지 옆방에 있다가 나온 사람처럼 행동했다. 그는 에리히에게 악수를 청하면서도 아무 말을 하지 않았다. 그는 인사말도 하지 않았고, 뭔가를 물어보지도 않았다. 그는 '잠을 자야겠다.'라는 말만 했을 뿐이었다. 그는 극도로 지쳐 있는 것 같았다.

그는 에리히를 내보내고 작업실 옆에 붙어 있는 자기 방으로 들어갔다. 거기서 그는 모자와 신발을 벗은 다음 침대 쪽으로 다가갔다. 천에 싸여 있는 마리아 상이 여전히 방 한구석에 있는 것을 보고, 그는 마리아 상을 향해 고개를 끄덕였다. 그러나 천을 벗겨내고 그것을 살펴보려고 하지는 않았다. 그 대신 창가로 다가가더니, 당황한 에리히가 바깥에서 기다리고 있는 것을 보고 소리쳤다.

"에리히, 내가 돌아온 것을 아무한테도 이야기하지 마라. 나는 너무 지쳤어. 내일 아침에 인사해도 늦지 않을 거야."

그러고는 옷을 입은 채로 침대에 드러누웠다. 그렇게 얼마간을 누워 있어도 잠이 오지 않자 그는 일어나서 무거운 몸을 끌고 벽 쪽으로 걸어갔다. 그는 벽에 걸려 있는 조그만 거울을 들여다보았다. 그는 거울 속에서 자신을 마주 바라보고 있는 인간을 유심히 바라보았다. 기진맥진한 골드문트, 지치고 나이 먹고 시들어버린 사나이가 서 있었다. 수염은 벌써 하얗게 세어 있었다. 의지할 데도 없어 보이는 노인네가 흐릿한 거울의 표면에서 자신을 바라보고 있었다. 잘 아는 얼굴이긴 했지만 낯설게 변해 있었고, 제정신을 잃은 허깨비처럼 무심한 얼굴이었다.

거울 속의 얼굴은 이런저런 아는 얼굴을 떠올리게 했지만 그와는 아무 관계도 없는 사람처럼 여겨졌다. 니콜라우스 스승의 얼굴도 슬그머니 떠올랐고, 언젠가 그에게 제복을 맞춰주었던 노(老)기사의 모습도 떠올랐다. 또 성당에서 보았던 성(聖)야곱의 얼굴도 떠올랐다. 늙은 털보 야곱은 순례 모자를 쓰고 있었는데, 호호백발 노인이었지만 무척 명랑하고 친절해 보였다. 이 낯선 사람에 대해서 자세하게 알아두는 것이 무척 중요한 일인 것처럼, 그는 거울 속의 얼굴을 요모조모 뜯어보았다. 잠시 후 그가 고개를 끄덕여보이자 다시 아는 얼굴인 것 같았다. 그렇다! 거울 속의 얼굴은 다름 아닌 그 자신의 모습이었다. 그가 그 자신에 대해서 가지고 있는 감정과 딱 들어맞는 얼굴이었다. 몹시 지친데다 어느 정도 무뚝뚝해진 노인이 여행에서 돌아왔던 것이다. 보기에도 허름한, 무엇 하나 내세울 것도 없는 노인이 거기에 있었다.

하지만 그는 그 노인에게 딱히 불만도 없었으며, 오히려 호감이 생겼다. 그 노인의 얼굴에서는 젊은 시절의 아름답던 골드문트가 갖지 못했던 그 무엇인가가 우러나왔다. 지치고 쇠락해 있었지만, 만족감 또는 초연함이 엿보이는 표정을 지니고 있었다. 그가 아무 뜻 없이 빙긋이 웃자 거울 속에 있는 모습도 같이 웃었다. 여행에서 돌아와 보니 이렇게 멋지게 변할 줄이야! 잠시 바깥출입을 하고 돌아온 사이에 누더기 옷을 걸치고 까맣게 그을어 있었다. 말과 짐과 돈만 잃고 온 것이 아니라 다른 것도 없어지고 그에게서 떠나버렸다. 청춘, 건강, 자신감, 얼굴의 홍조, 형형하던 눈매 등이 그에게서 떠나가고 말았다. 하지만 거울에 비친 이 모습이 그는 마음에 들었다. 이 나이 먹고 쇠약해진 노인네가 오히려 그가 오랫동안 지니고 다녔던 골드문트보다 훨씬 마음에 들었다. 이전에 비해 늙고 쇠약하고 초췌한 모습이었지만, 그럴수록 더 순진무구하고 만족스러워 보여 이전보다 더 사이좋게 지낼 수 있을 것 같았다.

그는 웃으면서 옷자락에 떨어진 머리카락 한 올을 떼어내고 침대 위에 드러누웠다. 그리고 깊은 잠 속으로 빠져들었다.

이튿날, 그가 방 안에 놓인 책상에 기대어서 스케치를 하고 있는데 나르치스가 그를 찾아왔다. 그는 문 앞에 서서 말했다.

"자네가 돌아왔다는 말을 들었네. 이렇게 무사히 돌아오니 정말 반갑군. 정말 기뻐. 자네가 나를 찾아오지 않아 내가 이렇게 왔다네. 혹시 일에 방해가 되었나?"

나르치스가 좀 더 가까이 다가섰다. 골드문트는 이젤에서 몸을 일으키며 손을 내밀었다. 에리히가 귀띔을 해주었는데도 그는 친구의 변한 모습에 흠칫 놀랐다. 친구는 다정하게 미소 지으며 말했다.

"네, 돌아왔어요. 잘 지냈지요, 나르치스? 오랜만이에요. 바로 찾아뵙지 못해 죄송합니다."

나르치스는 친구의 두 눈을 들여다보았다. 그가 보기에도 친구의 얼굴

336

은 빛을 잃고 애처로울 정도로 시들어버렸지만, 또 다른 면모 역시 눈에 띄었다. 놀랍도록 편안한 풍모에 평정과 초연함까지도 느껴졌다. 마음을 비우고 보기 좋게 늙어가는 노인의 기품까지 엿보였다. 사람의 표정을 읽는 데는 이골이 난 나르치스는 너무나 낯설게 변해버린 골드문트가 딴사람처럼 느껴졌고, 그가 알고 있던 골드문트는 이제 이 세상에 존재하지 않는다는 생각까지 들었다. 그의 영혼은 이미 현실에서 까마득히 먼 곳으로 떠나 꿈길을 걷고 있거나 혹은 벌써 피안의 세계로 통하는 문턱까지가 있는지도 모를 일이었다.

"어디 아픈가?"

나르치스가 조심스럽게 물었다.

"네, 좋지 않아요. 여행을 시작한 지 며칠 되지 않아 앓기 시작했어요. 하지만 금세 돌아오고 싶지 않았어요. 제가 그렇게 빨리 돌아와서 승마화를 벗어던졌으면 당신은 '그것 봐.' 하면서 저를 놀렸을 거예요. 그게 싫어서 계속 길을 재촉해 떠돌아다녔어요. 떠날 때 그렇게 큰소리를 치고 떠났는데, 여행을 성공적으로 마치지 못해 부끄럽고 면목이 없어요. 당신은 현명한 사람이니까 금방 이해할 거예요. 그런데 방금 저한테 무슨 말을 물었어요? 도깨비한테 홀린 것처럼 무슨 말을 하고 있는지도 곧잘 잊어버리곤 해요. 그런데 제 어머니 말인데요, 그건 당신 말이 맞았어요. 정말 슬픈 일이긴 하지만, 그래도……."

중얼거리는 소리가 잦아들더니 미소로 바뀌었다.

"자네의 건강을 되찾도록 노력해 보세. 골드문트, 곧 좋아질 거야. 그런데 왜 몸이 불편해졌을 때 바로 돌아오지 않았나? 우리 사이에 부끄러워할 게 뭐 있겠나? 좀 더 빨리 돌아왔더라면 좋았을 텐데."

골드문트가 웃었다.

"그래요, 이제야 알았어요. 그런데 그냥 돌아올 엄두가 나지 않더군요. 정말 수치스러운 행동이라고 생각했어요. 하지만 이렇게 돌아왔잖아요. 건강도 다시 좋아질 거예요."

"몹시 앓았었나?"

"앓았느냐구요? 네, 지독하게 앓았지요. 하지만 앓는다는 것도 아주 좋더군요. 그것이 제 본심으로 돌아가게 한 것 같아요. 이젠 부끄러워하지 않아요. 당신이 제 생명을 구하기 위해 감옥으로 저를 찾아왔을 땐 얼마나 부끄러운지 입술을 깨물지 않을 수 없었거든요. 지금은 그것도 다 지나가고 말았지만요."

나르치스는 골드문트의 팔을 잡고 맥을 짚어보았다. 골드문트는 이내 입을 다물고 미소를 지으며 눈을 감았다. 나르치스는 깜짝 놀라 수도원의 의사인 안톤 신부를 부르러 갔다. 의사를 데리고 돌아왔을 때 골드문트는 그림 그리던 책상 곁에 앉은 채로 잠들어 있었다. 두 사람은 그를 침대로 옮겼다.

의사는 그의 병이 절망적이라고 생각했다. 그는 병실로 옮겨졌다. 에리히가 시중을 들기 위해 그의 옆에 남아 지키고 있었다.

골드문트가 마지막 여행에서 겪은 우여곡절은 결국 하나도 밝혀지지 않았다. 이런저런 일에 대해 그가 토막토막 이야기했으나 많은 부분을 추측에 의존할 수밖에 없었다. 그는 멍하게 누워 있을 때가 많았다. 때로는 열이 오르고 헛소리까지 했다. 때때로 의식이 돌아오면 그럴 때마다 골드문트는 나르치스를 불렀다. 나르치스에게는 골드문트와의 마지막 대화가 대단히 중요한 일이 되었다.

"제가 언제부터 앓기 시작했는가 하면, 떠나던 첫날부터였어요. 저는 숲속으로 말을 몰았는데, 말과 함께 넘어졌어요. 개울로 굴러 떨어지는 바람에 하룻밤을 차디찬 물속에 처박혀 있었어요. 그 사고로 갈빗대가 부러졌고, 그때부터 늑골 안쪽이 아프기 시작했어요. 그곳은 여기서 그리 멀지 않은 곳이었지만 그대로 돌아오는 것이 싫었어요. 유치한 생각 같겠지만 비웃음을 살 거라고 생각했지요. 그래서 저는 계속 말을 몰고 달렸어요. 너무나 아파서 더 이상 말을 탈 힘이 없어지자 말을 팔았고요. 그런 다음에 어떤 병원에서 기나긴 시간 누워 있었어요. 저는 거기서 그냥 주저앉았지요. 나르치스, 이젠 말을 탈 수도 방랑생활을 할 수도 없어요. 춤판이나 여자들한테도 기웃거릴 수 없게 되었지요. 만약 그렇지 않았더라면 저는 더 오래, 아마도 몇 년이고 바깥으로 떠돌아다녔을 거예요. 바깥 세계가 더 이상 저에게 기쁨을 주지 않는다는 것을 깨닫게 되자, 제 목숨이 다하기 전에 스케치도 몇 개 더 하고 조각도 몇 점 더 만들어야겠다는 생각이 들더군요. 사람이란 뭔가 즐거운 일을 찾게 마련인 것 같아요."

나르치스가 그에게 말했다.

"자네가 돌아와 주어서 너무나 기쁘네. 자네가 없는 것이 얼마나 서운한지, 나는 날마다 자네를 생각했네. 다시 돌아오지 않을까봐 얼마나 걱정을 했는지 아마 자네는 모를 거야."

골드문트가 고개를 저었다.

"제가 없어진다고 해도 마음의 상처가 크지 않았으면 해요."

나르치스는 슬픔과 사랑으로 가슴이 터질 것만 같았다. 그런 마음을 간신히 억누른 채 천천히 골드문트 쪽으로 허리를 굽혔다. 그리고 골드문트의 머리카락과 이마에 입을 맞췄다. 두 사람의 우정이 계속되던 기나긴 동안 한 번도 해보지 않은 행동을 지금 하고 있는 것이었다. 처음에는 어리둥절해했지만, 골드문트는 어떤 일이 벌어지고 있는지를 알아차리고는 가슴이 뭉클해져서 갈망하는 눈빛으로 나르치스를 물끄러미 바라보았다.

나르치스가 골드문트의 귀에 대고 낮은 목소리로 소곤거리듯이 말했다.

"골드문트, 좀 더 일찍이 자네에게 이야기할 수 없었던 것을 용서해 주게. 주교님의 관할 도시에서 감옥으로 자네를 찾아갔을 때, 아니, 자네가 만든 최초의 작품을 보게 되었을 때 나는 자네에게 이 이야기를 했어야 했네. 늦었지만 오늘 자네한테 내가 자네를 얼마나 사랑하고 자네가 나에게 얼마나 소중한 존재였는지, 또 자네가 내 생활을 얼마나 풍요롭게 해주었는지 등을 털어놓고 싶네. 하지만 자네에게는 별다른 의미가 없을지도 몰라. 사랑에 익숙해 있는 자네한테는 사랑이라는 것이 진귀한 게 아닐 수도 있으니까. 자네는 수많은 여인들한테서 귀찮을 정도로 사랑을 받지 않았나. 그러나 나는 다르다네. 나는 사랑에 굶주리고 있었네. 나는 항상 그 최상의 것에 굶주리고 있었지. 다니엘 원장은 나에게 오만하다고 말씀하신 적이 있어. 아마 그분 말씀이 옳을 거야. 나는 사람들에게 공정해지려고 무척 애를 썼고 또한 부당하지 않았다고 자부하지만, 사람을 사랑한 적은 없다네. 수도원 안에 두 분의 학자가 있다면 나는 학식이 더 높은 분을 좋아했고, 약점이 있는 사람을 바로 그 약점에도 불구하고 좋아하지는 않았어. 그런데도 내가 사랑이 무엇인지 안다고 한다면 그것은 모두 자네 덕분일세. 모든 사람들 가운데서 유독 자네만은 사랑할 수 있었으니까. 그것이 나에게 어떤 의미가 있는 것인지 자네는 짐작도 할 수 없을 거야. 그것은 사막 속에 있는 오아시스요, 황량한 들판에서 꽃을 피우는 나무와 같은 것일세. 가슴이 황폐하게 메마르지 않고 하느님의 은총이 닿을 수 있는 자리 하나가 내 안에 남아 있다면, 그것은 오직 자네 덕분이네."

골드문트는 기쁜 듯, 그러나 다소 당황한 듯 빙그레 웃었다. 의식이 돌아왔을 때 그는 나지막하고 침착한 목소리로 말했다.

"교수대에서 구출되어 당신과 같이 이곳으로 오는 도중에 제가 돌보던 점박이 블레스의 안부를 묻자 당신은 친절하게 대답해 주었어요. 저는 그때 평소에 말들을 거의 분간조차 하지 못하는 당신이 블레스를 염려해 주고 신경 써줬다는 것을 알게 되었지요. 저를 위해 그렇게 해주었다고 생각하고 얼마나 기뻤는지 몰라요. 그리고 지금, 저는 당신이 저를 정말로 사랑했다는 것을 알게 되었어요. 저 역시 언제나 당신을 사랑했지요. 나르치스, 제 인생의 절반은 당신의 사랑을 구하는 일이었어요. 제가 당신한테 잘 보이고 싶어서 한 일이 얼마나 많은지 알아요? 당신도 저를 좋아하고 있다는 것을 알고는 있었지만 당신처럼 자아가 강한 사람이 그것을 저에게 말하게 되리라고는 상상도 못했어요. 그런데 지금 당신이 저한테 사랑했다고 말했어요. 저에게 아무것도 남아 있지 않은 바로 이 순간에…… 방랑도 자유도, 세상도 여자들도 모두 저를 버리고 만 지금 이 순간에 말이에요. 저는 당신의 그 사랑을 받아들이면서 동시에 감사하단 말을 하고 싶어요."

리디아 혹은 마리아 상이 방 한가운데 서서 그들을 지켜보고 있었다.

"자네는 언제나 죽음을 생각하나?"

나르치스가 물었다.

"네, 자주 생각해요. 뿐만 아니라 제가 살아온 인생이 어떻게 될까도 생각해요. 어릴 때나 학생 시절에는 당신처럼 지성적인 사람이 되고 싶었어요. 그런데 제 소명은 그것이 아니라는 것을 당신이 깨우쳐주었지요. 그래서 저는 그 삶의 반대편, 즉 감각의 세계로 몸을 던졌어요. 여자들 덕분에 관능의 세계에서 쉽게 쾌락을 얻을 수 있었지요. 여자들은 싫은 내색 없이 기꺼이 응해 주었고, 저는 매우 행복했었거든요. 그리고 감각의 세계에도 영혼이 깃들 수 있다는 것을 체험하는 행운도 누렸지요. 바로 거기에서 예술이 탄생했으니까요. 하지만 관능의 불꽃도 예술의 불꽃도 모두 꺼져버리고 말았어요. 이제는 여자들이 저를 향해 줄달음질쳐 온대도 저는 더 이상 그 행복을 손에 넣지 않을 거예요. 그리고 예술 작품을 만드는 것도 더 이상 저의 소망이 아니에요. 지금까지 싫증나도록 조각상을 만들었고, 숫자가 중요한 건 아니니까요. 저는 이제 죽을 때가 된 거 같고, 저는 기꺼이 죽음을 맞이할 생각이에요. 왠지 죽는다는 것에 대해 호기심이 생겨요."

"호기심이 생기다니 무슨 뜻이지?"

나르치스가 물었다.

"그런 말이 어리석게 들릴지도 모르겠네요. 하지만 저는 정말 죽음에 대한 호기심이 있어요. 그렇다고 내세가 궁금하다는 건 아니에요. 나르치스. 내세에 대해서는 거의 생각지도 않아요. 고백해도 좋다면, 저는 내세를 믿지 않아요. 내세 같은 것은 존재하지도 않는단 말이에요. 말라죽은 나무가 다시 살아날 리 없고 얼어 죽은 새가 다시 살아날 리 없듯이 인간도 죽으면 마찬가지 아닐까요. 죽고 나면 얼마 동안은 그 사람을 생각할지 모르지만 그것도 오래가진 않을 거예요. 제가 죽음에 호기심을 갖는 것은 제가 여전히 어머니를 찾아가고 있다는 믿음 혹은 꿈을 간직하고 있기 때문일 거예요. 그런 의미에서 저는 죽음이 크나큰 행복이라고 생각해요. 맨 처음 사랑이 이루어졌을 때처럼 크나큰 행복이 되었으면 좋겠어요. 그리고 감각이 죽는 대신 아무것도 없는 순진무구한 상태로 어머니가 저를 이끌어갈 것이라는 생각이 떨쳐지지가 않아요."

그날 이후 골드문트는 며칠째 아무 말도 하지 않았다. 그 뒤 나르치스가 마지막으로 골드문트를 찾아갔을 때 그는 생기가 돌아온 듯 말을 하고 싶어 했다. 그래서 나르치스는 이렇게 물었다.

"안톤 신부님 말씀으로는 자네가 종종 심한 통증에 시달렸을 거라고 하더군. 골드문트, 그런데 자네는 어떻게 그토록 조용히 참아 나갈 수가 있나? 지금도 자네는 평온을 찾은 것처럼 보이니 말이야."

"하느님과 함께하는 평온 말인가요? 저는 그런 평온은 찾아본 적이 없어요. 그리고 저는 하느님과 함께하는 평온 따위는 바라지도 않아요. 하느님이 세상을 악하게 만드셨으니까, 우리는 하느님을 찬양할 필요가 없는 거 아니에요? 제가 하느님을 찬양하든 하지 않든 하느님은 관심도 없을 거예요. 하지만 제 가슴속의 고통만큼은 평온하게 받아들이고 있어요. 그것은 정당해요. 예전에는 고통을 잘 견뎌내지 못하고 죽을지도 모른다는 생각을 자주 했는데, 그건 잘못된 생각이었어요. 죽음이 심각한 문제로 다가왔을 때, 그러니까 하인리히 백작의 감옥에 갇혔을 때 그냥 죽을 수는 없다는 생각이 분명히 들더군요. 그러기엔 제가 너무 강했고 너무 거칠었지요. 그러니까 그때 저를 죽이려면 제 손발을 하나씩 잘라내어 죽이지 않으면 안 됐을 거예요. 하지만 이제는 달라졌어요."

말을 하는 동안 골드문트의 목소리는 차츰 기력을 잃어갔다. 나르치스는 무리하지 말라고 그를 타일렀다.

"괜찮아요. 저는 이 얘기를 당신한테 해야 해요. 예전 같았으면 부끄러워서 당신한테 이야기하지 못했을 거예요. 당신이 들으면 웃을 얘기니까요. 그러니까 얼마 전에 제가 당신에게 말을 얻어 타고 이곳을 떠났을 때, 무턱대고 길을 나선 것만은 아니었어요. 하인리히 백작이 다시 그 고장에 와 있고, 그의 애첩 아그네스가 함께 있다는 소문을 들었기 때문이에요. 이런 얘기는 당신한테 그다지 중요하지 않을 거예요. 지금은 저한테도 그리 중요한 일이 못 되니까요. 하지만 당시에는 그 소식을 듣자 가만히 있질 못할 정도로 피가 끓고 아그네스에 대한 생각만으로 가득 차 있었어

342

요. 그 여자는 제가 알고 있는 여자 중에서, 그리고 또 제가 사랑한 여자 중에서 가장 아름다운 여자였어요. 저는 그녀를 다시 만나서 한 번 더 그녀와 사랑을 나누고 싶었지요. 그래서 저는 말을 타고 달렸고, 일주일 후에 그녀를 찾아냈어요. 그런데 그 사이에 제 몸이 변해 있었던 거예요. 아그네스는 다시 보아도 여전히 아름답더군요. 그녀를 찾아낸 저는 기회를 잡아 그녀 앞에 다가가 말을 걸었어요. 하지만 나르치스, 그녀는 저 같은 인간은 상종도 하지 않으려 들더군요. 저는 그녀와 어울리기엔 너무 늙었고 무기력해 보였던 거죠. 한때는 목숨까지 걸고 사랑했던 여자였지만, 지금은 저와는 아무 상관도 없는 존재가 되고 말았던 거예요. 그것으로 저의 여행은 사실상 종말을 고하고 말았지요. 하지만 저는 계속 앞만 보고 말을 몰았어요. 그처럼 실망하고 초췌한 몰골로 당신이 있는 이곳으로 돌아오는 것이 정말 싫었거든요. 그리고 그렇게 비참한 모습으로 말을 타고 갈 때, 힘도 젊음도 지혜도 모두 바닥나 버린 거예요. 아무튼 말과 함께 낭떠러지에서 굴러 개울 속에 떨어졌고 늑골이 부러진 채 물속에 처박혀 있었으니까요. 그때 생전 처음으로 진짜 통증이 몸속을 관통했어요. 말에서 떨어질 때 저는 가슴속에서 뭔가가 부러지는 것을 느꼈는데, 오히려 그렇게 부러진 것이 기뻤어요. 부러지는 소리도 기분 좋게 들었고, 그 사고에 만족했지요. 물속에 나자빠져서 '이제 이렇게 죽는구나.'라는 생각이 들더군요. 하지만 감옥에 있을 때와는 전혀 다른 느낌이었어요. 아무런 저항감도 없는 거예요. 죽음이라는 것이 더 이상 나쁘게 생각되지만은 않더군요. 그때부터 격렬한 통증이 찾아왔어요. 그런 와중에 꿈까지 꾸었지요. 당신 같으면 헛것을 보았다고 했을 거예요. 저는 그대로 누워 있었고, 가슴은 도려내는 듯이 아팠어요. 몸부림을 치고 비명을 질렀는데, 그때 누군가가 웃는 소리가 들려왔어요. 어린 시절 이후 한번도 들은 적이 없는 목소리였지요. 그것은 어머니의 목소리였어요. 그윽한 여성의 목소리, 쾌감과 사랑이 가득 담긴 목소리였어요. 그래서 저는 '어머니로구나. 어머니가 내 곁에 있었구나.' 하는 생각을 했어요. 어머니가 제 옆으로 와서 저를 무릎에 앉히더니 제 가슴을 풀어헤쳐 손가락을 갈빗대 사이에다 넣고 제 심장을 끄집어내려 하더군요. 그 광경을 지켜보고 그것을 이해했을 때는 벌써 통증이 사라진 뒤였어요. 지금 그 고통이 다시 찾아온다 해도 그것은 더 이상 고통이나 두려움으로 느껴지지 않을 거예요. 그것은 제 심장을 끄집어내는 어머니의 손가락이니까요. 어머니는 부지런히 손을 놀렸어요. 때로는 누르기도 하고, 때로는 쾌감을 맛보듯이 신음소리를 내기도 해요. 때로는 웃기도 하고, 애정을 담뿍 담은 목소리로 속삭이기도 해요. 때로는 제 옆에 있지 않고 높은 하늘에 떠 있어요. 구름 사이로 어머니의 얼굴이 보여요. 구름 덩어리처럼 커다란 얼굴이에요. 어머니는 둥둥 떠다니면서 슬픈 미소를 짓고 있어요. 그 슬픈 미소가 저를 끌어당기고, 제 심장을 가슴속에서 꺼내가는 것 같아요."

골드문트는 계속해서 어머니에 대해 이야기했다. 그리고 마지막 날 나르치스에게 물었다.

"당신은 아직도 기억하고 있나요? 제가 저의 어머니를 잊고 있었을 때 당신이 이상한 힘을 가지고 불러내 주었었지요. 그때도 몹시 슬펐어요. 마치 사나운 짐승의 이빨이 제 심장을 물고 늘어지는 것 같았거든요. 그때 저는 아직 소년이었지요. 그러나 그때도 어머니는 저를 불렀고, 저는 그 뒤를 따르지 않을 수 없었어요. 어머니는 어디를 가도 있었어요. 때로는 집시 여인 리제의 모습으로 나타나기도 했고, 니콜라우스 스승의 아름다운 마리아 상으로도 나타났어요. 그녀는 삶 자체였고, 사랑이며 쾌락 그 자체였어요. 그런가 하면 때로는 불안과 굶주림과 충동으로 나타나기도 했어요. 그런데 이제는 죽음의 모습으로 온 거예요. 지금도 제 가슴속에 손가락을 집어넣고 있네요."

"너무 말을 많이 하지 말게, 이 사람아. 내일 또 하면 되지 않겠나."
나르치스가 말했다.

골드문트는 입가에 엷은 미소를 띠며 나르치스의 눈을 들여다보았다. 여행에서 가지고 돌아온 새로운 미소였다. 너무나 늙어 보이기도 하고, 때로는 좀 멍해 보이기도 했지만 선의와 지혜가 가득 찬 듯한 그런 미소였다. 골드문트가 소곤대듯이 다시 말했다.

"나르치스, 저는 내일까지 기다릴 수가 없어요. 저는 이제 당신하고 작별을 해야만 해요. 작별 인사로 저는 당신에게 모든 걸 다 이야기하고 싶어요. 조금만 더 들어주세요. 저는 어머니의 손길이 제 가슴을 둘러싸고 있다는 것을 말하고 싶단 말이에요. 몇 해 전부터 어머니의 형상을 만드는 것이 제가 가장 하고 싶은 소중한 소망이었어요. 그 모습이 저에겐 모든 형상 가운데서 가장 성스러운 것이었거든요. 저는 그것을 언제나 제 가슴속에 품고 있었어요. 사랑과 신비가 가득한 모습이었지요. 얼마 전까지만 해도 어머니의 형상을 만들지 못하고 죽을지도 모른다는 생각이 들면 정말 견딜 수가 없었어요. 그렇게 되면 제가 살아온 삶 전체가 아무 소용없는 것이라고 생각했으니까요. 그런데 지금 와서 보니 놀랍게도 저는 늘 어머니와 함께 있었던 거예요. 어머니와의 관계는 참으로 이상해요. 제 손으로 어머니의 형상을 만들어내는 것이 아니라, 어머니가 저를 만들었으니 말이에요. 그리고 지금은 제 심장에 손을 대어 심장을 끄집어내고 저를 텅텅 비게 하여 죽음에의 길로 인도하고 있는 거예요. 저와 함께 저의 꿈도 죽을 테고, 아름다운 형상이나 위대한 인류의 어머니인 이브의 모습도 사라지고 말 거예요. 또 그 모습이 보이네요. 만약 손을 움직일 수 있다면 그 모습을 그릴 수 있을 텐데, 어머니는 그것을 원치 않네요. 오히려 제가 죽기를 바라는 것 같아요. 저는 기꺼이 죽을 거예요. 어머니 덕분에 편하게 갈 수 있을 것 같아요."

나르치스는 두려움 속에서 친구의 말에 귀를 기울였다. 이야기를 잘 알아들으려면 친구의 얼굴에 닿을 정도로 몸을 깊숙이 숙여야 했다. 어떤 말은 제대로 들리지도 않았고, 또 어떤 말은 들리기는 했지만 무슨 뜻인지 알아들을 수가 없었다.

골드문트는 다시 한 번 눈을 뜨더니 친구의 얼굴을 한참 동안 바라보았다. 그는 눈으로 친구에게 작별을 고하고 있었던 것이다. 그리고 애써 고개를 가로저으려는 듯한 동작을 취하며 소곤거리듯이 나지막하게 말했다.

"나르치스⋯⋯. 언젠가 한 번은 죽을 텐데, 당신은 죽음을 어떻게 맞을 건가요? 당신한테는 어머니도 없잖아요. 어머니가 없으면 사랑도 할 수 없고, 어머니가 없으면 죽을 수도 없을 텐데……."

그러고 나서 다시 무어라고 중얼거렸으나 더 이상 알아들을 수가 없었다.

마지막 이틀 동안 나르치스는 밤낮을 가리지 않고 친구의 침대 옆에 앉아 그의 생명이 사그라지는 것을 지켜보았다. 그리고 골드문트가 마지막으로 남긴 말이 그의 가슴속에서 불꽃처럼 활활 타오르기 시작했다.

헤르만 헤세 연보

1877   7월 2일 독일 남부 슈바벤 주의 뷔르템베르크의 소도시
            (小都市) 칼브(Calw)에서 선교사의 아들로 출생.
1881~1886 부모와 함께 스위스 바젤로 이사하여 거주.
1883   아버지가 스위스 국적을 취득.
1886   칼브로 되돌아와 1889년까지 실업학교(實業學校)에 다님.
1890~1891 신학교 시험 준비를 위해 괴핑엔의 라틴어 학교에 다님.
            뷔르템베르크 국가시험에 합격.
1891   마울브론 수도원 부속학교에 입학.
1892   신학교 중퇴. 부적응과 신경쇠약증 발병.
            자살 기도(6월). 정신요양원 생활(6~8월).
            칸슈타트 인문고등학교 입학(11월).
1893   학업 중단.
1894~1895 칼브의 시계부품공장 견습공 생활.
1896   튀빙겐에서 서점 점원으로 일하며 글을 쓰기 시작.
            삶의 안정을 찾음.
1899   처녀시집 〈낭만적인 노래들 *Romantische Lieder*〉 출간.
            산문집 〈한밤중 이후의 한 시간 *Eine Stunde hinter
            Mitternacht*〉 출간.
1901   첫 이탈리아 여행(플로렌스, 제누아, 피사, 베니스).

1902	〈시집 *Gedichte*〉 출간. 모친 사망.
1903	두 번째 이탈리아 여행(플로렌스, 베니스).
1904	출세작 〈페터 카멘친트 *Peter Camenzind*〉 출간.
	6만 부 이상 판매. 경제적으로 안정되며 문학의 길 전념.
	평전 〈보카치오 *Boccaccio*〉, 〈프란츠 폰 아시시 *Franz von Assisi*〉 출간.
	9세 연상의 피아니스트 마리아 베르누이(Maria Bernoulli)와 결혼.
1905	장남 브루노(Bruno) 출생.
1906	〈수레바퀴 아래서 *Unterm Rad*〉 출간.
1907	중단편 소설집 〈이 세상에 *Diesseits*〉 출간.
1908	단편집 〈이웃사람들 *Nachbarn*〉 출간.
1909	취리히, 독일, 오스트리아로 강연 여행. 빌헬름 라베 방문. 둘째 아들 하이너(Heiner) 출생.
1910	장편 〈게르트루트 *Gertrud*〉 출간.
1911	시집 〈도중에 *Unterm Rad*〉 출간.
	셋째 아들 마르틴(Martin) 출생. 인도 여행.
1912	단편집 〈우회로들 *Umwege*〉 출간. 스위스 베른으로 이주.
1914	장편 〈로스할데 *Rosshalde*〉 출간.
	전쟁 초에 군 입대를 자원하였으나 복무 부적격 판정을 받아, 베른에서 '독일 포로 구호' 기구에 복무하며 전쟁포로들과 억류자들을 위하여 잡지 발행. 자신의 출판사를 만들어 1918년에서 1919년까지 스물두 권의 소책자를 펴냄.
1915	〈크눌프. 크눌프 삶의 세 가지 이야기 *Knulp. Drei Geschichten aus dem Leben Knulps*〉 출간.
	시집 〈고독한 사람의 음악 *Musik des Einsamen*〉, 단편집 〈길가 *Am Weg*〉 출간.
1916	단편집 〈청춘은 아름다워라 *schön ist die Jugend*〉 출간.

	부친 사망. 아내와 막내아들의 병으로 신경쇠약 발병.
	첫 심리치료 받음.
1919	에밀 싱클레어라는 필명으로 〈데미안 *Demian - Die Geschichte Jugend*〉 출간.
	폰타네 문학상 반려.
	정치평론집 〈짜라투스트라의 귀환. 어느 독일인이 독일 젊은이들에게 보내는 한마디 *Zarathustras Wiederkehr. Ein Wort an die deutsche Jugend von einem Deutschen*〉 출간.
	가족과 헤어져 홀로 스위스 테신 주의 몬타뇰라로 이주해 1931년까지 거주.
1920	색채 소묘를 곁들인 열 편의 시 〈화가의 시들 *Gedichte des Malers*〉, 〈방랑 *Wanderung*〉, 단편집 〈클링조어의 마지막 여름 *Klingsors Letzter Sommer*〉 출간.
	도스토예프스키에 대한 에세이 〈혼돈을 들여다보기 *Blick ins Chaos*〉 출간.
1921	〈시선집 *Ausgewählte Gedichte*〉 출간.
1922	〈싯다르타 *Siddhartha*〉 출간.
1923	〈싱클레어의 수첩 *Sinclairs Notizbuch*〉 출간.
	아내 마리아 베르누이와 이혼.
1924	스위스 국적 재취득.
	20살 연하 루트 벵어(Ruth Wenger)와 재혼.
1925	〈요양객 *Kurgast*〉 출간. 작가 토마스 만을 방문.
1926	〈그림책 *Bilderbuch*〉 출간.
	프로이센 예술원 문학분과의 국제위원으로 선출됨.
1927	〈황야의 이리 *Der Steppenwolf*〉 출간. 루트 벵어와 이혼.
1928	수상록 〈관찰 *Betrachtungen*〉, 시집 〈위기 *Krisis*〉 출간.
1929	시집 〈밤의 위로 *Trost der Nacht*〉 출간.

1930	〈나르치스와 골드문트 *Narziß und Goldmund*〉 출간.
1931	18세 연하 니돈 돌빈(Ninon Dolbin)과 재혼.
1932	〈동방 순례 *Die Morgenlandfahrt*〉 출간.
1933	단편집 〈작은 세계 *Kleine Welt*〉 출간.
1934	시선집 〈생명의 나무에서 *Vom Baum des Lebens*〉 출간.
1935	〈우화집 *Fabulierbuch*〉 출간.
1936	시집 〈정원에서의 시간 *Stunden im Garten*〉 출간.
1937	〈기념첩 *Gedenkblätter*〉, 〈신(新) 시집 *Neue Gedichte*〉, 〈마비된 소년 *Der lahme Knabe*〉 출간.
1939~1945	독일에서 헤세의 작품이 불온하다고 간주되어 출판금지령이 내려짐.
1942	취리히에서 〈시집 *Gedichte*〉이 헤세의 첫 시선집으로 나옴.
1943	〈유리알 유희 *Das Glasperlenspiel*〉 출간.
1945	동화집 〈꿈의 여행 *Traumfährte*〉 출간.
1946	〈전쟁과 평화 *Krieg and Frieden*〉 출간. 프랑크푸르트 시의 괴테상 수상. 〈유리알 유희〉로 노벨문학상 수상.
1951	〈후기 산문 *Späte Prosa*〉, 〈서간집 *Briefe*〉 출간.
1952	75회 생일 기념으로 선집 출간.
1955	후기 산문 〈마법 *Beschwörungen*〉 출간. 서독 출판협회로부터 평화상 수상.
1956	헤르만 헤세 상 재단 설립(바덴 뷔르템베르크 독일 예술후원회).
1962	8월 9일 뇌출혈로 몬타놀라에서 사망. 아본디오 묘지에 안치됨.

지와 사랑

2판 1쇄 인쇄 | 2022년 9월 30일
2판 1쇄 발행 | 2022년 10월 6일

지은이 | 헤르만 헤세
옮긴이 | 김지영
펴낸이 | 윤옥임
펴낸곳 | 브라운힐
서울시 마포구 신수동 219번지
대표전화 (02)713-6523, **팩스** (02)3272-9702
등록 제 10-2428호

ISBN 978-89-90324-80-1
값 18,000원